Méthodes & Techniques

Français

NOUVEAU PROGRAMME

CLASSES DES LYCÉES

Denis Bertrand
Agrégé de Lettres modernes

Christophe Desaintghislain
Professeur formateur

Sébastien Hébert
Certifié de Lettres modernes

Daniel Lequette
Agrégé de Lettres modernes

Christian Morisset
Agrégé de Lettres modernes
Ancien élève de l'École Normale Supérieure

Evelyne Pouzalgues-Damon
Agrégée de Lettres classiques

Patrick Wald Lasowski
Agrégé de Lettres modernes

© 2011 Nathan
25 avenue Pierre de Coubertin – 75013 Paris
ISBN : 978-2-09-161661-2

Coordination éditoriale : Christine Asin
Édition : Sylvie Hano
Coordination artistique : Évelyn Audureau
Composition et gravure : Alinéa
Iconographie : Maryse Hubert
Lecture/correction : Nathalie Rachline, Jean Pencreac'h
Fabrication : Françoise Leroy

Avant-propos

À la fois guide et ouvrage de référence pour accompagner les classes de Seconde et de Première, *Méthodes et Techniques* conduit vers la maîtrise de l'analyse des textes et des procédés de l'expression écrite et orale. Il s'appuie sur des explications claires et des activités progressives.

Les fondamentaux : la maîtrise de la langue et l'étude de l'image

La première partie de l'ouvrage établit les repères qui fondent l'étude de la langue à travers son histoire et ses règles. Chaque chapitre définit ainsi un aspect fondamental comme : l'emploi des mots, la structure de la phrase, les niveaux de langue et les figures de style.

La deuxième partie de l'ouvrage s'attache à renouveler l'analyse de l'image, en présentant ses grandes caractéristiques, mais aussi l'évolution de sa construction, de ses rapports avec la société jusqu'à son usage actuel.

Les objets d'étude au bac : les genres littéraires

Le manuel *Méthodes et Techniques* explique clairement les caractéristiques des nouveaux objets d'étude et permet d'acquérir de manière progressive les savoirs à maîtriser. Chaque grand genre se décompose en trois parties.

1. Les repères généraux. Ce sont les caractéristiques générales de chaque genre littéraire : le roman, le théâtre, la poésie, l'argumentation.

2. Les objets d'étude de la classe de Seconde sont vus à travers plusieurs chapitres : *Le roman et la nouvelle au XIXe siècle : réalisme et naturalisme ; La tragédie et la comédie au XVIIe siècle : le classicisme ; La poésie du XIXe au XXe siècle : du romantisme au surréalisme ; Genres et formes de l'argumentation : XVIIe et XVIIIe siècles.*

3. Les objets d'étude des classes de Première : *Le personnage de roman du XVIIe siècle à nos jours ; Le texte théâtral et sa représentation du XVIIIe siècle à nos jours ; Écriture poétique et quête du sens, du Moyen Âge à nos jours ; La question de l'Homme dans les genres de l'argumentation du XVIe siècle à nos jours ;* et, pour la classe de Première L : *Vers un espace culturel européen : Renaissance et humanisme ; Les réécritures du XVIIe siècle jusqu'à nos jours.*

Les épreuves du bac : les compétences à acquérir

La quatrième partie du manuel répond aux exigences de l'épreuve écrite et de l'examen oral. Chaque chapitre explique étape par étape comment répondre aux questions sur le corpus, préparer et rédiger le commentaire, la dissertation, l'écriture d'invention et réussir l'oral.

Les notions et les méthodes d'écriture sont illustrées par un exemple concret, analysé et commenté. Des exercices progressifs multiplient les mises en application des démarches à maîtriser. De nombreuses activités renvoient directement à la préparation des épreuves. C'est ainsi que les « Exo-bac » et les sujets de préparation à l'examen ponctuent chaque chapitre de manière à évaluer l'acquisition des connaissances et des savoir-faire par les élèves.

SOMMAIRE

LA LANGUE

SOMMAIRE

Le théâtre

SOMMAIRE

L'argumentation

SOMMAIRE

LES ÉPREUVES DU BAC

Les questions sur corpus

Le commentaire

La langue

L'histoire d'une langue

Parlée par des millions de personnes, la langue est en perpétuelle évolution. Mais d'où vient-elle ? Comment s'est-elle transformée au fil des siècles ? Comment s'est-elle unifiée à partir de ses nombreux dialectes ? Se transforme-t-elle encore aujourd'hui ?

OBSERVATION

Construction de phrase latine

Éléments lexicaux déjà francisés

Les serments de Strasbourg

En 842, deux petits-fils de Charlemagne, Charles le Chauve et Louis le Germanique se jurent assistance devant leurs soldats contre leur frère aîné Lothaire. Leurs deux armées ne parlant pas la même langue – celle de Charles, le roman, celle de Louis, le francique –, chacun prête serment dans la langue de l'autre afin d'être compris par se témoins. Ce fait historique, rapporté par un autre petit-fils de Charlemagne, Nithard nous donne la toute première trace écrite de l'ancien français.

Le serment, en langue romane

Pro deo amur et pro christian poblo et nostro commun salvament, d'ist di in avant, in quant deus savir et podir me dunat, si salvarai eo cist meon fradre Karlo, et in adiudha et in cadhuna cosa, si cum om per dreit son fradra salvar dift. In o quid il mi altresi fazet. Et ab Ludher
5 nul plaid nunquam prindrai qui meon vol cist meo fradre Karle in damno sit.

Le serment en français actuel

Pour l'amour de Dieu et pour le salut commun du peuple chrétien et le nôtre, à partir de ce jour, autant que Dieu m'en donne savoir et pouvoir, je défendrai mon frère Charles, ici présent, et par aide et en chaque chose, comme on doit par le droit défendre son frère. À condition qu'il en fasse autant pour
5 *moi. Et avec Lothaire je ne traiterai jamais aucun accord qui soit, par ma volonté, au préjudice de mon frère Charles, ici présent.*

QUESTIONS

1. « Amur », « christian », « fradre », « salvament », « cosa », « prindrai » : quelles modifications observez-vous de la langue romane au français actuel ?

2. Le mot « plaid » signifie accord, traité. Quelle famille de mots actuels, dans le domaine juridique, est issue de ce terme ?

3. Il y a un écart important entre la langue qui a donné naissance au français au IXe siècle et le français contemporain. Toutefois la construction du serment reste toujours la même : quelles en sont les caractéristiques ?

1 Les origines du français (Empire romain)

■ **Le latin tardif.** La langue française vient, pour l'essentiel, du latin tardif importé en Gaule et en Belgique par les soldats de l'Empire romain. Le celte que parlaient les Gaulois ne s'est conservé que dans des noms de lieux et des mots du lexique agricole : *talus, bouleau, chêne, chemin, cervoise, ruche, braie* (qui a donné *braguette*).

■ **La langue romane.** La *lingua romana* forme le fonds essentiel de la grammaire et du lexique français. Notre langue fait ainsi partie de la famille des langues romanes.

2 L'Ancien français (xᵉ-xivᵉ siècle)

■ **La langue d'oc et la langue d'oïl.** Le français est d'abord une langue orale qui s'est formée insensiblement, en altérant la prononciation et la grammaire du latin. Les gens voyageant peu, de nombreux dialectes sont apparus. Ceux-ci se sont constitués en deux grands groupes : la langue d'oïl au nord de la Loire, la langue d'oc au sud (« oïl » et « oc » désignant les deux manières de dire « oui »).

■ **La stabilisation de la langue.** Dès les xiᵉ et xiiᵉ siècles, de nombreux textes (poésies, romans) stabilisent la langue que les troubadours (au sud) et les trouvères (au nord) transmettent de villes en châteaux. La syntaxe se transforme (apparition des articles), le lexique vient du latin populaire des Gaules, du francique (la langue des envahisseurs Francs, qui a donné « France ») et, dans une moindre mesure, du celte.

Repère

Dialecte et langue

Le dialecte est la forme géographiquement localisée d'une langue, avec un système phonétique, syntaxique et lexical propre. Exemples : dialectes normand, picard ou bourguignon du français d'oïl.
Le patois est la forme locale d'un dialecte.
Il faut distinguer les dialectes des langues que sont, par exemple, le breton, l'alsacien ou le basque.

3 Le Moyen français (xvᵉ-xviᵉ siècle)

■ **La volonté de glorifier le français.** Les progrès foudroyants de l'imprimerie assurent la domination du dialecte d'Île-de-France (le « francien »). L'ordonnance de Villers-Cotterêts, édictée par François Iᵉʳ en 1539, impose le « langage maternel françois ». Humanistes et poètes se battent pour sa promotion comme langue de culture.

■ **Un enrichissement spectaculaire du lexique.** Ce combat se traduit par un enrichissement massif du vocabulaire : le moyen français fournit plus de la moitié de notre dictionnaire actuel ! Les mots issus de formation populaire et de formation savante sont nombreux : *cheval / équestre ; travail / labeur ; eau / aquatique...*

4 Le français moderne (xviiᵉ-xxᵉ siècle)

■ **La codification culturelle de la langue.** Le français moderne s'est stabilisé à partir du xviiᵉ siècle. La centralisation politique, la normalisation de l'orthographe, le développement du « bon usage », l'écriture en français des ouvrages savants comme des œuvres littéraires, les découvertes scientifiques et techniques fixent la langue.

■ **La normalisation d'une langue nationale.** Après la Révolution, le français devient « langue nationale ». On cherche à éliminer les langues régionales (breton, basque, alsacien, flamand...). Les normes se renforcent au xixᵉ et au xxᵉ siècle. La IIIᵉ République est appelée parfois République des instituteurs (ils « instituent » la langue).

5 L'évolution actuelle (xxiᵉ siècle)

Les médias de masse revalorisent l'oral, mais en le soumettant aux normes de l'écrit. Toutefois la langue parlée continue à évoluer : affaiblissement du subjonctif, suppression du « ne » (« Il est pas venu »), réduction des pronoms relatifs, recul du verbe, création lexicale par abréviation (« télé »), par siglaison (« TV »), par emprunts (lexique anglo-américain) et transferts (« souris » d'ordinateur).

EXERCICE 1 •

Un des tout premiers textes en français, *La Cantilène de sainte Eulalie*, date du IXᵉ siècle. C'est le récit de vie d'une jeune martyre. Dans le court extrait suivant, en langue romane (ancêtre du français), relevez les éléments lexicaux déjà francisés (verbes, noms, adjectifs).

Texte du IXᵉ siècle
Buona pulcella fut Eulalia
Bel auret corps, bellezour anima
Voldrent la veintre li Deo inimi
Voldrent la faire diaule servir

Traduction en français actuel
La jeune Eulalie était un modèle de perfection.
Elle avait un beau corps, une âme plus belle encore.
Les ennemis de Dieu voulurent la vaincre,
Ils voulurent lui faire servir le diable.

EXERCICE 2 •

1. Comparez les extraits ci-dessous, l'un en ancien français (XIIᵉ siècle), l'autre traduit en français moderne. Lisez-les à haute voix. Relevez ce qui s'est transformé sur le plan de la forme écrite (signes de ponctuation, orthographe, rythme, rimes…).
2. Relevez ce qui s'est transformé du point de vue de la morphologie (verbes, genre et nombre des noms) et du lexique.

Texte du XIIᵉ siècle
Sur la mer en Cornuaile
La tur querree fort e grant
Jadis la fermerent jeant
De marbre sunt tut li quarel
5 Asis e junt mult ben e bel
Eschekerez esteit le mur
Si cum de sinopre e d'azur

Tristan et Iseut (« La Folie Tristan d'Oxford »), XIIᵉ siècle.

Traduction en français actuel
Sur le rivage de Cornouailles
Se dressait le donjon, solide et massif.
Des géants l'ont construit jadis.
Les blocs de pierre, tous de marbre,
5 Étaient posés et joints avec art.
Le mur était comme un échiquier
De sinople[1] et d'azur alternés.

1. sinople : émail vert.

EXERCICE 3 •

Relevez les transformations entre les deux états de la langue (XIIIᵉ siècle et XXIᵉ siècle) et classez vos observations (orthographe, syntaxe, morphologie, lexique). Que concluez-vous sur les transformations observées ?

Texte du XIIIᵉ siècle
Emprès tot ce d'orgueil te garde ;
Car qui entent bien et esgarde,
Orgueil est folie et pechiez ;
Et qui d'orgueil est entechiez,
5 Il ne puet son cuer aploier
A servir ne a souploier.
Orgueilleus fet tot le contraire
De ce que fins amans doit feire.

GUILLAUME DE LORRIS et **JEAN DE MEUNG**
Le Roman de la rose, vers 2113 à 2120, XIIIᵉ siècle

Traduction en français actuel
Ensuite, garde-toi de l'orgueil, car pour celui qui sait entendre et regarder, l'orgueil est folie et péché ; et celui qui est entaché d'orgueil ne peut plier son cœur à servir ni à supplier. L'orgueilleux fait tout le contraire de ce que doit faire un parfait amant.

EXERCICE 4 •

Comparez les deux versions du texte en français du XVIᵉ siècle et en français moderne. Quelle évolution de la langue constatez-vous ?

Texte du XVIᵉ siècle
Quand Pantagruel fut né, qui fut bien esbahy et perplex ? Ce fut Gargantua, son père. Car, voyant d'un cousté sa femme Badebec morte, et de l'aultre son fils Pantagruel né, tant beau et tant grand, ne sçavoit que dire ny que faire, et le doubte que troubloit son entendement estoit assavoir s'il devoit plorer pour le dueil de sa femme ou rire pour la joye de son fils.

FRANÇOIS RABELAIS, *Pantagruel*, chap. 3, 1532

Traduction en français actuel
Quand Pantagruel fut né, qui fut bien ébahi et perplexe ? Ce fut Gargantua son père. Car, voyant d'un côté sa femme Badebec morte, et de l'autre son fils Pantagruel nouveau-né, si beau et si grand, il ne savait que dire ni que faire, et ce qui troublait son esprit, c'était de ne pas savoir s'il devait pleurer de douleur à cause de sa femme, ou rire de joie à cause de son fils.

FRANÇOIS RABELAIS, « L'Intégrale », *Pantagruel*, chap. 3, traduction, Éd. du Seuil, coll. Points, 1997.

XERCICE 5 •

Transposez ce texte en français contemporain et classez les modifications que vous avez dû opérer.

Qu'on loge un philosophe dans une cage de menus filets de fer clair-semez, qui soit suspendue au hault des tours nostre Dame de Paris ; il verra par raison évidente, qu'il est impossible qu'il en tombe ; et si ne se sçauroit
5 garder (s'il n'a accoustumé le mestier des couvreurs) que la veuë de cette haulteur extreme, ne l'espouvante et ne le transisse.

MICHEL DE MONTAIGNE, *Essais*, Livre II, chap. 12, 1580.

LE FRANÇAIS MODERNE

XERCICE 6 •

1. Le français est normalisé, mais les écrivains mettent en scène le parler paysan. Relevez les marques de cette langue orale (syntaxe, lexique, accent).
2. À côté de la langue normée des instituteurs, quel effet recherche Maupassant en transcrivant ce parler paysan ?

Maître Cacheux, paysan et maire du village, reçoit un de ses administrés. Celui-ci, Séverin, veut l'interroger sur le droit du mariage.
– Vous n'en savez long su l'mariage, vu qu'vous les faites,
5 vous qu'êtes maire.
– Comment sur le mariage ?
– Oui, rapport au drait.
– Comment, rapport au droit ?
– Rapport au drait d'l'homme et pi au drait d'la femme.
10 – Mais, oui.
– Eh ben, dites-mé, maît' Cacheux, ma femme a-t-i l'drait de coucher avé Polyte ? Oui, c'est-i son drait, vu la loi, et pi vu qu'alle est ma femme, de coucher avec Polyte ?
– Mais non, mais non, c'est pas son droit.
15 – Si je l'y r'prends, j'ai-t-i l'drait de li fout' des coups, mé, à elle et pi à li itou ?
– Mais… mais… mais… oui.
– C'est ben, pour lors. J'vas vous dire. Eune nuit, vu qu'j'avais d'z'idées, j'rentrai, l'aute semaine, et j'les y trou-
20 vai, qui n'étaient point dos à dos. J'foutis Polyte coucher dehors ; mais c'est tout, vu que je savais point mon drait. C'te fois-ci, j'les vis point. Je l'sais par l's autres. C'est fini, n'en parlons pu. Mais si j'les r'pince… nom d'un nom, si j'les r'pince. Je leur ferai passer l'goût d'la rigolade, maît'
25 Cacheux, aussi vrai que je m'nomme Severin…

GUY DE MAUPASSANT, « Le lapin »,
Contes et nouvelles, 1887.

EXERCICE 7 ••

1. Quels éléments du texte (ponctuation, syntaxe, lexique) marquent un écart par rapport à la norme qu'a imposée la tradition du français écrit ?
2. Quels mots nouveaux apparaissent dans le texte ? Comment sont-ils formés ?

La pièce de théâtre évoque la préparation d'une émission télévisée. Le personnage, journaliste-animateur, explique aux participants comment va se dérouler l'émission, entre le plateau et les autres lieux de tournage.

Mais une émission comme celle-ci comporte des encarts
Par un coup de baguette magique de Vincent l'image du plateau s'efface et le téléspectateur se trouve ici dans
5 votre cuisine où vous êtes attablé avec votre épouse ou à l'intérieur de Bricomarket où l'on assiste à vos débuts dans votre nouvel emploi ou sur la plage en bord de Loire
Dans le tissu du débat on insère quelques flashes qui
10 font pénétrer dans la vérité du vécu

MICHEL VINAVER, *L'Émission de télévision*, Actes Sud, 1990.

LES MOTS DU BAC

L'histoire d'une langue

1. La langue française vient, pour l'essentiel :
   a. du celte.
   b. du latin tardif.
   c. du grec.

2. *Oc* et *Oïl* signifient :
   a. merci.
   b. oui.
   c. sud et nord.

3. L'ordonnance de Villers-Cotterêts (1539) a pour objet de :
   a. diffuser la langue d'oc sur tout le territoire.
   b. codifier le « bon usage » du français.
   c. imposer le français comme langue administrative.

4. Le français devient « langue nationale » :
   a. après la Révolution.
   b. à la Renaissance.
   c. au début du xxe siècle.

5. Au xxie siècle, le français évolue sous l'effet :
   a. des accents régionaux.
   b. du ministère de l'Éducation nationale.
   c. de l'influence des médias de masse.

L'univers des mots

Le mot est l'élément de base de la langue. Il transcrit notre perception du monde. On utilise environ trois mille mots dans l'usage courant, mais le français en comprend, avec ses lexiques spécialisés, une centaine de mille. Le mot est en lui-même un univers complexe : par son histoire, par sa composition, par la variété de ses significations.

TRAVAILLER v. est issu (1080) d'un latin populaire *tripaliare*, littéralemen « tourmenter, torturer avec le "trepalium" », du bas latin *trepalium*, nom d'un instrument de torture. [...]

En ancien français, et toujours dans l'usage classique, *travailler* signifi
5 « faire souffrir » physiquement ou moralement, intransitivement « souf frir » (XIIᵉ s.) et *se travailler* « se tourmenter » (XIIIᵉ s.). Il s'est appliqu spécialement à un condamné que l'on torture (v. 1155), à une femm dans les douleurs de l'enfantement (v. 1175), à une personne à l'agoni (v. 1190), et l'on disait dans le vocabulaire religieux *travailler son corp*
10 « le macérer » (XIIIᵉ s.) ; tous ces emplois ont disparu.

Par ailleurs le verbe a signifié « molester (qqun) » (1249), pui « endommager (qqch) » (XVᵉ s.) et encore « battre (qqun) » (XVIIᵉ s. 1636, *travailler sur qqun*) à l'époque classique, d'où *travailler les côtes qqun* (1867) qui pourrait encore se dire, et en boxe *travailler (l'adver*
15 *saire) au corps* (XXᵉ s.). [...]

Cependant, dès l'ancien français, plusieurs emplois impliquent l'idé de transformation acquise par la peine ; *se travailler* « faire de grand efforts » (v. 1155), avec une valeur concrète et abstraite, se maintien jusqu'au XIXᵉ s. [...] C'est à partir du XVIᵉ s. que l'idée de transformatior
20 efficace l'emporte sur celle de fatigue et de peine. Le verbe se répanc aux sens de « faire un ouvrage » (1538) et « rendre plus utilisable » d'abord à propos d'un ouvrage de l'esprit (1559, *travailler le style*). [...] Le déverbal[1] TRAVAIL, TRAVAUX n. m. (XIIᵉ s.) présente le même type de développement sémantique que le verbe : jusqu'à l'époque classique.
25 il exprime couramment les idées de tourment, de peine et de fatigue. Il se dit spécialement des douleurs de l'enfantement dans la locution *travail d'enfant* (v. 1155), maintenu dans *salle de travail*. L'idée moderne d'activité productive se fait jour en moyen français (début XVᵉ s.) dans les domaines manuel et intellectuel.

Le Robert historique de la langue française, 2010.

1. déverbal : nom formé à partir du radical d'un verbe.

1. Quelles sont les grandes étapes historiques du sens de « travailler » ? Quels éléments de sens s'effacent ? Quels éléments de sens s'ajoutent ?

2. Quel mot, d'origine savante, est synonyme de travail ? En quoi reprend-il l'idée de peine et de difficulté autrefois présente dans « travail » ?

1 L'étymologie

L'étymologie est l'étude de l'origine et de l'histoire des mots.

■ **Le fonds primitif du vocabulaire français.** Après l'invasion de la Gaule par Jules César, au Ier siècle avant J.-C., les habitants abandonnent leur langue, le celte, qu'ils parlaient depuis quinze siècles, au profit du latin, importé par les soldats et les marchands. Plus de 80 % des mots du français sont d'origine latine.

■ **Les emprunts aux langues étrangères.** Au fil des voyages et des échanges, le vocabulaire a beaucoup emprunté aux langues étrangères : à l'arabe, à l'espagnol, à l'italien, à l'anglais. Il s'est enrichi par l'intégration de mots de formation savante d'origine latine, ou grecque, pour le vocabulaire technique et scientifique notamment.

Anglo-saxon	Vocabulaire maritime : *nord, sud, est, ouest, bateau, étrave, quille, flotte...*, mais aussi de beaucoup d'autres domaines : *match, sandwich, toast, zoom...*
Arabe	Vocabulaire savant : *alambic, alchimie, algèbre, alcool, chiffre, zéro...*, mais aussi de culture pratique : *bazar, café, sirop, jupe, matelas, coton, goudron, magasin, orange, sucre...*
Italien	Vocabulaire artistique : *solfège, concerto, opéra, scenario, impresario...*, mais aussi d'autres domaines : *boussole, carnaval, graffiti...*

2 La monosémie et la polysémie

■ **La monosémie.** Un mot qui a une seule signification est monosémique. C'est notamment le cas des mots techniques (*diagramme*). L'exploitation de ces propriétés sémantiques est importante en littérature : les termes monosémiques issus de vocabulaires spécialisés accentuent l'effet de réalisme, chez Zola par exemple.

■ **La polysémie.** La plupart des mots sont polysémiques : ils ont plusieurs significations possibles. Ainsi, le verbe *faire* a plus de 80 sens différents, selon les contextes de son emploi. La richesse polysémique est caractéristique des effets poétiques ou humoristiques, par exemple dans le calembour.

3 Les relations de sens entre les mots

■ **La synonymie.** Les mots sont synonymes lorsque, de même nature, ils ont un sens identique ou, plus exactement, un sens voisin. Les synonymes parfaits sont rares.
  → voir → regarder → observer → contempler → admirer.
  Ces verbes sont quasi synonymes. Néanmoins, il y a une gradation du sens entre « voir » et « admirer ».

■ **L'antonymie.** Les antonymes sont des mots de même nature mais de sens opposé.
  → Sympathie/antipathie – amour/haine – optimisme/pessimisme – beauté/laideur.

■ **L'homonymie.** Les homonymes sont des mots de forme ou de sonorité identiques mais de sens différent : *culture* (connaissances)/*culture* (agriculture). Les paronymes sont des mots presque homonymes : *conjecture/conjoncture*.

■ **L'hyperonymie.** Les hyperonymes sont des mots qui appartiennent à un même champ sémantique, c'est-à-dire au même domaine de sens, que d'autres mais qui sont hiérarchiquement supérieurs. On les appelle aussi « termes génériques ».
  → animal → mammifère → équidé → cheval → poulain, jument, étalon...
  Animal est l'hyperonyme de *mammifère* (dont le sens est inclus dans le mot « animal ») ; *mammifère* est l'hyperonyme d'*équidé* (qui fait partie des « mammifères ») ; etc.

Repère

La formation des mots

La formation de mots nouveaux procède surtout par dérivation. Celle-ci permet de former des mots de classes grammaticales différentes en utilisant les préfixes et les suffixes (après le radical) :
• *former* → *déformer, informer, transformer, réformer*.
• *forme* → *formation, formalisation, formulation*.
La composition consiste à former des mots nouveaux en associant des mots existants : *plate-forme, pomme de terre, portefeuille*.

L'ÉTYMOLOGIE

EXERCICE 1 •

Expliquez le lien entre l'origine étymologique et le sens actuel des mots suivants.

• Salaire vient du latin *salarium*, dérivé de *sal* (sel). Il signifiait à l'origine « ration de sel », et aujourd'hui « traitement, rémunération ».

• Savoir vient du latin *sapere*, « avoir du goût », qui a aussi donné *saveur*. Il signifie aujourd'hui « avoir la connaissance de quelque chose ».

EXERCICE 2 •

Le français compte environ 300 mots d'origine arabe, 300 mots d'origine espagnole et 1 000 mots d'origine italienne. Identifiez l'origine des mots suivants.

brasero – balcon – matelas – chiffre – confetti – gazelle – guérilla – sirop – maïs – zouave – fiasco – zénith

EXERCICE 3 •

À partir des mots grecs ci-dessous, trouvez les mots français – en général savants – qu'ils ont formés (souvent composés de plusieurs de ces mots).

• *philia* : amour
• *zoon* : animal
• *thérapeuein* : soigner
• *pathos* : souffrance
• *phagein* : manger
• *télé* : à distance, au loin

• *phobos* : crainte
• *psychè* : esprit
• *phônè* : son, voix
• *logos* : discours, étude
• *anthropos* : homme
• *graphein* : écrire

EXERCICE 4 ••

Enrichissez les listes ci-dessous avec d'autres exemples de mots pour chacun des préfixes d'origine grecque et latine.

Préfixes d'origine grecque
• *a-* (négation, privation) : athée (sans dieu)
• *ana-* (en arrière, en sens inverse) : anachronisme (hors Histoire)
• *anti-* (opposition) : antipathie (aversion)
• *hyper-* (avec excès) : hypertrophie (forme excessive)
• *hypo-* (sous-jacent) : hypothèse (conjecture)
• *syn-/sym-* (avec) : sympathie (attachement)

Préfixes d'origine latine
• *ab-* (séparation) : absence (< *ab-esse* : ne pas être là)
• *ad-* (vers) : admirer (regarder avec étonnement)
• *com-* (< lat. *cum* : avec) : communion (fusion avec autrui)
• *in-* (dans, sur, parmi) : incident (petit événement qui arrive)
• *in-* (négation) : indéchirable (qui ne peut être déchiré)
• *sub-* (sous) : subconscient (sous la conscience)

LA MONOSÉMIE ET LA POLYSÉMIE

EXERCICE 5 •

Recherchez tous les sens des mots polysémiques.

roman – canard – puce – passeport – cafard – lapsus.

EXERCICE 6 •

Expliquez la polysémie dans chaque titre de journal.

Très cher SMS

(*Libération*, 22 mai 200.

LA DÉLINQUANCE, UN PROBLÈME MINEUR ?

(*Libération*, 15 octobre 2010

Les marins repêchés par le plan d'urgence du gouvernement

(*Libération*, 22 mai 2008

Quand nos villes seront vertes

(*Télérama*, 30 octobre 2010

EXERCICE 7 •

Analysez les utilisations humoristiques de la polysémie.

Prenez un andouillon que vous écorcherez, malgr ses cris… Lardez l'andouillon de pattes de homard émincées et revenues à toute bride dans du beurre asse: chaud. […] Poussez le feu, et, sur l'espace ainsi gagné
5 disposez avec goût des rondelles de ris mitonné… Graissez un moule et rangez-le pour qu'il ne rouille pas.

BORIS VIAN, *L'Écume des jours*, 1947
Éd. Jean-Jacques Pauvert

Monsieur presbyte cherche dame myope pour échange de vues.	Échangerais plusieurs mètres de toile contre autant de toiles de maîtres.	Chien de garde romantique échangerait nich en bois contre grotte en forêt.

PIERRE DAC, *Les Petites Annonces de l'Os à moelle*
1938-1940, Le Cherche-Midi Éd., 2000

EXERCICE 8 •

Identifiez les mots polysémiques. Analysez les effets produits et remplacez ces mots par des synonymes.

Aragne le peintre
Il peint une toile sur une toile
et attend qu'on lui parle de cette toile.
Dès qu'on lui en parle […]
5 il prend la mouche
et l'écrase sur la toile peinte en noir sur la toile […]

JACQUES PRÉVERT, *Fatras*, Éd. Gallimard, 1966.

EXERCICE 9 •

L'image aussi peut être polysémique. Relevez et commentez les traits de polysémie dans l'image et le texte.

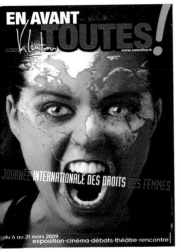

Ville de Valenton

Un mort s'en allait tristement
S'emparer de son dernier gîte
Un curé s'en allait gaiement
Enterrer ce mort au plus vite.

LA FONTAINE, « Le Curé et le Mort », *Fables*, 1678.

D'ailleurs, [Emma] ne cachait plus son mépris pour rien, ni pour personne ; et elle se mettait quelquefois à exprimer des opinions singulières, blâmant ce qu'on approuvait, et approuvant des choses perverses ou immorales : ce qui faisait ouvrir de grands yeux à son mari.

GUSTAVE FLAUBERT, *Madame Bovary*, 1857.

EXERCICE 13 •

Identifiez les homonymes (homophones ou paronymes) et analysez les effets stylistiques qu'ils produisent.

Le silence était si grand qu'on aurait entendu voler une montre. (Proverbe DADA)

Avec la mer du Nord pour dernier terrain vague
Et des vagues de dunes pour arrêter les vagues
Et de vagues rochers que les marées dépassent
Et qui ont à jamais le cœur à marée basse

JACQUES BREL, « Le Plat pays », 1962.

EXERCICE 14 ••

Dans chacune des listes, identifiez l'hyperonyme.
Ex. dans la liste « Hauteur, largeur, profondeur, épaisseur, dimension », le mot dimension *est l'hyperonyme.*

• Bras, membre, jambe, patte.
• Boulanger, gendarme, métier, professeur, marin.
• Beauté, justice, bonté, valeur, vérité.
• Icône, tableau, image, vignette, portrait, miniature.

LES RELATIONS DE SENS ENTRE LES MOTS

EXERCICE 10 •

Dans la liste des synonymes suivants, à partir de quel mot passe-t-on d'un sens positif à un sens négatif ?

• respectueux → poli → révérencieux → déférent → obséquieux → servile
• finesse → adresse → habileté → ruse → rouerie
• combatif → pugnace → agressif → belliqueux
• admirer → vénérer → adorer → idolâtrer
• estime de soi → orgueil → prétention → arrogance
• précis → consciencieux → scrupuleux → méticuleux → pointilleux → vétilleux → tatillon

EXERCICE 11 •••

Identifiez les antonymes et analysez les effets stylistiques qu'ils produisent.

• L'homme est naturellement crédule, incrédule, timide, téméraire. (Pascal)
• J'ai toujours détesté la foule. J'aime les déserts, les prisons, les couvents. (Giono)

EXERCICE 12 ••

Identifiez les antonymes dans les trois extraits ci-dessous. Analysez leur signification en relation avec le thème développé dans le texte.

Amour m'a découvert une beauté si belle
Que je brûle et englace et en me consumant
J'éprouve, tant me plaît ma flamme et mon tourment,
Que qui meurt en aimant reprend vie éternelle.

ISAAC HABERT (1560-1625)

LES MOTS DU BAC

L'univers des mots

1. L'étymologie :
   a. étudie les changements de forme des mots.
   b. désigne les familles de mots.
   c. étudie l'origine et l'évolution des mots.

2. La polysémie :
   a. désigne le fait qu'il existe plusieurs mots pour désigner une même chose.
   b. désigne le fait qu'un mot ait plusieurs sens.
   c. est le nom savant de « mot composé ».

3. Un hyperonyme est
   a. un mot qui a plusieurs sens.
   b. un mot composé.   c. un mot générique.

4. La langue française comporte :
   a. un nombre infini de mots.
   b. environ 3 000 mots.   c. environ 100 000 mots.

5. *Enchanter, enchantement, chanterelle* sont :
   a. des homonymes de chanter.
   b. des composés de chanter.   c. des dérivés de chanter.

3

L'usage et le stéréotype

L'usage fixe la grammaire que nous devons respecter ; il donne forme aux mots que nous sommes obligés d'utiliser. Il détermine également, souvent de manière impérieuse, les manières de parler : formes figées, stéréotypes, clichés et lieux communs, dictons et proverbes.

OBSERVATION

Expression figée

Invention

Dicton et proverbe

Texte A

Le vingt-cinq septembre douze cent soixante-quatre, au petit jour, l[e] duc d'Auge se pointa sur le sommet du donjon de son château pour, u[n] tantinet soit peu, y considérer la situation historique. Elle était plutô[t] floue. Des restes du passé traînaient encore ça et là, en vrac. Sur le[s]
5 bords du ru voisin, campaient deux Huns ; non loin d'eux un Gaulois[,] Eduen peut-être, trempait audacieusement ses pieds dans l'eau courant[e] et fraîche. Sur l'horizon se dessinaient les silhouettes molles de Romain[s] fatigués, de Sarrasins de Corinthe, de Francs anciens, d'Alains seuls[.] Quelques Normands buvaient du calva.
10 Le duc d'Auge soupira mais n'en continua pas moins d'examiner atten[-] tivement ces phénomènes usés.

Raymond Queneau, Les Fleurs bleues, Éd. Gallimard, 1965[.]

Texte B – Cortège

Un vieillard en or avec une montre en deuil
Une reine de peine avec un homme d'Angleterre
Et des travailleurs de la paix avec des gardiens de la mer
Un hussard de la farce avec un dindon de la mort
5 Un serpent à café avec un moulin à lunettes
Un chasseur de corde avec un danseur de têtes
Un maréchal d'écume avec une pipe en retraite
Un chiard en habit noir avec un gentleman au maillot
Un compositeur de potence avec un gibier de musique
10 Un ramasseur de conscience avec un directeur de mégots [...]

Jacques Prévert, « Cortège », Paroles, Éd. Gallimard, 1946

QUESTIONS

1. Texte A. « Considérer » signifie : « regarder longtemps et attentivement » ou « examiner de manière critique ». Quel est le sens de « considérer » dans l'expression figée « considérer la situation financière, familiale, etc. » ?

2. Comment Raymond Queneau réactive-t-il le sens concret de l'expression ? En quoi[,] y a-t-il ici acte de création ?

3. Comment Prévert joue-t-il avec les expressions figées ?

1 La langue et l'usage

■ **Le système de la langue.** Chaque langue forme un système où tout se tient : c'est sa grammaire. La grammaire est le produit peu à peu réglementé des millions de paroles échangées chaque jour au fil des générations.

■ **La force de l'usage.** L'usage se situe entre les règles du système grammatical qu'il a établies et les innovations de la parole individuelle. Il engendre les expressions figées dues à la répétition, jusqu'à l'usure du sens. La maîtrise de l'usage est indispensable à la bonne connaissance de la langue et conditionne la possibilité de l'invention.

2 Les expressions figées

■ **La contrainte des combinaisons.** Un orage « éclate », comme on « éclate » de rire : on ne peut pas dire, sauf pour créer un effet métaphorique, qu'un orage « explose ». De même, une opinion est « largement répandue », et non « étalée », ou « les obstacles surgissent », et non « arrivent ».

■ **La phraséologie.** L'usage décide pour nous des agencements automatisés des mots entre eux. Du « réservoir de main-d'œuvre » au « respect qu'on inspire », la langue fourmille de ces petits figements : c'est la phraséologie.

3 Les formules stéréotypées

■ **Les stéréotypes.** Les stéréotypes sont des paroles caractérisées par la répétition automatique d'un modèle antérieur, anonyme ou impersonnel. Ils sont dépourvus d'originalité : rituels conversationnels sur « la pluie et le beau temps », nouvelles de la santé (« Comment ça va ? ») ou « T'es où ? » popularisé par le téléphone portable. Au XVIIe siècle, les périphrases ont caractérisé le vocabulaire stéréotypé de la préciosité, moqué par Molière : « le témoin des grâces » pour désigner le miroir, « les commodités de la conversation » pour désigner le fauteuil.

■ **Les clichés.** Ce sont des expressions qui se sont usées à force d'être reprises. Ils concernent les thèmes de l'espace et du temps, de la famille et des amis, du travail et des loisirs, de la bonne entente et du conflit, de la vie et de la mort : « jouer à guichets fermés », « une main de fer dans un gant de velours », « des propos surréalistes ».
Les clichés servent à désigner des abstractions ou des passions : « chercher des poux dans la tête » (= chicaner), « avoir la tête basse » (= humiliation).

4 L'invention de nouveaux usages

■ **L'invention.** L'écrivain, pris entre les impératifs de la conformité (il faut bien se faire comprendre) et les exigences de l'innovation (il réinvente un sens nouveau pour ses lecteurs), dépasse la simple reprise de l'usage. La créativité, loin de partir de rien, consiste alors à retravailler, depuis le mot jusqu'à la structure des phrases, le matériau des formes et les expressions léguées par l'Histoire.

■ **L'entrée dans l'usage.** Les nouveaux modes d'écriture inventés par les écrivains, ensuite repris et répétés, se déposent à leur tour dans l'usage et ils deviennent des normes. Les techniques « réalistes » de la narration, innovantes au XIXe siècle, se sont transformées en stéréotypes dans les romans populaires du XXe siècle.

Repère

Le dicton et le proverbe

Les formes de l'usage populaire de la langue sont cristallisées dans les dictons, les sentences et les maximes (« Il ne faut pas vendre la peau de l'ours... », « Il ne faut jurer de rien »). Les proverbes forment un patrimoine verbal de valeurs accumulées dans la mémoire culturelle :
« Il n'y a pas de fumée sans feu ».
« Le jeu n'en vaut pas la chandelle ».
« Il n'y a que la vérité qui blesse »...

L'USAGE

EXERCICE 1 •

Le verbe « faire » est un grand pourvoyeur d'expressions figées. Complétez la liste ci-dessous avec cinq autres expressions utilisant le verbe « faire ». Indiquez pour chacune d'elle la signification particulière de ce verbe.

faire de l'argent – faire le gros dos – faire un personnage – faire la tête – faire débat – faire l'imbécile

EXERCICE 2 •

Le verbe « mettre » entre dans la composition de nombreuses expressions figées. Complétez la liste ci-dessous avec trois autres expressions utilisant le verbe « mettre ». Indiquez pour chacune d'elles la signification particulière de ce verbe.

mettre en pratique – mettre en liberté – mettre au feu – mettre en jeu – mettre à mort – mettre sous clef – mettre à nu – mettre à l'épreuve – mettre à profit

LES EXPRESSIONS FIGÉES

EXERCICE 3 •

Le verbe « couper » participe à la construction de nombreuses expressions figées. Définissez son sens dans les expressions suivantes et ajoutez deux expressions figées avec ce même verbe.

- Couper les cheveux en quatre.
- Couper la parole à quelqu'un.
- Couper à travers champs.
- Avoir les jambes coupées.

EXERCICE 4 •

1. Repérez dans le texte les locutions figées et expliquez-en le sens en remplaçant chaque expression par une autre.
2. En quelques lignes de commentaire, expliquez sur quel procédé repose le comique du texte.

Je connaissais un sportif qui prétendait avoir plus de ressort que sa montre. Pour le prouver, il a fait la course contre sa montre. Il a remonté sa montre. Il s'est mis à marcher en même temps qu'elle. Lorsque le ressort est
5 arrivé en bout de course, la montre s'est arrêtée, lui a continué, et il a prétendu avoir gagné en dernier ressort !

Raymond Devos, *Sens dessus dessous*, Éd. Stock, 1976.

EXERCICE 5 ••

Dans cet extrait de copie, corrigez les expressions ou mots surlignés qui affaiblissent la qualité de l'écriture.

Sujet d'invention qui demandait d'écrire une scène d'adieu entre deux anciens amants.

Au moment où elle enleva son chapeau, je réalisai que les choses avaient changé et que rien ne serait plus pareil : une page se tournait. Notre jeunesse s'était achevée et avec elle tous les bons moments partagés ensemble. Je fis tout ce qui était de mon possible pour qu'elle ne vît pas dans quel état de détresse cette simple constatation m'avait plongé. Mais je sentais son regard qui me fixait malgré que je détournais mes yeux. Pour moi, elle se transformait petit à petit en souvenir, voire même en regret et j'étais presque déçu de voir cet amour disparaître de moi. Je tentais une nouvelle fois de pallier à ce malaise qui m'envahissait en m'écartant d'elle mais ses mots d'amour ne faisaient que de me répugner d'avantage encore. Elle invoquait notre passé et se posait la question de savoir si on pourrait le revivre. Mais le passé ne se revit jamais.

    Incorrections grammaticales
    Maladresses
    Clichés

EXERCICE 6 ••

Améliorez l'expression dans cet extrait de copie.

Écrit de commentaire de texte.

Dans ce texte, il y a beaucoup de choses décrites qui font réelles. Mais c'est aussi un peu fantastique à cause du style imagé. En plus, les images sont bien trouvées et mettent le lecteur mal à l'aise. On a peur que la lézarde continue et fasse s'effondrer la maison ou qu'il y ait des fantômes à l'intérieur. En avançant dans le texte, la peur devient plus grande parce qu'on comprend que la vie de la maison est comme celle de ses habitants : leurs destins sont tous les deux pareils. Car l'auteur, qui est un maître du suspense, a mis beaucoup de procédés, le texte donne la chair de poule.

    Incorrections grammaticales
    Maladresses
    Termes plats, peu expressifs
    Clichés

LES STÉRÉOTYPES ET LES CLICHÉS

EXERCICE 7 ••

Expliquez les expressions imagées suivantes. Détournez cinq d'entre elles dans un texte court afin de produire un effet comique, poétique, absurde, etc.

• Mettre la puce à l'oreille.
• Avaler des couleuvres.
• Ne pas avoir les deux pieds dans le même sabot.
• Être soupe au lait.
• Marier la carpe et le lapin.
• Tremper sa plume dans le vitriol.
• Produire un écran de fumée.
• Tirer à boulets rouges.
• Monter sur ses grands chevaux.
• Prendre des vessies pour des lanternes.
• Ronger son frein.
• Sortir de ses gonds.
• Nager entre deux eaux.

L'INVENTION DE NOUVEAUX USAGES

EXERCICE 8 •••

1. Relevez les points communs entre les deux textes suivants.
2. En quoi le premier invente-t-il des expressions nouvelles ?
3. En quoi le second cite-t-il ces expressions comme si elles étaient entrées dans l'usage ?

Chanson d'automne

Les sanglots longs
Des violons
         De l'automne
Blessent mon cœur
5   D'une langueur
         Monotone.

Tout suffocant
Et blême, quand
         Sonne l'heure,
10 Je me souviens
Des jours anciens
         Et je pleure,

Et je m'en vais
Au vent mauvais
15   Qui m'emporte
Deçà, delà,
Pareil à la
         Feuille morte.

Paul Verlaine, *Poèmes saturniens*, 1866.

Je suis venu te dire
         que je m'en vais

Je suis venu te dire que je m'en vais
et tes larmes n'y pourront rien changer
comme dit si bien Verlaine « au vent mauvais »
je suis venu te dire que je m'en vais
5   tu te souviens des jours anciens et tu pleures
tu suffoques, tu blêmis à présent qu'a sonné l'heure
des adieux à jamais
oui je suis au regret
de te dire que je m'en vais
10 oui je t'aimais, oui, mais
je suis venu te dire que je m'en vais
tes sanglots longs n'y pourront rien changer

Serge Gainsbourg, paroles et musique,
© 1974 by Melody Nelson Publishing.

EXERCICE 9 •

1. Expliquez la signification des proverbes ci-dessous, puis inventez de nouveaux proverbes pour exprimer la même idée.
2. Sur le modèle syntaxique de chacun de ces proverbes, créez-en d'autres sur des idées de votre choix.

• Il faut battre le fer pendant qu'il est chaud.
• C'est en forgeant qu'on devient forgeron.
• Qui se sent morveux, qu'il se mouche.
• Tant va la cruche à l'eau qu'à la fin elle se brise.

LES MOTS DU BAC

L'usage et le stéréotype

1. Dans la phrase « Le gouvernement veut *briser la loi du silence* », l'expression en italique est :
   a. un cliché.
   b. une métaphore poétique.
   c. une expression figée.

2. Le stéréotype est :
   a. une représentation préétablie.
   b. une idée générale.
   c. une opinion absurde.

3. Quelle phrase vous semble être un lieu commun ?
   a. La raison du plus fort est toujours la meilleure.
   b. Vieillesse rime avec sagesse.
   c. Le soleil ni la mort ne se peuvent regarder fixement.

4. Laquelle de ces trois expressions est un proverbe ?
   a. Acheter chat en sac.
   b. Il n'y a pas de quoi fouetter un chat.
   c. À bon chat, bon rat.

5. « La neige a couvert la ville de son blanc manteau » est :
   a. un dicton.
   b. un proverbe.
   c. un cliché.

La dénotation et la connotation

4

La signification des mots est fluctuante : elle oscille entre un sens premier, littéral, objectif, constant et explicite – c'est la dénotation –, et un sens second, détaché, subjectif ou soumis à des variations socio-culturelles – c'est la connotation. Saisir les connotations d'un texte permet d'accéder plus finement à son sens.

OBSERVATION

- Éléments dénotatifs
- Connotations sonores
- Connotations culturelles

Texte A

BRÉSIL. n. m. État d'Amérique du Sud, baigné à l'est par l'Atlantique (sur environ 7 400 km) et limité au nord par la Colombie, le Venezuela et les Guyanes, à l'ouest par le Pérou, la Bolivie et le Paraguay [...].
Outre le district fédéral de Brasilia, le Brésil comprend 23 États, 3 territoires et un district fédéral répartis sur 5 grandes unités régionales.

Petit Robert 2, *Dictionnaire universel des noms propres*, 2010.

Texte B

Le Brésil s'esquissait dans mon imagination comme des gerbes de palmiers contournés, dissimulant des architectures bizarres, le tout baigné dans une odeur de cassolette[1], détail olfactif[2] introduit subrepticement[3], semble-t-il, par l'homophonie[4] inconsciemment perçue des mots « Brésil » et « grésiller », mais qui, plus que toute expérience acquise, explique qu'aujourd'hui encore, je pense d'abord au Brésil comme à un parfum brûlé.

CLAUDE LÉVI-STRAUSS, *Tristes Tropiques*, Éd. Plon, 1955.

1. cassolette : brûle-parfum.
2. olfactif : relatif à l'odorat.
3. subrepticement : de manière furtive.
4. homophonie : identité de sons.

QUESTIONS

1. Recherchez d'autres éléments qui, dans le texte A, participent à la signification dénotative.

2. Les connotations du mot « Brésil », dans le texte B, reposent sur des associations sonores, culturelles et imaginaires. Recherchez d'autres éléments pour compléter les associations surlignées.

3. À quoi se rapportent, dans le texte de Claude Lévi-Strauss, les connotations culturelles ?

1 La dénotation

1. Le signifiant et le signifié

Des sons et des lettres (signifiant) sont agencés en mots pour représenter un fragment du réel (signifié). Leur lien est arbitraire : les sons [pom] et les lettres « pomme » n'ont aucun rapport avec le fruit savoureux et craquant ainsi nommé ; avec [æp'l], *apple*, les anglophones désignent le même objet.

2. Le sens dénotatif

Ce sens premier est littéral et référentiel : c'est le sens dénotatif, tel que le décrivent les définitions du dictionnaire. Il est compris par tous les locuteurs de la langue : la « mer » est pour tous les francophones une étendue d'eau salée. Les textes informatifs se tiennent au plus près de ce sens dénotatif.

2 La connotation

1. Le sens connotatif

Une seconde signification peut se greffer sur la première : c'est la connotation. Les connotations peuvent être codifiées et sont alors partagées par tous les utilisateurs de la langue (le suffixe « -âtre » indique une connotation dépréciative).

2. Les variations connotatives

Les connotations peuvent aussi relever du jugement social (« vulgarité » ou « snobisme » par exemple), de la sensibilité, de l'imaginaire et de la culture personnelle de chacun. Elles sont parfois subtiles et difficiles à décrire. Elles contribuent à la richesse des textes littéraires.

3. Les grands types de connotations

TYPE	DÉFINITION	EXEMPLES
Connotations thématiques	Les mots évoquent d'autres mots avec lesquels ils partagent un thème commun.	• Langage des fleurs, symbolique des couleurs. • Le mot « plage » évoque soleil, repos, vacances...
Connotations caractérisantes	Certains termes suggèrent des traits physiques ou psychologiques, un milieu social, une époque, un métier, un pays...	• Noms de personnages : Poil de carotte (< couleur de cheveux), Boule de suif (< graisse), Bovary (< bœuf). • Noms de lieux : Florence (« ville-fleur et ville-femme et fille-fleur », J.-P. Sartre)...
Connotations appréciatives	Les mots peuvent suggérer un jugement positif ou négatif.	• Suffixes appréciatifs (-âtre, -asse), diminutifs. • Connotations spatiales : ce qui est en haut est positif, ce qui est en bas est négatif...
Connotations culturelles	Certains mots font référence à la culture commune : Histoire, coutumes, arts...	« C'est la Bérézina ! », pour qualifier une défaite sportive ; « un Harpagon » pour qualifier un avare...

3 Le texte dénotatif et le texte connotatif

Dénotations et connotations expriment deux ordres de vérité dans les discours.

■ **Un sens objectif.** La dénotation exprime une vérité qui se veut objective, neutre et informative : textes scientifiques, dépêches d'agence de presse, modes d'emploi, etc.

■ **Un sens subjectif.** La connotation exprime une vérité filtrée par la subjectivité, qu'elle soit codifiée, comme les connotations euphoriques de la publicité, ou qu'elle soit singulière comme celle qui résulte de la création littéraire.

Repère

L'extension de la connotation

Le jeu des dénotations et connotations concerne bien entendu l'oral (accents, modulations, timbre), mais aussi les autres langages : visuel (films et annonces publicitaires), musical (musique populaire, musique classique) ou gestuel. Tous produisent, aussi bien que la parole, des effets connotatifs.

LA DÉNOTATION

EXERCICE 1 •

Dans la liste de mots suivants, isolez ceux qui ont une signification exclusivement dénotative. Définissez-les.

mazout – prélude – écharde – carte – impression – négociateur – tornade

EXERCICE 2 •

Les textes de loi font partie des textes dénotatifs : ils doivent limiter au maximum la pluralité des interprétations. Indiquez les éléments du texte qui assurent son caractère dénotatif (lexique, formes verbales, syntaxe).

ARTICLE 1er. La France est une République indivisible, laïque, démocratique et sociale. Elle assure l'égalité devant la loi de tous les citoyens sans distinction d'origine, de race ou de religion. Elle respecte toutes les
5 croyances.

Loi constitutionnelle du 4 août 1995.

LA CONNOTATION

EXERCICE 3 •

1. Le choix d'un mot est lié aux connotations qu'il suggère. Dans les listes suivantes, indiquez, pour chaque mot, les connotations qu'il ajoute au sens dénotatif premier.
2. Commentez la gradation des connotations.

• manger : *picorer, avaler, ingurgiter, dévorer*
• étourdi : *évaporé, distrait, irréfléchi, écervelé*
• maigre : *mince, efflanqué, filiforme, décharné*
• étonnant : *troublant, insolite, admirable, prodigieux*

EXERCICE 4 •

Les termes spatiaux commandent un grand nombre de connotations figées par l'usage. Dans les exemples suivants, précisez le sens des connotations liées au « haut » et au « bas » et classez-les selon les domaines envisagés (corporel, intellectuel, passionnel, moral).

• Être au-dessus de tout soupçon
• Dominer ses émotions
• Un haut niveau intellectuel
• Ne pas s'abaisser à cela
• Être au sommet de sa forme
• Être au septième ciel ou au sixième dessous
• Être dans une position élevée, être aux anges
• Être dans un profond sommeil
• Tomber malade
• Prendre de la hauteur

EXERCICE 5 ••

Les couleurs font l'objet, dans toutes les cultures, de conno tations variées (la couleur de la mort est le noir en Europe le blanc en Chine). Dans les extraits qui suivent, compare les deux analyses des connotations du jaune et du bleu.

JAUNE – Dans sa pureté la plus grande, il porte toujour en lui la nature du clair et possède un caractère de serei enjouement et de douce stimulation. [...] Il est don conforme à l'expérience d'affirmer que le jaune donn
5 tout à fait une impression de chaleur et de bien-être.

BLEU – Cette couleur fait à l'œil une impression singu lière, et presque informulable. En tant que couleur, ell est une énergie ; mais elle se trouve du côté négatif, e dans sa pureté la plus grande, elle est en quelque sort
10 un néant attirant.

JOHANN WOLFGANG VON GOETHE, « L'effet physico-mora de la couleur », *Traité des couleurs*, 1810, Éd. Triades, 2000

D'un point de vue symbolique, alors que le jaun constitue un pôle négatif (couleur passive, faible froide), le bleu, toujours pris en bonne part, représent le pôle positif (couleur active, chaude, lumineuse).

MICHEL PASTOUREAU, *Bleu, Histoire d'une couleur* Éd. du Seuil, 2000

EXERCICE 6 •

Comparez les connotations attribuées par les deux auteur au nom de la ville de Florence et indiquez à quels types elle appartiennent.

Florence est ville et fleur et femme, elle est ville-fleu et ville-femme et fille fleur tout à la fois. Et l'étrange obje qui paraît ainsi possède la liquidité du fleuve, la douc ardeur de l'or et, pour finir, s'abandonne avec décence e
5 prolonge indéfiniment par l'affaiblissement continu de l'e muet son épanouissement plein de réserves.

JEAN-PAUL SARTRE, *Qu'est-ce que la littérature ?* Éd. Gallimard, 1944

Et quand je pensais à Florence, c'était comme à une ville miraculeusement embaumée et semblable à une corolle, parce qu'elle s'appelait la cité des lys et sa cathédrale, Sainte-Marie-des-Fleurs.

MARCEL PROUST, *Un amour de Swann*, 1919.

EXERCICE 7 •

Explicitez les connotations sur lesquelles jouent ces slogans.

CET HIVER LAISSEZ-VOUS ÉBLOUIR PAR LES AURORES BORÉALES. NORVÈGE STIMULANTE PAR NATURE.

NE VOUS DÉPLACEZ PLUS, VOYAGEZ.
(Publicité pour une marque d'automobile)

ET SI VOUS PORTIEZ UNE PLUME ?
SOYEZ LÉGER, PENSEZ RAFFINÉ.
(Publicité pour un stylo plume)

FNAC : « CERTIFIÉ NON CONFORME »

LE TEXTE DÉNOTATIF ET LE TEXTE CONNOTATIF

EXERCICE 8 •••

1. Les noms de lieux exercent souvent une fascination liée aux connotations qu'ils évoquent. Dans le texte suivant, analysez le mécanisme des connotations.
2. Transformez ce texte en texte dénotatif.
3. Choisissez un nom de ville et justifiez ses connotations par ses sonorités.

> Nijni-Novgorod exerçait depuis longtemps déjà cette inéluctable influence sur nous. Aucune mélodie ne résonnait plus délicieusement à notre ouïe que ce nom vague et lointain : nous le répétions comme une litanie
> 5 sans en avoir presque la conscience ; nous le regardions sur les cartes avec un sentiment de plaisir inexplicable ; sa configuration nous plaisait comme une arabesque d'un dessin curieux. Le rapprochement de l'i et du j, l'allitération produite par l'i final, les trois points qui
> 10 piquent le mot comme ces notes sur lesquelles il faut appuyer nous charmaient d'une façon à la fois puérile et cabalistique. Le v et le g du second mot possédaient aussi leur attraction, mais l'od avait quelque chose d'impérieux, de décisif et de concluant à quoi il nous était
> 15 impossible de rien objecter. – Aussi après quelques mois de luttes, nous fallut-il partir.

THÉOPHILE GAUTIER, *Voyage en Russie*, 1867.

EXERCICE 9 •••

1. Identifiez les éléments (lexicaux, syntaxiques) qui imposent le caractère dénotatif du premier texte.
2. Dans le texte de Proust, analysez les connotations autour du nom de Parme. Pourquoi apparaissent-elles sous la forme du « compact, lisse, mauve et doux » ?

Parme fut attribuée ensuite au fils d'Élisabeth Farnèse, don Carlos, qui la céda à l'Autriche (1735). Après la paix d'Aix-la-Chapelle (1748), elle fut attribuée à un autre fils d'Élisabeth Farnèse, don	Philippe, qui eut pour successeur son fils Ferdinand. À la mort de ce dernier (1802), Napoléon annexa le duché de Parme et de Plaisance. Parme devint alors le chef-lieu du département.

Petit Robert 2, *Dictionnaire universel des noms propres*, 2010.

> Le nom de Parme, une des villes où je désirais le plus aller depuis que j'avais lu *La Chartreuse*, m'apparaissant compact, lisse, mauve et doux. Si on me parlait d'une maison quelconque de Parme dans laquelle je serais
> 5 reçu, on me causait le plaisir de penser que j'habiterais une demeure lisse, mauve et douce, qui n'avait de rapport avec les demeures d'aucune ville d'Italie, puisque je l'imaginais seulement à l'aide de cette syllabe lourde du nom de Parme, où ne circule aucun air, et de tout ce que
> 10 je lui avais fait absorber de douceur stendhalienne et du reflet des violettes.

MARCEL PROUST, *Du côté de chez Swann*, 1913.

EXERCICE 10 •

Après avoir explicité les connotations que comportent ces titres, proposez des reformulations plus dénotatives.

Dans la tour de Babel du Parlement européen
(Géo voyage, décembre 2010)

Peut-on apprivoiser la finance ?
(Enjeux Les Échos, septembre 2010)

FOOTBALL
La France terrasse le Lion anglais
(La Croix, 18 novembre 2010)

La maternelle, fer de lance de la lutte contre l'illettrisme
(Le Figaro, 18 mai 2010)

Grève : la Guadeloupe toujours paralysée
(Le Parisien, 30 janvier 2009)

Ils partirent cinq cents : la loterie de la rentrée littéraire
(L'Humanité, 28 mai 2010)

LES MOTS DU BAC

La dénotation et la connotation

1. Le signifiant, c'est :
   a. le sens courant du mot.
   b. la forme sonore du mot.
   c. la forme sonore ou la forme écrite.

2. Le lien entre le signifiant et le signifié est arbitraire, cela veut dire que :
   a. le sens des mots dépend de celui qui parle.
   b. la forme d'un mot ne dépend pas de ce que le mot signifie.
   c. on peut déduire le sens d'un mot à partir de sa forme.

3. Dans l'expression « Les diamants sont *éternels* » le terme en italique est employé dans un sens :
   a. objectif.
   b. dénotatif.
   c. connotatif.

4. « Cité phocéenne » pour qualifier Marseille contient une connotation :
   a. caractérisante.
   b. thématique.
   c. culturelle.

5. Le sens lié à des variations socio-culturelles est appelé :
   a. référentiel.
   b. connotatif.
   c. objectif.

Le champ lexical et le champ sémantique

Les mots d'un texte tissent entre eux des liens qui assurent l'homogénéité du sens : soit qu'ils appartiennent à un même champ lexical, soit qu'ils construisent un champ sémantique unique. L'analyse de ces relations permet de mieux comprendre et d'interpréter les textes.

OBSERVATION

Éléments du champ lexical des chemins de fer

Champ sémantique de la perception

Sous la marquise[1] des grandes lignes, l'arrivée d'un train de Mantes avait animé les quais ; et il suivit des yeux la machine de manœuvre, une petite machine-tender, aux trois roues basses et couplées, qui commençait le débranchement du train, alerte, besogneuse, emmenant, refoulant
5 les wagons sur les voies de remisage. Une autre machine, puissante celle-là, une machine d'express, aux deux grandes roues dévorantes, stationnait seule, lâchait par sa cheminée une grosse fumée noire montant droit, très lente dans l'air calme. Mais toute son attention fut prise par le train de trois heures vingt-cinq, à destination de Caen,
10 empli déjà de ses voyageurs, et qui attendait sa machine. Il n'apercevait pas celle-ci, arrêtée au-delà du pont de l'Europe ; il l'entendait seulement demander la voie, à légers coups de sifflet pressés, en personne que l'impatience gagne. Un ordre fut crié, elle répondit par un coup bref qu'elle avait compris. Puis, avant la mise en marche, il y eut un
15 silence, les purgeurs furent ouverts, la vapeur siffla au ras du sol, en un jet assourdissant. Et il vit alors déborder du pont cette blancheur qui foisonnait, tourbillonnante comme un duvet de neige, envolée à travers les charpentes de fer.

ÉMILE ZOLA, *La Bête humaine*, 1880.

1. marquise : toit de verre.

QUESTIONS

1. Relevez tous les autres mots, polysémiques, qui entrent dans l'univers spécifique des chemins de fer, le précisent et l'enrichissent. Classez ces mots selon des critères de votre choix.

2. Les verbes de perception commandent la description. En quoi peut-on dire que l'observateur est un spécialiste des chemins de fer ?

3. De quelle façon les deux locomotives s'opposent-elles ? Quels éléments contribuent à les personnifier ?

1 Le lexique et le texte

1. Le mot et son contexte

Un mot n'est jamais seul : il signifie par son insertion dans un contexte. Celui-ci peut avoir la dimension d'une phrase ou celle d'un texte. Dans le mot « texte », il y a « texture ». Le tissage contextuel des significations donne à chaque mot son sens.

2. Les types de lien

Les liens se font soit par des mots qui appartiennent à un même univers de référence (le champ lexical), soit par des relations entre des mots qui relèvent d'univers différents (le champ sémantique).

2 Le champ lexical

1. La définition du champ lexical

On appelle champ lexical un ensemble des mots qui appartiennent à un même univers d'expérience. Par exemple le lexique *train, locomotive, wagon, rail, butoir, voie ferrée*... relève du champ lexical du chemin de fer.

2. Les grands champs lexicaux

Le champ lexical désigne les différentes parties qui composent un domaine de référence. Les textes littéraires puisent dans le vivier des champs lexicaux.
Les éléments naturels : eau, terre, feu, air, goût.
Les cinq sens : toucher, vue, ouïe, odorat, goût.
L'espace : mouvement, verticalité, horizontalité, profondeur.
L'appréciation : positif, négatif.

3 Le champ sémantique

1. La définition du champ sémantique

On appelle « champ sémantique » l'ensemble des mots qui, dans un texte, contribuent à la formation d'un univers de sens : par exemple autour, de la nature, de l'amour, de la mort, de la perception... Le champ sémantique assemble des mots qui n'appartiennent pas forcément à un même domaine de référence.

2. Le champ sémantique spécifique à une œuvre

Dans les textes littéraires, l'étude du champ sémantique d'un mot-clé constitue un moyen puissant d'explorer l'imaginaire de l'auteur. Ainsi si l'on compare l'emploi du mot « vert » dans *Les Contemplations* de Hugo et dans les *Poésies* de Rimbaud, on observe que chez Hugo, il est associé systématiquement de manière assez attendue à des végétaux : « feuilles vertes », « herbes vertes », « buissons verts », « joncs verts ». Chez Rimbaud, « vert » peut être associé à l'idée de confort et de luxe : « Cabaret-Vert », « lit vert », « écrin vert taché d'or », « vert et vermeil ».

3. Le champ sémantique et le champ lexical

Le champ sémantique d'un mot dans une œuvre peut mettre en relation des champs lexicaux différents : le mot « poison » est ainsi associé chez Baudelaire au champ lexical de crime mais aussi à ceux de la douceur (« poison préparé par des anges ») ou du désir (« le poison qui découle de tes yeux verts »).

Repère

L'isotopie

L'isotopie (→ grec *iso-* « le même », *-topos* « lieu ») indique la permanence d'un effet de sens qui se déploie au fil du texte. Cet effet de sens se contruit à travers des mots qui peuvent appartenir à un même champ lexical ou sémantique, ou relever d'univers différents.
Par exemple, la phrase « Le commissaire aboie. » relève-t-elle d'une isotopie humaine (le commissaire crie comme un chien) ou d'une isotopie animale (un chien, nommé « Le commissaire », aboie) ? Seul le contexte narratif en décidera.

LE LEXIQUE ET LE TEXTE

EXERCICE 1 •

Le poème « Inventaire » réunit une liste de mots hétéroclites. Depuis ce texte, on parle d'« inventaire à la Prévert ». Comment le tissage contextuel du sens entre les mots est-il aboli ? sur quel principe d'unité repose le texte ?

Une pierre
deux maisons
trois ruines
quatre fossoyeurs
5 un jardin
des fleurs

un raton laveur

une douzaine d'huîtres un citron un pain
un rayon de soleil
10 une lame de fond
six musiciens
une porte avec son paillasson
un monsieur décoré de la légion d'honneur

un autre raton laveur

15 un sculpteur qui sculpte des napoléon
la fleur qu'on appelle souci
deux amoureux sur un grand lit
un receveur des contributions un chaise trois dindons
un ecclésiastique un furoncle
20 une guêpe [...]

JACQUES PRÉVERT, « Inventaire », *Paroles*, Éd. Gallimard, 1946.

LE CHAMP LEXICAL

EXERCICE 2 ••

1. Quel est le réseau lexical dominant dans ce texte ? À quel élément naturel est-il lié ?
2. Quelle atmosphère l'auteur a-t-il voulu recréer ?

La pente se raidissait, l'entrelacs des ruelles se compliquait quand, tout à coup, le groupe achoppa sur un énorme égout à ciel ouvert où l'eau stagnait, engorgée d'ordures.
Un petit pont enjambait le dépotoir et sa guirlande
5 de saloperies qui cascadait en ligne droite du haut de la favela jusqu'en bas. Cataracte de matières corrompues, de sacs de plastique bleus, éventrés, dégobillant leur contenu de reliefs[1] biscornus, tout un grouillement d'épluchures, de cartons, de guenilles déchiquetées,
10 bidons, boîtes de conserve et tessons de bouteilles. L'avalanche partageait en deux la favela d'une artère puante, d'un grand boyau arborescent.

PATRICK GRAINVILLE, *Colère*, Éd. du Seuil, 1992,
coll. Points Roman, 1993.

1. reliefs : déchets.

EXERCICE 3 ••

1. Relevez les réseaux lexicaux en étudiant le domaine de la nature et le domaine sensoriel dont il est question. Comment ces réseaux lexicaux sont-ils répartis dans le texte ?
2. Expliquez comment la description est organisée dans cet extrait.

Les souvenirs affluaient par longues vagues : toutes les odeurs des bois, l'âcreté du terrain mouillé sur quoi fermentent les feuilles mortes, l'arôme farineux d'un champignon écrasé en passant ; tous les murmures, tous
5 les froissements, toutes les envolées dans les branches, les fracas d'ailes traversant les futaies[1], les essors[2] au ras des sillons ; et tous les cris des crépuscules, la crécelle rouillée des coqs-faisans, les rappels croisés des perdrix, les piaulements courts des tourterelles, et déjà, dans la
10 nuit commençante, le grincement qui approche et passe à frôler votre tête avec le vol de la première chevêche[3] en chasse.

MAURICE GENEVOIX, *Raboliot*, Éd. Grasset & Fasquelle, 1925.

1. futaies : forêts exploitées pour leur bois.
2. essors : envolées d'oiseaux.
3. chevêche : chouette de petite taille.

EXERCICE 4 •••

1. Identifiez les termes qui relèvent du champ lexical du chemin de fer ; comment sont-ils progressivement introduits ?
2. Comparez cette description à celle de Zola, à la page 30. Commentez la différence entre les deux descriptions de gares.
3. Réécrivez cette description à la manière de Zola.

À la fois aérienne et monumentale, s'avançant au ralenti, comme portée sur un nuage, les jets de vapeur fusant entre les bielles nappées d'une huile jaunâtre, ébranlant le sol sous sa masse, tirant derrière elle une
5 suite de wagons d'un modèle ancien exhumés des dépôts où on les conservait sans doute en prévision de ce jour (en bois, peints d'une couleur marron écaillée et pourvus d'une galerie à chacune de leurs extrémités), la locomotive pénétra avec un sourd fracas sous la verrière de
10 la gare où, sur le quai, se pressait une foule compacte dont le premier rang recula d'un pas à son approche, non pas tellement par crainte d'être ébouillanté par la vapeur ou de trébucher sous les roues que par une sorte d'instinctive horreur, d'intuitif instinct de répulsion qui
15 lui commandait de conserver le plus longtemps possible entre elle et la paroi verticale des wagons en train de défiler de plus en plus lentement un illusoire et ultime intervalle de vide, comme un fossé, un étroit canyon ou plutôt une invisible muraille, un invisible rempart au-
20 delà duquel, une fois franchi, serait scellé quelque chose d'irrémédiable, définitif et terrible.

CLAUDE SIMON, *L'Acacia*, Éd. de Minuit, 1989.

LE CHAMP SÉMANTIQUE

EXERCICE 5 •

Les mots de chaque liste appartiennent au même champ sémantique, à l'exception d'un intrus dans chaque liste. Identifiez le champ sémantique, localisez les intrus.

Liste A : course, saut, effort, joueur, sueur, compétition, but, télévision, équipe, victoire, lancer, repas, muscle.

Liste B : avalanche, tempête, typhon, mort, bruine, sourire, tornade, effroi, tsunami, tremblement de terre, éruption.

EXERCICE 6 ••

1. Identifiez dans ce sonnet de Louise Labé les termes du plaisir et de la souffrance.
2. Étudiez la manière dont ces deux champs sémantiques sont associés pour former le champ sémantique de l'amour.

> Je vis, je meurs : je me brûle et me noie.
> J'ai chaud extrême en endurant froidure,
> La vie m'est et trop molle et trop dure ;
> J'ai grands ennuis entremêlés de joie.
>
> 5 Tout à un coup[1], je ris et je larmoie,
> Et en plaisir maint grief[2] tourment j'endure ;
> Mon bien s'en va et à jamais il dure :
> Tout en un coup je sèche et je verdoie.
>
> Ainsi Amour inconstamment me mène :
> 10 Et quand je pense avoir plus de douleur,
> Sans y penser je me trouve hors de peine.
>
> Puis quand je crois ma joie être certaine,
> Et être au plus haut de mon désiré heur[3],
> Il me remet en mon premier malheur.
>
> **LOUISE LABÉ**, *Sonnets* (VIII), 1555.

1. tout à un coup : en même temps.
2. grief : grave.
3. heur : bonheur.

EXERCICE 7 ••

Expliquez ce qui caractérise le champ sémantique du mot « souvenir » dans le corpus suivant tiré des *Fleurs du mal* de Baudelaire.

- Ainsi l'amant sur un corps adoré /
  Du souvenir cueille la fleur exquise.
- Ton souvenir plus clair, plus rose, plus charmant, /
  À mes yeux agrandis voltige incessamment.
- Ton souvenir en moi luit comme un ostensoir !
- Voilà le souvenir enivrant qui voltige /
  Dans l'air troublé
- Il est amer et doux, pendant les nuits d'hiver, /
  D'écouter, près du feu qui palpite et qui fume, /
  Les souvenirs lointains lentement s'élever /
  Au bruit des carillons qui chantent dans la brume.
- Des souvenirs dormant dans cette chevelure, /
  Je la veux agiter dans l'air comme un mouchoir !

CHARLES BAUDELAIRE, *Les Fleurs du mal*, 1871.

EXERCICE 8 •

Dans cette description de paysage sous la neige, commentez le champ sémantique du tissu.

> La nuit noire était doublée de gel, comme le satin blanc sous un habit de soirée –, au-dehors des mains frisées couraient de toutes parts sur la neige. Les murs étaient de grands rideaux sombres, et sur les steppes de
> 5 neige des nappes blanches, à perte de vue, comme des feux se décollent des étangs gelés, se levait la lumière mystique des bougies. J'étais le roi d'un peuple de forêts bleues, comme un pèlerinage avec ses bannières se range immobile sur le bord d'un lac de glace.
>
> **JULIEN GRACQ**, *Liberté grande*, Éd. José Corti, 1947.

EXERCICE 9 •

Lisez ci-dessous l'incipit de la nouvelle de Maupassant « Deux amis ». Expliquez comment le narrateur installe et développe l'isotopie de la faim.

> Paris était bloqué, affamé et râlant. Les moineaux se faisaient bien rares sur les toits, et les égouts se dépeuplaient. On mangeait n'importe quoi.
>
> **GUY DE MAUPASSANT**, « Deux amis »,
> *Mademoiselle Fifi*, 1883.

LES MOTS DU BAC

Le champ lexical et le champ sémantique

1. Dans la phrase : *« Arlequin est célèbre pour son manteau composé de pièces disparates »*, on dit que, pour le mot « célèbre », le reste de la phrase constitue :
a. l'univers de référence.
b. le champ sémantique.
c. le contexte.

2. Quelle série constitue un champ lexical ?
a. agréable, charmant, aimable, gentil
b. corolle, floribond, fané, horticulture, cueillir
c. penaud, noiraud, finaud, pataud

3. le champ sémantique est :
a. un ensemble de mots se rapportant à un même domaine.
b. l'ensemble des synonymes d'un mot.
c. l'ensemble des sens que prend le mot dans un texte.

4. L'univers de référence d'un texte, c'est :
a. la période historique à laquelle il a été écrit.
b. les textes auxquels il fait écho.
c. le monde imaginaire ou réel auquel il renvoie.

5. *Vienne la nuit sonne l'heure*
Les jours s'en vont je demeure
À propos de ces deux vers on parle plutôt de :
a. famille du mot temps.
b. champ sémantique du temps.
c. l'isotopie du temps qui passe.

La phrase

Délimitée à l'écrit par une majuscule initiale et par une ponctuation finale, la phrase constitue l'unité de base de tout texte, oral ou écrit. Plus ou moins longues selon leur degré de complexité, les phrases et les agencements de phrases donnent au texte son rythme : reprises et balancements, lenteur ou rapidité, fluidité ou rupture…

OBSERVATION

Les variations syntaxiques d'une même phrase

MONSIEUR JOURDAIN – Je voudrais donc lui mettre dans un billet : *Belle marquise, vos beaux yeux me font mourir d'amour* ; mais je voudrais que cela fût mis d'une manière galante, que cela fût tourné gentiment. […]

MAÎTRE DE PHILOSOPHIE – Il faut bien étendre un peu la chose.

5 MONSIEUR JOURDAIN – Non, vous dis-je, je ne veux que ces seules paroles-là dans le billet ; mais tournées à la mode, bien arrangées comme il faut. Je vous prie de me dire un peu, pour voir, les diverses manières dont on les peut mettre.

MAÎTRE DE PHILOSOPHIE – On les peut mettre premièrement comme vous
10 avez dit : *Belle marquise, vos beaux yeux me font mourir d'amour*. Ou bien : *D'amour mourir me font, belle marquise, vos beaux yeux*. Ou bien : *Vos yeux beaux d'amour me font, belle marquise, mourir*. Ou bien : *Mourir vos beaux yeux, belle marquise, d'amour me font*. Ou bien : *Me font vos yeux beaux mourir, belle marquise, d'amour*.

15 MONSIEUR JOURDAIN – Mais, de toutes ces façons-là, laquelle est la meilleure ?

MAÎTRE DE PHILOSOPHIE – Celle que vous avez dite : *Belle marquise, vos beaux yeux me font mourir d'amour*.

MONSIEUR JOURDAIN – Cependant je n'ai point étudié, et j'ai fait cela tout
20 du premier coup.

MOLIÈRE, *Le Bourgeois gentilhomme*, Acte II, scène 4, 1670.

QUESTIONS

1. La phrase obéit à un ordre syntaxique contraignant : quel est l'ordre des éléments dans la phrase de base (Belle marquise, vos beaux yeux me font mourir d'amour) ?

2. Quels effets produisent les manipulations successives de cet ordre ?

3. Jusqu'à quel point le sens résiste-t-il aux perturbations ? Quel est alors le sens de la gradation des phrases dans la succession adoptée par le Maître de philosophie ?

1 La phrase verbale ou non verbale

1. Le verbe, noyau de la phrase

Le noyau de la phrase est le verbe : verbe d'action (sur la base de « faire ») ou verbe d'état (sur la base d'« être »). Toute la scène s'organise autour de lui.

2. La phrase sans verbe

Elle est dite « phrase nominale », si elle prend appui sur un nom, mais elle peut aussi prendre son appui sur d'autres types de mots.

→ **Noms et adjectifs :** Toujours du vin, jamais de casse-poitrine ! (Zola) ; Pas si bête, pourtant pas si bête ! (Beaumarchais)

→ **Adverbes et pronoms :** Ailleurs, bien loin d'ici, trop tard, jamais peut-être (Baudelaire) ; Où maintenant ? Quand maintenant ? Qui maintenant ? Sans me le demander. Dire je. Sans le penser. (S. Beckett)

→ **Interjections :** Euh ? Quoi ? Assurément ? Assurément ! (Molière)

La phrase sans verbe permet des raccourcis, pour l'émotion ou pour la densité, l'accélération ou l'ellipse. Elle est caractéristique d'un style oral.

2 La phrase simple et la phrase complexe

1. La phrase verbale simple

Elle ne comprend qu'une seule proposition : un groupe sujet + un groupe verbal.

→ Ma petite Anglaise, Kate, parlait une langue invraisemblable. (Maupassant)

La phrase simple domine dans les textes informatifs ou explicatifs : articles de presse, textes techniques, modes d'emploi, slogans publicitaires…

2. La phrase complexe

Plusieurs propositions (indépendantes, principale et subordonnées) s'agrègent par juxtaposition, coordination ou subordination.

■ **Juxtaposition.** Les propositions, indépendantes, sont posées les unes à côté des autres, sans terme de liaison.

→ Tout à coup, la secousse d'arrêt me réveilla, j'ouvris les yeux.

■ **Coordination.** Les propositions, indépendantes, sont reliées par un terme de liaison (conjonction de coordination), qui additionne, oppose, explique.

→ Tout à coup, la secousse d'arrêt me réveilla et j'ouvris les yeux.

■ **Subordination.** Les propositions « subordonnées » sont dépendantes d'une proposition « principale ». Une conjonction de subordination indique une relation de temps, de but, de cause, de conséquence, de condition, de concession ou de comparaison.

→ Tout à coup, la secousse d'arrêt me réveilla, tant et si bien que j'ouvris les yeux.

La subordonnée peut aussi ne porter que sur un élément seulement de la proposition principale : c'est le cas des relatives (qui développent un nom) et des complétives (qui développent un verbe).

→ Sous la secousse d'arrêt qui me réveilla, j'ouvris les yeux.

3 La période

La période est une phrase complexe particulièrement développée, où s'agencent de multiples propositions parallèles ou enchâssées et dont l'ensemble respecte un équilibre d'enchaînement et de contenu. La période caractérise le plus souvent les discours argumentatifs et oratoires.

Repère

La phrase et ses rythmes

La structure des phrases obéit à un rythme plus ou moins codifié. Le français, par tradition, affectionne le rythme ternaire (trois qualifications qui se suivent, trois propositions parallèles qui s'enchaînent). Mais les formes rythmiques de la phrase sont infiniment variées (binaires, ternaires, quaternaires) : « Je le vis, je rougis, je palis à sa vue ». (Racine, *Phèdre*)

LA PHRASE VERBALE OU NON VERBALE

EXERCICE 1 •

Classez les phrases sans verbe suivantes, selon qu'elles prennent leur appui sur un nom, sur un adjectif, sur un adverbe, sur une interjection.

• Ô rage, ô désespoir ! (Corneille)
• Plaine infinie. Plaine infiniment grande. Plaine infiniment triste. Sérieuse et tragique. (Péguy)
• Agréable ? – Oui, certainement, madame. (Maupassant)
• « Mère décédée. Enterrement demain. Sentiments distingués. » (Camus)
• Ah mortelles douleurs ! (Racine)
• Nuit de juin ! Dix-sept ans ! (Rimbaud)
• À moi ! Au secours !... Oh ! mon Dieu ! Au secours ! Au secours ! (Zola)
• Te voilà, fainéant ? (Vallès)
• Gaieté des jeunes ouvrières et des soldats. (Stendhal)

EXERCICE 2 •

1. Le sonnet ci-dessous est construit sur une longue phrase nominale. Quel en est l'effet ?
2. Réintroduisez pour chaque proposition son sujet et son verbe sous-entendus.

Ô beaux yeux bruns, ô regards détournés,
Ô chauds soupirs, ô larmes épandues,
Ô noires nuits vainement attendues,
Ô jours luisants vainement retournés[1],
5 Ô tristes pleins[2], ô désirs obstinés,
Ô temps perdu, ô peines dépendues[3]
Ô mille morts en mille rets[4] tendues
Ô pire maux contre moi destinés,
Ô ris, ô front, cheveux, bras, mains et doigts
10 Ô luth plaintif, viole, archet et voix :
Tant de flambeaux pour ardre[5] une femelle !

De toi me plains, que tant de feux portant,
En tant d'endroits d'iceux[6] mon cœur tâtant[7]
N'en est sur toi volé quelque étincelle.

LOUISE LABÉ, Sonnet (II), *Œuvres*, 1555.

1. retournés : revenus. 2. pleins : plaintes, gémissements. 3. dépendues : dépensées. 4. rets : pièges. 5. ardre : brûler, consumer. 6. d'iceux : de ceux-ci, de ces feux. 7. tâtant : touchant, éprouvant (mon cœur touchant et éprouvant la brûlure de ces feux en tant d'endroits).

EXERCICE 3 • •

Analysez du point de vue du rythme et du contenu le jeu des phrases nominales et verbales dans l'extrait du poème « Le Lézard », de Francis Ponge.

Arrêt brusque. Sur la pierre la plus chaude. Affût ? Ou bien repos automatique ? Il se prolonge. Profitons-en ; changeons de point de vue.

FRANCIS PONGE, *Le Grand Recueil*, Éd. Gallimard, 1961.

EXERCICE 4 •

Repérez les différentes phrases. Comment expliquez-vous cette succession de phrases verbales et non verbales ?

Un obus !... Vrang !... qui rentre dans le pont ! la maîtresse arche saute, éclate !... Creuse un gouffre dans la chaussée, une béance énorme… un cratère où tout s'engouffre !... Les personnes fondent, tassent les cre-
5 vasses !... dégringolent sous les vapeurs âcres… dans un ouragan de poussière !...

LOUIS-FERDINAND CÉLINE, *Guignol's band*, Éd. Gallimard, 1944.

LA PHRASE SIMPLE ET LA PHRASE COMPLEXE

EXERCICE 5 •

Analysez l'alternance des phrases simples et des phrases complexes. Quels sont les effets qui en résultent ?

J'avais refermé la porte et un valet nous guidait dans l'antichambre, ma grand-mère et moi, quand nous entendîmes de grands cris de colère. La femme de chambre avait oublié de percer la boutonnière pour les
5 décorations. Cela allait demander encore dix minutes. Le professeur tempêtait toujours pendant que je regardais sur le palier ma grand-mère qui était perdue. Chaque personne est bien seule. Nous repartîmes vers la maison.

MARCEL PROUST, *Le Côté de Guermantes, À la recherche du temps perdu*. Éd. Gallimard, 1921.

EXERCICE 6 • •

Voici un extrait d'un travail d'écriture d'invention. Il s'agissait de décrire de manière enthousiaste, à travers le regard d'un personnage, un quartier de Paris. Redécoupez cette phrase pour redonner plus de force dans l'expression du bonheur ressenti par le personnage.

De grands bâtiments avec de multiples étages, tous plus grands et somptueux les uns que les autres, tant par la taille que par l'architecture, offraient la vision de l'avenir du monde et d'un futur où toutes les cultures se confondaient dans un rassemblement de races, de religions, de couleurs sans séparation comme dans ses tours de verre où l'intérieur et l'extérieur se mélangeaient sans cesse comme pour empêcher les hommes de se sentir seuls.

EXERCICE 7 •

Il s'agit du même sujet d'invention que dans l'exercice 6. Cette fois, les phrases sont trop brèves. Réécrivez le passage en essayant de leur redonner davantage d'amplitude pour mieux exprimer les sentiments du personnage.

Tout lui semblait déborder de vie. Il portait ses regards sur dix endroits à la fois. À force, sa vision se troublait. Il était impossible de tout regarder. Il aurait voulu s'assoir. Mais marcher au milieu de la foule l'émerveillait aussi. Les vendeurs de livres sur les quais de la Seine l'attiraient. Il était impossible de se décider. Tout méritait son attention. Il ne pouvait choisir.

LA PÉRIODE

EXERCICE 8 ● ● ●

Entraînez-vous à structurer une période : analysez les parallélismes, la hiérarchie et la progression de la phrase. Quel est l'effet argumentatif de cette construction ?

Tant que les hommes se contentèrent de leurs cabanes rustiques,

tant qu'ils se bornèrent
à coudre leurs habits de peaux
5 avec des épines ou des arêtes,
à se parer de plumes et de coquillages,
à se peindre le corps de diverses couleurs,
à perfectionner ou embellir leurs arcs et leurs flèches,
à tailler avec des pierres tranchantes quelques canots
10 de pêcheurs, ou quelques grossiers instruments
de musique ;

en un mot, tant qu'ils ne s'appliquèrent
qu'à des ouvrages qu'un seul pouvait faire,
et qu'à des arts qui n'avaient pas besoin du concours
15 de plusieurs mains,

ils vécurent libres, sains, bons et heureux
autant qu'ils pouvaient l'être par leur nature et
continuèrent à jouir entre eux des douceurs d'un
commerce indépendant ;

20 mais dès l'instant qu'un homme eut besoin du secours
d'un autre,

dès qu'on s'aperçut qu'il était utile à un seul d'avoir
des provisions pour deux,

l'égalité disparut,
25 **la propriété s'introduisit,**
le travail devint nécessaire

et les vastes forêts se changèrent en des campagnes
riantes
qu'il fallut arroser de la sueur des hommes
30 et dans lesquelles on vit bientôt l'esclavage
et la misère germer et croître avec les moissons.

Jean-Jacques Rousseau,
Discours sur l'origine de l'inégalité, 1755.

EXERCICE 9 ●

Comparez la phrase de Chateaubriand à la phrase simple suivante : « Un Français raclait un violon. » Comment l'expansion s'organise-t-elle ?

Un petit Français, poudré et frisé comme autrefois, habit vert pomme, jabot et manchettes de mousseline, raclait un violon de poche.

François-René de Chateaubriand, *Voyage en Amérique*, 1827.

EXERCICE 10 ●

La période se caractérise par une syntaxe très complexe, riche en instruments de conjonction et de subordination. À l'opposé, Camus exploite la force esthétique de la parataxe, c'est-à-dire de la juxtaposition de phrases sans liaison entre elles. Commentez le rapport entre la parataxe des phrases du récit et les phrases nominales du télégramme.

Aujourd'hui, maman est morte. Ou peut-être hier, je ne sais pas. J'ai reçu un télégramme de l'asile : « Mère décédée. Enterrement demain. Sentiments distingués. » Cela ne veut rien dire. C'était peut-être hier.

Albert Camus, *L'Étranger*, Éd. Gallimard, 1942.

LES MOTS DU BAC

La phrase

1. « Moi ! Jamais ! » est :
   a. une interjection.
   b. une proposition.
   c. une juxtaposition.

2. Généralement, la phrase non verbale est utilisée :
   a. dans les textes explicatifs.
   b. dans le style oral.
   c. dans les textes très littéraires.

3. La phrase suivante : « Le dix-neuvième siècle est grand, mais le vingtième sera heureux » de Victor Hugo dans *Les Misérables* est composée de propositions :
   a. subordonnées.
   b. juxtaposées.
   c. coordonnées.

4. La période est :
   a. une phrase verbale simple.
   b. une phrase avec une subordonnée relative.
   c. une phrase complexe particulièrement développée.

5. *Car j'ignore où tu fuis, tu ne sais où je vais,*
   Ô toi que j'eusse aimée, ô toi qui le savais !
   Quel est le rythme dominant dans ces deux vers de « À une passante » de Baudelaire ?
   a. ternaire
   b. binaire
   c. quartenaire

Les types de phrases

Les phrases prennent des formes différentes pour exprimer les diverses attitudes qu'on a devant le monde et devant les autres : elles permettent d'affirmer ce qui est et ce qui n'est pas, de questionner ou de s'interroger, de s'exclamer, d'interpeller, de moduler les manières de faire connaître notre volonté et nos états d'âme.

OBSERVATION

Phrase
déclarative

Phrase
interrogative

Phrase
exclamative

Phrase
injonctive

Texte A

HARPAGON. – Au voleur ! Au voleur ! À l'assassin ! Au meurtrier ! Justice, juste ciel ! Je suis perdu, je suis assassiné, on m'a coupé la gorge, on m'a dérobé mon argent. Qui peut-ce être ? Qu'est-il devenu ? Où est-il ? Où se cache-t-il ? Que ferai-je pour le trouver ? Où courir ? Où ne pas
5 courir ? N'est-il point là ? N'est-il point ici ? Qui est-ce ? Arrête. Rends-moi mon argent, coquin… *(Il se prend lui-même le bras.)* Ah ! C'est moi. Mon esprit est troublé, et j'ignore où je suis, qui je suis et ce que je fais.

MOLIÈRE, *L'Avare*, Acte IV, scène 7, 1669.

Texte B

Araucarias, kaoris…
    Tu rêves ?
Orly, Paris, la France, tout cela…
    Avons-nous déjà traversé le tropique ?
5 Il doit y avoir longtemps, quelque part au-dessus de l'Inde.
    La tête me tourne.
Tu as vu ce prospectus ?
    Des voyages organisés ?
C'est peut-être ça qu'il nous faudrait pour Athènes, Téhéran, Bangkok…
10   À notre âge, tu veux dire ?
Chercher des hôtels, se renseigner sur les cars, tout ça…
    Ne t'inquiète pas, je m'en chargerai !

MICHEL BUTOR, *Réseau Aérien*, Éd. Gallimard, 1962.

QUESTIONS

1. Identifiez les phrases verbales ou non verbales et les séries de types de phrases (texte A et texte B).

2. Analysez le rythme qui résulte de leur dimension, de leur agencement et de leur mode d'enchaînement (texte A).

3. En quoi les types de phrases révèlent-ils l'état passionnel ou affectif du personnage (texte A et texte B) ?

4. Dans le texte B, identifiez les types de phrases et restituez le dialogue en attribuant chaque phrase à un des deux interlocuteurs.

1 La phrase déclarative

■ **La phrase de base.** La phrase déclarative présente des faits considérés comme réels, de manière affirmative ou négative.

→ Présent : Mon esprit est troublé, et j'ignore où je suis, qui je suis... (Molière)
→ Passé : Longtemps, je me suis couché de bonne heure. (Proust)
→ Futur : Nous aurons des lits pleins d'odeurs légères. (Baudelaire)

■ **Le modèle syntaxique.** Le modèle syntaxique de la phrase déclarative est, dans l'ordre, sujet + verbe + complément. À l'oral, l'intonation est montante, puis descendante. À l'écrit, un point signale la fin de la phrase déclarative.

2 La phrase interrogative

■ **La construction de l'interrogation.** La phrase interrogative, positive ou négative, exprime une quête de savoir. Sa structure syntaxique est variée : inversion verbe/sujet, mot interrogatif à l'initiale (pronom, conjonction, adverbe). L'interrogation est marquée, à l'écrit, par un point d'interrogation.

■ **L'interrogation totale ou partielle.** L'interrogation totale appelle une réponse par « oui » ou par « non ». Son intonation est toujours ascendante. L'interrogation partielle appelle une réponse adaptée.

→ Interrogation totale : « Faut-il te parler franchement ? Ne riras-tu pas de moi ? » (Musset)
→ Interrogation partielle : « Qui est cet homme ? Lequel de vous deux est Bonaparte ? » (Vailland)

■ **Question rhétorique.** La fausse question (ou question oratoire) est une affirmation déguisée qui considère l'adhésion de l'interlocuteur comme acquise.

→ Ah ! Fallait-il en croire une amante insensée ? (Racine)

3 La phrase exclamative

■ **L'émotion.** La phrase exclamative exprime l'état émotionnel du locuteur. L'exclamation peut être soudaine et intense (*Aïe !*), ou durable et modulée (*Que j'aime la beauté !*). Elle exprime les sentiments les plus variés : enthousiasme, admiration, étonnement, regret, colère, désespoir...

■ **L'exclamation et le registre lyrique.** À l'oral, elle se fait entendre par une intonation descendante, puis montante. À l'écrit, elle est marquée par un point d'exclamation. La phrase exclamative est caractéristique du registre lyrique.

→ Que la nature est belle et que le cœur me fend ! (Aragon)

4 La phrase injonctive

■ **Dire à autrui de faire.** Positive, la phrase injonctive peut signifier un ordre, une prière, une requête ; négative, elle signifie une interdiction. Le mode impératif est souvent modulé par les codes de la politesse (*Pourriez-vous fermer la fenêtre s'il vous plaît ?*) ou les injonctions indirectes (*Il fait un peu froid ici, vous ne trouvez pas ?*).

DESTINATAIRE	MODE	EXEMPLE
Destinataire présent	Impératif	Sortez !
Destinataire absent	Subjonctif	Qu'elle entre.
Destinataire indéterminé	Infinitif	Entrer sans frapper.
	Indicatif	Il est interdit de fumer.

LA PHRASE DÉCLARATIVE

EXERCICE 1 •

Identifiez la phrase déclarative parmi les titres de journaux suivants. Quels types de phrases caractérisent les autres titres ?

- Le catastrophisme, maladie infantile de l'écologie politique ? (*Libération*)
- Techno paradons ! (*Les Inrockuptibles*)
- En Haïti, les autorités tentent d'enrayer le choléra.

(*Le Monde*)

EXERCICE 2 ••

La phrase déclarative présente l'énoncé comme réel et certain. Mais le degré de vérité varie, de la réalité à la fiction. Classez les phrases suivantes selon le degré de réalité qu'elles énoncent.

- Rien n'était si beau, si leste, si brillant, si bien ordonné que les deux armées. (Voltaire)
- Nous autres, civilisations, nous savons maintenant que nous sommes mortelles. (Valéry)
- À dater de ce jour, je vis Ellénore s'affaiblir et dépérir. (Constant)
- Sur le pont la rosée à tête de chat se berçait. (Breton)
- C'est la plus importante rétrospective Gauguin depuis celle du Grand Palais, en 1989. (*Le Monde*)

EXERCICE 3 •

Transformez la phrase déclarative suivante en phrase interrogative, puis exclamative, puis injonctive. Commentez les effets de sens produits.

BIODIVERSITÉ
Un accord mondial est trouvé

(*Le Monde*)

LA PHRASE INTERROGATIVE

EXERCICE 4 •

Faites varier les formes de l'interrogation et expliquez les différences de signification entre les différentes formes.

- Tonton, qu'elle crie, on prend le métro ? (Queneau)
- Elle habite toujours le palais, Électre ? (Giraudoux)
- Qui oserait assigner à l'art la fonction stérile d'imiter la nature ? (Baudelaire)
- Après tous mes discours, vous la croyez fidèle ? (Racine)
- Qu'est-ce qu'on fait maintenant ? (Beckett)
- Quoi donc vous arrive ? (Verlaine)

EXERCICE 5 •

1. Identifiez l'interrogation totale et l'interrogation partielle. Modifiez la première réponse d'Arlequin par d'autres adverbes d'acquiescement.
2. Commentez la réponse donnée à l'interrogation partielle.

LÉLIO. – Tu n'as donc point de tristesse ?
ARLEQUIN. – Si fait.
LÉLIO. – Dis donc pourquoi ?
ARLEQUIN. – Pourquoi ? En vérité, je n'en sais rien ; c'est
5 peut-être que je suis triste de ce que je ne suis pas gai.

MARIVAUX, *La Surprise de l'amour*, 1723.

EXERCICE 6 •

1. Classez les phrases interrogatives suivantes selon le type d'interrogation, totale ou partielle.
2. Tentez de formuler pour chacune une réponse.

- D'où venez-vous ? Qui est votre père ? (Giraudoux)
- Trouvez-vous toujours que le Rhône ne soit que de l'eau ? (Mme de Sévigné)
- À quoi bon la musique ? À quoi bon la peinture ? (Gautier)
- Tu ne vois rien venir ? (Beckett)
- Anne, ma sœur Anne, ne vois-tu rien venir ? (Perrault)

EXERCICE 7 •

1. Identifiez la question rhétorique dans l'extrait suivant.
2. Expliquez en quoi cette question peut être qualifiée de rhétorique.

FIGARO. – Ô femme ! femme ! femme ! créature faible et décevante !... Nul animal créé ne peut manquer à son instinct ; le tien est-il donc de tromper ?... Après m'avoir obstinément refusé quand je l'en pressais devant sa maî-
5 tresse, à l'instant qu'elle me donne sa parole, au milieu même de la cérémonie… Il riait en lisant, le perfide ! et moi, comme un benêt… ! non, Monsieur le Comte, vous ne l'aurez pas… vous ne l'aurez pas.

BEAUMARCHAIS, *Le Mariage de Figaro*, 1784.

EXERCICE 8 ••

L'interrogation ci-dessous est-elle rhétorique ? Expliquez votre réponse.

D'où vient que cet homme qui a perdu depuis peu de mois son fils unique et qui accablé de procès et de querelles était ce matin si troublé, n'y pense plus mainte-nant ? Ne vous en étonnez pas, il est tout occupé à voir
5 par où passera ce sanglier que ses chiens poursuivent avec tant d'ardeur depuis six heures.

BLAISE PASCAL, *Pensées*, 1669.

LA PHRASE EXCLAMATIVE

EXERCICE 9 •

Quel est le rôle des phrases exclamatives dans ce texte de Victor Hugo ?

L'homme que vous frappez est sans famille, sans parents, sans adhérents dans ce monde. Et dans ce cas, il n'a reçu ni éducation, ni instruction, ni soins pour son esprit, ni soins pour son cœur ; et alors de quel droit
5 tuez-vous ce misérable orphelin ? Vous le punissez de ce que son enfance a rampé sur le sol sans tige et sans tuteur ! Vous lui imputez à forfait l'isolement où vous l'avez laissé ! De son malheur vous faites un crime !

Victor Hugo, *Le Dernier Jour d'un condamné*, Préface, 1832.

EXERCICE 10 •

1. Quel sentiment expriment ces expressions ? Qu'est-ce qui marque l'intensité de ce sentiment ?
2. Classez ces injures selon les domaines auxquels elles renvoient.

Sapajou !... Marchand de tapis !... Paranoïaque !... Moule à gaufres !... Cannibale !... Ornithorynque !... Boit-sans-soif !... Bachi-bouzouk !... Anthropophage !... Cercopithèque !... Schizophrène !... Heu... Jocrisse !...

Les injures du capitaine Haddock dans l'album de Tintin *Coke en stock* d'Hergé (1958).

EXERCICE 11 •

Voici un extrait du poème d'Alfred de Vigny « La mort du loup ». Pour chaque forme exclamative utilisée, quel sentiment est exprimé ?

Hélas ! ai-je pensé, malgré ce grand nom d'Hommes,
Que j'ai honte de nous, débiles[1] que nous sommes !
Comment on doit quitter la vie et tous ses maux,
C'est vous qui le savez, sublimes animaux !
5 À voir ce que l'on fut sur terre et ce qu'on laisse,
Seul le silence est grand ; tout le reste est faiblesse.
– Ah ! je t'ai bien compris sauvage voyageur[2],
Et ton dernier regard m'est allé jusqu'au cœur !

Alfred de Vigny, « La mort du loup », *Les Destinées*, 1864.

1. débiles : faibles, fragiles.
2. il s'adresse au loup qui vient d'être abattu.

EXERCICE 12 ••

L'écriture de Céline consiste à retrouver l'émotion du parlé à travers l'écrit. Quel est le rôle des phrases exclamatives dans cette forme d'écriture ?

C'est mon génie ! le coup de mon génie ! pas trente-six façons !... j'embarque tout mon monde dans le métro, pardon !... je fonce avec : j'emmène tout le monde !... de gré ou de force !... avec moi !... le métro émotif, le
5 mien ! sans tous les inconvénients, les encombrements !

dans un rêve !... jamais le moindre arrêt nulle part ! non ! au but ! au but ! direct dans l'émotion !... par l'émotion ! rien que le but : en pleine émotion... bout en bout !
10 – Comment ?... comment ?
– Grâce à mes rails profilés ! mon style profilé !

Louis-Ferdinand Céline, *Entretiens avec le professeur Y*, Éd. Gallimard, 1955.

LA PHRASE INJONCTIVE

EXERCICE 13 •

Dans les phrases suivantes, identifiez les modes qui expriment l'injonction. Indiquez le statut du destinataire et distinguez la nuance exprimée (ordre, prière, appel, conseil, souhait).

• Gardes, qu'on obéisse aux ordres de ma mère. (Racine)
• Appelle un peu cet homme que voilà là-bas, pour lui demander le chemin. (Molière)
• Puissent tous les hommes se souvenir qu'ils sont frères ! (Voltaire)
• Je vous en supplie ; ne mentez pas davantage ; en voilà assez ; je sais tout. (Musset)

LES MOTS DU BAC

Les types de phrases

1. Parmi ces trois phrases interrogatives, laquelle n'est pas partielle ?
   a. D'où venez-vous ?
   b. Serez-vous présent demain ?
   c. Lequel avez-vous préféré ?

2. Repérez la question rhétorique :
   a. L'avez-vous bien connu ?
   b. Vous pensez le voir demain ?
   c. Le croyez-vous vraiment capable de faire une chose pareille ?

3. À quel registre est souvent associée l'exclamation ?
   a. Le registre lyrique.
   b. Le registre tragique.
   c. Le registre polémique.

4. « Prière de na pas fumer » est une phrase :
   a. déclarative.
   b. injonctive.
   c. impérative.

5. Parmi ces adjectifs, lequel n'est pas associé à un type de phrase ?
   a. Déclarative.
   b. Injonctive.
   c. Négative.

Le verbe et l'emploi des temps

Le verbe est le centre dynamique de la phrase : il lie le sujet à son action, il indique le temps, il exprime le mode. Le temps concerne la relation entre le moment de la parole et celui de l'événement énoncé. C'est également un moyen de concrétiser la façon dont se déroule l'action.

OBSERVATION

- Présent
- Passé composé
- Imparfait
- Futur hypothétique : le conditionnel
- Futur catégorique

Une allée du Luxembourg

Elle a passé, la jeune fille
Vive et preste comme un oiseau :
À la main une fleur qui brille,
À la bouche un refrain nouveau.

5   C'est peut-être la seule au monde
Dont le cœur au mien répondrait,
Qui venant dans ma nuit profonde
D'un seul regard l'éclairerait !...

Mais non, – ma jeunesse est finie…
10   Adieu, doux rayon qui m'as lui, –
Parfum, jeune fille, harmonie…
Le bonheur passait, – il a fui !

GÉRARD DE NERVAL, *Odelettes*, 1833.

CRÉON. – Tu l'apprendras toi aussi, trop tard, la vie c'est un livre qu'on aime, c'est un enfant qui joue à vos pieds, un outil qu'on tient bien dans sa main, un banc pour se reposer le soir devant sa maison. Tu vas me mépriser encore, mais de découvrir cela, tu verras, c'est la consolation dérisoire
5   de vieillir : la vie, ce n'est peut-être tout de même que le bonheur !
ANTIGONE, *murmure, le regard perdu.* – Le bonheur…
CRÉON, *a un peu honte soudain.* – Un pauvre mot, hein ?
ANTIGONE, *doucement.* – Quel sera-t-il, mon bonheur ? Quelle femme heureuse deviendra-t-elle, la petite Antigone ?

JEAN ANOUILH, *Antigone*, Éd. La Table ronde, 1946.

QUESTIONS

1. Le poème comprend neuf verbes conjugués à plusieurs temps grammaticaux différents. Quel est le temps qui encadre le texte ?

2. Comment la valse des temps verbaux apporte-t-elle une dimension poétique essentielle à cette *Odelette* ?

3. Dans le texte de théâtre, en quoi l'utilisation des temps amplifie-t-elle l'opposition entre le présent et le futur ?

1 Les valeurs du présent

Le présent évoque un état ou une action (fait, événement) qui coïncide avec le moment où l'on parle, quelle que soit l'extension de ce moment.

Présent momentané	• Il indique une action qui coïncide avec le moment où on parle.	Il arrive. On se tait.
Présent étendu	• Engagé dans le passé, il déborde vers le futur.	Il dort depuis une heure.
Présent permanent	• Sans limite passée ou future, il sert à caractériser un être, un lieu, un objet.	Elle est belle. Le soleil se lève à l'est.
Présent de vérité générale	• Ce qui est dit vaut de tout temps.	L'homme est un loup pour l'homme.
Présent itératif, d'habitude	• Il indique une action qui se répète.	Elle se couche tous les jours de bonne heure.
Présent de narration	• Dans un récit au passé, il actualise, rend l'événement vivant.	Un agneau se désaltérait [...]. Un loup survient à jeun.

Repère

Les verbes d'état et d'action

Le verbe articule la relation entre un sujet, un acte, et ses compléments (objet, circonstances). Les verbes d'état indiquent que quelque chose se maintient (la base verbale est « être » ou « avoir »). Exemples : « L'homme est en mer » (Hugo). Les verbes d'action indiquent que quelque chose se transforme (la base verbale de cette classe, de loin la plus nombreuse, est « faire »). Le « faire » consiste, pour le sujet, à passer d'un état à un autre. Par exemple : manger (état 1 : avoir faim → état 2 : être rassasié).

2 Les temps du passé

■ **L'imparfait.** Il situe le fait dans le passé. Il convient aux descriptions, aux portraits et sert de second plan aux actions mises en avant par le passé simple.

■ **Le passé simple.** Il situe le fait dans un passé coupé du présent. Sur fond d'imparfait, le passé simple met en avant ce qui fait événement.

→ « Deux coqs vivaient en paix ; une poule survint » (La Fontaine)

■ **Le passé composé.** Il évoque une action terminée et dont les conséquences durent dans le présent. Il lie le passé et le présent, et concurrence le passé simple.

■ **Les formes composées.** Le passé composé, le plus-que-parfait et le passé antérieur présentent les faits comme antérieurs aux faits évoqués par les formes simples.

IMPARFAIT	PASSÉ SIMPLE	PASSÉ COMPOSÉ	PLUS-QUE-PARFAIT	PASSÉ ANTÉRIEUR
Il venait Il vivait	Il vint Il vécut	Il est venu Il a vécu	Il était venu Il avait vécu	Il fut venu Il eut vécu

3 Le futur

■ **Le futur catégorique.** Il présente comme certain un fait futur par rapport au présent.

→ Quand les hommes vivront d'amour, il n'y aura plus de misère. (Raymond Lévesque)

■ **Le futur de vérité générale.** Dans cet emploi, il rivalise avec le présent.

→ Selon que vous serez puissant ou misérable,
Les jugements de cour vous rendront blanc ou noir. (La Fontaine)

■ **Le futur antérieur.** Il annonce qu'un fait futur se réalisera avant un autre fait futur.

→ Quand Perrette aura vendu son lait, elle achètera des œufs.

LES VALEURS DU PRÉSENT

EXERCICE 1 •

Quelle est la valeur du présent dans chacun des extraits suivants ?

- Attaché, dit le loup : vous ne courez donc point où vous voulez ? (La Fontaine)
- Hâtons-nous : le temps fuit et nous traîne avec soi : le moment où je parle est déjà loin de moi. (Boileau)
- J'ai quelque chose de chagrin et de fier dans la mine. (La Rochefoucault)
- Je dis « holà ! » On me répond. J'entre. C'est un type qui est en train d'allumer du feu dans un âtre. On se dit tout ce qu'on a à se dire. Le feu flambe. C'est un très bon moment, paisible. (Giono)
- Chaque jour, je vais jusqu'au rivage. Il faut traverser les champs, les cannes sont si hautes que je vais à l'aveuglette, courant le long des chemins de coupe, quelquefois perdu au milieu des feuilles coupantes. Là, je n'entends plus la mer. (Le Clézio)

EXERCICE 2 •

Dans ces vers de Corneille, distinguez les différentes valeurs du présent.

- Prends un siège Cinna, prends et sur toute chose Observe exactement la loi que je t'impose.
- Le temps est un grand maître, il règle bien des choses.
- Je cherche le silence et la nuit pour pleurer.
- Albe vous a nommé, je ne vous connais plus.

EXERCICE 3 •••

1. Comment expliquer le passage du passé au présent dans chaque extrait ?
2. Quelle est, à chaque fois, la valeur du présent ?

Comme je me promenais sur cette colline, j'aperçus, sous des buissons hérissés, une espèce de trou vers lequel je me dirigeai… En ce moment-là, j'entends une voix grave et cassée me prononcer distinctement derrière
5 moi ce mot « Heidenloch »…Je me retourne. Personne dans la bruyère ; le vent qui souffle et la lune qui éclaire. Rien de plus…

VICTOR HUGO, *Lettre du Rhin*, 1842.

Malgré ma patience, je commençais à me désespérer, quand tout à coup je vois venir dans le sentier un gros animal dont les yeux luisaient comme des chandelles.

EUGÈNE LE ROY, *Jacquou le Croquant*, 1897.

LES TEMPS DU PASSÉ

EXERCICE 4 •

Étudiez les temps du passé. Justifiez leur emploi.

- Il se couchait, puis se redressait, s'effaçait dans un coin de porte, puis bondissait, disparaissait, reparaissait, se sauvait, revenait, ripostait à la mitraille par des pieds de nez, et cependant pillait les cartouches, vidait les gibernes et remplissait son panier. (Hugo)
- Sans la présence d'esprit du conducteur, une minute plus tard, le train déraillait.
- La mer soulevée par le vent grossissait à chaque instant, et tout le canal compris entre cette île et l'île d'Ambre devint un vaste champ d'écume blanche, creusée de vagues noires et profondes. (Bernardin de Saint-Pierre)

EXERCICE 5 •

Dans les phrases suivantes, quelles sont les valeurs de l'imparfait ?

- Elle entrait à toute heure dans ma chambre, toujours ouverte et s'asseyait sur la chaise au pied de mon lit. (Lamartine)
- Trois minutes après, l'abbé et moi nous quittions le presbytère et nous nous avancions sur le grand chemin. (Villiers de l'Isle-Adam)
- Il n'avait qu'à parler et je lui changeais son verre. (Renard)

EXERCICE 6 •

Étudiez les fonctions des imparfaits et des passés simples.

- Il était neuf heures quand il arriva au coin du boulevard Voltaire. (Simenon)
- Une nuit qu'il dormait, il crut entendre quelqu'un l'appeler. (Flaubert)
- Dans les balancements du vaisseau, ce qu'on craignait arriva. (Bernardin de Saint-Pierre)

EXERCICE 7 •

Étudiez dans cet extrait les fonctions de l'imparfait et du passé simple. Comment justifier l'utilisation du présent ?

Candide se trouve enrôlé dans l'armée bulgare pour se former à l'exercice militaire.

Il s'avisa un beau jour de printemps de s'aller promener, marchant tout droit devant lui, croyant que c'était un privilège de l'espèce humaine, comme de l'espèce animale, de se servir de ses jambes à son plaisir. Il n'eut pas fait
5 deux lieues que voilà quatre autres héros de six pieds qui l'atteignent, qui le lient, qui le mènent dans un cachot. On lui demanda juridiquement ce qu'il aimait le mieux.

VOLTAIRE, *Candide*, 1759.

EXERCICE 8 ●●

Remplacez par l'imparfait ou le passé simple les formes du présent de l'indicatif. Expliquez vos choix.

À moitié chemin de l'avenue, les deux amis trouvent sur la souche d'un arbre abattu le vieillard qui tient à la main un bâton et s'amuse à travers les raies sur le sable. En le regardant attentivement, ils s'aperçoivent qu'il
5 vient de déjeuner ailleurs qu'à l'établissement. (Balzac)

Comme il frappe très fort, il croit entrevoir, au milieu de l'extrême obscurité, comme une ombre blanche qui traverse la chambre. Enfin, il n'y a plus de doute, il voit une ombre qui semble s'avancer avec une extrême len-
5 teur. Tout à coup il voit une joue qui s'appuie à la vitre contre laquelle est son œil. (Stendhal)

EXERCICE 9 ●●●

1. Identifiez les formes composées et indiquez leur valeur.
2. Analysez les emplois du passé simple et de l'imparfait.

La scène se passe pendant la guerre de 1914.

Mme Verdurin, souffrant pour ses migraines de ne plus avoir de croissant à tremper dans son café au lait, avait fini par obtenir de Cottard une ordonnance qui lui permit de s'en faire faire dans certain restaurant dont nous
5 avons parlé. Cela avait été presque aussi difficile à obtenir des pouvoirs publics que la nomination d'un général. Elle reprit son premier croissant le jour où les journaux narraient le naufrage du *Lusitania*. Tout en trempant le croissant dans le café au lait, et donnant des pichenettes à
10 son journal pour qu'il pût se tenir grand ouvert sans qu'elle eût besoin de détourner son autre main des trempettes, elle disait : « Quelle horreur ! Cela dépasse en horreur les plus affreuses tragédies. » Mais la mort de tous ces noyés ne devait lui apparaître que réduite au milliardième, car,
15 tout en faisant, la bouche pleine, ces réflexions désolées, l'air qui surnageait sur sa figure, amené là probablement par la saveur du croissant, si précieux contre la migraine, était plutôt celui d'une douce satisfaction.

MARCEL PROUST, *À la recherche du temps perdu*, 1927.

LE FUTUR

EXERCICE 10 ●

Identifiez et analysez les différentes valeurs du futur dans les exemples suivants.

● Dans un mois, dans un an comment souffrirons-nous, / Seigneur, que tant de mers me séparent de vous ? (Racine)
● Vous me copierez cent fois : « Je ne copierai plus. »
● Je me permettrai de vous faire remarquer que cela n'a pas beaucoup de sens.
● Demain, dès l'aube, à l'heure où blanchit la campagne, / Je partirai [...] (Hugo)

EXERCICE 11 ●

Identifiez et analysez les différentes valeurs du futur.

● Jamais je ne vous abandonnerai.
● Tant qu'il y aura sur la terre ignorance et misère... des livres comme celui-ci pourront ne pas être inutiles. (Hugo)
● On ne se méfiera jamais assez de sa témérité.

EXERCICE 12 ●●

Étudiez les temps des verbes dans ce poème. Quels effets sont provoqués par cette alternance ?

J'ai longtemps désiré l'aurore
mais je ne soutiens pas la vue des plaies

Quand grandirai-je enfin ?

J'ai vu la chose nacrée :
5 fallait-il fermer les yeux ?

Si je me suis égaré
conduisez-moi maintenant
heures pleines de poussière

Peut-être en mêlant peu à peu
10 la peine avec la lumière
avancerai-je d'un pas ?

(À l'école ignorée
apprendre le chemin qui passe
par le plus long et le pire.)

PHILIPPE JACCOTTET, *Poésie , 1946-1947*, Éd. Gallimard.

LES MOTS DU BAC

Le verbe et l'emploi des temps

1. À quelle sorte de présent correspond la phrase « Quotidiennement, il boit son café à cette table » ?
a. Présent permanent.   b. Présent itératif.
c. Présent de narration.

2. Il présente les faits comme antérieurs à ceux évoqués par le passé simple ou le passé composé. C'est :
a. le plus-que-parfait.   b. le futur antérieur.
c. l'imparfait.

3. À quel temps est le second verbe de la phrase : « Il réussira quand il aura fourni les efforts nécessaires. » ?
a. Futur de vérité générale.   b. Futur catégorique.
c. Futur antérieur.

4. Dans les phrases suivantes, laquelle n'a pas de verbe d'état ?
a. Il devient de plus en plus drôle.
b. La mer reste déchaînée.   c. J'entends de belles phrases.

5. Laquelle de ces phrases est correcte sur le plan de la conjugaison ?
a. Je viendrais si je pourrais.   b. Je viendrai si je pouvais.
c. Je viendrais si je pouvais.

La valeur des modes

Les modes verbaux expriment finement l'attitude du sujet parlant à l'égard de la réalité du monde qu'il énonce : la vérité factuelle, l'éventualité, l'hypothèse, l'incertitude, la volonté… On distingue les modes impersonnels, qui ne font pas apparaître la personne (infinitif, participe), et les modes personnels, qui la font apparaître en se conjuguant (indicatif, subjonctif, impératif).

OBSERVATION

Indicatif
Subjonctif
Impératif

Le talent est une longue patience. Il s'agit de regarder tout ce qu'on veut exprimer assez longtemps et avec assez d'attention pour en découvrir un aspect qui n'ait été vu et dit par personne. Il y a, dans tout, de l'inexploré, parce que nous sommes habitués à ne nous servir de nos
5 yeux qu'avec le souvenir de ce qu'on a pensé avant nous sur ce que nous contemplons. La moindre chose contient un peu d'inconnu. Trouvons-le. Pour décrire un feu qui flambe et un arbre dans une plaine, demeurons en face de ce feu et de cet arbre jusqu'à ce qu'ils ne ressemblent plus, pour nous, à aucun autre arbre et à aucun autre feu.
10 C'est de cette façon qu'on devient original.

GUY DE MAUPASSANT, Préface de *Pierre et Jean*, 1887.

Faites abstraction de votre génie, de vos talents et de ceux de tous les autres. Dites-vous bien que la littérature est un des plus tristes chemins qui mènent à tout. Écrivez vite sans sujet préconçu, assez vite pour ne pas retenir et ne pas être tenté de vous relire. La première phrase
5 viendra toute seule, tant il est vrai qu'à chaque seconde il est une phrase étrangère à notre pensée consciente qui ne demande qu'à s'extérioriser.

ANDRÉ BRETON, *Manifeste du surréalisme*, Éd. Pauvert, 1962 et 1979.

QUESTIONS

1. Dans l'extrait de Maupassant qui explique le travail de l'écrivain réaliste, quel mode sert à présenter ce qui est considéré comme réel et certain ?

2. Quel mode exprime une volonté ? Expliquez votre réponse.

3. Dans le texte d'André Breton, qui évoque une technique d'écriture du surréalisme, quel est le mode dominant ? Pourquoi ?

1 L'expression du réel : le mode indicatif

L'indicatif présente le fait évoqué comme certain, qu'il soit situé dans le passé, le présent, le futur ou dans une temporalité indéfinie.

→ La puissance qui s'acquiert par la violence n'est qu'une usurpation. (Diderot)
→ Il partira demain ou dans deux mois.

Dans une phrase interrogative, la vérité est attendue de la réponse.

→ Qu'est donc cette cloche de mauvais présage ? [...] C'est la cloche de Blanchelande.

(Barbey d'Aurevilly)

2 L'expression de l'hypothèse : le conditionnel

L'indicatif conditionnel (présent ou passé) et aussi parfois le futur expriment les deux variétés d'hypothèses : l'éventuel et le non-réalisé.

■ **L'éventuel.** Le fait soumis à condition est présenté comme réalisable.

→ Il réussira, s'il travaille. (Futur)
→ Il est en retard : il aura été pris dans un embouteillage. (Futur antérieur)
→ S'il travaillait, il réussirait : encourage-le. (Conditionnel présent)

■ **Le non-réalisé.** L'hypothèse émise ne peut se réaliser, ni dans le présent (irréel du présent), ni dans le passé (irréel du passé).

→ Il aurait aimé pouvoir travailler. (Conditionnel passé)

3 L'expression du possible : le subjonctif

■ **La possibilité.** Le mode subjonctif indique qu'un fait peut, a pu ou pourrait arriver, qu'il s'agisse ou non d'un fait réel. Posant la réalité comme virtuelle, il n'a que deux temps : le présent et le passé.

■ **Dans la proposition indépendante ou principale**, le subjonctif exprime l'ordre, la défense, l'exhortation, le souhait, la prière.

→ Ah ! Que le temps vienne / Où les cœurs s'éprennent ! (Rimbaud)
→ Dieu vous bénisse ! Vive la France !

■ **Dans la proposition subordonnée** (complétive, relative ou circonstancielle), l'emploi du subjonctif est lié à l'expression d'une croyance, d'une intention, d'une volonté, d'un désir.

→ Il semble que vous ayez appris cela par cœur. (Molière) **Subordonnée complétive**.
Ils veulent des plaisirs qui ne se fassent point attendre (Molière) **Subordonnée relative**.
Il restera jusqu'à ce que le soleil paraisse. **Subordonnée temporelle**.
Il est sorti bien que son père lui ait demandé de rester. **Subordonnée concessive**.

4 L'expression d'une volonté : l'impératif

■ **L'injonction.** Elle se fait essentiellement par le mode impératif. Ayant une valeur injonctive (ordre, défense, prière, conseil), ce mode est restreint aux 2es personnes (du singulier et du pluriel) et à la 1re du pluriel. Le destinataire est aussi nécessairement une personne ou est traité comme tel.

→ Ô temps suspends ton vol ! Et vous, heures propices, / Suspendez votre cours ! (Lamartine)

■ **Les contraintes sociales.** Les codes sociaux, et particulièrement la politesse, encadrent fortement l'emploi du mode impératif. S'il est obligatoire dans les formules figées (« Veuillez agréer l'expression... »), on l'évite souvent lorsqu'on cherche à obtenir quelque chose de quelqu'un.

Repère

La souplesse des modes

Les attributions des modes sont générales, mais leurs frontières ne sont pas étanches. L'indicatif peut parfois exprimer l'incertitude (« Il est probable qu'il viendra. ») à côté de la certitude (« Je sais qu'il viendra. »). Le subjonctif peut dire la certitude (« Je regrette qu'il soit venu. ») à côté de l'incertitude (« Je doute qu'il vienne. »). Parfois le choix du mode est obligatoire, parfois il est librement soumis à l'intention du locuteur.

L'EXPRESSION DU RÉEL : L'INDICATIF

EXERCICE 1 •

Étudiez les temps de l'indicatif utilisés dans ce passage. Comment expliquer leur emploi ?

Il est resté gars de ferme jusqu'au régiment. Les heures de travail ne se comptaient pas. Les fermiers rognaient sur la nourriture. Un jour, la tranche de viande servie dans l'assiette d'un vieux vacher a ondulé doucement, dessous elle
5 était pleine de vers. Le supportable venait d'être dépassé. Le vieux s'est levé, réclamant qu'ils ne soient plus traités comme des chiens. La viande a été changée. Ce n'est pas le *Cuirassé Potemkine*[1].

Annie Ernaux, *La Place*, Éd. Gallimard, 1983.

1. *Cuirassé Potemkine* : référence à la révolte des marins du *Cuirassé Potemkine*, en 1905, en mer Noire.

EXERCICE 2 ••

1. Analysez les valeurs du présent de l'indicatif entre le premier paragraphe et le dernier.
2. Comment expliquer le passage au passé entre les lignes 20 et 22 ?
3. Quel nouvel axe temporel introduit la dernière phrase ?

L'Ouest ? Qu'est-ce que c'est ? Qu'est-ce qu'il y a ? Pourquoi y a-t-il tant d'hommes qui s'y rendent et qui n'en reviennent jamais ? Ils sont tués par les Peaux Rouges ; mais celui qui passe outre ? Il meurt de soif ;
5 mais celui qui traverse les déserts ? Il est arrêté par les montagnes ; mais celui qui franchit le col ? Où est-il ? Qu'a-t-il vu ? Pourquoi y en a-t-il tant parmi ceux qui passent chez moi qui piquent directement au Nord et qui, à peine dans la solitude, obliquent brusquement à
10 l'ouest ?

La plupart vont à Santa Fe, cette colonie mexicaine avancée dans les montagnes Rocheuses, mais ce ne sont que de vulgaires marchands que le gain facile attire et qui ne s'occupent jamais de ce qu'il y a plus loin.
15 Johann August Suter est un homme d'action.

Il bazarde sa ferme et réalise tout son avoir. Il achète trois wagons couverts, les remplit de marchandises, monte à cheval armé du fusil à deux coups. Il s'adjoint à une compagnie de trente-cinq marchands qui se rendent
20 à Santa Fe, à plus de 800 lieues. Mais l'affaire était mal montée, l'organisation peu sérieuse et ses compagnons, des vauriens qui s'égaillèrent rapidement. Aussi bien Suter y aurait tout perdu, car la saison était trop avancée, s'il ne s'était établi parmi les Indiens de ces territoires,
25 aux extrêmes confins du monde civilisé, troquant et trafiquant.

Blaise Cendrars, *L'Or*, Éd. Denoël, 1925.

EXERCICE 3 ••

Le roman *La Modification* se construit en trois axes temporels : le voyage en cours du narrateur qui rejoint définitivement sa maîtresse, le souvenir d'anciens voyages pour la même destination, l'imagination de l'avenir. Recherchez comment cet extrait met en place ces trois axes à travers l'utilisation du mode indicatif.

Le héros de La Modification *utilise le « vous » pour dérouler sa vie intérieure.*

Le soleil achevait de se coucher quand vous êtes arrivés à Pise ; il pleuvait sur Gênes tandis que vous dîniez au wagon-restaurant, et vous regardiez la nombre des gouttes d'eau augmenter de l'autre côté de la vitre ; vous
5 avez passé la frontière vers une heure du matin, puis on a éteint la lumière et vous vous êtes endormi confortablement pour ne vous réveiller que vers les cinq heures du matin : entrouvrant le rideau bleu vers votre droite, vous avez vu, interrompant la nuit encore complète,
10 les lumières d'une gare dont vous avez pu lire le nom comme le train ralentissait : Tournus.

Au-delà de la fenêtre toujours aussi brouillée de pluie, se superposant à la série de pylônes réguliers comme un coup inattendu légèrement plus fort, un signal en damier
15 tourne d'un quart de tour. Une secousse un peu plus violente fait sursauter le couvercle du cendrier sous votre main droite. De l'autre côté du corridor, au-delà de la vitre rayée d'une gerbe de petits fleuves semblables à des trajectoires de très lentes et très hésitantes particules dans
20 une chambre de Wilson, un camion bâché lève d'énormes éclaboussures parmi les flaques jaunes de la route.

Cette fois-ci vous n'aurez pas besoin de retourner à l'Albergo Quirinale, ni de vous presser après le repas puisque vous rentrerez passer la soirée au cinquante-six
25 via Monte della Farina, dans cette chambre que Cécile va bientôt quitter et que vous ne verrez plus qu'une ou deux fois par conséquent.

Michel Butor, *La Modification*, Éd. de Minuit, 1957.

L'EXPRESSION DE L'HYPOTHÈSE : LE CONDITIONNEL

EXERCICE 4 •

Dans l'extrait suivant, indiquez quel est le temps dominant. Quelle valeur a-t-il ?

Rousseau imagine ce qu'il serait devenu s'il était resté apprenti à Genève.

J'aurais été un bon chrétien, bon citoyen, bon père de famille, bon ami, bon ouvrier, bon homme en toute chose. J'aurais aimé mon état, je l'aurais honoré peut-être, et après avoir passé une vie obscure et simple, mais égale et
5 douce, je serais mort paisiblement dans le sein des miens. Bientôt oublié sans doute, j'aurais été regretté du moins aussi longtemps qu'on se serait souvenu de moi.

Au lieu de cela… quel tableau vais-je faire ? Ah ! n'anti-
cipons point sur les misères de ma vie ! Je n'occuperai
10 que trop mes lecteurs de ce triste sujet.

Jean-Jacques Rousseau, *Les Confessions*, 1782.

EXERCICE 5 •

Analysez et justifiez l'utilisation du conditionnel dans cet
extrait.

Il réfléchissait. Il pensait à louer une petite ferme aux
environs, et qu'il surveillerait lui-même, tous les matins
en allant voir ses malades. Il en économiserait le revenu,
il le placerait à la Caisse d'épargne ; ensuite il achète-
5 rait des actions, quelque part, n'importe où, d'ailleurs,
la clientèle augmenterait ; il y comptait, car il voulait
que Berthe fût bien élevée, qu'elle eût des talents, qu'elle
apprît le piano. Ah ! qu'elle serait jolie, plus tard, à
quinze ans, quand, ressemblant à sa mère, elle porterait
10 comme elle, dans l'été, de grands chapeaux de paille ! on
les prendrait de loin pour les deux sœurs. Il se la figu-
rait travaillant le soir auprès d'eux, sous la lumière de la
lampe ; elle lui broderait des pantoufles ; elle s'occupe-
rait du ménage.

Gustave Flaubert, *Madame Bovary*, 1857.

L'EXPRESSION DU POSSIBLE : LE SUBJONCTIF

EXERCICE 6 •

Relevez les verbes au subjonctif et expliquez la valeur de
ce mode.

- Il s'étonna que je ne l'eusse pas appelé plus tôt. (Gide)
- Je vais chercher quelque coin où je puisse dormir.
(Gautier)
- « Je crois que je l'ai aperçu sur les Champs-Elysées. – Je
ne crois pas que ce fût elle. » (Proust)
- Pourvu qu'il fasse beau demain ! (Renard)
- Il vaut mieux qu'il pleuve aujourd'hui plutôt qu'un jour
où il fait beau. (Dac)

EXERCICE 7 •

Étudiez l'emploi du mode subjonctif dans cet extrait du *Misanthrope* de Molière. Alceste, le misanthrope, s'adresse à
Célimène dont il est désespérément amoureux.

Alceste
Oui, je voudrais qu'aucun ne vous trouvât aimable,
Que vous fussiez réduite à un sort misérable,
Que le Ciel, en naissant, ne vous eût donné rien,
Que vous n'eussiez ni rang, ni naissance, ni bien
5 Afin que de mon cœur l'éclatant sacrifice
Vous pût d'un pareil sort réparer l'injustice,
Et que j'eusse la joie et la gloire, en ce jour,
De vous voir tenir tout des mains de mon amour.

Molière, *Le Misanthrope*, Acte IV scène 3, 1666

EXERCICE 8 •

Voici un extrait d'un écrit d'invention dans lequel il fallait
imaginer la cité idéale. Corrigez les quatre modes et temps
incorrectement utilisés.

Les richesses seront partagées entre tous afin que
chacun profite de la vie et ne craint pas de manquer
du nécessaire. Les immeubles géants proposeraient,
à tous ceux qui y habiteront, des espaces naturels.
Des étages réservés aux loisirs, à la culture y avaient
été prévus. Avant que les enfants iraient à l'école,
ils seraient accueillis dans des endroits spécialisés
pour le petit âge où tout serait fait pour qu'ils soient
heureux de découvrir la vie. Bien que la population est
très nombreuse, la ville serait propre.

LES MOTS DU BAC

La valeur des modes

1. L'extrait ci-dessous utilise deux modes.
   a. Le mode indicatif et le mode impératif.
   b. Le mode impératif et le mode subjonctif.
   c. Le mode indicatif et le mode subjonctif.

« *Je ne veux pas pourtant que cette trace de ta vie dans la
mienne soit à jamais effacée. Je veux qu'elle reste, je veux
qu'on la retrouve un jour quand nous ne serons plus que
cendre tous les deux.* » (Victor Hugo)

2. Le mode permet :
   a. d'exprimer la relation de celui qui parle avec la réalité
   de ce qu'il dit.
   b. de situer une action dans le temps.
   c. d'indiquer que quelque chose se transforme.

3. Quel mode sert à exprimer l'ordre ou le conseil ?
   a. Le mode indicatif.
   b. Le mode impératif.
   c. Le mode subjonctif.

4. Le mode conditionnel sert à exprimer :
   a. ce qui aurait pu arriver.
   b. ce qui pourrait se réaliser.
   c. ce qui va arriver.

5. Achevez cette phrase par la bonne forme verbale : je
voudrais qu'il…
   a. réussît.
   b. réussissait.
   c. réussisse.

L'expression de l'aspect

L'aspect, c'est la façon dont se déroule une action : de manière continue sans qu'on sache quand elle se termine, délimitée dans le temps, ou répétitive. L'aspect peut être indiqué par le temps du verbe mais aussi par son sens.

OBSERVATION

L'expression de
l'aspect à l'aide :

- du sens
  du verbe
- d'un auxiliaire
- du temps
  du verbe

L'expression de l'aspect dans des slogans publicitaires

LE PLAISIR DE CONDUIRE (BMW)

PRENEZ LE TEMPS D'ALLER VITE (SNCF-TGV)

N'ATTENDEZ PAS QUE VOTRE VOITURE VOUS LE DEMANDE
(Speedy)

L'expression de l'aspect dans un texte

– Condamné à mort ! dit la foule ; et, tandis qu'on m'emmenait, tout ce peuple se rua sur mes pas avec le fracas d'un édifice qui se démolit. Moi, je marchais, ivre et stupéfait. Une révolution venait de se faire en moi. Jusqu'à l'arrêt de mort, je m'étais senti respirer, palpiter, vivre dans
5 le même milieu que les autres hommes ; maintenant je distinguais clairement comme une clôture entre le monde et moi.

Rien ne m'apparaissait plus sous le même aspect qu'auparavant. Ces larges fenêtres lumineuses, ce beau soleil, ce ciel pur, cette jolie fleur, tout cela était blanc et pâle, de la couleur d'un linceul. Ces hommes, ces
10 femmes, ces enfants qui se pressaient sur mon passage, je leur trouvais des airs de fantômes.

Victor Hugo, *Le Dernier Jour d'un condamné*, 1829.

L'expression de l'aspect dans la phrase

Il est en voyage. → *L'action est non accomplie.*
Il a voyagé. → *L'action est accomplie.*
Il est sur le point de voyager. → *L'action est dans son commencement.*
Il est rentré de voyage. → *L'action s'achève.*

QUESTIONS

1. Comment, dans les slogans publicitaires, le sens du verbe peut-il suggérer une action en cours limitée dans le temps ?

2. Analysez l'utilisation de l'auxiliaire. Qu'indique-t-il sur l'action évoquée ?

3. Étudiez le temps des verbes dans le texte de Victor Hugo. Les faits évoqués sont-ils limités dans le temps ? Justifiez.

1 L'expression de l'aspect à l'aide du sens du verbe

Certains verbes, par leur sens même, indiquent un aspect, comme la durée, la répétition... Ils peuvent indiquer :
– qu'une action dure (aspect imperfectif) → aimer, attendre, exister, marcher, vivre... ;
– qu'une action est limitée dans le temps (aspect perfectif) → naître, ouvrir, fermer, sortir, trouver... ;
– qu'une action se répète (aspect itératif), à l'aide de verbes composés avec le préfixe « re- » indiquant la répétition → refaire, redire, réorganiser, réformer... ;
– qu'une action commence (aspect inchoatif) → s'endormir, rougir, pâlir, moderniser...

2 L'expression de l'aspect à l'aide du temps du verbe

■ **L'aspect non accompli.** Les formes simples du verbe présentent l'action dans son déroulement, comme en train de se produire.
■ **L'aspect accompli.** Les formes composées présentent l'action comme terminée, accomplie ; elles évoquent l'état nouveau résultant de cet accomplissement.

TEMPS	ADVERBE DE TEMPS	ASPECT ACCOMPLI (FORMES COMPOSÉES)	ASPECT NON ACCOMPLI (FORMES SIMPLES)
Présent	Maintenant	Il a mangé	Il mange
Passé	Hier	Il avait mangé	Il mangeait
Futur	Demain	Il aura mangé	Il mangera

■ **L'aspect limitatif :** l'action est limitée dans le temps. C'est ainsi que le passé simple est en général limitatif.
→ Il faisait beau, il fit une promenade.

■ **L'aspect non limitatif :** le fait est présenté au moment où il se produit sans considérer ni son début ni sa fin.
→ La promenade n'a duré qu'un temps (*aspect limitatif*), tandis qu'on ne sait pas combien de temps il aura fait beau (*aspect non limitatif*).

■ **L'aspect répétitif (ou itératif) :** la même action ou situation exprimée par le verbe se reproduit plusieurs fois. Le contexte permet de savoir si le temps employé renvoie à un aspect répétitif (ou itératif).
→ Elle est arrivée quand il mangeait sa soupe.
La phrase indique une seule action : « Elle est arrivée » (aspect accompli).
« Il mangeait sa soupe » donne au contraire à l'imparfait l'aspect répétitif, sous-entendu :
il mangeait, comme tous les jours.

3 L'expression de l'aspect à l'aide d'une périphrase

L'aspect peut aussi être signifié par une périphrase (appelée parfois auxiliaire d'aspect) ou par un adverbe. Par rapport à un instant donné (dans le passé, le présent ou le futur, selon le moment où sont situés les événements), on indique grâce à la périphrase :
– une action engagée qui dure : « être en train de » ;
– une action qui se termine : « finir de », « cesser de » ;
– une action qui commence : « se mettre à », « commencer à » ;
– une action qui va se faire : « être sur le point de » ;
– une action qui vient de se faire : « venir de ».

L'ASPECT ET LE SENS DU VERBE

EXERCICE 1 •

Recherchez trois exemples de verbes dont le sens exprime une action qui dure, une action limitée dans le temps, une action qui se répète.

EXERCICE 2 ••

1. Dans chaque extrait, repérez les verbes utilisés.
2. Quels verbes indiquent par leur sens même un aspect particulier : un action qui dure, une action limitée dans le temps ou une action qui commence ?

> S'ils ne sont jamais taillés, les arbustes s'altèrent au fil des ans et ils abandonnent leur valeur ornementale. Dans un massif, les différents sujets parviennent à se gêner et l'on perd l'harmonie des associations. Les pousses
> 5 mortes ou graciles s'accumulent et favorisent l'apparition des maladies. Les branches difformes donnent une plante sans élégance.

La Taille, Éd. Bordas, 2001.

> Je n'ai pas le courage de remonter à la mort d'Isabelle qui marque sans doute le véritable début de cette histoire. Non plus de commencer mes retrouvailles avec Éric. Je m'en tiendrai je crois à un compromis : évoquer
> 5 brièvement mon voyage de retour et m'abandonner, si je m'en sens la force, à divers souvenirs et anticipations.

RENÉ BELLETTO, *Le Revenant*, Éd. J'ai lu, 1981.

> Recette des huîtres à la braise
> Préparez le beurre d'escargot : hachez l'ail et l'échalote et incorporez-les au beurre.
> Hachez finement le persil et ajoutez-le à la préparation.
> Poivrez généreusement, et malaxez le tout à la fourchette.
> Déposez les huîtres sur la braise. Dès qu'elles entrebâillent leur coquille, glissez à l'intérieur avec une pointe de couteau du beurre d'escargot.
> Servez aussitôt.

180 recettes faciles pour le bord de mer.

EXERCICE 3 •

En utilisant les verbes « manger » et « travailler », écrivez trois phrases au passé, au présent et au futur pour illustrer une action en cours et une action qui se répète.

EXERCICE 4 •

En vous intéressant aux aspects des deux verbes de ce titre de journal, dites quels sont les effets de sens créés.

Sida : la vie gagne du terrain
La mortalité chute grâce aux trithérapies

(*Libération*)

L'ASPECT ET LE TEMPS DU VERBE

EXERCICE 5 •

Précisez l'aspect indiqué par les temps des verbes.

- Il me vient une idée.
- Il me harcèle constamment ! Ça doit cesser.
- Assez d'hésitation ! Il faut enfin qu'on se décide à commencer ce travail.
- Je comprends tout d'un coup que, au cours de ces années d'exil, je l'ai perdue. Elle a suivi un autre chemin, elle est devenue quelqu'un d'autre, nos vies ne peuvent plus coïncider. (Le Clézio)

EXERCICE 6 •

Précisez l'aspect indiqué par les temps des verbes (accompli, non accompli, limitatif, non limitatif...).

Floch et Fromentel, Office des Annonceurs.

EXERCICE 7 •••

1. Repérez les temps employés dans les citations suivantes.
2. Précisez l'aspect indiqué par chaque temps.
2. Quel élément de la phrase permet de savoir si ce temps est employé ou non sous son aspect répétitif ?

A. [Les vieux] Les soirs où il ne pleut point, ils arrivent, traînant un banc. (Giraudoux)
B. Et, quand nous respirons, la Mort dans nos poumons Descend, fleuve invisible, avec de sourdes plaintes. (Baudelaire)
C. Du temps où tu m'aimais, Lydie, De ses bras, nul autre que moi N'entourait ta gorge rebondie. (Musset)

EXERCICE 8 •

1. Quelle est la valeur d'aspect des imparfaits ?
2. L'auteur emploie ensuite un autre mode que l'indicatif. Lequel ?
3. Quelle indication cet emploi d'un autre mode donne-t-il sur les personnages ?

> Il consacraient parfois des soirées entières à boire, resserrés autour de deux tables rapprochées pour la circonstance, et ils parlaient, interminablement, de la vie qu'ils auraient aimé mener, des livres qu'ils écriraient un jour,
> 5 des travaux qu'ils aimeraient entreprendre, des films qu'ils avaient vus ou qu'ils allaient voir, de l'avenir de l'humanité, de la situation politique, de leurs vacances prochaines, de leurs vacances passées…
>
> GEORGES PEREC, *Les Choses*, Éd. Julliard, 1965.

L'ASPECT ET LA PÉRIPHRASE

EXERCICE 9 •

Dans les phrases suivantes, « commencer », « venir », ou « cesser » sont-ils employés comme verbes ou comme auxiliaires d'aspect (ou périphrase) ?

- Il ne cesse pas de me provoquer, je veux que cela cesse.
- Il commence à fatiguer avec ses questions, il faut maintenant rapidement commencer le travail.
- Il me vient une idée.

EXERCICE 10 ••

1. Distinguez, dans les extraits suivants, les formes simples et les formes composées.
2. Expliquez l'effet produit par l'emploi de la périphrase (ou l'auxiliaire d'aspect).

A. La varicelle, je l'ai eue, on ne l'a pas deux fois, qui est-ce qui vient me reparler de varicelle ? (Dubillard)

B. Il a gelé blanc ; les dahlias sont fripés comme après une nuit de bal. (Renard)

C. (La mer) Quand la nuit est presque venue et que le ciel est sombre sur la terre noircie, elle luit encore faiblement, on ne sait par quel mystère. (Proust)

EXERCICE 11 •••

1. Dans le récit de l'évasion de Fabrice del Dongo de la tour Farnèse, Stendhal multiplie les marques d'aspect pour rendre sensible le déroulement de l'action. Identifiez ces marques (verbes, auxiliaires, temps verbaux).
2. Analysez les effets de dramatisation qui en résultent.

> Il attacha sa corde enfin débrouillée à une ouverture pratiquée dans le parapet pour l'écoulement des eaux, il monta sur ce même parapet et pria Dieu avec ferveur ; puis, comme un héros des temps de chevalerie, il pensa

> 5 un instant à Clélia. Combien je suis différent, se dit-il, du Fabrice léger et libertin qui entra ici il y a neuf mois ! Enfin, il se mit à descendre cette étonnante hauteur. Il agissait mécaniquement, dit-il, et comme il eût fait en plein jour, descendant devant des amis pour gagner un
> 10 pari. Vers le milieu de la hauteur, il sentit tout à coup ses bras perdre leur force ; il croit même qu'il lâcha la corde un instant ; mais bientôt il la reprit ; peut-être, dit-il, il se retint aux broussailles sur lesquelles il glissait et qui l'écorchaient. Il éprouvait de temps à autre une dou-
> 15 leur atroce entre les épaules, elle allait jusqu'à lui ôter la respiration. Il y avait un mouvement d'ondulation fort incommode ; il était renvoyé sans cesse de la corde aux broussailles. Il fut touché par plusieurs oiseaux assez gros qu'il réveillait et qui se jetaient sur lui en s'envolant.
> 20 Les premières fois, il crut être atteint par des gens descendant de la citadelle par la même voie que lui pour le poursuivre, et il s'apprêtait à se défendre. Enfin il arriva au bas de la grosse tour sans autre inconvénient que d'avoir les mains en sang.
>
> STENDHAL, *La Chartreuse de Parme*, 1839.

LES MOTS DU BAC

L'expression de l'aspect

1. L'aspect concerne :
   a. le moment de l'action.
   b. le lieu de l'action.
   c. l'auteur de l'action.

2. Quel aspect est exprimé par le verbe de la phrase suivante : « Il entamera sa journée à huit heures » ?
   a. Non accompli.
   b. Limitatif.
   c. Itératif.

3. Dans quelle phrase trouvez-vous l'aspect itératif ?
   a. J'ai beaucoup aimé ce film.
   b. J'adore inconditionnellement ses films.
   c. Je crois que je vais adorer ce film.

4. Quelle expression devez-vous ajouter pour donner au verbe de la phrase « Il travaille… » un aspect limitatif ?
   a. chaque matin.
   b. jusqu'à six heures.
   c. une nouvelle fois.

5. Quel est le verbe dont le sens n'exprime pas une action qui dure ?
   a. Arriver.
   b. Aimer.
   c. Réfléchir.

L'énonciation

L'énonciation est l'acte qui consiste à produire un énoncé dans une situation écrite ou orale. L'énonciateur transmet un message à un destinataire dans une certaine disposition d'esprit et avec une intention déterminée. Cet énonciateur peut être présent dans son énoncé (discours à la première ou à la deuxième personne), il peut ne pas être présent (discours à la troisième personne).

OBSERVATION

- Les indices personnels
- Les indices de la situation
- Les indices du sentiment
- Les indices du jugement

Demain matin, vers les 7 heures, nous entrerons au port de Marseille, à moins que d'ici là le bateau ne brûle, ne coule ou que le mistral devenu très violent ne nous oblige à attendre de longues heures devant l'Estaque, avant de pénétrer dans le port.

5 J'ai rangé des papiers dans la caisse-bureau, bouclé mes valises, préparé mon linge pour demain matin. Dans ma couchette, j'écris ces lignes. Le bateau oscille légèrement. J'ai l'esprit net, la poitrine calme. Il ne me reste rien à faire, sinon clore ce carnet, éteindre la lumière, m'allonger, dormir – et faire des rêves...

MICHEL LEIRIS, *L'Afrique fantôme*, Éd. Gallimard, 1934.

Arthur Rimbaud, à l'âge de dix-sept ans, écrit au poète Paul Demeny.

[…] Car je est un autre. Si le cuivre s'éveille clairon, il n'y a rien de sa faute. Cela m'est évident : j'assiste à l'éclosion de ma pensée ; je la regarde, je l'écoute : je lance un coup d'archet ; la symphonie fait son remuement dans les profondeurs, ou vient d'un bond sur la scène.

5 Si les vieux imbéciles n'avaient pas trouvé du Moi que la signification fausse, nous n'aurions pas à balayer ces millions de squelettes qui, depuis un temps infini !, ont accumulé les produits de leur intelligence borgnesse, en s'en clamant les auteurs ! […]

Je dis qu'il faut être voyant, se faire voyant.

10 Le poète se fait voyant par un long, immense et raisonné dérèglement de tous les sens. Toutes les formes d'amour, de souffrance, de folie : il cherche lui-même, il épuise en lui tous les poisons, pour n'en garder que les quintessences. Ineffable torture où il a besoin de toute la foi, de toute la force surhumaine, où il devient entre tous le grand
15 malade, le grand criminel, le grand maudit – et le suprême savant – Car il arrive à l'inconnu !

ARTHUR RIMBAUD, *Lettre du voyant*, 1871.

QUESTIONS

1. Relevez les différentes formes de la présence de l'auteur (l'énonciateur) dans chaque texte. Classez votre relevé en deux catégories : les mots et expressions qui expriment l'émotion, ceux qui portent un jugement.

2. Expliquez, dans le texte de Rimbaud, le passage du « je » au « il ».

3. Quel jugement le poète exprime-t-il sur lui-même ?

1 L'énoncé inscrit dans la situation d'énonciation

L'énonciateur peut apparaître explicitement. Il parle à la première personne, en se situant dans un lieu (ici, là, devant, juste à côté...), à un moment précis (maintenant, tout de suite, il y a un instant, hier...).
La relation entre l'énonciateur et le destinataire (tu, vous, nous...) peut être centrale. On dit que les énoncés sont ancrés dans la situation de communication (ou embrayés). C'est le cas, par exemple, du théâtre, de la lettre, des mémoires, de la poésie.

→ Je te donne rendez-vous ici, demain à la même heure.
→ Dans ma chambre, en cet instant, je lis un conte.
→ Demain matin, vers les 7 heures, nous entrerons au port de Marseille, à moins que d'ici là le bateau ne brûle, ne coule [...] (Michel Leiris)

2 L'énoncé détaché de la situation de communication

Dans un énoncé, l'énonciateur peut ne pas apparaître. La troisième personne domine (elle, il, on). On dit que les énoncés sont coupés de la situation de communication (ou non embrayés). C'est le cas de l'article de presse, du rapport, du conte, du roman.

→ Le 20 septembre 1792 à Valmy eut lieu la bataille qui permit la proclamation de la République le lendemain.
→ Il était une fois un roi qui habitait un palais dans une forêt obscure.

3 Les indices de la présence de l'énonciateur

1. Les indices personnels

Ils sont constitués par l'ensemble des marques qui renvoient à l'identité des interlocuteurs et qui renseignent sur les relations qu'ils entretiennent.

PRONOMS PERSONNELS	PRONOMS POSSESSIFS	PRONOMS DÉMONSTRATIFS	ADJECTIFS POSSESSIFS
je, tu nous vous	le mien, le tien le nôtre le vôtre	celui-ci celle-là	mon ta votre leur

2. les indications de temps et de lieu

Un certain nombre d'indices sont liés à la situation d'énonciation, on les appelle déictiques. Le mot « déictique » signifie « pointer du doigt, montrer ». Il s'agit de tous les éléments de la langue qui fournissent des éléments sur les circonstances et le sujet de l'énonciation.

→ Adjectifs et pronoms démonstratifs : cette, celui, celle-ci, celle-là, ceux-là...
→ Adverbes de temps et de lieu : hier, là, ce jour-là...
→ Prépositions : devant, derrière ;
→ Adjectifs : actuel, prochain ;
→ Apostrophes : voilà, toi !

Repère

Les actes de langage

On appelle « acte de langage » une action réalisée par le fait de son énonciation. Ainsi certains verbes accomplissent l'action qu'ils énoncent. Ils constituent une action : *je jure, je promets, je vous autorise...*
Les actes de langage peuvent par ailleurs être directs comme dans l'expression « Fermez la porte. » Ils peuvent aussi être indirects et allusifs : « Hum... ! Cette pizza a l'air délicieuse... » (sous-entendu : pouvez-vous m'en donner ?).

LA SITUATION DE COMMUNICATION

EXERCICE 1 •

Quel énoncé est détaché de la situation d'énonciation ? Expliquez.

• Entre la fin du XVIIIe siècle et 1850, l'Europe s'industrialise et s'urbanise. Le Royaume-Uni est alors la première puissance industrielle et commerciale du monde. Dans toute l'Europe, les mines du charbon sont les principaux centres de la croissance. (Manuel scolaire, 2008)

• La forge est principalement occupée en ce moment à la fabrication de poutrelles de fer pour le chemin de fer dont nous avons ici les deux concessionnaires, messieurs Seguin et Biot. Les livraisons se font sur place et le paiement au comptant. (Rapport du conseil d'administration des établissements du Creusot, 1829.)

EXERCICE 2 •

1. Relevez les indices de la situation d'énonciation de cette lettre publiée à l'intérieur d'un roman.
2. Quel est l'effet recherché par l'auteur ?

Mon cher Jean,

Voilà tantôt trois ans de passés depuis ton départ, et j'attends toujours pour que tu me parles de ton retour ; moi j'ai bien foi en toi, vois-tu, et je sais que tu n'es pas
5 pour me tromper ; mais ça n'empêche pas que le temps me dure ; il y a des fois la nuit où le chagrin me prend, et il me passe toutes sortes d'idées.

PIERRE LOTI, *Le Roman d'un Spahi*, 1881.

EXERCICE 3 •

Classez les phrases selon qu'elles relèvent de l'énonciation ancrée dans la situation ou dissociée de celle-ci.

• Gargantua s'éveillait donc vers quatre heures du matin. (Rabelais)
• Je me plains à mes vers, si j'ai quelque regret. (Du Bellay)
• Giton a le teint frais, le visage plein et les joues pendantes. (La Bruyère)
• Le roi avait perdu son Premier ministre (Voltaire)
• Cet enfant-là, voyez-vous, est d'un cœur comme on n'en trouve guère. (Sand)
• La chair est triste, hélas ! Et j'ai lu tous les livres. (Mallarmé)

EXERCICE 4 •

Quelles indications les premières phrases fournissent-elles sur la place du narrateur ?

• Gervaise avait attendu Lantier jusqu'à deux heures du matin. (Zola)
• Le premier lundi du mois d'avril 1625, le bourg de Meung, où naquit l'auteur du *Roman de la rose*, semblait être dans une révolution aussi entière que si les huguenots en fussent venus faire une seconde Rochelle. (Dumas)

LES INDICES DE LA PRÉSENCE DE L'ÉNONCIATEUR

EXERCICE 5 •

Après avoir recopié le tableau suivant, relevez et classez les différents indices personnels présents dans le texte.

PRONOMS PERSONNELS	ADJECTIFS POSSESSIFS	PRONOMS DÉMONSTRATIFS

– Entrez, j'ai dit, prenez vos aises, vous êtes ici chez vous.

J'ai allumé la télé et il s'est assis à table sans ôter son manteau, l'air morgueux[1] d'un type qui attend, l'air d'un
5 type qui s'ennuie. Edwige s'est enfermée dans la salle de bains, on entendait des bruits d'eau par la porte vitrée, ils éclaboussaient le journal de vingt heures.

Le type observait ses ongles roses et ronds. J'ai eu peur qu'il s'impatiente quand la porte de l'appartement s'est
10 ouverte et que Michael est entré.

– Allons bon, ai-je murmuré avec horreur, le voilà qui revient celui-là.

– Bonsoir tout le monde, a fait Michael en jetant son blouson sur le dossier d'une chaise. Bonsoir monsieur.

MARIE DESPLECHIN, *Un pas de plus*, Éd. Points, 2006.

1. morgueux : méprisant (néologisme).

EXERCICE 6 •

Ces extraits de copies utilisent les marques de la première personne. Transformez ces extraits pour effacer ces marques.

A. Je trouve ce livre décevant. À la fin on ne sait pas si le personnage principal meurt. Je ne trouve pas normal qu'un auteur ne termine pas clairement l'histoire qu'il raconte.

B. J'aime beaucoup ce poème. L'auteur sait bien exprimer les sentiments contradictoires qu'on éprouve quand on aime.

C. Faire travailler des enfants, c'est ignoble et il faut le dénoncer. Mais cela ne me semble pas très intéressant de le faire avec des vers.

EXERCICE 7 •

1. Relevez les adverbes et les compléments de temps et de lieu qui fournissent des indices sur la situation d'énonciation.
2. Identifiez le temps et le mode des verbes utilisés. Quelle opposition mettent-ils en évidence ?

Le XXe siècle s'est enfin achevé. Il y a eu trop de morts de par le monde : d'hommes, d'idéologies, d'illusions et de religions. La créatrice de mes jours repose dans un petit mausolée[1] aux murs blancs, face à l'océan Atlantique. Je
5 m'y suis recueilli récemment et j'ai retrouvé les mots de mon enfance, alors tout était à découvrir, à espérer et à

aimer. J'ai visité la maison familiale où elle m'a donné le jour voici trois quarts de siècle. Elle est à l'abandon. Je me suis rendu dans tous les lieux de ma mémoire, au Maroc,
10 en France et ailleurs, partout où j'ai vécu et rêvé. Le soir tombe ici ou là-bas. Du ciel perlent les étoiles, peignant du vert de l'espoir la mort et les années écoulées. Chaque étoile dans le ciel est une larme, une âme.

Driss Chraïbi, *Le Monde à côté*, Éd. Denoël, 2001.

1. mausolée : petit monument funéraire.

EXERCICE 8 •

Identifiez dans les extraits suivants les marques de l'émotion et du jugement.

A. Si j'avais le pouvoir de donner une voix à la solitude et à l'angoisse de chacun d'entre nous, c'est avec cette voix que je m'adresserais à vous. »

Albert Camus, *Conférence à Alger*, 1956.

B. Andromaque : Ô mon fils, que tes jours coûtent cher à ta mère !

Jean Racine, *Andromaque*, III, 8, 1667.

C. C'est en regardant le soleil et la belle nature que j'ai tant aimée que je dirai adieu à la vie et à vous tous ma bien chère femme et mes bien chers amis.

Missak Manouchian, *L'Affiche rouge*.

D. Voilà ce qui me reste : ce que j'ai gagné au long de ces années affreuses, cet argent dont vous avez la folie de vouloir que je me dépouille.

François Mauriac, *Le Nœud de vipères*, Éd. Gallimard, 1932.

EXERCICE 9 •

Repérez les indices de la présence de l'énonciateur : indices personnels et indications de temps et de lieu.

Mercredi 13 septembre 1989
À nouveau un temps gris.
À quatre heures, réveil brutal. D'un seul coup, je revis, avec la même force que, parfois, lorsque j'écris, l'arrivée
5 de S. chez moi, l'après-midi. Mon attente dans le bureau, souvent. D'un seul coup, les graviers crissent violemment, le coup de frein, la portière claque, des pas sur le gravier, puis sur le béton des marches de l'entrée ; la porte s'ouvre doucement, se renferme, le verrou. Ses pas dans le couloir.
10 Il était là. Car je vis, revis, cela au passé d'un seul coup. Je le revis comme je le vivrai en souvenir. Je pleure en écrivant cela, torturée par la peur qu'il soit déjà parti.

Annie Ernaux, *Se perdre*, Éd. Gallimard, 2001.

1. débiles : faibles.

EXERCICE 10 ••

1. Relevez l'utilisation du « je » dans les adresses au lecteur de Montaigne (*Essais*) et de Rousseau (*Confessions*).
2. Quel autoportrait chaque texte dessine-t-il à travers son énonciation ?

Texte 1

C'est ici un livre de bonne foi, lecteur. […]Je veux qu'on m'y voie en ma façon simple, naturelle et ordinaire, sans contention ni artifice : car c'est moi que je peins. Mes défauts s'y liront au vif, et ma forme naïve,
5 autant que la révérence publique me l'a permis. […] Ainsi, lecteur, je suis moi-même la matière de mon livre : ce n'est pas raison que tu emploies ton loisir en un sujet si frivole et si vain. Adieu donc. De Montaigne, ce premier de mars mil cinq cent quatre vingts.

Michel de Montaigne, *Essais*, 1580.

Texte 2

Je forme une entreprise qui n'eut jamais d'exemple et dont l'exécution n'aura point d'imitateur. Je veux montrer à mes semblables un homme dans toute la vérité de la nature ; et cet homme, ce sera moi.
5 Moi seul. Je sens mon cœur et je connais les hommes. Je ne suis fait comme aucun de ceux que j'ai vus ; j'ose croire n'être fait comme aucun de ceux qui existent. Si je ne vaux pas mieux, au moins je suis autre. Si la nature a bien ou mal fait de briser le moule dans lequel elle m'a
10 jeté, c'est ce dont on ne peut juger qu'après m'avoir lu.

Jean-Jacques Rousseau, *Les Confessions*, 1765-1770.

LES MOTS DU BAC

L'énonciation

1. L'énonciation désigne :
a. le fait de communiquer uniquement par oral avec autrui.
b. le fait de rendre toujours explicite ce qui est implicite.
c. le fait de produire un énoncé oral ou écrit.

2. Quels indices ne sont pas des indices personnels ?
a. Les pronoms personnels.
b. Les adjectifs possessifs.
c. Les adjectifs qualificatifs.

3. Dans quelle phrase trouve-t-on à la fois des indicateurs de temps et de lieu ?
a. Il lui dit qu'il viendrait ici le lendemain.
b. La porte est ouverte. Je ne vous retiens pas.
c. Pourrais-tu, s'il te plaît, me dire quelle heure il est ?

4. Lequel des genres littéraires suivants n'implique pas une énonciation liée à la situation d'énonciation ?
a. le théâtre   b. l'autobiographie
c. le roman historique

5. Laquelle des phrases suivantes comporte au moins un déictique ?
a. Roxane comprit qu'elle aimait Cyrano mais trop tard ; celui-ci était mourant.
b. La veille, il avait revu le petit village, celui-là même où il avait rencontré son amie.
c. Je suis sûr d'avoir posé le livre sur la table, hier.

La modalisation

La modalisation désigne l'attitude de celui qui parle à l'égard de ce qu'il dit : les degrés de certitude, l'appréciation, l'émotion. Elle passe par les modes verbaux. Elle désigne aussi, plus largement, au moyen des verbes modaux, le rapport qu'entretient un personnage avec son action.

OBSERVATION

- Acceptation du jugement : modalisation subjective
- Affirmation du savoir : modalisation objective

Le mathématicien et astronome italien Galilée a découvert que la Terre tourne autour du Soleil et n'est pas le centre du monde. Cette découverte remet en cause la doctrine de l'Église qui place la Terre, créée par Dieu, au cœur de l'univers. Le 22 juin 1633, il est obligé, sous la pression des religieux, de renoncer à sa découverte lors d'un jugement public. Toutefois, dans sa déclaration, il affirme habilement que la Terre se déplace (« se meut ») et que le Soleil est immobile (« sans mouvement »).

Moi, Galiléo, fils de feu Vincenzio Galilei de Florence, âgé de soixante dix ans, ici traduit pour y être jugé, agenouillé devant les très éminents et révérés cardinaux inquisiteurs généraux contre toute hérésie dans la chrétienté, ayant devant les yeux et touchant de ma
5 main les Saints Évangiles, jure que j'ai toujours tenu pour vrai, et tiens encore pour vrai, et avec l'aide de Dieu tiendrai pour vrai dans le futur, tout ce que la Sainte Église Catholique et Apostolique affirme, présente et enseigne. Cependant, alors que j'avais été condamné par injonction du Saint Office d'abandonner complètement la croyance fausse que le
10 Soleil est au centre du monde et ne se déplace pas, et que la Terre n'est pas au centre du monde et se déplace, et de ne pas défendre ni enseigner cette doctrine erronée de quelque manière que ce soit, par oral ou par écrit ; et après avoir été averti que cette doctrine n'est pas conforme à ce que disent les Saintes Écritures, j'ai écrit et publié un livre dans lequel
15 je traite de cette doctrine condamnée et la présente par des arguments très pressants, sans la réfuter en aucune manière ; ce pour quoi j'ai été tenu pour hautement suspect d'hérésie, pour avoir professé et cru que le Soleil est le centre du monde, et est sans mouvement, et que la Terre n'est pas le centre, et se meut.

Déclaration de Galilée devant le tribunal de l'Inquisition, le 22 juin 1633.

QUESTIONS

1. À travers quels termes (verbes, noms) Galilée exprime-t-il son renoncement et l'acceptation du jugement de l'Inquisition ?
2. Galilée énonce clairement et à plusieurs reprises sa découverte, en utilisant habilement la négation. Il n'énonce jamais explicitement la doctrine qu'on lui impose d'accepter. Pourquoi ?

1 Les différentes formes de modélisation

Les manières de dire ce que l'on sait varient selon trois attitudes, c'est-à-dire trois modalités d'énonciation.

■ **La modalisation objective.** Ce qui est dit est affirmé comme vrai, indépendamment de celui qui s'exprime : « L'eau bout à 100 °C. »

■ **La modalisation subjective.** Le locuteur s'implique dans son propos et exprime son degré d'adhésion ou de rejet. Ce qu'il dit est présenté comme certain, probable, improbable ou incertain.

→ Certain (je suis sûr que cela est)
Je suis sûr du rôle que jouent les hommes dans le réchauffement climatique.
→ Probable (je ne suis pas sûr que cela n'est pas)
J'ai tendance à adhérer à la théorie du réchauffement climatique.
→ Improbable (je suis presque sûr que cela ne soit pas)
Je ne crois pas que les hommes soient responsables du réchauffement climatique.
→ Incertain (je ne suis pas sûr que cela soit)
Je suis dans le doute à propos du réchauffement climatique.

■ **La modalisation intersubjective.** Plusieurs locuteurs confrontent leurs points de vue. Chaque point de vue peut être identifié comme vrai, mensonger, secret ou faux.

→ Vrai (ce qui paraît est bien ce qui est) : Vous avez bonne mine ! – Oui, je suis en pleine forme !
→ Mensonger (ce qui paraît n'est pas) : Vous avez bonne mine ! – En réalité, je suis épuisée. Ce n'est qu'un effet du maquillage...
→ Secret (ce qui est ne paraît pas) : Ce n'est qu'un effet du maquillage. – Oui, mais il vous donne du mystère.
→ Faux (ce qui ne paraît pas et n'est pas) : Tout cela n'est qu'illusion. Il n'y a rien de réel.

2 Les différentes modalités

La présence de l'énonciateur ne se manifeste pas seulement par les indices les plus explicites de la personne et de sa situation spatiale ou temporelle. Elle se manifeste par tout ce qui peut souligner la relation personnelle entre l'énonciateur, son destinataire, ce dont il parle et le monde lui-même.

1. Les indices de l'émotion : les modalités affectives

L'expression des sentiments de l'énonciateur se repère à travers les termes affectifs, à connotations positives ou négatives. L'émotion se traduit également par l'intonation.

→ Le temps passe. Ah, si on pouvait le regarder passer. mais hélas, on passe avec lui
(Paul-Jean Toulet)

2. Les marques du jugement : les modalités appréciatives

L'énonciateur peut exprimer un jugement de valeur, à travers l'emploi de termes évaluatifs : termes péjoratifs (maison/baraque ; voiture/bagnole/caisse), qui dévalorisent ce qu'ils désignent, et termes mélioratifs, qui mettent en valeur.

3. Les indices de la relation au savoir : les modalités logiques

L'émetteur exprime son adhésion ou sa distance, ses certitudes ou ses doutes à l'égard du contenu de son énoncé. Il emploie pour cela des termes modalisateurs :
– des verbes comme : *douter, sembler, croire, assurer que...* ;
– des adverbes et des locutions comme : *peut-être, certainement, sans doute, probablement, de toute évidence...* ;
– le conditionnel (*Il aurait vraiment été malade ?*) ou le subjonctif (*Qui l'eût cru capable d'un tel geste ?*).

LES DIFFÉRENTES FORMES DE MODALISATION

EXERCICE 1 •

Identifiez et analysez chaque modalisation d'énonciation (intersubjective, subjective, objective) dans les phrases suivantes.

• On doit donc reconnaître, sous peine de l'absurde, que le domaine de l'art et celui de la nature sont parfaitement distincts. (Hugo)
• L'hérédité a ses lois, comme la pesanteur. (Zola)
• Saurait-on ce que vaut l'homme sans la guerre ? Saurait-on ce que valent les peuples et les races ? Serions-nous en progrès ? (Proudhon)

EXERCICE 2 •

Repérez dans le texte un exemple de chaque forme de modalisation. Quel est selon vous l'effet recherché par l'auteur ?

Ceux qui jugent et qui condamnent disent la peine de mort nécessaire. D'abord, – parce qu'il importe de retrancher de la communauté sociale un membre qui lui a déjà nui et qui pourrait lui nuire encore. – S'il ne s'agissait
5 que de cela, la prison perpétuelle suffirait. À quoi bon la mort ? Vous objectez qu'on peut s'échapper d'une prison ? faites mieux votre ronde. Si vous ne croyez pas à la solidité des barreaux de fer, comment osez-vous avoir des ménageries ?
10 Pas de bourreau où le geôlier suffit.
Mais, reprend-on, – il faut que la société se venge, que la société punisse. – Ni l'un, ni l'autre. Se venger est de l'individu, punir est de Dieu.
La société est entre deux. Le châtiment est au-dessus
15 d'elle, la vengeance au-dessous. Rien de si grand et de si petit ne lui sied. Elle ne doit pas « punir pour se venger » ; elle doit corriger pour améliorer. Transformez de cette façon la formule des criminalistes, nous la comprenons et nous adhérons.

VICTOR HUGO, *Le Dernier Jour d'un condamné*, Préface, 1832.

EXERCICE 3 •

1. Classez ces expressions figées et ces adverbes selon le degré de certitude qu'ils expriment, du plus faible au plus fort.
2. Utilisez deux expressions dans une phrase ou dans un petit dialogue.

évidemment – peut-être – à mon avis – probablement – à vrai dire – en toute franchise – certainement – sans aucun doute – vraiment – assurément – sans doute

EXERCICE 4 ••

Étudiez dans ces extraits, les différentes nuances de la modalité subjective. Ce qui est dit est-il présenté comme certain, incertain, probable ou improbable ? Justifiez votre réponse en vous appuyant sur les indices du texte.

A. On ne doit parler, on ne doit écrire que pour l'instruction ; et s'il arrive que l'on plaise, il ne faut néanmoins pas s'en repentir, si cela sert à insinuer et à faire recevoir les vérités qui doivent instruire.

LA BRUYÈRE, *Les Caractères*, 1687.

B. Ça n'est pas difficile de passer pour fort, va ; le tout est de ne pas se faire pincer en flagrant délit d'ignorance. Tous les hommes sont bêtes comme des oies et ignorants comme des carpes.

GUY DE MAUPASSANT, *Bel-Ami*, 1885.

C. ANTIOCHUS (*seul*).
Hé bien ! Antiochus, es-tu toujours le même ?
Pourrai-je, sans trembler, lui dire : « Je vous aime ? »
Mais quoi ? Déjà je tremble, et mon cœur agité
Craint autant ce moment que je l'ai souhaité.

JEAN RACINE, *Bérénice*, Acte 1, scène 2, 1670.

D. La poésie de notre temps est le drame ; le caractère du drame est le réel ; le réel résulte de la combinaison toute naturelle de deux types, le sublime et le grotesque, qui se croisent dans le drame, comme ils se croisent dans la vie et dans la création.

VICTOR HUGO, Préface de *Cromwell*, 1827.

LES DIFFÉRENTES MODALITÉS

EXERCICE 5 •

1. À travers quel type de phrase l'émetteur communique-t-il son émotion au lecteur ? Quel mot-clé du poème résume cette émotion ?
2. Relevez les termes qui expriment un jugement. Classez-les en fonction de leurs connotations, positives ou négatives.

Hélas, ai-je pensé, malgré ce grand nom d'Homme,
Que j'ai honte de nous, débiles[1] que nous sommes !
Comment on doit quitter la vie et tous ses maux,
C'est vous qui le savez, sublimes animaux !
5 À voir ce que l'on fut sur terre et ce qu'on laisse,
Seul le silence est grand, tout le reste est faiblesse.
Ah ! Je t'ai bien compris, sauvage voyageur,
Et ton dernier regard m'est allé jusqu'au cœur !

ALFRED DE VIGNY, « La mort du loup », *Les Destinées*, 1864.

EXERCICE 6 •

Associez chaque expression à la modalité qu'elle exprime : la certitude, la probabilité, l'incertitude, l'improbabilité.

• Ça ne devrait pas arriver.
• Il ne va sans doute pas se marier.
• Je suis sûr qu'il va pleuvoir.
• Je ne sais pas trop quoi en penser.

EXERCICE 7 ••

1. Relevez les marques de la modalisation : les modalités affectives et appréciatives.
2. Que peut-on en déduire sur les deux personnages ?

JEANNETTE. – Hé, vas-y, parle… Tu m'as jamais fait de peine, alors parle, vas-y…

MAGALI. – Je vais partir.

Un temps. Jeannette écarquille lentement les yeux, surprise.

5 JEANNETTE. – Comment, tu vas partir ! T'es pas bien à la maison ?

MAGALI. – *(off)* Maman !…

Un temps. Magali relève son visage.

MAGALI. – Je veux faire mes études à Paris.

10 *Jeannette a l'air mécontent.*

JEANNETTE. – À Paris ! Non, mais t'es folle ! T'as vu ce qui se passe à Paris !

Magali baisse les yeux, les relève.

MAGALI. – Tout. Il se passe tout à Paris. Le théâtre, le
15 cinéma…

Jeannette hoche la tête.

JEANNETTE. – Ouais, tu veux aller à Paris pour faire la fête !

MAGALI *(les yeux baissés)* –. Mais non… *(Elle relève les*
20 *yeux.)* Je veux faire l'école de journalisme. Où tu veux que j'aille, et puis c'est pas la Chine !…

ROBERT GUÉDIGUIAN, scénario de *Marius et Jeannette* publié dans *L'Avant-Scène Cinéma*, 1998.

EXERCICE 8 •

1. Relevez dans ces deux paragraphes extraits de deux copies différentes, les marques de modalisation.
2. Dans quel extrait la modalité affective domine-t-elle ?

A. *Il est évident que le remarquable écrivain Paul Eluard connaissait parfaitement ce dont il parlait quand il disait « le poète est celui qui inspire bien plus que celui qui est inspiré ». Mais est-ce qu'on comprend vraiment la force et la beauté de cette phrase ? Nous allons l'expliquer et nous dirons ce que nous en pensons.*

B. *Lorsque le poète Paul Eluard dit « le poète est celui qui inspire bien plus que celui qui est inspiré », il semble qu'il parle avec l'expérience de ce qu'il a fait, il dit là quelque chose d'essentiel pour essayer de définir ce qu'est la poésie. Nous allons comprendre ce qu'il peut vouloir dire.*

EXERCICE 9 •••

1. Analysez les indices de la relation au savoir : les formes par lesquelles le personnage exprime l'hésitation, entre « vouloir faire » et « vouloir ne pas faire ».
2. La modalité du « vouloir faire » est exprimée de plusieurs manières dans le texte (verbes, noms, expressions…). Relevez ces différentes manifestations de cette modalité du « vouloir faire ».

Panurge, personnage de Rabelais, ne sait pas s'il doit ou non se marier. Il demande conseil à Pantagruel.

– Seigneur, vous avez compris mon dessein, qui serait de me marier ; je vous supplie, au nom de l'amour que depuis si longtemps vous me portez, dites-moi votre avis sur la question.

5 – Puisque, répondit Pantagruel, une fois pour toutes les dés ont été jetés, que vous l'avez décidé et que telle est votre ferme intention, n'en parlons plus, il ne reste qu'à la mettre à exécution.

– Oui, dit Panurge, mais je ne voudrais pas la mettre à
10 exécution sans votre conseil et votre avis éclairé.

– Je suis de votre avis sur ce choix, répondit Pantagruel, et vous le conseille.

– Mais, dit Panurge, si vous étiez convaincu qu'il fût préférable pour moi de demeurer dans ma situation
15 actuelle, sans me lancer dans une nouvelle entreprise, j'aimerais mieux ne point me marier.

– Ne vous mariez donc point, répondit Pantagruel.

– Oui, dit Panurge, mais voudriez-vous que je demeure si seul et toute ma vie ? […]

20 – Mariez-vous donc, au nom de Dieu ! répondit Pantagruel.

FRANÇOIS RABELAIS, *Le Tiers-Livre*, 1546.

LES MOTS DU BAC

La modalisation

1. Dans « il va peut-être pleuvoir », la modalité est :
   a. intersubjective.
   b. objective.
   c. subjective.

2. Dans la modalisation subjective :
   a. ce qui est affirmé ne dépend pas du locuteur.
   b. ce qui est affirmé dépend du locuteur.
   c. le locuteur n'apparaît pas.

3. Dans la modalisation intersubjective :
   a. on ne connaît pas les points de vue des interlocuteurs.
   b. un seul point de vue est identifié.
   c. les deux points de vue sont identifiés.

4. Dans quelle phrase trouve-t-on une marque de jugement ?
   a. Pendant trois jours il attendit et la veille de son départ, elle téléphona.
   b. Il lui répondit qu'il ne l'attendait plus et qu'il se préparait à partir.
   c. Demain, elle serait là ; maintenant, il en était sûr.

5. Quelle phrase comporte un terme modalisateur ?
   a. Les jeunes lisent de moins en moins.
   b. Les jeunes ne liraient pas suffisamment
   c. Les jeunes ne lisent plus.

Le discours rapporté

On appelle « discours rapporté » la reproduction des propos d'autrui dans un texte. Cette reproduction peut prendre quatre grandes formes : le discours direct, le discours indirect, le discours indirect libre, le discours narrativisé. Ces formes se distinguent par plusieurs traits grammaticaux : indication des personnes, types de phrases, subordination, concordance des temps, ponctuation.

OBSERVATION

- Discours direct (dialogue)
- Discours indirect avec verbe de parole introducteur
- Discours indirect libre
- Discours narrativisé

Alors, en courtes phrases, l'haleine coupée, tous deux continuèrent à se plaindre. Étienne racontait ses courses inutiles depuis une semaine ; il fallait donc crever de faim ? bientôt les routes seraient pleines de mendiants. Oui, disait le vieillard, ça finirait par mal tourner, car il
5 n'était pas Dieu permis de jeter tant de chrétiens à la rue.

« On n'a pas de la viande tous les jours.
– Encore si l'on avait du pain !
– C'est vrai, si l'on avait du pain seulement ! »

Leurs voix se perdaient, des bourrasques emportaient les mots dans
10 un hurlement mélancolique.

– Tenez ! reprit très haut le charretier en se tournant vers le midi, Montsou est là…

Et, de sa main tendue de nouveau, il désigna dans les ténèbres des points invisibles, à mesure qu'il les nommait. Là-bas, à Montsou la
15 sucrerie Fauvelle marchait encore, mais la sucrerie Hoton venait de réduire son personnel, il n'y avait que la minoterie Dutilleul et la corderie Bleuze pour les câbles de mine qui tinssent le coup.

Émile Zola, *Germinal*, 1885.

QUESTIONS

1. Qui prend successivement la parole dans cet extrait ?
2. Quelles sont les formes utilisées par l'écrivain pour restituer les paroles des différents locuteurs ?
3. En quoi les marques (verbe introducteur de parole, temps des verbes, lexique, syntaxe, guillemets) permettent-elles de distinguer ces différentes formes ?
4. Quel est l'effet produit par l'entrecroisement de ces différentes formes avec le discours du narrateur ? Quel rôle joue la nature (le vent) sur l'échange de paroles ?

1 Le discours direct

■ **Définition.** Le discours direct reproduit les paroles citées de manière fidèle (pronoms, temps des verbes, registres). Il donne ainsi un caractère d'authenticité au récit. Les guillemets signalent la prise de parole d'un personnage.

■ **Formes.** Le discours direct est signalé par un verbe introducteur, placé avant les paroles citées, en incise (entre deux virgules), ou après. Ce verbe précise la forme de la prise de parole : *il cria, il suggéra, il l'interrompit, murmure-t-il, insinue-t-il, proteste-t-il, demande-t-il, révèle-t-il…*

Lorsque les paroles citées s'enchaînent en un dialogue, le passage d'un interlocuteur à l'autre est signalé par un tiret.

2 Le discours indirect

■ **Définition.** Les propos sont introduits par un verbe de parole suivi d'une subordonnée : *Il dit que…, il affirma que…, elle ajouta que…* Les guillemets disparaissent et le narrateur intègre à son propre discours les paroles qu'il cite. Il peut ainsi résumer, reformuler ou commenter le propos cité.

→ Discours direct : Je lui demandai : « Qu'est-ce qui vous amène à Amiens ? Y avez-vous des connaissances ?

→ Discours indirect : Je lui demandai ce qui l'amenait à Amiens, et si elle y avait quelques personnes de connaissance. (Abbé Prévost)

■ **Concordance des temps.** Le passage du discours direct au discours indirect implique des transformations de temps assez complexes.

– **Il y a simultanéité** entre le temps passé du verbe introducteur et le temps de l'action citée : le présent est transposé en imparfait.

→ Il a dit : « Je bois de l'eau. » → Il a dit qu'il buvait de l'eau.

– **Il y a antériorité :** le passé composé est transposé en plus-que-parfait.

→ Il a dit : « je l'ai bue, cette eau. » → Il a dit qu'il l'avait bue.

– **Il y a postériorité :** le futur est transposé en conditionnel.

→ Il m'a dit : « Tu boiras de l'eau. » → Il m'a dit que je boirais de l'eau.

3 Le discours indirect libre

■ **Définition.** Le discours indirect libre combine le discours direct et le discours indirect. Il garde du discours direct l'authenticité des propos tenus, mais sans les marques formelles des guillemets et de la personne. Il conserve du discours indirect le système énonciatif et la transposition des temps.

→ Discours direct : « Il faut donc crever de faim ? Bientôt les routes seront pleines de mendiants ! »

→ Discours indirect libre : Il fallait donc crever de faim ? bientôt les routes seraient pleines de mendiants. (Zola)

■ **Une forme littéraire.** Le discours indirect libre est essentiellement littéraire. Il est rarement utilisé avant le xixᵉ siècle, où il devient une des marques stylistiques essentielles de l'écriture réaliste (Flaubert, Zola). Le personnage est alors aussi « vrai » que le narrateur, et celui-ci semble partager son destin.

4 Le discours narrativisé

Le discours rapporté peut également être intégré au récit. À l'intérieur de celui-ci, il résume les paroles en quelques mots. On parle dans ce cas de « discours narrativisé ».

→ Étienne racontait ses courses inutiles depuis une semaine. (Zola)

LE DISCOURS DIRECT

EXERCICE 1 •

Relevez et classez les marques du discours direct dans les extraits : verbes introducteurs, marques de ponctuation, marques personnelles, marques verbales.

Tout à coup le maréchal des logis cria à ses hommes : « Vous ne voyez donc pas l'Empereur, s… ! » Sur-le-champ l'escorte cria : « Vive l'Empereur ! » à tue-tête.

STENDHAL, *La Chartreuse de Parme*, 1839.

L'homme arriva tout de même à sortir de sa bouche quelque chose d'articulé : « Le maréchal des logis Barousse vient d'être tué, mon colonel » qu'il dit tout d'un trait.

CÉLINE, *Voyage au bout de la nuit*, Éd. Gallimard, 1932.

Le chevalier du Papegaut fut introduit auprès du roi qui était assis dans un bon vieux fauteuil, les jambes croisées. À sa vue Georges IX, ébloui, se leva et demanda : « N'êtes-vous pas le bouffon ? » Le Chevalier du Papegaut, l'air froissé, répondit : « Je suis votre roi. »

APOLLINAIRE, *Le Poète assassiné*, Éd. Gallimard 1916.

« Mais toi, à ton tour, dis-moi donc quelle espèce d'homme tu es et ce que tu cherches.
– Je suis, comme tu vois, un chevalier qui cherche sans pouvoir trouver ; ma quête a été longue et elle est restée vaine.
– Et que voudrais-tu trouver ?
– L'aventure, pour éprouver mon courage. »

CHRÉTIEN DE TROYES, *Yvain ou le Chevalier au lion*, vers 1180.

EXERCICE 2 ••

Quelle est la relation entre les didascalies, qui expliquent la situation, et les paroles au discours direct ?

Les « *bruits du galop d'un animal puissant et lourd* » couvrent les paroles des personnages.

LE LOGICIEN, *au Vieux Monsieur, mains en cornet à l'oreille.* – Qu'est-ce que vous dites ?
Grands bruits couvrant les paroles.
BÉRENGER, *mains en cornet à l'oreille, à Jean.* – Tandis que moi, quoi, qu'est-ce que vous dites ?
JEAN, *hurlant.* – Je dis que…
LE VIEUX MONSIEUR, *hurlant.* – Je dis que…
JEAN, *prenant conscience des bruits qui sont très proches.* – Mais que se passe-t-il ?
LE LOGICIEN. – Mais qu'est-ce que c'est ?
JEAN, *se lève, fait tomber sa chaise en se levant, regarde vers la coulisse gauche d'où proviennent les bruits d'un rhinocéros passant en sens inverse.* – Oh, un rhinocéros !
LE LOGICIEN, *se lève, fait tomber sa chaise.* – Oh, un rhinocéros !

EUGÈNE IONESCO, *Rhinocéros*, Éd. Gallimard, 1960.

EXERCICE 3 •

Identifiez les formes de la citation et analysez l'effet de cet enchâssement du discours direct.

HORN. – Qui était-il, Alboury, et vous, qui êtes-vous ?
ALBOURY. – Il y a très longtemps, je dis à mon frère : « Je sens que j'ai froid » ; il me dit : « C'est qu'il y a un petit nuage entre le soleil et toi » ; je lui dis : « Est-ce possible que ce petit nuage me fasse geler alors que tout autour de moi, les gens transpirent et le soleil les brûle ? » Mon frère me dit : « Moi aussi, je gèle » ; nous nous sommes donc réchauffés ensemble.

BERNARD-MARIE KOLTÈS, *Combat de nègre et de chiens*, Éd. de Minuit, 1989.

Combat de nègre et de chiens, mise en scène de Michael Thalheimer.

LE DISCOURS INDIRECT

EXERCICE 4 ••

1. Dans les citations suivantes, relevez les marques du discours indirect.
2. Précisez si le propos est résumé, reformulé, commenté.

Beethoven, tout comme Messiaen, voyait les oiseaux comme ses amis compositeurs. Il dit à son ami Schindler en 1823 que lorsqu'il avait composé une partie de la *Pastorale* dans la campagne près de Heilingenstadt, les cailles, les rossignols et les coucous composaient avec lui.

L'Écologiste, n° 32, été 2010.

[Flaubert] voyait encore en projet un autre grand roman sur l'administration, avec ce titre : « Monsieur le Préfet », et il affirmait que personne n'avait jamais compris quel personnage comique, important et inutile est un préfet.

GUY DE MAUPASSANT, « Pour Gustave Flaubert ».

Impressionné par l'austère morale des quackers, [Condorcet] annonce que le peuple américain, disposé à l'étude, doublera les connaissances de l'Europe et trouvera les moyens de diminuer les maux de l'humanité.

E. ET R. BADINTER, *Condorcet*, Le Livre de Poche, 1988.

EXERCICE 5 •

Réécrivez ce passage en transposant les répliques au discours indirect.

Un marin les fit lever pour dérouler les câbles.
« Où vont-ils donc ces bateaux-là ? hasarda Jacques.
– Ça dépend. Lequel ?
– Ce gros-là ?
5 – À Madagascar.
– Vrai ? On va le voir partir ?
– Non. Celui-là ne part que jeudi. Mais si tu veux voir un départ, faut t'amener ce soir à cinq heures : celui-ci, le *La Fayette*, part pour Tunis. »

ROGER MARTIN DU GARD, *Les Thibault*, Éd. Gallimard, 1922-1940.

LE DISCOURS INDIRECT LIBRE

EXERCICE 6 •

Repérez, dans l'extrait, les passages au discours indirect libre. Les frontières entre la parole du narrateur et celle, citée, du personnage sont-elles nettes ? Qu'en concluez-vous ?

Elle ne toucha pas à son café. Il aurait voulu qu'elle le bût. Il aurait terriblement voulu qu'elle le bût. Mais il ne le lui aurait dit pour rien au monde. Il n'était plus sûr de l'aimer. Il n'était plus sûr de rien. S'il y avait eu maldonne ? C'était trop atroce à penser. Il l'aimait, voyons, il l'aimait.

LOUIS ARAGON, *Aurélien*, Éd. Gallimard, 1944.

EXERCICE 7 •

Identifiez, dans l'extrait, le moment du passage au discours indirect libre : quelles en sont les marques ?

Après l'ennui de cette déception, son cœur de nouveau resta vide et la série des mêmes journées recommença. Elles allaient donc maintenant se suivre à la file, toujours pareilles, innombrables et n'apportant rien !

GUSTAVE FLAUBERT, *Madame Bovary*, 1857.

EXERCICE 8 •

Dans les extraits suivants de *L'Assommoir* d'Émile Zola, analysez l'utilisation du discours indirect libre.

A. Boche disait que les enfants poussaient sur la misère comme les champignons sur le fumier.

B. Elle raconta tout de suite son histoire pour se poser : elle était mariée maintenant, elle avait épousé au printemps un ancien ouvrier ébéniste qui sortait du service et qui sollicitait une place de sergent de ville, parce qu'une place, c'est plus sûr et plus comme il faut.

EXERCICE 9 •

1. Repérez les passages au discours indirect et au discours indirect libre dans cet extrait.

2. Réécrivez au discours direct le passage au discours indirect libre. Quelles transformations avez-vous effectuées et quel est l'effet produit ?

Dans les couloirs de la maison, Rieux regarda machinalement vers les recoins et demanda à Grand si les rats avaient totalement disparu de son quartier. L'employé n'en savait rien. On lui avait parlé en effet de cette histoire, mais il ne prêtait pas beaucoup d'attention aux bruits du quartier.

ALBERT CAMUS, *La Peste*, Éd. Gallimard, 1947.

EXERCICE 10 •••

Le texte est-il écrit au discours direct ou indirect libre ? Développez votre réponse en présentant des arguments pour l'une et pour l'autre thèse.

Elle aurait commencé par s'acheter quéques robes, des chouettes alors, qui l'auraient rajeunie de vingt ans et alle s'rait allée chez l'institut d'beauté, où s'qu'on l'aurait rajeunie de vingt ans. Total, quarante. Ça fait qu'elle en aurait eu quinze. Avec de la monnaie, qu'est-ce qu'on ne fait pas ! Ensuite de quoi, a s'rait allée chez l'marchand d'bagnoles. Une bathouze qu'elle aurait dit, avec un capot long comme ça et des coussins bien rembourés. Quéque chose qui fasse impressionnant.

RAYMOND QUENEAU, *Le Chiendent*, Éd. Gallimard, 1933.

LES MOTS DU BAC

Le discours rapporté

1. Le discours direct :
   a. permet au locuteur de s'attribuer les paroles d'autrui.
   b. reproduit les paroles d'autrui.
   c. transpose les paroles d'autrui.

2. Dans le passage au discours indirect, l'emploi du plus-que-parfait pour l'action citée indique :
   a. l'antériorité par rapport au présent.
   b. l'antériorité par rapport au passé.
   c. la postériorité par rapport au passé.

3. Il y a transposition des temps :
   a. dans les trois types de discours rapportés.
   b. dans le discours indirect et dans le discours indirect libre.
   c. seulement dans le discours indirect libre.

4. Le discours indirect libre est une marque stylistique :
   a. de l'écriture classique.
   b. de l'écriture réaliste.
   c. de l'écriture contemporaine.

5. Le discours narrativisé :
   a. rapporte fidèlement le discours d'autrui.
   b. résume le discours d'autrui.
   c. ajoute des éléments au discours d'autrui.

La citation

Parmi les propos rapportés, la citation a un statut particulier. On l'utilise très fréquemment dans les textes techniques, scientifiques ou argumentatifs. Dans beaucoup d'autres genres de discours – presse, discours politique, etc. –, on est également amené à citer, en respectant des usages et des règles.

OBSERVATION

■ Terme introducteur

■ Citation au discours direct

■ Citation au discours indirect intégrée au sein de la phrase

■ Citation commentée

Texte 1

Sale temps sur le Stade Rennais, incapable de remporter ses quatre dernières rencontres et ses matches contre les équipes du haut du tableau. L'entraîneur Antonetti regarde le ciel : « La réussite qu'on avait en début de saison nous fuit, alors que nos contenus sont
5 meilleurs. » La malédiction du leader poursuit aussi Brest, qui a atteint ses limites contre Sochaux.

ANTHONY CLÉMENT, *L'Équipe*, 20 novembre 2010.

Texte 2

Dans une étude bien connue[1], M. Lucien Febvre a brillamment esquissé l'histoire d'un des termes les plus importants de notre lexique moderne, le mot civilisation, et le développement des notions si fécondes qui s'y rattachent, entre la fin du XVIIIe et le milieu du XIXe
5 siècle. Il a aussi déploré les difficultés qu'on rencontre à dater exactement l'apparition du mot en français. Justement parce que civilisation est un de ces mots qui inculquent une vision nouvelle du monde, il importe de préciser autant qu'on le peut les conditions dans lesquelles il a été créé.

ÉMILE BENVENISTE, « Civilisation. Contribution à l'histoire du mot »,
Problèmes de linguistique générale, Éd. Gallimard, 1966.

Texte 3

L'auteur cherche à créer une impression poétique en montrant que le paysage nous renvoie notre propre image. Il insiste sur le calme et la pureté du « paysage humain ». Il évoque notamment les « verts feuillages » (vers 13) et « l'eau vive » (vers 15), ainsi que le « lit frais » (vers 17). Il
5 traduit ainsi son émotion face à un décor qui renvoie à son enfance.

Copie d'élève.

QUESTIONS

1. À quels genres de discours appartiennent les textes ci-dessus ?

2. Dans chacun des textes, identifiez les différentes citations. Comment sont-elles introduites ?

3. Quelles fonctions différentes exercent les citations dans chaque texte (validation, confirmation, consolidation) ?

1 Les modes d'insertion de la citation

Toute activité d'écriture, et notamment une argumentation, une dissertation ou un commentaire, conduit à citer les propos d'autrui.

■ **Les termes introducteurs.** La citation est introduite au moyen de prépositions (*chez, pour, selon, d'après, dans*) et de verbes introducteurs qui, placés avant la citation, après elle ou en incise, précisent l'orientation et le contexte (*proclamer, affirmer, expliquer, constater, écrire, dire, ajouter, remarquer, préciser, confier,* etc.).

■ **Le discours direct et les guillemets.** La citation peut être insérée dans le texte de plusieurs manières. Elle peut se faire sur le mode du discours direct, entre guillemets.

> → Dans le *Génie du christianisme*, Chateaubriand affirme : « L'écrivain original n'est pas celui qui n'imite personne, mais celui que personne ne peut imiter. »

■ **Le discours indirect.** Elle peut se faire sous la forme du discours indirect, avec une subordonnée complétive.

La citation peut se faire par intégration au sein de la phrase, éventuellement en plusieurs fragments.

> → S'interrogeant sur ce qui fait l'originalité d'un écrivain, Chateaubriand considère, dans *Génie du christianisme*, qu'il n'est pas « celui qui n'imite personne » mais au contraire « celui que personne ne peut imiter ».

■ **L'évocation commentée.** On peut également citer globalement un ouvrage ou un texte, en y ajoutant une évaluation.

> → Dans une étude bien connue, M. Lucien Febvre a brillamment esquissé l'histoire d'un des termes les plus importants de notre lexique moderne.

2 Les fonctions de la citation

■ **La validation.** La citation, avec sa référence exacte, a d'abord une fonction de validation. On prouve ainsi que ce qu'on cite est vrai parce que vérifiable. Elle permet également d'inscrire son propre texte dans un dialogue avec d'autres auteurs.

■ **La confirmation.** On utilise des citations pour illustrer, à titre d'exemple, ou pour confirmer un argument avancé. La citation peut alors présenter des cas concrets pour soutenir une proposition plus générale ou plus abstraite.

> → Dans l'extrait de son roman *Les Vrilles de la vigne*, publié en 1908, Colette cherche à recréer l'univers de sa jeunesse et souhaite partager ses souvenirs : « Je voudrais, écrit-elle, dire, dire, dire tout ce que je sais. » (copie d'élève)

■ **La consolidation.** La citation d'un auteur reconnu et autorisé permet aussi de prendre appui sur lui et de consolider une position. On met alors son propre argument sous la protection d'une source d'autorité qui en garantit la validité ou la vérité. On utilise alors des énoncés introducteurs.

> → Il faut se méfier de l'opinion publique. Car, comme l'écrit le polémiste Chamfort, en 1795, dans ses *Maximes et Pensées* : « Il y a des siècles où l'opinion publique est la plus mauvaise des opinions. » (copie d'élève)

■ **La contestation.** La citation peut enfin être au service de la polémique. On cite un auteur pour le critiquer. L'énoncé introducteur peut orienter la critique qui doit toujours être solidement exposée.

> → Contrairement à l'affirmation pessimiste de Céline selon laquelle « Faire confiance aux hommes, c'est déjà se faire tuer un peu », on peut soutenir que la confiance dans l'autre est source de vie. (copie de candidat)

Repère

Le bon usage de la citation

L'attribution de toute citation à son auteur est un principe de base. Faute de le respecter, on copie ou on plagie. Internet est une mine d'informations. La généralisation de son emploi renforce les principes de bonne conduite en matière de citation. Le « copier/coller » est soumis à des règles : la citation doit être réécrite en fonction du contexte particulier du travail ; elle doit toujours être référencée.

LES MODES D'INSERTION DE LA CITATION

EXERCICE 1 •

Dans les exemples ci-dessous, repérez les différents modes d'insertion de la citation.

A. « Pour être véritablement utiles dans un environnement domestique, les robots humanoïdes devront être capables d'anticiper des situations », fait valoir Kevin Waewick, professeur de cybernétique à l'Université de Reading.

Courrier international, hors série, mars-avril 2010.

B. Dans ses écrits, Stendhal dit qu'« un roman est un miroir qui se promène sur une grande route ».

(copie d'élève)

C. À l'époque, beaucoup d'acteurs jouaient des Don Juan, c'était un sujet à la mode : Molière en a fait une pièce dans laquelle il s'est soulagé de tout ce qu'il n'avait pas dit dans *Tartuffe*.

Louis Jouvet, *Molière et la comédie classique*,
Éd. Gallimard, 1965

D. Que penser de ce que dit le critique, quand il affirme que « la poésie ne se trouve pas que dans les vers » ?

(copie d'élève)

EXERCICE 2 ••

Classez les verbes introducteurs en trois catégories :
1. les verbes qui introduisent une réflexion ;
2. ceux qui introduisent une contestation ;
3. ceux qui introduisent une affirmation.

L'auteur :
explique,
se demande,
confirme,
prouve,
s'insurge contre,
s'interroge sur,
conteste,
refuse,
analyse,
s'indigne,
met en évidence,
déplore,
propose,
laisse entendre que...

EXERCICE 3 •

1. Pour introduire la citation de Montaigne dans le commentaire, utilisez différentes prépositions, puis différents verbes introducteurs.
2. Commentez la variation des effets de sens produits par ces verbes introducteurs.

Citation
Chacun appelle barbarie ce qui n'est pas de son usage.

(Montaigne)

Début du commentaire
Pour devenir plus tolérant, il est évident qu'il faut savoir accepter ce qui n'est pas soi-même, ce qui est différent de soi. Et ce n'est pas facile, car nous avons tendance à nous méfier de ce que nous ne connaissons pas, de ce qui nous est étranger.

EXERCICE 4 •

1. Repérez les éléments qui permettent l'insertion des citations.
2. Pour chaque texte, précisez les modes d'insertion de la citation.

A. Dans sa Préface à La Fortune des Rougon, Émile Zola définit le projet de sa fresque romanesque : « Cette œuvre, qui formera plusieurs épisodes, est donc, dans ma pensée, l'histoire naturelle et sociale d'une famille sous le second Empire. »

B. Dans sa Préface à La Fortune des Rougon, Émile Zola affirme que « cette œuvre, qui formera plusieurs épisodes, est donc, dans [sa] pensée, l'histoire naturelle et sociale d'une famille sous le second Empire ».

C. Dans sa Préface à La Fortune des Rougon, Émile Zola déclare que son œuvre « formera plusieurs épisodes » et constituera ainsi, selon lui, l'histoire et la généalogie d'une famille sous Napoléon III.

EXERCICE 5 ••

En utilisant les indications entre parenthèses, intégrez les citations suivantes à l'intérieur d'une phrase. Utilisez les prépositions et les verbes introducteurs de votre choix, en les variant dans chacune de vos phrases.

A. Emma, c'est moi !

(Gustave Flaubert, à propos de l'héroïne
de son roman *Madame Bovary*, 1857)

B. Pourquoi douter des songes ? La vie, remplie de tant de projets passagers et vains, est-elle autre chose qu'un songe ?

(Le narrateur de *Paul et Virginie*, roman de
Bernardin de Saint-Pierre, 1788)

C. Le temps use une œuvre littéraire, les chefs-d'œuvre même, quoi qu'on en dise.

(Henry de Montherlant, dans ses *Carnets*, 1957)

EXERCICE 6 ••

1. Dans chacun des exemples ci-dessous, transformez le mode d'introduction des citations.
2. Analysez le résultat obtenu, du point de vue de la syntaxe, de la modification des phrases et de l'effet produit.

A. Posant la question : « Qu'est-ce que le réalisme ? », le linguiste Roman Jakobson observe que l'on a coutume de juger du réalisme d'un roman non pas en se référant à la « réalité » elle-même (un même objet a mille aspects) mais à un genre littéraire qui s'est développé au siècle dernier. (Claude Simon, *Discours de Stockholm*, © The Nobel Foundation, 1985)

B. Thibaudet jugeait lui-même sa critique « plus tournée vers les œuvres que vers les personnes[1] ». Dans le cas de Montaigne, la distinction est sans doute particulièrement malaisée. (Gérard Genette, *Figures I*, Éd du Seuil, 1966)

1. Albert Thibaudet, *Montaigne*, Paris, Gallimard, 1963.

LES FONCTIONS DE LA CITATION

EXERCICE 7 •

Dans chaque exemple, identifiez la fonction de la citation.

A. Geste d'apaisement souvent utilisé en famille : brandir son (bon) bulletin scolaire, tel le drapeau blanc de la paix. « J'accorde les sorties en fonction des résultats scolaires. Si les notes sont bonnes, j'ai davantage confiance », admet
5 Catherine, la mère d'Alice, 17 ans.

Phosphore, décembre 2010.

B. « Il ne faut pas croire que les mathématiciens passent leur temps à faire des calculs. Sinon, les ordinateurs nous auraient déjà remplacés. Dans notre activité, il y a de la place pour l'imagination, pour la création. » Ainsi s'ex-
5 prime le mathématicien Wendelin Werner (médaille Fields 2006), spécialiste des probabilités. Les mathématiciens sont des rêveurs.

Sciences Humaines, n° 221, décembre 2010.

C. André Malraux […] s'opposait au genre biographique lui-même, considérant qu'il était « illusion narrative », puisque « chacun articule son passé pour un interlocuteur insaisissable ».

Le Magazine Littéraire, n°503, décembre 2010.

EXERCICE 8 ••

Dans le texte suivant, repérez la citation, la critique et son commentaire. Que veut exactement dire l'auteur sur Voltaire ?

À la Cour, Voltaire doit faire son métier de courtisan. Il nous dit qu'il le néglige : « Me voici à Fontainebleau et je fais tous les soirs la ferme résolution d'aller au lever du roi : mais tous les matins, je reste en robe de chambre
5 avec Sémiramis ». Ce n'est qu'à moitié vrai : les charmes de sa « Sémiramis » ne lui font pas oublier ses devoirs dont il s'acquitte fort bien.

Jean Orieux, *Voltaire*, Flammarion, 1999.

EXERCICE 9 •••

Utilisez chacune des citations suivantes dans deux contextes différents :
1. dans un contexte polémique de contestation ;
2. dans un contexte de consolidation à l'appui de vos idées.
Développez le contexte d'une ou deux phrases.

• Analyser un livre ! Que dirait-on d'un convive qui, mangeant une pêche mûre, en retirerait les morceaux de sa bouche pour voir ? (Jules Renard)
• Le dictionnaire est une machine à rêver. (Roland Barthes)
• La sincérité est un calcul comme un autre. (Jean Anouilh)
• La grande affaire et la seule qu'on doive avoir, c'est de vivre heureux. (Voltaire)

EXERCICE 10 •••

Choisissez la citation avec laquelle vous êtes d'accord. Écrivez un petit paragraphe dans lequel vous utilisez chacune des deux citations en utilisant l'une pour confirmer, l'autre pour contester.

• L'ordre, et l'ordre seul, fait en définitive la liberté. Le désordre fait la servitude. (Charles Péguy)
• L'ordre est le plaisir de la raison : mais le désordre est le délice de l'imagination. (Paul Claudel)

EXERCICE 11 ••

Voici le texte mis à la une du journal *Libération* le jour de la mort du prix Nobel de la paix Andrei Sakharov qui avait milité, toute sa vie durant, pour la défense des libertés, notamment en URSS. Quel rôle joue la citation dans cette une ? Quel sens donne-t-elle à l'information ?

« Il y aura encore un rude combat demain… »

Andrei Sakharov (1921-1989)

Le prix Nobel de la paix est mort subitement jeudi soir à Moscou. Tels furent ces derniers mots.

LES MOTS DU BAC

La citation

1. L'utilisation de la citation :
   a. est propre à la dissertation.
   b. se trouve aussi dans le roman.
   c. se trouve dans tous les types d'écrits.

2. L'emploi des guillemets pour une citation :
   a. est propre au discours direct.
   b. peut aussi se trouver dans le discours indirect.
   c. est nécessaire quel que soit le type de discours.

3. Une référence en note de bas de page commence :
   a. par le titre de l'ouvrage.
   b. par le nom de l'auteur.
   c. par le nom de l'éditeur.

4. Lorsqu'on cite un autre auteur :
   a. ce n'est jamais pour le contester.
   b. ce peut être pour le contester.
   c. c'est toujours pour le contester.

5. La déontologie de la citation, c'est :
   a. ne jamais citer sans commenter.
   b. toujours l'attribuer à son auteur.
   c. toujours mettre des guillemets.

Les niveaux de langue

La pratique de la langue varie selon les lieux et les milieux, les circonstances et les situations. L'usage détermine ainsi les connotations sociales qui s'expriment en niveaux de langue : niveau soutenu, courant, familier ou populaire. Ces connotations concernent aussi les accents et les argots. Les niveaux de langue sont abondamment exploités par la littérature.

OBSERVATION

Niveau de
langue soutenu

Niveau de
langue familier

Texte 1

Messieurs, Qu'il me soit permis d'abord (avant de vous entretenir de l'objet de cette réunion d'aujourd'hui, et ce sentiment, j'en suis sûr, sera partagé par vous tous), qu'il me soit permis, dis-je, de rendre justice à l'administration supérieure, au gouvernement, au monarque, messieurs,
5 à notre souverain, à ce roi bien-aimé à qui aucune branche de la prospérité publique ou particulière n'est indifférente, et qui dirige à la fois d'une main si ferme et si sage le char de l'État parmi les périls incessants d'une mer orageuse, sachant d'ailleurs faire respecter la paix comme la guerre, l'industrie, le commerce, l'agriculture et les beaux-arts.

Gustave Flaubert, *Madame Bovary*, 1857.

Texte 2

Fâchée contre le monde entier, elle en voulait principalement à son mari. Elle lui en voulait de sa gaieté, de sa renommée, de sa santé et de son embonpoint. […]
« Ça serait-il point mieux dans l'étable à cochon un quétou comme
5 ça ? C'est que d'la graisse que ça en fait mal au cœur. »
Et elle lui criait dans la figure :
« Espère, espère un brin ; j'verrons ç'qu'arrivera, j'verrons ben ! Ça comme un sac à grain, ce gros bouffi ! »

Guy de Maupassant, *Toine*, 1885.

Texte 3

Il faut avouer que le Passage, c'était pas croyable comme croupissure. C'est fait pour qu'on crève, lentement mais à coup sûr, entre l'urine des petits clebs, la crotte, les glaviots, le gaz qui fuit. C'est plus infect qu'un dedans de prison. Sous le vitrail, en bas, le soleil arrive si moche
5 qu'on l'éclipse avec une bougie. Tout le monde s'est mis à suffoquer. Le Passage devenait conscient de son ignoble asphyxie !..

Louis-Ferdinand Céline, *Mort à crédit*, Éd. Gallimard, 1936.

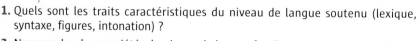

QUESTIONS

1. Quels sont les traits caractéristiques du niveau de langue soutenu (lexique, syntaxe, figures, intonation) ?

2. Nommez les deux variétés du niveau de langue familier et populaire : quelles en sont les marques et les différences ? En quoi se distinguent-ils de l'oralité ?

1 La langue à l'oral et à l'écrit

L'oral et l'écrit sont les deux formes de manifestation de la langue. Ils diffèrent par leurs conditions d'énonciation et par leur mise en œuvre du système grammatical.

■ **Les conditions d'énonciation**

– **À l'oral :** les interlocuteurs sont coprésents, ils ajustent leurs propos. Les langages non verbaux (gestes, mimiques) accompagnent le langage verbal.

– **À l'écrit :** la distance de l'espace et du temps sépare le locuteur et le lecteur. La lecture différée oblige à évoquer la situation à l'intérieur du texte qui a un aspect fini, clos sur lui-même.

■ **La mise en œuvre de la grammaire**

– **À l'oral :** la syntaxe de la phrase est souple avec des ruptures de construction et des phrases inachevées. Les répétitions sont nombreuses, le métalangage est important *(Tu vois c'que j'veux dire ?)*.

– **À l'écrit :** l'usage de la grammaire est normé, les phrases complexes sont fréquentes, les répétitions plus rares ; l'orthographe et la ponctuation sont de rigueur.

2 Les niveaux de langue

1. Le niveau soutenu

Il est noté parfois « LITTER. » dans les dictionnaires. Mais il n'est pas propre à l'usage littéraire de la langue. Le lexique est précis, voire recherché. Les figures de style sont nombreuses, de même que les inversions. La syntaxe exige le strict respect des règles grammaticales. La tragédie classique est un genre représentatif du niveau soutenu.

2. Le niveau courant

C'est celui de l'usage standard de la langue. Le lexique est usuel, largement partagé. La syntaxe est respectée mais sans recherche. Les temps verbaux, simples et composés, intègrent le subjonctif mais excluent le passé simple. C'est le niveau qu'utilisent par exemple la presse et le journal télévisé.

3. Le niveau familier

C'est celui de la pratique orale quotidienne de la langue. Le lexique est familier, intégrant des éléments argotiques. La syntaxe est relâchée, avec des ruptures de construction, des répétitions, la suppression du « ne » dans la négation. il se caractérise par l'emploi d'expressions figées et de phrases toutes faites. Ce niveau est celui de l'échange ordinaire entre amis ou en famille.

3 Les usages socioculturels de la langue

L'extension du niveau courant, appelé « français standard », tend aujourd'hui à homogénéiser l'usage de la langue.

■ **La géographie du français.** Les dialectes et les patois sont en voie de disparition, mais les accents régionaux persistent, quoiqu'on les entende rarement sur les médias nationaux. Dans les autres pays francophones (Afrique, Antilles, Belgique, Québec, Suisse), un français souvent coloré d'apports régionaux donne naissance à une production littéraire considérable.

■ **Les milieux culturels.** Les usages populaires de la langue sont aussi très vivants. La créativité linguistique y est toujours intense et fait passer ses expressions dans l'usage courant. La littérature a su en tirer profit : parler paysan chez Maupassant, langage des ouvriers chez Zola, argot parisien de Céline.

Repère

Le verlan (l'envers)

C'est un phénomène d'inversion des formes lexicales, courant à partir des années 1970. Certains mots du verlan sont passés dans l'usage (*meuf* pour femme, *ripou* pour pourri, etc.). Le verlan est toutefois ancien et était utilisé comme langage secret chez les truands, à la fin du XIXᵉ siècle, . Le déguisement du lexique et de la syntaxe pour la communication entre initiés fait partie de l'histoire de toute langue.

LA LANGUE À L'ORAL ET À L'ÉCRIT

EXERCICE 1 •

Identifiez le niveau de langue de chacun de ces mots. Proposez pour chacun des équivalents dans deux autres niveaux de langue.

cossard – avoir peur – bosser – suranné – être claqué – automobile – plumard – rouspéter – biclou

EXERCICE 2 •

Relevez toutes les caractéristiques de l'oralité dans l'extrait suivant.

Mes copains sont tous en cabanes
ou à l'armée ou à l'usine
y se sont rangés des bécanes
y'a plus de jeunesse tien ça m'déprime
5   alors pour mettre un peu d'ambiance
dans mon quartier de vieux débris
j'ai regroupé toutes mes connaissances
intellectuelles et c'est depuis
que j'suis une bande de jeunes
10   à moi tout seul
je suis une bande de jeunes
j'me fends la gueule

Renaud, *Je suis une bande de jeunes*,
© Mino Music, 1975.

LES NIVEAUX DE LANGUE

EXERCICE 3 ••

Relevez, dans cette lettre d'amour de Sainte-Beuve à Adèle Hugo, les marques d'un niveau de langue soutenu.

Adèle, j'ai toujours été médiocrement doué de la faculté de l'espérance, j'ai toujours senti l'absence et l'empêchement en toute chose : mes sentiments ont toujours un peu manqué de soleil dans la maison propice. Mais si mon
5   espérance sait mal sourire, j'ai la foi et l'amour, mon ange : je t'aime, je crois invinciblement en ton amour.

EXERCICE 4 •

1. Retrouvez, dans ce texte, les marques des niveaux courant, familier et soutenu
2. Quelles hypothèses pouvez-vous faire sur l'identité de l'auteur du texte ?

« J'ai rencontré *Antigone* dans les couloirs du collège Eugène-de-Pomey d'Amplepuis (Rhône). La pièce de Jean Anouilh était déjà au programme scolaire. Manifestation de l'égocentrisme propre à l'adolescence, la vision
5   romantique de la jeune héroïne rebelle désobéissant à l'ordre établi m'avait éblouie : "Moi, je veux tout, tout

de suite, et que ce soit entier, ou alors je refuse !" Ah, il y avait de quoi clouer le bec au vieux ! Et occulter la subtilité du personnage. »

Témoignage évoqué dans
Le Magazine littéraire, n° 503, décembre 2010.

EXERCICE 5 •

1. Relevez les marques du niveau familier.
2. Réécrivez le début de ce passage en utilisant un niveau soutenu. Quels effets de style disparaissent ?

J'apprenais rien, c'est un fait. Ça me désespérait l'école, l'instituteur en barbiche, il en finissait jamais de nous brouter ses problèmes. Il me foutait la poisse rien qu'à le regarder. Moi d'abord, d'avoir tâté, avec Popaul,
5   la vadrouille, ça me débectait complètement, de rester ensuite comme ça assis pendant des heures et des payes à écouter des inventions.

CÉLINE, *Mort à crédit*, Éd. Gallimard, 1952.

EXERCICE 6 ••

Trois personnages sont en scène : la maîtresse, le valet et le jardinier. En observant les niveaux de langue, indiquez qui est qui, et justifiez l'emploi du niveau de langue correspondant.

PHOCION. – Enfin serai-je libre ? Je suis persuadée qu'Agis attend le moment de pouvoir me parler ; cette haine qu'il a pour moi me fait trembler pourtant. Mais que veulent encore ces domestiques ?
5   ARLEQUIN. – Je suis votre serviteur, Madame.
DIMAS. – Je vous saluons, Madame.
PHOCION. – Doucement donc !
DIMAS. – M'appriandez rin, je sommes seul.
PHOCION. – Que me voulez-vous ?
10   ARLEQUIN. – Une petite bagatelle.
DIMAS. – Oui, je venons ici tant seulement pour régler nos comptes.
ARLEQUIN. – Pour voir comment nous sommes ensemble.
PHOCION. – Eh ! de quoi est-il question ? Faites vite ! car
15   je suis pressée.
DIMAS. – Ah ça ! comme dit c't'autre, vous avons-je fait de bonne besogne ?

MARIVAUX, *Le Triomphe de l'amour*, 1732.

EXERCICE 7 •

Relevez, dans ce texte, les termes qui sont propres au petit groupe des pensionnaires de la maison Vauquer.

– Eh bien ! monsieur Poiret, dit l'employé du Muséum, comment va cette petite santérama ?

Puis, sans attendre sa réponse : Mesdames, vous avez du chagrin, dit-il à madame Couture et à Victorine.
5   – Allons-nous dînaire ? s'écria Horace Bianchon, un étudiant en médecine, ami de Rastignac, ma petite estomac est descendue usque ad talones.

– Il fait un fameux froitorama ! dit Vautrin. Dérangez-vous donc, père Goriot ! Que diable ! votre pied prend toute la gueule du poêle.

– Illustre monsieur Vautrin, dit Bianchon, pourquoi dites-vous froitorama ? il y a une faute, c'est froidorama.

– Non, dit l'employé du Muséum, c'est froitorama, par la règle : j'ai froit aux pieds.

BALZAC, *Le Père Goriot*, 1835.

EXERCICE 8 •

1. Relevez, dans ce texte, les termes familiers et argotiques
2. Quel effet produisent-ils sur la description du lieu ?

Y a des réclames pour la Suze, dans les jaunes éteints, sur lesquels on voit un monsieur aux bras noueux arracher de la gentiane dans un paysage de montagne. Ça renifle la vinasse à bord. Et puis le vieux plancher humide, et aussi le papier moisi et le clébard crotté. Ça serait pas l'épagneul, des fois, qui chlinguerait de la sorte ?

SAN ANTONIO, *Béru et ces dames*, Éd. Fleuve noir, 1967.

EXERCICE 9 •

1. Dans ce texte du Martiniquais Patrick Chamoiseau (prix Goncourt en 1992), devinez-vous ce que désignent les termes que vous ne comprenez pas ?
2. Quel effet produit l'utilisation de ces mots ?

Il redoubla de férocité envers les crapauds. On en trouva transpercés et bénis dans un rayon de deux kilomètres autour de chez lui. Sa suspicion s'étendit aux soficognans, aux ravets rouges, aux chouvalbois, aux bêtes-z'oreilles, aux mabouyas traqués dans les coins humides, aux sauterelles, aux punaises, à toutes bestioles échouées dans son cercle vital.

PATRICK CHAMOISEAU, *Chronique des sept misères*, Éd. Gallimard, 1986.

EXERCICE 10 •

1. Relevez tout le lexique verlan de ce texte.
2. Traduisez si possible ces termes.

J'neco ap La Marseille
Mais c'est ici que je mange mes fraises
Au deblé, j'suis céfran
Et j'suis robeu en cefran
Kéblo entre ici et là-bas
Des fois j'ai envie de me séca
Mais c'est près d'Paris qu'j'ai grandi
Et l'Algérie j'l'ai tchav' quand j'étais p'tit

PASCAL AGUILLOU et NASSER SAÏKI, *La Téci à Panam : parler le langage des banlieues*, Éd. Michel Lafon, 1996.

EXERCICE 11 ••

Voici un extrait des *Exercices de style* de Raymond Queneau. Il s'agit de la version « vulgaire ». Transformez ce texte pour obtenir un niveau soutenu.

L'était un peu plus d'midi quand j'ai pu monter dans l'esse. J'monte donc, j'paye ma place comme de bien entendu et voilàtipas qu'alors j'remarque un zozo l'air pied, avec un cou qu'on aurait dit un télescope et une sorte de ficelle autour du galurin. Je lregarde passeque jlui trouve l'air pied quand le voilàtipas qu'ismet à interpeller son voisin. Dites donc, qu'il lui fait, vous pourriez pas faire attention, qu'il ajoute, on dirait, qu'i pleurniche, quvous l'faites essprais, qu'i bafouille, deummarcher toulttemps sullé panards, qu'i dit. Là-dssus, tout fier de lui, i va s'asseoir. Comme un pied.

Jrepasse plus tard Cour de Rome et j'aperçois qui discute le bout de gras avec autre zozo de son espèce. Dis donc, qu'i lui faisait l'autre, tu d'vrais, qu'i lui disait, mettre un ottbouton, qu'il ajoutait, à ton pardingue, qu'i concluait.

RAYMOND QUENEAU, *Exercices de style*, Éd. Gallimard, 1947.

Les niveaux de langue

1. L'oral et l'écrit :
   a. sont deux langues différentes.
   b. sont deux formes de manifestation de la langue.
   c. ne se distinguent pas.

2. Le passé simple est caractéristique :
   a. du niveau familier.
   b. du niveau soutenu.
   c. du niveau courant.

3. Le niveau familier :
   a. respecte la syntaxe.
   b. admet une syntaxe relâchée.
   c. n'admet aucun mot d'argot.

4. Lorsqu'on parle de « métalangage » important, on évoque :
   a. la langue écrite.
   b. la langue orale.
   c. la langue écrite et orale.

5. Dans la tragédie classique :
   a. tous les niveaux de langue peuvent être présents.
   b. le niveau familier est possible.
   c. le niveau de langue est soutenu.

Les figures de style

Les figures de style, répertoriées par la rhétorique, visent à rendre les énoncés plus expressifs et plus persuasifs. Elles contribuent à l'originalité de l'écriture littéraire, mais aussi, à des degrés divers, dans les autres formes de discours.

1 Les figures d'insistance

Les figures d'insistance ont pour effet de souligner le contenu d'un mot ou d'une expression en le mettant en valeur par différents moyens de répétition.

■ **Le parallélisme.** Reprise d'une construction syntaxique ou rythmique pour accentuer une similitude, une opposition ou une gradation.

→ J'ai tendresse pour toi, j'ai passion pour elle. (Corneille)

■ **Le chiasme.** Parallélisme de deux expressions dont les éléments syntaxiques ou lexicaux sont inversés dans la seconde. Le chiasme crée une vision synthétique fondée sur l'union ou l'opposition.

→ Je suis la plaie et le couteau !
Je suis le soufflet et la joue ! (Baudelaire)
Ces deux vers de Baudelaire forment un chiasme : dans le premier vers, l'effet (la blessure) précède la cause (l'arme) ; dans le second, la cause (la gifle) précède l'effet (la joue meurtrie).

■ **L'anaphore.** Reprise en tête de phrase d'un même mot ou d'une même expression pour renforcer, par le rythme, un effet incantatoire, mélodique ou persuasif.

→ Trouver des mots forts comme la folie
Trouver des mots couleur de tous les jours
Trouver des mots que personne n'oublie (Aragon)

■ **L'accumulation.** Succession de termes de même nature et de même fonction pour produire un effet de foisonnement ou des variations d'intensité. Lorsque cette intensité est croissante ou décroissante, on parle de **gradation**. La gradation, qui produit un effet de grossissement, peut tendre à l'hyperbole.

→ Je me meurs, je suis mort, je suis enterré ! (Molière)

2 Les figures d'amplification et d'atténuation

Les figures d'amplification ont pour effet d'accentuer avec force l'expression d'une idée ou d'intensité d'un sentiment. Les figures d'atténuation permettent au contraire d'adoucir la dureté d'une réalité ou d'une émotion.

■ **L'hyperbole.** Procédé d'exagération qui met en relief une perception vécue ou un sentiment éprouvé, en les grossissant à l'extrême.

→ Et quand sur la mer il fera noir,
Tes beaux yeux seront mes deux étoiles. (Richepin)

■ **La litote.** Procédé d'atténuation qui consiste à en dire moins pour signifier plus. C'est une atténuation qui sert à amplifier.

→ Va, je ne te hais point. (Corneille)
Cette réplique de Chimène à Rodrigue signifie : « Je t'aime toujours » et suggère, plus encore : « Je t'aime avec passion ! »

■ **L'euphémisme.** Procédé d'atténuation qui consiste à utiliser un mot ou une expression plus faible pour signifier une réalité plus dure afin de l'adoucir.

→ Il est temps que je me repose ;
Je suis terrassé par le sort.
Ne me parlez pas d'autre chose
Que des ténèbres où l'on dort ! (Hugo)
Ici, « se reposer » signifie, par euphémisme, mourir.

3 Les figures d'opposition

Les figures de l'opposition rapprochent des termes dont le sens est opposé. Elles créent un effet de contraste qui souligne la tension contradictoire entre deux situations, deux personnages, deux idées.

■ **L'antithèse.** Rapprochement de deux éléments opposés, disposés de manière symétrique à l'intérieur d'une phrase ou d'un paragraphe.

→ Paris est tout petit / C'est là sa vraie grandeur. (Prévert)

■ **L'oxymore.** Juxtaposition de deux mots contradictoires au sein d'un même groupe grammatical, pour faire surgir une réalité nouvelle et inattendue.

→ Cette obscure clarté qui tombe des étoiles. (Corneille)
→ Le soleil noir de la mélancolie. (Nerval)

4 Les figures de substitution

Les figures de substitution sont nombreuses. Elles consistent à substituer un terme à un autre, plus prévisible. Elles sont souvent banalisées par l'usage, mais peuvent parfois créer des effets inattendus.

■ **La métonymie.** Désignation de quelque chose par un mot qui désigne autre chose. Les deux mots ont entre eux une relation logique (d'appartenance, d'origine, de contiguïté) immédiatement interprétable.

→ Boire un verre (désignation du contenant pour faire entendre le contenu).
→ Tout Paris était dans la rue (désignation du lieu pour signifier ses habitants).
→ Du bourgogne, un Van Gogh (désignation de l'objet par son origine ou sa cause).

■ **La synecdoque.** Forme particulière de métonymie qui désigne un être ou un objet par un mot qui désigne la matière ou une partie de cet être ou de cet objet.

→ Nous aperçûmes trente voiles (désignation du tout – les navires – à partir d'une de ses parties – leurs voiles).
→ Faire périr par le fer (désignation de l'objet – l'épée – par sa matière).

■ **La périphrase.** Désignation d'un objet par une expression qui le caractérise, en précise ou en développe le sens. L'emploi d'une périphrase attire l'attention sur une qualité particulière de l'objet et permet souvent d'éviter une répétition.

→ L'auteur de *La Comédie humaine* (pour Balzac).
→ La ville Lumière (pour Paris).

■ **L'antiphrase.** Procédé qui consiste à dire le contraire de ce qu'on veut faire entendre, en ne laissant aucun doute sur l'intention de sens. Dans le cas de l'ironie, figure de l'antiphrase par excellence, il s'agit de faire entendre un jugement négatif en énonçant quelque chose de positif.

→ Forme littéraire d'ironie :
Tout ce joli monde se retrouvera là-haut
Près du bon dieu des flics (Jacques Prévert)

LES FIGURES D'INSISTANCE

EXERCICE 1 •

Relevez les parallélismes et analysez-en les effets.

Les uns criaient « Sainte Barbe ! », les autres « Sainte Nitouche ! », les autres « Notre Dame de Cunault, de Lorette, de Bonne Nouvelle… » Les uns se vouaient à Saint Jacques ; les autres au Saint Suaire de Chambéry…
5 Les uns mouraient sans parler, les autres parlaient sans mourir, les uns mouraient en parlant, les autres parlaient en mourant.

FRANÇOIS RABELAIS, *Gargantua*, 1534.

EXERCICE 2 •

Repérez et analysez le double chiasme. En quoi rend-il sensible l'« effet singulier » dont parle le texte ?

Et ce champ me faisait un effet singulier ;
Des cadavres dessous, et dessus des fantômes ;
Quelques hameaux flambaient ; au loin brûlaient
[les chaumes.

VICTOR HUGO, « Le cimetière d'Eylau »,
La Légende des siècles, 1851.

EXERCICE 3 •

Relevez les anaphores des extraits suivants. Précisez, en les distinguant, les effets produits par l'emploi de cette figure.

Rome, l'unique objet de mon ressentiment !
Rome, à qui vient ton bras d'immoler mon amant !
Rome qui t'a vu naître, et que ton cœur adore !
Rome enfin que je hais parce qu'elle t'honore !

PIERRE CORNEILLE, *Horace*, Acte IV, scène 6, 1640.

Il y a des petits ponts épatants
Il y a mon cœur qui bat pour toi
Il y a une femme triste sur la route

GUILLAUME APOLLINAIRE, « Il y a »,
Poèmes à Lou, Éd. Gallimard, 1915.

Paris a froid Paris a faim
Paris ne mange plus de marrons dans la rue
Paris a mis de vieux vêtements de vieille
Paris dort tout debout sans air dans le métro

PAUL ELUARD, « Courage »,
Au rendez-vous allemand, Éd. de Minuit, 1945.

EXERCICE 4 ••

Relevez les gradations dans les citations suivantes. Expliquez en une phrase quel est, pour chacune, l'effet recherché.

• Va, cours, vole, et nous venge. (Corneille)
• Un souffle, une ombre, un rien, tout lui donnait la fièvre.
(La Fontaine)

• Pierre marchait au milieu de ces gens, plus perdu, plus séparé d'eux, plus isolé, plus noyé, dans sa pensée torturante, que si on l'avait jeté à la mer du pont d'un navire. (Maupassant)
• Ah ! Oh ! Je suis blessé, je suis troué, je suis perforé, je suis administré, je suis enterré. (Jarry)

LES FIGURES D'AMPLIFICATION ET D'ATTÉNUATION

EXERCICE 5 •

Les phrases suivantes recherchent-elles un effet d'amplification ou d'atténuation ? Identifiez la figure de style utilisée.

• Je suis mort de rire.
• Elle est maigre comme un clou.
• Le courage n'est pas son fort.
• Ils ont tout soldé à un prix hallucinant.
• Il est devenu fou de rage.
• Il a recommencé mille fois avant de réussir.
• Il est mort des suites d'une longue et douloureuse maladie.
• Il n'a pas inventé l'eau tiède.

EXERCICE 6 •

De ces deux citations, laquelle est une litote ? laquelle une hyperbole ?

• Ce n'était pas un sot, non, non, et croyez-m'en,
Que le chien de Jean de Nivelle (La Fontaine)
• Une mère aussi inflexible que soixante-treize administrations à casquettes de plomb. (Rimbaud)

EXERCICE 7 ••

1. Dans ce texte, repérez l'hyperbole.
2. Comment est-elle préparée par ce qui précède ? Quel est l'effet produit ?

Il apportait dans la société une gaucherie sans timidité, une absence de forme convenue, un dédain si parfait de ce qu'on y admire, qu'au bout de quelques minutes, avec trois ou quatre syllabes, il avait trouvé moyen de se faire
5 une meute d'ennemis acharnés.

THÉOPHILE GAUTIER, « Onuphrius », *Contes fantastiques*.

EXERCICE 8 •

1. Identifiez les euphémismes dans les citations suivantes. Que désignent-ils ?
2. Cherchez d'autres euphémismes pour nommer la même réalité.

• Allons ! Il est bien temps que je désemplisse le monde. (Victor Hugo)
• Dormir… enfin ! Je vais dormir (Alfred de Musset)
• Le temps s'en va, le temps s'en va, ma Dame ;
Las ! le temps, non, mais nous nous en allons,
Et tôt serons étendus sous la lame (Pierre de Ronsard)

LES FIGURES DE L'OPPOSITION

EXERCICE 9 ••

1. Identifiez les antithèses.
2. Analysez avec précision leurs divers composants.

Il m'apparaît de plus en plus évident que la vérité que nous frôlons sans cesse, et que nous souhaitons voir se manifester, ne se cache pas dans le jardin des grandes idées bien jardinées, mais dans le maquis sauvage des
5   petits moments de la vie.

ALAIN HERVÉ, *L'Écologiste*, n° 12, été 2010.

Le jour, j'étais prêtre, chaste, occupé de la prière et des choses saintes ; la nuit, dès que j'avais fermé les yeux, je devenais un jeune seigneur, fin connaisseur en chiens et en chevaux, jouant aux dés, buvant et blasphémant,
5   et lorsqu'au lever de l'aube je me réveillais, il me semblait au contraire que je m'endormais et que je rêvais que j'étais prêtre.

THÉOPHILE GAUTIER, « La morte amoureuse »,
Contes fantastiques.

EXERCICE 10 •

Sur quelle figure de style cette illustration est-elle construite ? Justifiez votre réponse.

Arman (1928-2005),
Long term parking,
1982.

EXERCICE 11 •

Tous ces titres ou extraits de chanson sont des oxymores. Faites des hypothèses sur l'opposition dont il est question dans chaque chanson.

• *Fantaisie militaire* (Alain Bashung)
• *Leur soleil nous fait de l'ombre* (Renaud)
• *Douce violence* (Johnny Hallyday)
• *Nous parlons en silence d'une jeunesse vieille* (Jacques Brel)

LES FIGURES DE SUBSTITUTION

EXERCICE 12 •

À quelle catégorie appartient chacune des métonymies suivantes (relation d'appartenance, d'origine, de contiguïté) ?

• Maupassant est sur l'étagère de gauche.
• On n'entendait que les cuivres !
• C'était très bon, j'ai mangé toute mon assiette.
• La France condamne l'opération militaire perpétrée dans ce pays allié.

EXERCICE 13 •

1. Dans ces deux vers, où sont les deux synecdoques ?
2. Quelle impression donnent-elles sur la perception du paysage ?

Je ne regarderai ni l'or du soir qui tombe
Ni les voiles au loin descendant vers Harfleur

(Victor Hugo)

EXERCICE 14 ••

Quels personnages sont évoqués par les périphrases suivantes ?

• Celui de qui la tête au ciel était voisine
Et dont les pieds touchaient à l'Empire des Morts
(La Fontaine, *Le Chêne et le Roseau*)

• Heureux qui comme Ulysse a fait un beau voyage
Ou comme cestui-là qui conquit la toison
(Du Bellay, *Les Regrets*)

LES MOTS DU BAC

Les figures de style

1. Le chiasme se différencie du parallélisme parce qu'il :
   a. crée une gradation.
   b. inverse les constructions.
   c. ne produit qu'un effet d'opposition.

2. Les termes successifs d'une accumulation :
   a. peuvent être de nature et de fonction différentes.
   b. peuvent être d'intensité croissante.
   c. ne peuvent pas être d'intensité décroissante.

3. La litote est une atténuation qui sert à :
   a. amplifier.   b. opposer.   c. produire une gradation.

4. La métonymie est une figure :
   a. d'insistance.   b. de substitution.   c. d'opposition.

5. L'antiphrase fait entendre :
   a. un jugement positif.
   b. un jugement qui peut être positif ou négatif.
   c. un jugement négatif.

La comparaison, la métaphore, la personnification

Les figures favorisent, par l'émotion, l'adhésion du destinataire. Parmi ces figures, trois prennent appui sur l'analogie qui leur donne une force particulière : la comparaison, la métaphore, la personnification.

OBSERVATION

Comparaison
Métaphore
Personnification

Texte 1

Pour croire à la pieuvre, il faut l'avoir vue. [...] Voici ce que c'est que cette rencontre, toujours possible dans les roches du large.

Une forme grisâtre oscille dans l'eau, c'est gros comme le bras, et long d'une demi-aune environ ; c'est un chiffon ; cette forme ressemble
5 à un parapluie fermé qui n'aurait pas de manche. Cette loque avance peu à peu vers vous. Soudain, elle s'ouvre, huit rayons s'écartent brusquement autour d'une face qui a deux yeux ; ces rayons vivent ; il y a du flamboiement dans leur ondoiement ; c'est une sorte de roue ; déployée, elle a quatre ou cinq pieds de diamètre. Épanouissement effroyable. Cela
10 se jette sur vous.

L'hydre harponne l'homme.

Victor Hugo, *Les Travailleurs de la mer*, 1866.

Texte 2

Les coquelicots. Ils éclatent dans le blé comme une armée de petits soldats ; mais d'un bien plus beau rouge, ils sont inoffensifs.

Leur épée, c'est un épi.

C'est le vent qui les fait courir, et chaque coquelicot s'attarde, quand
5 il veut, au bord du sillon, avec le bleuet, sa payse[1].

Jules Renard, *Histoires naturelles*, 1896.

1. payse : fiancée.

QUESTIONS

1. Dans le texte 1, la pieuvre est d'abord décrite par des comparaisons, puis par des métaphores. Quel est l'effet de cette modification des figures ?

2. Dans le texte 2, la comparaison ouvre sur une personnification des coquelicots. Quels sont les éléments qui donnent à ces fleurs un caractère humain ?

1 La comparaison

■ **Le comparé et le comparant.** La comparaison associe deux termes – le terme comparant et le terme comparé – autour d'un élément commun qui fonde leur ressemblance. Les termes comparés peuvent appartenir à un même domaine.

→ Il est aussi fort que son père. – Non, il est plus fort que lui.

Les termes comparés peuvent aussi appartenir à des domaines différents qui, mis sur le même plan, suscitent alors une image. Celle-ci est stéréotypée si elle est fixée par l'usage. Elle est créative si elle est inattendue et suscite un sens nouveau.

→ La musique souvent me prend comme une mer. (Baudelaire)

■ **Les instruments de la comparaison.** La comparaison s'effectue à l'aide d'une expression comparative : *comme, ainsi que, semblable à, ressemble à*.

→ Le colchique couleur de cerne et de lilas
Y fleurit tes yeux sont comme cette fleur-là (Apollinaire)

2 La métaphore

■ **La construction de la métaphore.** La métaphore établit une analogie entre deux éléments – un comparant et un comparé – mais sans expression comparative. Elle suggère une identification entre deux termes.

→ Je me suis baigné dans le Poème de la mer. (Rimbaud)

■ **La métaphore filée.** Elle se constitue d'une suite de métaphores sur le même thème. La première engendre les autres, construites à partir du même comparant et établissant ainsi une isotopie au fil du texte.

3 Les fonctions de la comparaison et de la métaphore

■ **La fonction poétique.** En remplaçant un mot attendu par un autre, les comparaisons et les métaphores suscitent une signification nouvelle et inattendue. Ainsi se développe un univers second, ouvrant sur l'imaginaire.

■ **La fonction explicative.** Ces deux procédés stylistiques peuvent rendre concrète et sensible une idée abstraite.

■ **La fonction évaluative.** Présentes dans l'argumentation, la comparaison et la métaphore sont des instruments de valorisation ou de dévalorisation suscitant l'émotion. Elles interviennent dans la publicité, dans les discours politiques, dans les articles de presse, dans les dialogues quotidiens aussi bien que littéraires.

4 Les figures de la personnification

■ **La personnification.** Elle consiste à prêter des sentiments et des comportements humains à un objet, à un être inanimé ou à un animal.

→ L'amour-propre est le plus grand de tous les flatteurs. (La Rochefoucault)

■ **L'allégorie.** Elle rend concrète une idée abstraite en lui donnant la forme d'un être vivant qui la représente par son apparence, ses comportements, ses gestes.

→ O Mort, vieux capitaine,
il est temps ! Levons l'ancre. (Baudelaire)

LA COMPARAISON

EXERCICE 1 •

1. Identifiez le comparé, l'outil de comparaison et le comparant.
2. Précisez l'élément de sens commun qui justifie la comparaison.

- Je suis rouge comme un bœuf écorché. (Sartre)
- Les éclairs fusaient de la terre comme des jets d'eau.
  (Giono)
- L'azur du ciel est moins beau que le bleu de tes yeux ; le chant des bengalis moins doux que le son de ta voix.
  (Bernardin de Saint-Pierre)
- Avec son long nez, les trous de ses joues, elle faisait songer à une pondeuse sur son nid, les plumes gonflées, l'œil mi-somnolent, mi-inquiet. (Arland)
- Le ciel n'est pas plus pur que le fond de mon cœur.
  (Racine)
- Mon verre s'est brisé comme un éclat de rire.
  (Apollinaire)
- Comme si j'avais été moi-même une poule et si je venais de pondre un œuf, je me mis à chanter à tue-tête. (Proust)

EXERCICE 2 •

Les comparaisons ci-dessous, extraites du *Roman de la momie* de Théophile Gautier, caractérisent un personnage. Quelles sont leurs connotations ? Quel rôle donnent-elles, selon vous, au personnage ainsi décrit ?

- Son nez osseux, luisant et recourbé comme le bec d'un gypaète.
- La paupière bistrée s'abaissait et se relevait comme une aile de chauve-souris.
- (Elle) se glissa comme un reptile dans la cabane.
- On eût pu entrevoir ses prunelles fauves comme celles d'un hibou.
- (Elle) déplia lentement ses membres d'araignée.

EXERCICE 3 ••

Identifiez les différents jeux d'homophonie et de sens sur le terme initial de chaque vers. En quoi ce texte rend-il hommage à la comparaison ?

Come, dit l'Anglais à l'Anglais, et l'Anglais vient.
Côme, dit le chef de gare, et le voyageur qui vient dans
    cette ville descend du train sa valise à la main.
Come, dit l'autre, et il mange.
5 Comme, je dis comme et tout se métamorphose, le marbre
en eau, le ciel en orange, le vin en plaine, le fil en six, le
cœur en peine, la peur en seine. […]

    Robert Desnos, « Comme », *Fortunes*, Éd. Gallimard, 1942.

LA MÉTAPHORE

EXERCICE 4 •

Le philosophe grec Aristote a, le premier, défini la différence entre la comparaison (qu'il nomme « image ») et la métaphore. Analysez et commentez cette différence.

    L'image est aussi une métaphore, car il y a peu de différence entre elles. Ainsi, lorsque Homère dit en parlant d'Achille : « Il s'élança comme un lion », il y a image ; lorsqu'il a dit : « Ce lion s'élança », il y a métaphore.
5 L'homme et l'animal étant tous deux pleins de courage, il nomme, par métaphore, Achille un lion.

    Aristote, *Rhétorique*, 363 avant J.-C.

EXERCICE 5 •

1. Identifiez le comparé et le comparant dans les métaphores suivantes.
2. Sur quel élément commun repose l'analogie ?

- La fosse, plaie au flanc de la terre, est ouverte. (Hugo)
- Le gouffre de tes yeux, plein d'horribles pensées.
  (Baudelaire)
- Sous une lumière de fer, les usagers de la voie rapide avaient branché leurs phares dont les faisceaux obscurcissaient encore l'état du jour. Miaulements de véhicules et chuchotis de leurs pneumatiques sur le revêtement dérapant, rafales intermittentes et froid dans le dos. C'était mardi, midi moins dix. (Echenoz)
- Une grosse pivoine de sang au milieu de la poitrine.
  (Vautrin)

EXERCICE 6 ••

Les titres d'œuvres suivants contiennent une métaphore. Identifiez-la et expliquez son effet.

- *Le revolver à cheveux blancs* (Breton)
- *Capitale de la douleur* (Eluard)
- *La nuit remue* (Michaux)
- *Petite cosmogonie portative* (Queneau)
- *Les yeux fertiles* (Eluard)

EXERCICE 7 ••

1. Relevez les comparaisons et métaphores dans le texte.
2. Sur quels éléments communs reposent les analogies ?

    L'incendie, qui n'était pas encore entré dans la salle de la bibliothèque, jetait au plafond un reflet rose… Toutes les splendeurs s'en déployaient : l'hydre noire et le dragon écarlate apparaissaient dans la fumée difforme, superbement sombre et vermeille. De longues flammèches s'envolaient au loin et rayaient l'ombre, et l'on eût dit des comètes combattantes courant les unes après les autres.

    Victor Hugo, *Quatrevingt-treize*, 1874.

EXERCICE 8 ••

Le Langage de l'image a recours aux figures de style. Quelle est celle que vous retrouvez dans l'affiche suivante ? Quel effet de sens produit-elle ?

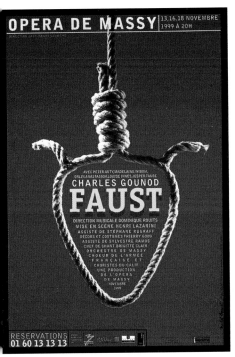

Affiche de Michel Bouvet, 1995.

LES FIGURES DE LA PERSONNIFICATION

EXERCICE 9 ••

Nommez ce qui est représenté dans le texte par allégorie. Analysez les éléments descriptifs et narratifs qui permettent de l'identifier.

> Je vis cette faucheuse. Elle était dans son champ.
> Elle allait à grands pas moissonnant et fauchant,
> Noir squelette laissant passer le crépuscule.

VICTOR HUGO, « Mors », *Les Contemplations*, 1854.

EXERCICE 10 ••

Identifiez et expliquez l'allégorie développée dans l'extrait.

> Le Malheur, mon grand laboureur,
> Le Malheur, assois-toi,
> Repose-toi,
> Reposons-nous un peu toi et moi,
> 5 Repose,
> Tu me trouves, tu m'éprouves, tu me le prouves.
> Je suis ta ruine […]

HENRI MICHAUX, « Repos dans le malheur », *Plume* précédé de *Lointain Intérieur*, Éd. Gallimard, 1963.

EXERCICE 11 •••

1. À quel type de personnage l'hiver est-il identifié dans la personnification filée ?
2. Cette personnification est-elle allégorique ? Justifiez en un court paragraphe votre réponse.

> Le nez rouge, la face blême,
> Sur un pupitre de glaçons,
> L'Hiver exécute son thème
> Dans le quatuor des saisons.
> 5 Il chante d'une voix peu sûre
> Des airs vieillots et chevrotants ;
> Son pied glacé bat la mesure
> Et la semelle en même temps ;
> Et comme Haendel[1], dont la perruque
> 10 Perdait sa farine en tremblant,
> Il fait envoler de sa nuque
> La neige qui la poudre à blanc.

THÉOPHILE GAUTIER, « Fantaisies d'hiver », *Émaux et Camées*, 1852.

1. Haendel : compositeur allemand du XVIIIe siècle.

LES MOTS DU BAC

La comparaison et la métaphore

1. Dans la comparaison, les termes comparés :
  a. appartiennent toujours à un même domaine
  b. peuvent appartenir à un même domaine
  c. appartiennent toujours à un domaine différent

2. Une image stéréotypée :
  a. suscite un sens nouveau.
  b. est fixée par l'usage et l'habitude.
  c. n'associe pas le comparant et le comparé.

3. Dans la métaphore, l'expression comparative :
  a. utilise des adverbes.
  b. utilise toutes les catégories de mots.
  c. n'existe pas.

4. La métaphore filée :
  a. rétablit l'expression comparative.
  b. est constituée d'une série de métaphores sur le même thème.
  c. enchaîne des métaphores de thèmes différents.

5. La métaphore et la comparaison sont des figures de style qui permettent de créer un effet :
  a. de valorisation uniquement.
  b. de dévalorisation uniquement.
  c. de valorisation et de dévalorisation.

18 Les grandes caractéristiques de l'image

L'image est un langage. Elle compose des éléments visuels pour imposer un sens que le spectateur décode et interprète. Dessin, peinture, photographie, film, image numérique : à la variété des moyens et des supports de l'expression visuelle répond la richesse des significations que l'image construit et communique.

OBSERVATION

L'isolement est celui de la pauvreté et de la souffrance.

L'effet symbolique : la lumière qui inonde la scène et l'orientation oblique des rayons renvoient au thème spirituel de l'image religieuse.

Sebastião Salgado, *Réfugiés en marche vers le Soudan*. Tigré, photo noir et blanc, 1985.

QUESTIONS

1. Décrivez la scène représentée. Quel témoignage Sebastião Salgado souhaite-t-il apporter avec cette photographie ?

2. Quelles sont les relations entre les différents éléments de l'image : l'arbre et la lumière d'une part, et les personnages au sol, d'autre part ? Quel est l'effet produit ?

3. Quels éléments de la photographie suggèrent la thématique biblique de l'Exode ?

1 Le langage visuel

1. La matière et le sens

Comme tout langage, celui de l'image mobilise un matériau (encre, pigments, etc.) dont la disposition sur un support (le signifiant) engendre une signification (le signifié, figuratif ou non). Le langage visuel s'exprime à travers des objets bi-dimensionnels (les images planes, l'écran) ou tri-dimensionnels (le bas-relief, la sculpture, l'architecture).

2. Le sens figuratif

■ **L'illusion du vrai.** La séduction de l'image est d'abord fondée sur la ressemblance avec le monde, tel qu'on le perçoit : l'illusion de réalité. L'image est dite « figurative ».
■ **Les grands motifs.** Le caractère figuratif s'exprime à travers de grands thèmes culturels : le portrait, le paysage, le récit d'action, la nature morte, le religieux, etc.

3. Le sens abstrait

L'image peut aussi être non figurative. Dans l'histoire de l'art, un événement majeur se produit au tournant du xxᵉ siècle : l'artiste déforme les objets perçus (expressionnisme, cubisme) jusqu'à ne plus représenter d'objet identifiable (art abstrait).

2 Les grands types d'images

1. Le dessin

■ **L'invention de la ligne.** La base de tout dessin est le tracé d'une pointe qui forme des lignes sur un support (papier, sable de la plage, tableau noir, etc.). Le dessin invente la ligne, qui n'existe pas dans la nature.
■ **Les trois types de lignes.** On reconnaît trois grands types de lignes : la ligne creuse qui est celle du dessin des lettres et des chiffres, la ligne contour qui est celle du dessin figuratif (par exemple, la « ligne claire » d'Hergé), la ligne lieu qui est celle du dessin géométrique (comme l'ovale d'un parterre de fleurs).

2. La peinture

■ **Une combinaison de taches et de masses.** La peinture met en contact des taches et des masses de couleurs. De leur disposition émane la représentation figurative ou l'harmonie d'une construction abstraite.
■ **Une évolution.** L'histoire de l'art est en grande partie celle de la peinture, marquée par les évolutions de la représentation : l'allégorie au Moyen Âge, la perspective à la Renaissance, la perception « impressionniste » au xixᵉ siècle, l'abstraction au xxᵉ siècle.

3. La photographie

■ **La photographie référentielle ou documentaire.** Elle vise la reproduction fidèle de la réalité. Par exemple, le photojournalisme
■ **La photographie critique.** Elle détourne l'image photographique de la réalité. Elle joue sur les illusions visuelles. Par exemple, la photographie ludique.
■ **La photographie créatrice.** Elle construit un monde visuel original. Elle peut développer des effets symboliques ou abstraits. Elle peut renvoyer à de grandes thématiques humaines. Par exemple, la photographie artistique.
■ **La photographie technique.** Elle se tient au plus près de son objet. Elle donne à voir sa matière. Par exemple, la photographie scientifique.

4. L'image filmique

Prolongeant la photographie, le cinéma met en mouvement l'image dans le long métrage, le film documentaire, le clip politique ou publicitaire.

Repère

L'abstraction

Entre le plus figuratif (image hyperréaliste) et le plus abstrait (image conceptuelle), il y a plusieurs degrés. Par exemple, une image symbolique comme *La Liberté guidant le peuple* de Delacroix associe la réalité (les barricades) à une idée abstraite (la Liberté). Ou encore, une image allégorique, comme une gravure qui représente l'avarice sous les traits d'une vieille femme, illustre une idée abstraite sous une forme concrète.

LE LANGAGE VISUEL

EXERCICE 1 •

1. Observez l'image ci-dessous. Quelles sont les caractéristiques du matériau utilisé par le peintre ?
2. Quels éléments de l'image renvoient à une ressemblance avec le réel ?
3. Quels éléments ne renvoient à aucune réalité identifiable et produisent une signification abstraite ?

Nicolas de Staël (1914-1955), *Paysage méditerranéen*, peinture à l'huile, 1953.

EXERCICE 2 •

Observez la photographie ci-dessous. À quel type correspond-elle : référentielle et documentaire, critique ou technique ?

Kuhn, *Accident ferroviaire à la gare Montparnasse*, 22 octobre 1895, photo noir et blanc.

EXERCICE 3 •

1. Sur quelles ressemblances connues du spectateur la sculpture s'appuie-t-elle ?
2. Quelle peut être la signification de ce détournement opéré par l'artiste ? En confrontant l'œuvre et son titre, quelle peut être son intention ?

Bruno Peinado, *The Big One World*, sculpture, 2000.

LES GRANDS TYPES D'IMAGES

EXERCICE 4 ••

1. Pour ces trois images (ci-dessous et à droite), indiquez la technique utilisée et les caractéristiques de chaque type.
2. Décrivez en deux lignes le contenu de chaque image.
3. Quelle image s'appuie sur un sens figuratif ? Quelle image privilégie l'abstraction ?

Edward Hopper (1882-1967), *Chambre à New York*, peinture à l'huile, 1932.

« *No* », affiche de Fukuda Shigeo, pour le cinquantenaire de l'explosion des deux bombes atomiques lancées sur le Japon en 1945.

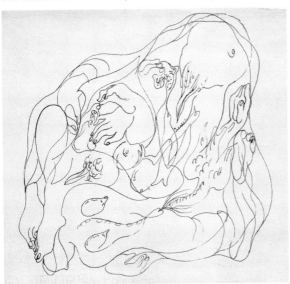

André Masson (1896-1987), *Dessin automatique*, v. 1924-1925, encre de Chine sur papier.

EXERCICE 5 ••

1. Quelles transformations a opérées Andy Warhol ?
2. Comment joue-t-il sur le figuratif et sur l'abstaction ?
3. En vous appuyant sur les citations proposées, faites, en quelques lignes, un commentaire du dessin d'Andy Warhol.

Citations sur la ligne dans l'art.

- Pour parler exactement, il n'y a dans la nature ni ligne, ni couleur. (Baudelaire)
- Le contour des objets, conçu comme une ligne qui les cerne, n'appartient pas au monde visible. (Merleau-Ponty)

Albert Einstein, photographie.

Andy Warhol (1928-1987), *Albert Einstein II.229, From the Jews Suite*, 1980.

19 Les moyens de l'expression visuelle

Le langage de l'image se structure selon des lignes virtuelles et des principes de composition qui déterminent l'harmonie ou les effets de perspective. Le langage de l'image se construit à travers des contrastes ou des nuances.

Jean-Michel Basquiat, *In italian,* 1983, acrylique, pastel et feutre sur panneau de bois.

Les lignes de force

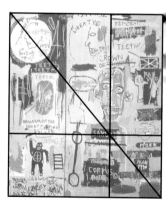

Le nombre d'or

1. Le tableau donne l'impression d'une grande improvisation et pourtant il est rigoureusement structuré. Expliquez de quelle façon.

2. Comment le tableau associe-t-il les effets de contraste et les nuances de couleurs ?

3. L'œuvre affirme sa modernité par la rupture avec les codes picturaux antérieurs. Expliquez comment.

4. Un seul mot donne son titre au tableau : *sangre* (sang). Comment le peintre l'a-t-il mis en valeur ?

1 Les lignes virtuelles

Des lignes non dessinées que l'œil repère donnent à l'image sa structure d'ensemble. Elles sont de deux grands types.

■ **Les lignes de force.** Ce sont les droites (horizontales, verticales, obliques, diagonales) ou les courbes (arc, ligne serpentine) qui organisent l'espace de l'image. Les droites suggèrent la rigueur, voire la rigidité. Les courbes suggèrent la douceur, la sensualité.

■ **Les lignes de fuite.** Elles créent une impression de profondeur, imposant sur une surface plane une illusion de perception, entre le proche et le lointain.

2 La perspective

Toute image figurative met en relation le regard du créateur, puis le regard du spectateur. Cette relation s'exprime à travers trois éléments essentiels.

■ **Le point de fuite : là où l'œil va.** C'est le point de convergence des lignes de fuite. Celles-ci se rejoignent en un point situé dans l'image, ou hors de l'image, et assurent l'effet de perspective.

■ **Le point focal : là d'où l'œil voit.** C'est le point d'où regarde l'observateur. Celui-ci peut être placé à la même hauteur que ce qui est représenté, ou au-dessus, ou au-dessous. Le point focal détermine ainsi le point de vue : en visée horizontale, en plongée ou en contre-plongée.

■ **La disposition des plans.** L'effet de profondeur dépend de la disposition des plans, des relations entre le proche et le lointain. Le gros plan s'oppose au plan éloigné et au plan panoramique. Ces plans s'ordonnent du premier jusqu'à l'arrière-plan.

3 Les effets d'harmonie

■ **L'équilibre et le mouvement.** L'harmonie d'une image, c'est-à-dire l'impression d'équilibre ou de mouvement, repose sur la construction. Différentes formes de structuration existent : deux parties verticales, horizontales ou obliques imposant un effet de symétrie ; trois parties imposant un effet de dynamisme.

■ **Le nombre d'or.** Utilisé en peinture comme en architecture et au cinéma, le nombre d'or indique un point situé à l'intersection d'une horizontale et d'une verticale tracées à 1/3 (ou à 2/3) de leurs bords respectifs.

Le nombre d'or est un point stratégique dans la composition de l'image, créateur d'harmonie et d'équilibre selon les codifications culturelles occidentales.

4 Les contrastes et les nuances

Les principales catégories plastiques permettent de préciser la manière dont est construite l'image.

■ **Les effets de contrastes.** Ils s'expriment par des oppositions qui concernent d'abord la lumière : clair/sombre. Ils concernent aussi la composition des formes et des matières : anguleux/arrondi, modelé/à plat, franc/rompu.

■ **Le jeu des nuances.** Les nuances s'expriment à travers des variations. Par exemple, la variation du clair ou la variation de l'obscur.

Repère

La signification des couleurs

On distingue les couleurs complémentaires (telles que le rouge et le vert, ou l'orange et le bleu), les couleurs chaudes (orangé, rouge) et les couleurs froides (bleu, vert). Le blanc est associé à la pureté et à la fécondité en Occident, il est associé à la mort et au deuil en Orient. Les couleurs ont souvent une signification symbolique (le rouge et l'énergie, le vert et l'espoir, etc.), mais celle-ci varie selon les cultures, les époques, voire les personnes.

LES LIGNES VIRTUELLES ET LA PERSPECTIVE

EXERCICE 1 ••

1. Quelles sont les lignes de force qui organisent cette image ?
2. Quelles formes géométriques se répètent à l'intérieur du tableau (carré, rectangle, triangle, cercle) ?
3. Repérez les lignes de fuite. Quelle impression cette combinaison de lignes et de formes produit-elle sur le spectateur ?

Jean Puy (1876-1960), *L'Élève*, 1933.

EXERCICE 2 •

1. Expliquez la construction du tableau : lignes virtuelles, point de fuite, jeux de lumière et d'ombre.
2. En quoi cette organisation est-elle conforme aux lois de la perspective ?
3. Pourquoi produit-elle, paradoxalement, un effet d'irréalité ou de surréalité ?

Giorgio de Chirico, *Piazza d'Italia*, 1913, 40 x 50 cm.

EXERCICE 3 •

1. Étudiez le tableau de Jean Puy, *L'Élève* (exercice 1).
2. Quelle relation établir entre les différents plans ? Comment se construit la profondeur ?

EXERCICE 4 •••

1. Comment s'organise le tableau : plans, point de fuite, source de la lumière et contrastes, point du nombre d'or ?
2. Que regarde le peintre ? Qu'est-il en train de faire ?
3. Que donne à voir l'image dans le miroir ?
4. Expliquez le commentaire de Michel Foucault, en le confrontant au tableau.

Ce tableau, l'un des plus commentés et des plus repris par de nombreux peintres, a suscité cette réflexion du philosophe Michel Foucault : « Le tableau regarde une scène pour qui il est à son tour une scène. [...] Peut-être y a-t-il
5 *dans ce tableau de Velasquez comme la représentation de la représentation classique, et la définition de l'espace qu'elle ouvre. Elle entreprend en effet de s'y représenter en tous ses éléments, avec ses images, les regards auxquels elle s'offre, les visages qu'elle rend visibles, les*
10 *gestes qui la font naître. »*

Michel Foucault, *Les Mots et les Choses*, Éd. Gallimard, 1966.

Diego Velasquez, *Les Ménines ou la Famille de Philippe IV*, 1656-1657.

LES EFFETS D'HARMONIE ET LES CONTRASTES

EXERCICE 5 ● ● ●

1. Comment la composition de l'image respecte-t-elle le nombre d'or ? Quelle est la fonction de la ligne virtuelle qui parcourt les regards ?
2. Les couleurs jouent sur les contrastes des tons froids (bleu, noir) et des tons chauds (rose, jaune orangé). Quel est l'effet produit ?
3. En quoi le geste commun des enfants imite-t-il celui du photographe ? Quelle relation entre les deux protagonistes en résulte-t-il ?

Reza, *Afghanistan*, 1985.

EXERCICE 6 ● ● ●

1. Indiquez les lignes générales qui structurent le tableau.
2. En quoi y a-t-il une tension entre les lignes générales, qui structurent le tableau et la technique de la touche telle qu'elle apparaît dans le détail ?
3. En quoi la figuration du paysage est-elle « métamorphosée » par la peinture de Van Gogh ?
4. Illustrez chacune des remarques du commentaire de Artaud à l'aide d'exemples tirés du tableau de Van Gogh.

> La peinture linéaire pure me rendait fou depuis longtemps lorsque j'ai rencontré Van Gogh qui peignait, non pas des lignes ou des formes, mais des choses de la nature inerte comme en pleines convulsions.
> 5 Et inertes. […]
> Or, c'est de son coup de massue, vraiment de son coup de massue que Van Gogh ne cesse de frapper toutes les formes de la nature et les objets.
> Cardés[1] par le clou de Van Gogh,
> 10 les paysages montrent leur chair hostile,

la hargne de leurs replis éventrés,
que l'on ne sait quelle force étrange est, d'autre part, en train de métamorphoser.

> **ANTONIN ARTAUD**, *Van Gogh le suicidé de la société*,
> Éd. Gallimard, 1974.

1. carder : démêler grossièrement les fibres textiles.

Vincent Van Gogh, *La Route aux cyprès*, 1890.

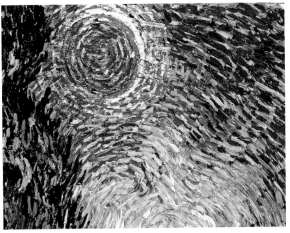

Vincent Van Gogh, *La Route aux cyprès* (détail).

20 Les significations de l'image

La lecture de l'image consiste à en dégager les significations. Cette observation critique est d'autant plus importante que l'image fascine et subjugue, émeut et influence de manière parfois décisive. À la force de l'image doit répondre la maîtrise de sa lecture.

OBSERVATION

Le détournement :
un objet ordinaire placé dans un nouveau contexte acquiert une signification nouvelle.

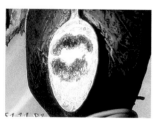

La fonction narrative :
l'empreinte des lèvres dessine la bouche ouverte d'un conteur et suggère la tradition orale du récit.

LE FESTIVAL DU 9 AU 19 MAI 2000

LES ARTS DU RÉCIT EN ISÈRE

Bruno Théry, affiche pour le Festival « Les arts du récit en Isère », 2000.

QUESTIONS

1. À quel genre appartient cette image et quelle est sa fonction ? Sur quels indices s'appuie votre réponse ?

2. Les objets qui composent le visage sont détournés de leur fonction initiale. En quoi suggèrent-ils des significations nouvelles et quelles sont ces significations ?

3. En quoi les éléments de l'affiche confirment-ils le mot « arts » du titre du festival ?

1 La lecture de l'image

1. La dénotation et la connotation

Plus encore que le langage verbal, celui de l'image est soumis aux variations entre dénotation et connotation.

■ **La dénotation.** L'image est censée dire le monde tel qu'il est sous nos yeux. On attend d'elle une information exacte, objective et neutre sur les lieux, les personnes et les actes. C'est son pouvoir dénotatif, avec sa valeur de vérité.

■ **La connotation.** Sur cette signification se greffe un sens second, nourri de connaissances, investi d'imaginaire, soumis à des systèmes de valeurs collectives et individuelles. L'image signale autre chose qu'elle-même, elle devient suggestive, elle émeut. Elle est ainsi appréhendée à travers le filtre des connotations.

2. La polysémie de l'image

■ **Au niveau de la création.** L'image se prête à des manipulations, par retouches, trucages ou occultations. L'effet de vérité est alors soumis au pouvoir de l'émetteur qui cherche à « faire croire ». La technologie numérique élargit considérablement ces possibilités de manipulation.

■ **Au niveau de la lecture.** Une même image peut être lue de façons différentes. Ces interprétations dépendent de sa composition et de son contenu, des codes sociaux, de la culture et de la sensibilité du spectateur.

2 Les fonctions de l'image

■ **La fonction descriptive.** Les portraits, les paysages, les natures mortes ont pour fonction essentielle de montrer un état des choses. En donnant à voir, ces images informent. Mais le point de vue adopté peut indiquer une intention.

■ **La fonction narrative.** Les scènes d'action, qu'il s'agisse de scènes de guerre, d'aventure ou de sport donnent à voir des héros ou des victimes, des victoires ou des défaites. Leur lecture suggèrent un récit et les valeurs qu'il met en jeu.

■ **La fonction argumentative.** L'image condense souvent une argumentation. Le « point de vue visuel » (cadrage, plongée, etc.) est aussi un point de vue idéologique. L'image peut avoir la portée d'une dénonciation, d'un plaidoyer, d'un jugement. Elle a un exceptionnel pouvoir de persuasion.

> *Repère*
>
> **Le commentaire de l'image**
>
> Le commentaire développe en trois temps une description, une explication et une interprétation.
> 1. On fournit des références et on procède à une description dénotative de l'image.
> 2. On analyse la construction et les contenus pour expliquer l'image.
> 3. On interprète l'image, en la comparant à d'autres images et en justifiant une appréciation personnelle.

3 L'esthétique de l'image

Deux visions distinctes se sont cristallisées aux XVII-XVIIIe siècles entre l'art classique et l'art baroque. Elles façonnent encore aujourd'hui nos manières de « mettre en image » sous la forme de cinq couples d'oppositions.

VISION CLASSIQUE	VISION BAROQUE
Priorité à la ligne.	Priorité aux masses.
Segmentation des plans et point de vue unique.	Unification des plans, profondeur, points de vue multiples.
Forme fermée : délimitation du cadre.	Forme ouverte : franchissement du cadre.
Eléments autonomes et séparés à l'intérieur de la scène.	Eléments intégrés dans le mouvement de la scène.
Clarté.	Obscurité.

LA LECTURE DE L'IMAGE

EXERCICE 1 •

Quelles sont les significations connotatives de cette sculpture ?

Coosje Van Bruggen et Claes Oldenbourg, *Bicyclette ensevelie*, sculpture, 1990.

EXERCICE 2 •

1. Relevez tous les éléments dénotatifs dans l'affiche.
2. Quelles connotations suggèrent ses différents détails ?

Affiche « Jazz des cinq continents ».

EXERCICE 3 ••

1. Le mythe de Babel raconte la punition que Dieu a infligée aux hommes qui l'ont défié en construisant une tour pour atteindre le ciel. Cette punition est la création de langues différentes. Ne pouvant plus se comprendre, les bâtisseurs abandonnent leur projet. Comment le tableau de Brueghel illustre-t-il, de manière connotative, cette ambition et cette punition ?
2. Le dessin de Plantu reprend ce mythe, en le détournant. Quel est le récit dénoté ? En quoi les connotations de Babel sont-elles inversées ?

Pieter Bruegel l'ancien (1525-1569), *La Tour de Babel*, vers 1563.

Plantu, *La nouvelle Tour de Babel*, 1998.

LES FONCTIONS DE L'IMAGE

EXERCICE 4 ••

1. Reconstituez le récit suggéré par l'image à partir de la structure narrative de base : interdiction → trangression de l'interdit → sanction.
2. Expliquez le procédé rhétorique mis en œuvre par l'image : le sang comme métaphore.
3. Quelle est la signification du tracé à la craie sur le bitume ? En quoi dresse-t-il le portrait du destinataire de cette campagne ?
4. Quel est, selon vous, le ressort persuasif de cette image ?

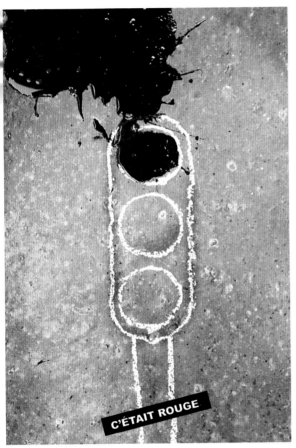

Affiche d'une campagne de prévention de la Sécurité routière : « C'était rouge. »

EXERCICE 5 ••

1. Observez la sculpture de Coosje Van Bruggen et Claes Oldenbourg (exercice 1) installée dans le parc de la Villette à Paris. Quelles lectures différentes suggère-t-elle ?
2. Étudiez les différentes fonctions de cette sculpture. Que donne-t-elle à voir (fonction descriptive) ? Quel récit et quelles valeurs suggère-t-elle (fonction narrative) ? Quel jugement et quel point de vue idéologique exprime-t-elle (fonction argumentative) ?

EXERCICE 6 ••

1. Les surréalistes mettent la création sous le signe de la libre association, comme dans les « cadavres exquis ». Quelles connotations suggèrent ici la libre association des objets et l'écart entre l'œuvre et son titre ?
2. En quoi l'image surréaliste, par l'humour et la provocation, amène-t-elle à voir différemment la réalité ?

Max Ernst (1891-1976), *Les hommes n'en sauront rien*, 1923.

EXERCICE 7 ••

1. Analysez les caractéristiques du dessin de Picasso : que suggère-t-il ?
2. En quoi a-t-il à la fois une fonction descriptive, narrative, argumentative ?

Pablo Picasso (1881-1973), *Colombe de la Paix*, 1959.

EXERCICE 8 ●●

1. Analysez la relation entre le slogan de l'affiche Aigle (« Pour la réintroduction de l'homme de la nature ») et l'image. Comment celle-ci joue-t-elle le rôle d'un exemple pour soutenir l'argument ?

2. L'image extraite du film d'Alain Chabat contient-elle le même message ? Quelle est sa signification ?

Publicité pour la marque de vêtements de sport Aigle, 2007.

EXERCICE 9 ●●

1. L'emblème de la Caisse d'Épargne, l'écureuil, a évolué depuis sa création. Décrivez le passage du figuratif à l'abstrait, puis le retour au figuratif, au fil des différentes étapes ci-dessous.

2. Quels éléments dans le dessin montrent que l'on passe progressivement des valeurs de la familiarité à des valeurs de la technicité ?

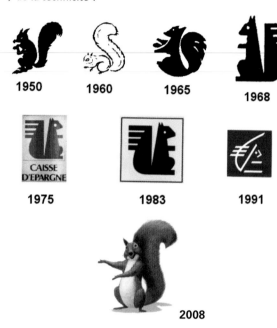

EXERCICE 10 ●●

1. Quelle est la fonction du tableau suivant : descriptive, narrative ou argumentative ? Justifiez votre réponse en vous appuyant sur des éléments de l'image.

Image extraite du film d'Alain Chabat, *RRRrrr !!!*, 2004.

Sebastian Stoskopff (1597-1657), *Vanité au cadran solaire*, huile sur toile.

L'ESTHÉTIQUE DE L'IMAGE

EXERCICE 11 •

1. En vous appuyant sur les lignes, les masses, les plans, le cadre, le mouvement et la lumière, expliquez quelle image traduit une vision classique et quelle image traduit une vision baroque. Justifiez votre réponse.
2. Illustrez chaque remarque du texte de Gilles Deleuze par des exemples extraits du tableau de Bacon.

C'est un projet très spécial que Bacon poursuit. […] Ce qui est peint dans le tableau, c'est le corps, non pas en tant qu'il est représenté comme objet, mais en tant qu'il est vécu comme éprouvant telle sensation. […] En art, et en peinture comme en musique, il ne s'agit pas de reproduire ou d'inventer des formes, mais de capter des forces, de rendre visibles des forces.

Gilles Deleuze, *Francis Bacon. Logique de la sensation*, Éditions de la Différence, 1981.

EXERCICE 12 •• •

1. Confrontez les deux tableaux et leur représentation d'une même scène.
2. En vous appuyant sur le texte de Gilles Deleuze (exercice précédent), rédigez une analyse comparée des deux œuvres pour faire apparaître leurs différences.

Jean Auguste Dominique Ingres (1780-1867), *Œdipe et le sphinx*, 1818-1825.

André Lhote (1885-1962), *Partie de rugby*, 1920.

Robert Combas (né en 1957), *Rugby*, 2007, (détail).

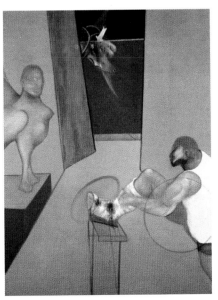

Francis Bacon (1909-1992), *Œdipe et le sphinx*, d'après Ingres, 1983.

21

L'image cinématographique

La construction d'un film associe cinq formes d'expression : les indications écrites du scénario, les paroles échangées par les personnages, l'image animée et enchaînée, la musique et les bruitages. Le film est un spectacle visuel dont l'écriture combine ainsi des langages et des techniques.

À l'origine du film *À bout de souffle* : un fait divers

François Truffaut, scénariste d'*À bout de souffle*, s'inspire d'un fait divers publié dans *France Soir* le 26 novembre 1952. Lucien Poiccard, le personnage du film, s'appelait Michel Portail. Celui-ci, après un séjour aux États-Unis, se fait expulser pour affaires troubles. Amoureux d'une jeune Américaine, il mène la grande vie dans les milieux du cinéma, jusqu'au jour où il vole une voiture et, en se rendant au Havre pour voir sa mère malade, il tue un motocycliste de la gendarmerie. Arrêté, il est condamné à la prison à perpétuité.

Le début du scénario d' *À bout de souffle*

Jean-Paul Belmondo dans la scène correspondant à l'extrait du scénario.

« Marseille, un mardi matin.

Lucien fait semblant de lire *Paris Flirt* – à la terrasse d'un café en bas de La Canne-bière. En réalité, il surveille le mouvement des voitures devant le Vieux-Port.

Près des bateaux qui emmènent les touristes visiter le château d'If, une fille fait signe à Lucien. Elle lui montre une voiture en train de se garer. Les occupants, un officier américain, sa femme et leurs enfants, vont prendre les billets pour le château d'If. Dès que le bateau s'est éloigné, Lucien s'approche de la voiture. Il se met au volant et démarre après mis en contact les fils.

Quelques heures plus tard, on retrouve Lucien sur la route nationale. »

« À bout de souffle, scénario du film », L'Avant-Scène cinéma, n° 79, 1958.

Les trois premières séquences

n° des séquences	Lieux et actions	Plans	Durée	Enchaînement des séquences
1	Le Vieux-Port de Marseille	1 à 12	1 min 20 s.	*Fondu enchaîné*
2	La nationale 7, mort du motard	13 à 52	3 min 38 s.	*Fondu au noir*
3	Arrivée à Paris	53 à 63	1 min 25 s.	*Panoramique filé*

D'après Jean-Luc Godard, réalisateur du film À bout de souffle, 1960.

QUESTIONS

1. Quelles transformations observez-vous entre les différents écrits préparatoires au film ? Confrontez le récit réel, la fiction du scénario, le découpage technique.

2. D'après le scénario, quels événements se déroulent dans la première séquence ? Pour cette première séquence, procédez à votre manière au découpage du scénario en douze plans : que verrait-on à l'image dans chacun d'eux ?

1 Le scénario

■ **Le scénario du film.** Le scénario est découpé en plans-séquences, chacun étant centré sur un lieu. Il présente les dialogues, des indications descriptives et narratives qui situent l'action et le point de vue adopté pour la prise de vue. Le storyboard, version dessinée du scénario d'un film, permet de le visualiser.

■ **La préparation du film.** Le film implique un lieu de tournage, en décor naturel ou en décor fabriqué, ainsi que des accessoires requis par le scénario. Un film est une œuvre collective : réalisateur, cadreur (qui assure le tournage des scènes), preneur de son, script, décorateur, costumier, musicien, monteur, etc.

■ **Le découpage du scénario en séquences.** Chaque séquence forme une unité narrative. Elle est de durée variable, délimitée par un changement de lieu, d'action ou de temps (nuit / jour, etc.). La séquence est découpée en différents plans.

2 L'image filmique

■ **Le cadrage.** Le réalisateur, avec l'aide du cadreur, décide de l'espace à montrer pour chaque scène. Les choix de cadrage (dimension des choses vues, point de vue, mouvement ou immobilité, durée, rythme, etc.) déterminent les plans.

■ **Le champ et le hors-champ.** Le champ représente l'image visible sur l'écran. Le hors-champ désigne ce que regarde ou écoute un personnage et que le spectateur ne voit pas. Ayant le regard attiré vers ce qui ne lui est pas montré, le spectateur participe ainsi à l'action. Le hors-champ peut alors contribuer à l'effet de suspens.

■ **Les angles de vue.** La visée horizontale met la caméra à hauteur d'homme et favorise l'illusion réaliste de la scène. La plongée situe la caméra au-dessus de ce qui est filmé, produisant alors un effet d'écrasement. La contre-plongée, à l'inverse, situant la caméra en dessous, conduit à valoriser ce qui est filmé.

3 Les différents types de plans

1. Le plan et la dimension de l'espace

Du lointain au plus rapproché, les plans sont codifiés sur la mesure du corps humain.

■ **Le plan général.** Il montre tout un paysage pour situer une action.

■ **Le plan d'ensemble.** Il cadre un décor pour installer le personnage dans son milieu.

■ **Le plan moyen.** Il cadre un personnage en entier pour le mettre en valeur.

■ **Le plan américain.** Il cadre un personnage de la tête au haut des cuisses, pour souligner un geste. Issu du western, il montre le cow-boy dégainant son revolver.

■ **Le plan rapproché.** Il cadre le visage et la poitrine pour faire un portrait.

■ **Le gros plan.** Il cadre le visage seul pour intensifier son expression.

■ **L'insert.** Il détaille un objet, un geste ou une partie du corps.

■ **Le champ/contre-champ.** Il alterne les plans des personnages face à face.

2. Le plan et le mouvement de la caméra

On oppose le plan fixe, où la caméra reste immobile, au plan mobile, qui correspond à des mouvements d'appareil.

■ **Le plan panoramique.** Il imite le mouvement de l'œil embrassant un vaste espace.

■ **Le travelling.** Il suggère un regard accompagnant un objet en mouvement.

■ **Le zoom.** Il procède à un grossissement comme un œil doté d'une longue vue.

Repère

Le tournage du film

Un film est constitué d'un grand nombre d'images fixes (les photogrammes) dont la succession rapide donne l'impression du mouvement. Ces images sont délimitées par un cadre et elles sont plates, en dépit de la perspective qui donne une sensation de profondeur (la profondeur de champ). Le tournage est l'acte décisif de réalisation. Il réunit l'ensemble des partenaires sur le lieu du tournage autour du réalisateur et des acteurs.

LE SCÉNARIO

EXERCICE 1 ● ●

1. Observez ce début de nouvelle, dégagez la chronologie des événements et identifiez les personnages du récit.
2. Proposez un découpage de ce début de nouvelle en deux séquences.
3. Imaginez le décor à prévoir pour la première séquence et les accessoires requis par le scénario.
4. Si vous le pouvez, confrontez votre découpage avec le début du film réalisé par John Ford.

Bert Barricune mourut en 1910. Une douzaine de personnes assistèrent à ses funérailles. Parmi elles, un jeune reporter enthousiaste qui espérait trouver matière à un papier : des légendes couraient sur le défunt, qui aurait
5 été un as du revolver en son temps. Quelques hommes vieillissants entrèrent sur la pointe des pieds, seuls ou par deux, la mine renfrognée et l'air crispé, serrant dans leurs mains leurs chapeaux bosselés. Des hommes qui avaient bu avec Bert, qui avaient joué au poker du pauvre
10 avec Bert, pendant que le temps les oubliait. Une femme se montra, portant une lourde voilette noire qui dissimulait son visage.

Un par un, ils défilèrent devant le cercueil, regardant le visage figé du vieux Bert Barricune, qui n'avait été per-
15 sonne.

Une grande gerbe s'étalait derrière le cercueil. Sur la carte, on lisait : « Sénateur et Madame Ransome Foster ». Il n'y avait pas d'autres fleurs, excepté quelques boutons pâles et sans feuilles, roses et jaunes, éparpillés sur le
20 tapis recouvrant le pas de la porte. Plissant les yeux, le reporter finit par les identifier : nom d'un fusil ! Des boutons de figuier de barbarie. Des fleurs de cactus.

DOROTHY MARY JOHNSON, « L'homme qui tua Liberty Valance »,
Contrée indienne, coll. 10/18, UGE, 1993.

EXERCICE 2 ●

Complétez ce dialogue extrait d'un scénario en apportant, aux emplacements indiqués ◆, des indications sur le ton et le comportement des personnages.

Adèle se penche dangereusement au-dessus d'un pont qui enjambe la Seine. Gabor l'accoste.
GABOR. Vous avez quel âge pour être aussi triste ? Hein ? Vous avez une maladie grave ? ◆
5 *Retour sur Adèle.*
GABOR *(off)*. Il vous manque un rein, le foie, une jambe ?
ADÈLE… ◆ Non il me manque… ◆ … juste un petit peu de cran, parce que j'ai peur que ce soit glacé.
Retour sur Gabor. ◆
10 GABOR. Ben évidemment que c'est glacé, qu'est-ce que vous croyez : qu'ils la chauffent ? ◆

La Fille sur le pont, film de Patrice Leconte,
L'Avant-Scène Cinéma n° 489, février 2000.

L'IMAGE FILMIQUE

EXERCICE 3 ● ●

1. Quelles différences pouvez-vous observer entre le roman et l'adaptation filmique, notamment dans l'utilisation du dialogue ?
2. Découpez cette séquence en dix plans, en partant du plan d'ensemble jusqu'à l'insert en respectant scrupuleusement le mouvement du texte.
3. À quel moment alterner les plans des personnages face à face, au moyen du champ/contre-champ ?
4. Quels accessoires faut-il prévoir pour tourner cette scène ?

Extrait du roman

Selon la mode de la campagne, elle lui proposa de boire quelque chose. Il refusa, elle insista, et enfin lui offrit, en riant, de prendre un verre de liqueur avec elle. Elle alla donc chercher dans l'armoire une bouteille de
5 curaçao, atteignit deux verres, emplit l'un jusqu'au bord, versa à peine dans l'autre et, après avoir trinqué, le porta à sa bouche. Comme il était presque vide, elle se renversait pour boire et, la tête en arrière, les lèvres avancées, le cou tendu, elle riait de ne rien sentir, tandis que le bout
10 de sa langue, passant entre ses dents fines, léchait à petits coups le fond du verre.

GUSTAVE FLAUBERT, *Madame Bovary*, 1856.

Extrait du scénario
Rez-de-chaussée maison Rouault – Intérieur jour
EMMA – Oh ! Bonjour Monsieur Charles ! C'est gentil de venir nous voir. Papa est aux champs. Il trotte comme un lapin grâce à vous. Vous allez bien boire quelque chose ?
5 CHARLES – Non, Mademoiselle, merci, sans façon.
EMMA – Mais si. Nous allons trinquer. J'ai soif.
Elle va chercher dans l'armoire une bouteille de curaçao et deux verres. Elle en emplit un jusqu'au bord, en verse à peine dans l'autre.
10 CHARLES – Je vous dérange…
*Elle rit. Ils trinquent. Emma, comme son verre est presque vide, se renverse pour boire et, la tête en arrière, les lèvres avancées, le cou tendu, elle tend le bout de sa langue pour lécher à petits coups le fond du verre. Charles, debout, boit
15 à petites gorgées, ne quittant Emma des yeux.*

Adaptation filmique de Claude Chabrol,
Autour d'Emma, Éd. Hatier, 1991.

EXERCICE 4 ●

Découpez ce début de séquence en cinq plans pour mettre en valeur le déséquilibre de la relation entre les personnages. Utilisez habilement le hors champ pour créer une tension entre ce que le spectateur voit et ce qu'il entend.

La scène se passe au tribunal où siège Beaumarchais.

BEAUMARCHAIS *(fait signe au public de s'asseoir)* : Le plaignant ?
LE PAYSAN : C'est moi, Monsieur le juge.

BEAUMARCHAIS : On a démoli votre mur ?

5 LE PAYSAN : Eh oui, Monsieur le juge… un mur que j'avais construit de mes mains, au bout du pré, pour me sauver des maraudeurs.

BEAUMARCHAIS : Et qui l'a démoli votre mur ?

Le paysan, intimidé, n'ose pas lui répondre.

10 BEAUMARCHAIS (*gentiment*) : Parlez, Monsieur, ne craignez rien.

LE PAYSAN (*bas, en hésitant*) : Le prince de Conti…

Des rumeurs dans la salle.

BEAUMARCHAIS (*gai, soudain*) : Eh bien ! Voilà une partie

15 adverse digne de ce tribunal.

Et pourquoi l'a-t-il démoli votre mur ?

Le paysan, intimidé, n'ose pas lui répondre.

> Jean-Claude Brisville, *Beaumarchais l'insolent*,
> Éd. Gallimard, 1996.

LES TYPES DE PLANS

EXERCICE 5 ● ●

1. Les trois vignettes du storyboard du *Pacte des loups* montrent l'arrivée spectaculaire de la bête du Gévaudan. Quels plans le réalisateur a-t-il privilégié pour dramatiser la scène ?

2. Quels angles de vue (visée horizontale, plongée ou contre-plongée) sont utilisés ? Quel est l'effet produit ?

3. Comment les mouvements de caméra amplifient-ils la violence de la scène (champ/contre-champ, hors-champ, accélération) ?

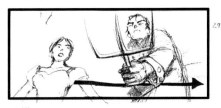

Extrait du storyboard du *Pacte des loups* de Christophe Gans (2001). La bête du Gévaudan surgit la gueule ouverte.

EXERCICE 6 ● ●

1. Découpez l'extrait du roman en différents plans qui correspondent à la description.

2. L'image ci-dessous illustre l'arrivée des deux personnages dans la ville qu'ils ont longtemps observé à la jumelle. Quels éléments du texte retrouve-t-on dans l'image ?

3. Entre l'observation dans les jumelles (fin de l'extrait) et l'arrivée dans la ville, inventez la progression des images du film, en créant un effet de tension : plans, mouvements de caméra, cadrage.

> *Le roman de Cormac McCarthy,* Sur la route, *raconte l'errance d'un père et de son fils qui tentent de survivre après une catastrophe nucléaire.*
>
> À perte de vue, de chaque côté de la route, des troncs d'arbre carbonisés, amputés de leurs branches. La cendre volante se déplaçant au-dessus de la route et dans le vent,
> 5 le grêle gémissement des fils morts tombant comme des mains flasques des poteaux électriques noircis. Une maison incendiée dans une clairière et au-delà une étendue grise et nue d'anciens herbages et un remblai de boue rouge à vif où un chantier routier gisait à l'abandon. Plus loin de la route, il y a avait des panneaux avec des publi-
> 10 cités pour des motels. Toute chose telle qu'elle avait été jadis, mais décolorée et désagrégée. Ils firent halte en haut de la côte, dans le froid et le vent, pour reprendre haleine. Il regardait le petit. Ça va, dit le petit. L'homme lui posa la main sur l'épaule et d'un signe de tête désigna
> 15 l'espace découvert qui s'étendait à leurs pieds. Il sortit des jumelles du caddie et resta sur la route à scruter là où la forme d'une ville qui apparaissait dans la grisaille comme une esquisse au charbon de bois tracée sur les terres dévastées.

> CORMAC McCARTHY, *La Route*, Éd. L'Olivier, 2008.

Image du film de John Hillcoat, *La Route*, 2009, à partir du roman de Cormac McCarthy.

L'écriture filmique

22

L'écriture filmique est, pour l'essentiel, le montage. Cette opération complexe, liée aux contraintes de succession des images, détermine le mode d'enchaînement des séquences, la gestion du temps, les modulations du rythme, le point de vue dominant adopté. La perception du spectateur dépend de l'ensemble de ces choix.

Storyboard du film *Les Oiseaux* d'Alfred Hitchcock, 1963.

QUESTIONS

1. La progression du récit par l'image : reconstituez l'épisode raconté par le scénario.

2. Analysez la succession des plans (plan d'ensemble, gros plan). Expliquez comment le montage joue sur l'alternance des plans.

3. Comment le rythme du montage des images produit-il une tension qui engendre le suspense ?

1 L'organisation du montage

L'ensemble des prises de vue constitue les rushes, des fragments de film à combiner pour construire une histoire. Le montage consiste à sélectionner les éléments utiles, à les assembler selon un certain ordre en plans-séquences successifs, à définir leur longueur et à assurer les raccords entre les plans. C'est un moment-clef de l'écriture filmique : il décide de l'organisation du récit, du rythme narratif et du style d'écriture.

ORGANISATION DU MONTAGE	DESCRIPTION	EFFET RECHERCHÉ
Le montage chronologique	L'action suit un déroulement linéaire.	Présenter le récit comme une succession d'actions et d'événements.
Le montage alterné	Plusieurs actions se déroulent en même temps dans des lieux différents.	Montrer la simultanéité de deux actions pour créer un effet de tension, voire de suspens.
Le montage rétrospectif	L'action est interrompue par des images du passé : c'est le flash-back.	Éclairer l'histoire d'un personnage, ou les origines d'une action, pour créer une tension entre le présent et le passé.
Le montage symbolique	Un plan succède à un autre plan sans être, selon la logique du récit, en rapport direct avec lui.	Effectuer un rapprochement, une association d'idées, une comparaison ou une opposition.

2 La construction du rythme de la narration

Le montage permet de façonner le rythme du récit selon trois grandes manipulations de l'espace et du temps.

■ **L'accélération.** L'accélération est produite par une succession de plans de plus en plus courts. Cette succession donne l'impression que l'action devient plus rapide.

■ **Le ralentissement.** Le ralentissement repose, au contraire, sur une succession de plans de plus en plus longs. L'action paraît ainsi plus lente. Le ralentissement provoque soit une tension, dans l'attente de l'inattendu (effet de suspens), soit une détente, comme une pause dans l'action.

■ **L'ellipse.** Elle franchit des étapes entre deux actions, dans le temps et dans l'espace. Ce qui n'est pas montré à l'écran peut représenter quelques secondes, quelques heures ou plusieurs années.

3 L'utilisation des points de vue

1. La caméra objective
La caméra est située à l'extérieur de l'action, en position d'observateur. Le spectateur est témoin de l'action, de tous les faits et gestes des personnages.

2. La caméra subjective
La caméra est située à l'intérieur de l'action, qu'elle suit comme à travers les yeux d'un personnage. Le spectateur participe ainsi à l'action, comme s'il était ce personnage qui regarde l'événement.

3. L'alternance des points de vue
Un film alterne les prises de vue en caméra objective et en caméra subjective. C'est à travers cette alternance des points de vue que s'opère l'identification du spectateur aux personnages du film.

L'ORGANISATION DU MONTAGE

EXERCICE 1 •

1. Décrivez précisément chaque plan : cadrage, angle de vue (horizontal, plongée, contre-plongée).
2. Quels sont les plans vus en caméra subjective ?
3. Selon quelle logique de montage ces plans s'enchaînent-ils ? Quelles sont les intentions du metteur en scène ?

Storyboard de Luc Desportes pour le film *Sur mes lèvres* de Jacques Audiard, 2001.

LE RYTHME DE LA NARRATION ET LE POINT DE VUE

EXERCICE 2 • •

1. Résumez en quelques lignes le déroulement de la séquence. Combien de plans différents le scénariste utilise-t-il ? Pourquoi ce nombre ?
2. Quel type de montage adopte le réalisateur pour cette séquence (chronologique, alterné, rétrospectif, symbolique) ?
3. Identifiez les plans en caméra objective et les plans en caméra subjective. Quel est l'effet produit ?
4. Relevez tous les procédés mis en œuvre par le réalisateur pour intensifier le rythme et créer un effet de suspense.

Route de montagne. Nuit. Intérieur voiture des parents

1. **Plan général.** *Vue en plongée de la voiture des parents de Michel qui suit celle de Harry sur une petite route sinueuse de montagne.*

Plan 1

2. **PLAN MOYEN.** *Vue à travers le pare-brise de la voiture des parents sur l'arrière de la voiture de Harry.*

3. **GROS PLAN.**
Profil des parents à l'intérieur de leur voiture.
Le père – Il n'avait pas une autre voiture avant ?
La mère – Si.
Le père – c'est bizarre qu'il ait autant de voitures, tu ne trouves pas ?
La mère – Si. *(Silence)* Ça va, tu fatigues pas ?
Le père – T'inquiète pas.

4. **MÊME PLAN QUE 2.**
La voiture de Harry s'éloigne.

5. **MÊME PLAN QUE 3.**
La mère – Il ne roule pas un peu vite ?
Le père – J'arrive très bien à le suivre.

6. **MÊME PLAN QUE 2.**
La voiture de Harry s'éloigne encore, puis disparaît.

7. **MÊME PLAN QUE 3.**
La mère – Ça y est, tu l'as perdu ?
Le père – Mais non.

8. **PLAN MOYEN TRÈS COURT.**
Sur la voiture de Harry dans un chemin.

9. MÊME PLAN QUE 3.

La mère – Il était dans un chemin, là !

Le père – Qu'est-ce que tu racontes ?

La mère – Je te dis qu'il était dans ce chemin !

Le père – Pourquoi veux-tu qu'il soit dans un chemin alors qu'il nous a demandé de le suivre ?

La mère – J'en sais rien.

10. PLAN MOYEN.

Vue, à travers la vitre arrière de la voiture des parents, des phares de la voiture de Harry qui roule à présent derrière eux.

11. MÊME PLAN QUE 3.

La mère – C'est lui !

Le père – Comment ça, c'est lui ?

La mère – C'est lui, j'avais raison : il était bien dans le chemin.

12. PLAN MOYEN.

Vue de l'arrière de la voiture des parents à travers le pare-brise de Harry. La voiture se rapproche, puis heurte celle des parents.

13. GROS PLAN. *Sur Harry au volant de sa voiture.*

Plan 13

14. MÊME PLAN QUE 3.

La mère – Arrête !

Le père – Je ne peux pas… Il me pousse !

15. GROS PLAN. *Sur les deux voitures qui se heurtent.*

16. PLAN GÉNÉRAL. *Les deux voitures qui se touchent.*

17. GROS PLAN. *Sur le bord d'un ravin, vu du pare-brise de la voiture des parents.*

18. PLAN GÉNÉRAL. *La voiture bascule dans un ravin.*

Plan 18

Scénario de Dominik Moll et Gilles Marchand, *Harry, un ami qui vous veut du bien*, Diaphana Film, 2000.

EXERCICE 3 •

1. *Jules et Jim* est un roman adapté au cinéma par François Truffaut. L'extrait du scénario présente « Intérieur. Chambre ». Procédez au découpage de la séquence « Extérieur Rue » du roman. Choisissez pour chaque plan le cadrage et le point de vue.

2. Imaginez quel montage pourrait donner son rythme au récit cinématographique.

Extrait du roman

Jim trouva Kathe (*Catherine dans le film*) déguisée en jeune homme dans un costume de Jules. Elle avait des épaules pleines, des hanches fines, une casquette de golf qui cachait des cheveux massés, de gros gants de cuir
5 jaune et un air brave et malin. Quelqu'un de non prévenu pouvait la prendre un moment pour un garçon.

– Que dites-vous de notre ami Thomas[1], dit Jules, pouvons-nous sortir ce soir avec lui ?

Jim examina Thomas, fit ajouter une ombre de mous-
10 tache, tomber davantage le pantalon, et dit :

– Ça va.

– L'épreuve de la rue ! réclama Thomas.

Ils descendirent tous les trois le Boul'Mich en s'arrêtant aux bals des carrefours. Jules et Thomas dansèrent
15 ensemble. Ici et là des remarques montraient que Thomas avait été deviné – des « Zieute la môme !... », des : « Toi, t'es une gonzesse ! » Mais d'autres femmes étaient déguisées comme elle et Jules et Jim étaient ses gardes du corps.

HENRI-PIERRE ROCHÉ, *Jules et Jim*, Éd. Gallimard, 1953.

1. Thomas : Kathe a choisi de se faire appeler Thomas.

Extrait du scénario
Intérieur. Chambre

L'héroïne (*qui s'appelle Catherine dans le film*) voit par la vitre Jules et Jim monter les dernières marches de l'escalier et s'approcher de sa porte. Elle se dirige vers le rideau qui
5 fait office de porte. Ils entrent : plan général de la pièce. Jules se penche vers Catherine (*encore en chemise de nuit*) et lui parle à l'oreille.

CATHERINE – Bonjour Monsieur Jim.

JULES, *à Catherine qui se dirige derrière le paravent pour*
10 *s'habiller* – Il faut prononcer Djim à l'anglaise, avec un « D ». (*On voit Catherine derrière son paravent enfiler un pantalon.*) Non, Gimme…, ça ne lui ressemble pas.

Les deux hommes prennent des chaises, tandis que Catherine apparaît déguisée en « Kid » de Charlot. On la suit en
15 *panoramique jusqu'à eux.*

JULES, *à Jim* – Qu'est-ce que vous pensez de notre ami Thomas ? Pouvons-nous sortir avec lui ?

Les deux hommes examinent Catherine qui se contemple dans un miroir. Elle a mis une casquette qui cache sa che-
20 *velure.*

JIM – Pas mal du tout.

FRANÇOIS TRUFFAUT, « *Jules et Jim*, scénario du film », L'Avant-Scène cinéma, n° 16, 1962.

23 L'image, les médias et la société

Avec la multiplication des supports et des techniques de réalisation, l'image prolifère. Disponible à tout moment et en tout lieu, elle entretient des rapports complexes et ambigus avec le réel. Dans les médias, elle donne à voir et à croire la réalité. Dans les jeux vidéos, elle s'affirme comme simulacre et cultive le plaisir de l'illusion.

La polyphonie des lecteurs. Selon ses centres d'intérêts, chaque lecteur fait apparaître, dans la même maquette, une nouvelle Une de son journal.

La parole démultipliée. Avec celles des journalistes et des experts, la voix du lecteur est entrée dans l'information.

L'information en abyme. Est accessible en même temps l'événement dans son histoire et dans son immédiateté.

Page d'accueil du site d'information Rue 89, mars 2011.

La contrainte visuelle. Les espaces publicitaires sont les seuls à être en mouvement permanent. Le lecteur ne peut y intervenir.

QUESTIONS

1. Quelles différences essentielles distinguent un journal numérique, sur écran, d'un journal traditionnel sur papier ?

2. Comment le lecteur passif du journal traditionnel devient-il un lecteur actif devant son écran ? Quelles sont les différentes actions qui lui sont proposées ?

3. Associant le texte écrit, l'image fixe, l'image mobile et l'intervention du lecteur, les médias Internet sont-ils, à votre avis, porteurs d'une information plus vraie ?

1 L'image en prise sur le réel : les événements

1. L'image et l'événement : l'impact du réel.

L'image transforme des faits en événements. Dans les médias (presse, télévision, Internet), ce lien entre image et événement est caractérisé par trois fonctions distinctes : rapporter, commenter, provoquer.

■ **Rapporter : l'événement précède l'image.** Celle-ci (reportage ou documentaire) se fait alors l'écho de l'événement. Elle a une fonction essentiellement narrative.

■ **Commenter : l'image accompagne l'événement.** Elle oriente l'interprétation du spectateur. Elle est alors soumise au point de vue de celui qui la réalise.

■ **Provoquer : l'image fait l'événement.** L'image peut elle-même être à l'origine d'un événement. L'image par son contenu crée une émotion et mobilise l'opinion.

2. L'image et les produits : le désir des choses

L'efficacité des images publicitaires, diffusées par tous les médias, s'appuie sur quatre valeurs essentielles.

■ **Les valeurs pratiques.** Liées à l'emploi du produit, elles le valorisent en soulignant ses qualités utilitaires.

■ **Les valeurs ludiques.** Liées à l'appropriation du produit, elles le valorisent à travers le plaisir du jeu par l'humour, la fantaisie, le désir d'enfance.

■ **Les valeurs mythiques.** Liées à l'imaginaire du produit, elles le valorisent en magnifiant celui qui le possède. Il découvre une vision idéalisée de lui-même, à travers la force, l'amour, l'appartenance à un groupe.

■ **Les valeurs techniques.** Liées à la fabrication du produit, elles le valorisent par la mise en évidence d'une efficacité (comme la robustesse), d'une norme (comme le respect de l'environnement) ou d'une économie (comme le rapport qualité/prix).

2 L'image pour construire le réel : l'argumentation

■ **Montrer le pouvoir.** L'image affirme la présence de l'acteur politique. Le pouvoir impose de multiplier les formes visuelles de son action (déplacements, émissions à large audience, joutes oratoires, vie privée). La conquête et la maîtrise de la responsabilité passent par l'image (clips politiques...).

■ **Faire adhérer.** L'argumentation par l'image sollicite davantage l'émotion que l'argumentation verbale. Elle tend à séduire et à persuader par les sentiments, plus qu'à convaincre par les arguments. Dans le domaine politique, l'image devient l'instrument qui permet de construire une réalité future.

3 L'image détachée du réel : les nouveaux usages

Avec la fin de l'impression référentielle qu'apportait la photographie, l'image redevient ce qu'elle a été : une puissance d'évocation.

■ **L'image numérique.** Les procédés numériques transforment le statut de l'image. Elle n'est plus seulement un langage au plus près du réel, elle invente la réalité.

■ **Le monde virtuel.** L'image engendre des mondes virtuels avec la même force de présence que le monde réel. L'illusion qu'elle propose peut alors être recherchée pour elle-même, comme dans le jeu vidéo.

■ **L'illusion assumée.** En associant le vrai et le faux vrai, le champ du visible se diversifie et modifie le regard qu'on porte sur l'image.

Repère

Les pratiques actuelles de l'image

La diffusion massive des appareils de production visuelle (comme les smartphones ou les iPads) fournit à chaque utilisateur un stock d'images infini : réelles ou fictionnelles, professionnelles ou ludiques, fonctionnelles (comme le GPS) ou imaginaires, universelles ou personnelles. La variété des objets visuels a pour conséquence la diversification des conduites et des valeurs.

L'IMAGE EN PRISE SUR LE RÉEL

EXERCICE 1 •

1. À quel événement ces photographies se rapportent-elles ?
2. Quelle caractéristique de l'événement met en valeur chaque photographie ?
3. Quelle photographie paraît « rapporter » l'événement ? Quelle photographie présente un commentaire, un point de vue sur l'événement ? Quelle photographie provoque une émotion ?

En janvier 2011, le peuple tunisien renverse le régime dictatorial en place depuis plusieurs décennies.

EXERCICE 2 •

1. Quel est l'objectif de cette image ?
2. L'image raconte une double histoire par la collision de deux images en une : dégagez la situation, les rôles des acteurs, etc.
3. Sur quelles valeurs s'appuie-t-elle (pratiques, ludiques, techniques ou mythiques) ?

Affiche France info. La vie en continu.

EXERCICE 3 •

1. Sur quelles valeurs s'appuie cette affiche (pratiques, ludiques, mythiques ou techniques) ?
2. Sur quelle démarche construit-elle son argumentation et sa séduction ?

L'IMAGE POUR CONSTRUIRE LE RÉEL

EXERCICE 4 •••

1. Confrontez ces deux campagnes électorales. Quelle argumentation développe chaque campagne pour la conquête du pouvoir ?

2. Comment chaque film montre-t-il la diversité des formes de présence des acteurs politiques ?
3. Quelles valeurs différentes développe chacun des deux clips politiques à travers la succession des images et le commentaire qui les accompagne ?

Clip politique de la campagne électorale de Vladimir Poutine. Élection présidentielle russe de 2004.
Les premières images sont des documents d'archives.
Commentaire voix off masculine. Musique symphonique.

Clip politique de la campagne électorale de Barack Obama
Élection présidentielle américaine de 2008
Selon les plans, l'image est plein cadre, divisée en deux, ou en trois parties. Voix collectives sur des accords de guitare.

1940
28 millions de nos concitoyens sont morts au combat, de faim ou ont été fusillés.
Tout le pays est en ruine...

C'était un principe écrit dans les textes fondateurs qui ont proclamé la destinée d'une nation.
Yes, we can.

... mais nous sommes la première puissance mondiale.

Les esclaves et les abolitionnistes l'ont murmuré, alors qu'ils traçaient une voie vers la liberté.
Yes, we can.

1970-1980
La stagnation, marasme du pouvoir, vol généralisé, culte de l'Occident.
Le pays s'est disloqué. Perte de la moitié du territoire...

Les immigrants l'ont chanté en arrivant de lointaines contrées...

... des millions de vies brisées, des naissances reportées. La moitié du pays boit.

... ainsi que les pionniers progressant vers l'ouest.
Yes, we can.

Mais nous avons désormais un leader, qui a un plan pour résoudre ces problèmes.

Ce furent les paroles des travailleurs... des femmes... et de Martin Luther King...
Oui, nous pouvons être justes et équitables.
Yes, we can.

Il y a une équipe et des moyens. Cela veut dire qu'il suffit de travailler honnêtement et tout ira bien.

Nous nous souviendrons que l'on est un peuple uni, que l'on est une nation et ensemble nous commencerons le prochain grand chapitre dans l'histoire de l'Amérique.
Yes, we can.

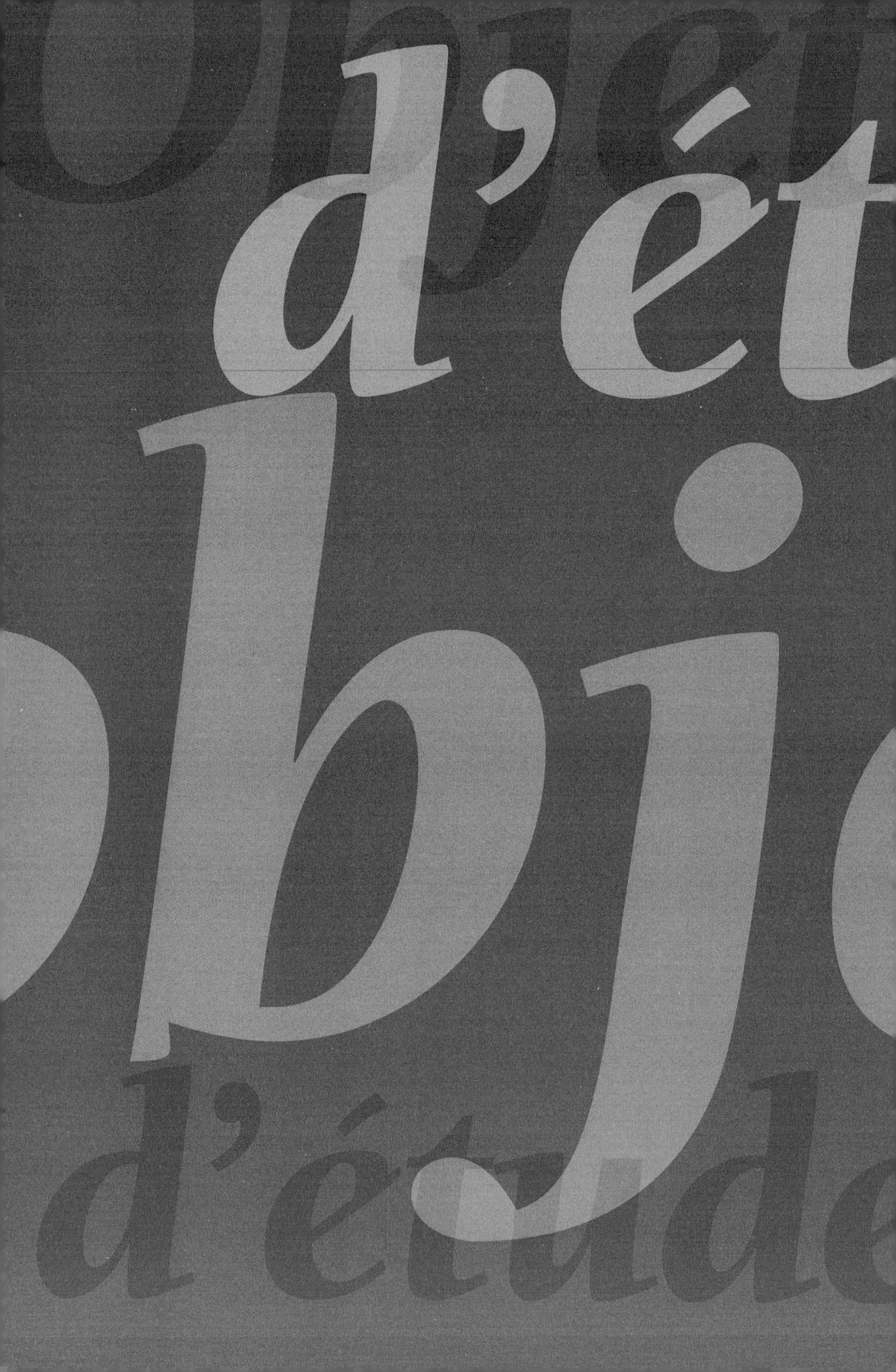
d'ét
bj
d'étude

Objets d'étude

Le roman

L'intrigue du roman et de la nouvelle

Le roman et la nouvelle racontent une histoire vécue par des personnages. Cette histoire constitue l'intrigue. Le récit de cette intrigue est pris en charge par un narrateur qui peut la rapporter de plusieurs manières.

OBSERVATION

Le mode
de narration

[ ] La construction
de l'épisode

Le Livre de mon ami est constitué d'une suite de brefs récits dans lesquels Anatole France met en œuvre les procédés de la narration pour raconter les épisodes de son enfance.

[C'était un jour de pluie. J'avais reçu en cadeau tout un attirail de postillon[1], casquette, fouet, guides et grelots. Il y avait beaucoup de grelots.] [J'attelai ; c'est moi que j'attelai à moi-même, car j'étais tout ensemble le postillon, les chevaux et la voiture.] [Mon parcours s'éten-
5 dait de la cuisine à la salle à manger par un couloir. Cette salle à manger me représentait très bien une place de village. Le buffet d'acajou où je relayais[2] me semblait sans difficulté l'auberge du Cheval-Blanc. Le couloir m'était une grande route avec ses perspectives changeantes et ses rencontres imprévues. Confiné dans un petit espace sombre, je jouissais
10 d'un vaste horizon et j'éprouvais, entre des murs connus, ces surprises qui font le charme des voyages. C'est que j'étais alors un grand magi-cien. J'évoquais pour mon amusement des êtres aimables et je disposais à souhait de la nature. J'ai eu, depuis, le malheur de perdre ce don précieux. J'en jouissais abondamment dans ce jour de pluie où je fus postillon.
15 Cette jouissance aurait dû suffire à mon contentement ; mais est-on jamais content ? L'envie me vint de surprendre, d'éblouir, d'étonner des spectateurs. Ma casquette de velours et mes grelots[3] ne m'étaient plus de rien si personne ne les admirait.] [Comme j'entendais mon père et ma mère causer dans la chambre voisine, j'y entrai avec un grand fracas.]
20 [Mon père m'examina pendant quelques instants ; puis il haussa les épaules et dit :

« Cet enfant ne sait que faire ici. Il faut le mettre en pension.
– Il est encore bien petit, dit ma mère.
– Eh bien, dit mon père, on le mettra avec les petits. »]

ANATOLE FRANCE, *Le Livre de mon ami*, 1885.

1. postillon :
conducteur de diligence.

2. je relayais :
je changeais de chevaux.

3. grelots : clochettes.

QUESTIONS

1. Quelles sont les différentes étapes de cette séquence narrative ? Résumez en une phrase la situation initiale, l'événement perturbateur, les péripéties, l'événement équilibrant et la situation finale du récit.

2. Qui est le narrateur de cette histoire ? Selon vous, quel peut être l'intérêt de ce mode de narration ?

3. Au terme de l'épisode raconté dans ce récit, quelle est la situation du héros ? Quelles hypothèses peut-on faire sur la suite de ce récit ?

1 La construction de l'intrigue

L'intrigue est constituée par l'enchaînement des actions qui construisent l'histoire racontée dans le roman ou la nouvelle. L'intrigue peut être simple ou complexe.

1. L'intrigue simple

L'histoire se décompose en cinq étapes qui forment une séquence narrative.

■ **La situation initiale.** Elle présente le cadre de l'intrigue (lieu, époque), la situation des personnages et les rapports qu'ils entretiennent.

■ **L'événement perturbateur.** Il remet en cause l'équilibre de la situation initiale : rencontre, accident, lettre, découverte, etc.

■ **Les péripéties.** Elles constituent une suite d'actions, de rebondissements, d'aventures dans lesquels sont entraînés les personnages.

■ **L'événement équilibrant.** Il met un terme à la succession des péripéties et rétablit un nouvel équilibre pour les personnages.

■ **La situation finale.** Elle correspond à la situation, heureuse ou malheureuse, des personnages à la fin de l'intrigue.

2. L'intrigue complexe

■ **L'enchaînement des séquences narratives.** Un roman est constitué de plusieurs épisodes qui correspondent chacun à une séquence narrative. La situation finale d'un épisode devient la situation initiale du suivant, comme dans le roman-feuilleton.

■ **L'enchâssement des séquences narratives.** Le récit met en place des personnages qui racontent eux-mêmes une histoire. On distingue le texte cadre et le récit enchâssé, comme *Les Contes de la bécasse* de Maupassant.

2 Les modes de narration

1. Le narrateur personnage

Dans les récits à la première personne, le narrateur est un personnage du récit.

■ **Le narrateur héros de son propre récit.** Le personnage principal raconte ses aventures passées, ou celles qui lui arrivent au fur et à mesure de leur déroulement.

■ **Le narrateur témoin de l'histoire.** Un personnage secondaire raconte les aventures vécues par le héros, dont il a été le témoin ou le confident.

2. Le narrateur anonyme

Dans les récits à la troisième personne, le narrateur se confond avec une voix anonyme. Il rapporte les événements en choisissant un point de vue particulier.

LE POINT DE VUE OMNISCIENT	LE POINT DE VUE EXTERNE	LE POINT DE VUE INTERNE
Le narrateur a une vision d'ensemble des événements. Il sait tout des personnages, n'hésitant pas à commenter l'action ou à porter un jugement. Comme le récit ne se limite pas à un seul point de vue, on parle dans ce cas de point de vue omniscient ou de focalisation zéro.	Le narrateur, placé en position d'observateur, rapporte les gestes et les paroles des personnages avec un regard impartial. Il n'évoque ni leurs sentiments ni leurs pensées. Comme le récit se limite à ce regard extérieur, on parle dans ce cas de point de vue ou de focalisation externe.	Le narrateur fait percevoir au lecteur les lieux, les êtres, les événements du récit à travers les impressions et les pensées d'un ou de plusieurs personnages. Comme le récit se développe par l'intermédiaire du regard d'un personnage, on parle dans ce cas de point de vue ou de focalisation interne.

LA CONSTRUCTION DE L'INTRIGUE

EXERCICE 1 •

Classez dans leur ordre chronologique d'apparition les différentes étapes d'une séquence narrative.

événement équilibrant – péripétie 2 – situation initiale –
péripétie 1 – événement déclencheur – situation finale –
péripétie 3

EXERCICE 2 •

1. Repérez la situation initiale et la situation finale de cette
séquence narrative.
2. Quelles sont les autres étapes de la séquence narrative ?

L'été dernier, je dormais, fenêtre grande ouverte. En
m'éveillant je branche la radio pour bercer de musique
les premières minutes de la journée. Et la musique
monte en effet, pétillante, vive, fraîche, endiablée. Puis
5 je suis distrait par un vaste raffut qui éclate sur le toit
au-dessus de ma tête. Des oiseaux, de taille sans doute
respectable, se battent et s'insultent avec passion. Le
bruit augmente, et je devine les adversaires aux prises,
glissant sur la tôle en pente. Finalement, un paquet de
10 plumes hérissées rebondit sur le bord de ma fenêtre et
choit dans la pièce. Deux pies effarées se séparent et d'un
commun élan reprennent par la fenêtre le chemin de la
liberté. À ce moment les derniers accords de la musique
s'éteignent et la speakerine annonce : « Vous venez
15 d'entendre l'ouverture de *La Pie voleuse* de Rossini. » J'ai
souri sous mes draps.

MICHEL TOURNIER, *Le Roi des Aulnes*, Éd. Gallimard, 1970.

EXERCICE 3 •

1. Retrouvez l'ordre normal de la séquence narrative suivante en repérant chacune de ses étapes.
2. Résumez l'intrigue en cinq phrases correspondant aux
cinq étapes du récit.

A. Jusqu'au moment où, soudain, il bascula en avant,
vers l'eau.

B. Mais le poisson résistait. Et le pêcheur résistait
aussi. Comme s'il avait été pris dans un bloc de glaise[1]
ou de glace, relié par sa ligne à un autre bloc de glaise,
l'homme se paralysait dans son geste à tirer à lui quelque
chose qui ne voulait pas venir à lui et puisque le poisson
ne cédait pas, il ne cédait pas non plus.

Un seul fait lui importait : il avait enfin pris quelque
chose, alors que, depuis ce matin, il n'avait rien pris.
Quelque chose d'énorme puisque ça lui résistait alors
qu'il tirait de toutes ses forces.

À minuit, il tirait toujours. Épuisé, glacé, essoufflé. À
l'aube du lendemain, alors qu'il respirait à peine, il vit
enfin le poisson qu'il avait harponné.

C. On ne retrouva le pêcheur que quelques jours plu
tard, noyé, boursouflé entre deux gerbes d'algues, tou
jours accroché à sa ligne.

Ce qu'il avait cru retirer des eaux, c'était la mort.

Pas un simple poisson.

D. Il était arrivé devant ce plan d'eau à l'aube, il n'avai
pas pris le moindre poisson. Cela lui avait paru inquié
tant.

E. Soudain son bouchon plongea sous l'eau. Il avai
enfin accroché un poisson. Un gros poisson sans dout
parce qu'il n'arrivait pas à l'arracher à l'eau. Cela dur
longtemps, cette lutte.

JACQUES STERNBERG, *Contes glacés*, Éd. Marabout, 1974.

1. glaise : terre argileuse.

L'INTRIGUE COMPLEXE

EXERCICE 4 •

1. Repérez les séquences narratives successives qui const
tuent l'intrigue du roman de Victor Hugo. Quels sont le
rebondissements qui relancent l'action ?
2. Comparez l'image donnée du héros, au début et à la fi
de l'intrigue. Quels événements et personnages ont permi
cette évolution ?
3. À quel moment de l'intrigue renvoie l'illustration ? Ima
ginez une légende.

Jean Valjean a été envoyé au bagne pour avoir volé ur
pain. À sa libération, il est suspect, réduit à l'état de bêt
errante et prêt à devenir un vrai criminel. Accueilli pa
l'évêque de Digne, Mgr Myriel, Jean Valjean lui vole de
5 l'argenterie. Les gendarmes l'arrêtent, mais le prélat le
disculpe. Le geste transforme le paria, qui n'avait connu
jusqu'ici que la méchanceté des hommes ; après un der
nier vol, il éprouve de cruels remords et décide de se
réhabiliter. Établi dans le Pas-de-Calais sous le nom de
10 M. Madeleine, il s'enrichit honnêtement, multiplie les
actes charitables et devient maire. Il secourt une malheureuse, Fantine, et adoucit son agonie en lui promettan
de s'occuper de sa fille Cosette. Mais le policier Javert
qui soupçonne l'identité véritable du bon bourgeois
15 lui tend un piège : il arrête un pauvre diable et l'accuse
d'être Jean Valjean. Le vrai Jean Valjean, après un terrible débat de conscience, se livre à la justice. Il s'évade
enlève Cosette à un couple de malfaiteurs, les Thénar-
dier, et lui fait donner une bonne éducation. Tous deux
20 se cachent à Paris car Javert est toujours à la recherche
du fugitif. L'étudiant Marius, fils d'un colonel, s'éprend
de Cosette. Pendant les émeutes de 1832, où tous les
héros se retrouvent sur les barricades de Gavroche, Jean
Valjean sauve la vie de Javert et celle de Marius. Javert ne
25 peut se résoudre à arrêter l'homme qui l'a sauvé : désespéré, il se suicide. Apprenant la véritable identité de Jean

Valjean mais ignorant qu'il lui doit la vie, Marius écarte Cosette de son père adoptif. Mieux informé, le jeune homme revient auprès de Jean Valjean, qui a la joie de
30 revoir Cosette avant de mourir comme un saint.

HENRI MITTERAND, *Dictionnaire des grandes œuvres de la littérature française*, Éd. Le Robert, 1992.

ino Ventura, Franck David et Michel Bouquet dans *Les Misérables* e Claude Lelouch, 1982.

EXERCICE 5 •

1. Repérez dans le passage suivant le texte cadre et le récit enchâssé.
2. Quelle est la situation initiale du texte cadre ? Quel événement déclenche le récit enchâssé ?
3. En quoi la technique de l'enchâssement rend-elle la fiction plus vraisemblable ?

J'aimais à me rendre dans ce lieu où l'on jouit à la fois d'une vue immense et d'une solitude profonde. Un jour que j'étais assis au pied de ces cabanes[1], et que j'en considérais les ruines, un homme déjà sur l'âge[2] vint à passer
5 aux environs. Il était, suivant la coutume des anciens habitants, en petite veste et en long caleçon. Il marchait nu-pieds, et s'appuyait sur un bâton de bois d'ébène. Ses cheveux étaient tout blancs, et sa physionomie noble et simple. Je le saluai avec respect. Il me rendit mon salut,
10 et m'ayant considéré un moment, il s'approcha de moi, et vint se reposer sur le tertre où j'étais assis. Excité par cette marque de confiance, je lui adressai la parole : « Mon père, lui dis-je, pourriez-vous m'apprendre à qui ont appartenu ces deux cabanes ? » […]
15 Alors, comme quelqu'un qui cherche à se rappeler diverses circonstances, après avoir appuyé quelque temps ses mains sur son front, voici ce que ce vieillard me raconta.
« En 1726, un jeune homme de Normandie, appelé
20 M. de la Tour, après avoir sollicité en vain du service[3] en France et des secours dans sa famille, se détermina à venir dans cette île pour y chercher fortune. Il avait avec lui une jeune femme qu'il aimait beaucoup et dont il était également aimé. Elle était d'une ancienne et riche
25 maison de sa province ; mais il l'avait épousée en secret et sans dot[4], parce que les parents de sa femme s'étaient opposés à son mariage, attendu qu'il n'était pas gentilhomme. Il la laissa au Port Louis de cette île, et il s'embarqua pour Madagascar… »

HENRI BERNARDIN DE SAINT-PIERRE, *Paul et Virginie*, 1788.

1. cabanes : maisons de bois. 2. sur l'âge : âgé. 3. du service : du travail. 4. dot : bien apporté par une femme en se mariant.

EXERCICE 6 ••

1. Repérez, dans l'extrait suivant, le texte cadre.
2. Quels sont les deux récits enchâssés ? Indiquez l'identité de chacun des narrateurs.
3. Quel est, selon vous, l'effet recherché par l'écrivain à travers l'utilisation de cette technique ?

On causait, entre hommes, après dîner dans le fumoir. On parlait de successions inattendues, d'héritages bizarres. Alors maître Le Brument, qu'on appelait tantôt l'illustre maître, tantôt l'illustre avocat, vint s'adosser à
5 la cheminée.
« J'ai, dit-il, à rechercher en ce moment un héritier disparu dans des circonstances particulièrement terribles. C'est là un de ces drames simples et féroces de la vie commune ; une histoire qui peut arriver tous les jours,
10 et qui est cependant une des plus épouvantables que je connaisse. La voici :
« Je fus appelé, voici à peu près six mois, auprès d'une mourante. Elle me dit :
— Monsieur, je voudrais vous charger de la mission la
15 plus délicate, la plus difficile et la plus longue qui soit. Prenez, s'il vous plaît, connaissance de mon testament, là, sur cette table. Une somme de cinq mille francs vous est léguée, comme honoraires, si vous ne réussissez pas, et de cent mille francs si vous réussissez. Il faut retrouver
20 mon fils après ma mort. […] Vous êtes le premier être à qui je vais dire mon horrible histoire. Je tâcherai d'avoir la force d'aller jusqu'au bout. »

GUY DE MAUPASSANT, « L'attente », *Contes divers*, 1883.

LES MODES DE NARRATION

EXERCICE 7 •

1. Dans quel extrait le narrateur est-il le héros du récit ? Dans quel extrait est-il un témoin de l'histoire racontée ? Justifiez votre réponse en apportant des indices précis.
2. Dans quel texte le narrateur apparaît-il comme un être omniscient qui connaît tout des personnages ? Justifiez votre réponse.

Texte A

Après un peu de temps, une petite sonnerie a résonné dans la pièce. Ils m'ont alors ôté les menottes. Ils ont ouvert la porte et m'ont fait entrer dans le box des accusés. La salle était pleine à craquer. Malgré les stores, le

5 soleil s'infiltrait par endroits et l'air était déjà étouffant. On avait laissé les vitres closes. Je me suis assis et les gendarmes m'ont encadré. C'est à ce moment que j'ai aperçu une rangée de visages devant moi. Tous me regardaient : j'ai compris que c'était les jurés.

ALBERT CAMUS, *L'Étranger*, Éd. Gallimard, 1942.

Texte B

M. Leuwen père, l'un des associés de la célèbre maison Van Peters, Leuwen et compagnie, ne redoutait au monde que deux choses : les ennuyeux et l'air humide. Il n'avait point d'humeur, ne prenait jamais le ton sérieux
5 avec son fils et lui avait proposé à la sortie de l'École, de travailler au comptoir un seul jour de la semaine, le jeudi, jour du grand courrier de Hollande. Pour chaque jeudi de travail, le caissier comptait à Lucien deux cents francs, et de temps à autre payait aussi quelques petites
10 dettes, sur quoi M. Leuwen disait :

– Un fils est un créancier donné par la nature.

STENDHAL, *Lucien Leuwen*, 1834.

Texte C

Il marchait entre un vieux monsieur distingué, un physicien, je crois, et un religieux vêtu d'une soutane blanche.

Moi, je suivais en trottant. Je voyais les mains de mon
5 père, qu'il tenait dans son dos. L'une d'elles jouait avec une balle de tennis qu'il avait ramassée au détour d'une allée. Les échanges d'idées, le bruit de leur causerie que je ne comprenais pas tombaient vers moi comme cailloux blancs chers au Petit Poucet. Je suivais, igno-
10 rant, inconscient de mon âge et des choses alentour comme de celles du lendemain.

PASCAL JARDIN, *Le Nain jaune*, Éd. Julliard, 1997.

EXERCICE 8 ••

1. Quel est le mode de narration commun aux deux extraits ? Quel est l'intérêt pour le lecteur du changement de narrateur ?

2. Que révèle chaque extrait sur le caractère des deux narrateurs personnages ?

Oliver est amoureux de Gillian, la femme de son ami Stuart.

Texte A : version d'Oliver

Voici donc ce qui s'est produit. J'ai sonné à la porte en étalant mes fleurs sur mes deux avant-bras largement écartés. Je ne voulais pas, vous comprenez, avoir l'air d'un livreur. J'étais plutôt un simple, un fragile sollici-
5 teur, assisté par la seule déesse Flora. Gillian a ouvert la porte. C'était l'instant, c'était l'instant !

« Je t'aime », lui ai-je dit.

Elle m'a regardé et une alarme a pris la mer dans le havre de ses yeux. Pour l'apaiser je lui ai remis mon bou-
10 quet en répétant calmement : « Je t'aime. » Et, là-dessus, je suis reparti. Ça y est. C'est fait, c'est fait. J'en perds la tête de bonheur. Je suis aux anges, j'ai peur, j'ai une trouille du diable. Je suis dans le trente-sixième dessous.

Texte B : version de Gillian

Je suis donc descendue pour aller ouvrir, un peu irritée je l'avoue, et qu'est-ce que je vois ? Un énorme bouquet de fleurs bleues et blanches enveloppées dans d[e] la cellophane ! « Stuart », ai-je pensé – enfin, je veu[x]
5 dire que j'ai pensé que c'était Stuart qui me les offrai[t]. Et quand je me suis aperçue que c'était Oliver qui le[s] tenait, j'ai continué à imaginer que c'était l'explicatio[n] la plus plausible : Stuart avait dû demander à Oliver d[e] m'apporter ces fleurs.

10 « Oliver ! ai-je dit. Quelle surprise. Mais entre donc ! [»]

Seulement voilà, il est resté planté sur le seuil de l[a] porte en essayant en vain de s'exprimer. Blanc comme u[n] linge et tenant ses deux bras à l'horizontale et aussi raide qu'un dessus d'étagère. Ses lèvres s'agitaient et il en sorta[it]
15 un vague murmure mais je ne parvenais pas à en saisir l[e] sens. On se serait cru dans un de ces films où quelqu'un a[ ] une crise cardiaque – il marmonne quelque chose qui lu[i] paraît extraordinairement important mais à quoi personn[e] ne comprend rien. J'ai regardé Oliver fixement et j'ai e[u]
20 l'impression qu'il était littéralement aux abois. […]

« Oliver, ai-je dit, qu'est-ce qui se passe ? Tu ne veu[x] vraiment pas entrer ? »

Il restait immobile, les bras toujours en avant, comm[e] un maître d'hôtel robot ayant oublié son plateau. Et puis[,]
25 subitement et presque à tue-tête, il a dit :

« Je t'aime. »

Aussi sec. Naturellement, j'ai éclaté de rire.

JULIAN BARNES, *Love, etc.*
Éd. Denoël, 1992 (trad. R. Las Vernias)

EXERCICE 9 ••

1. Relevez l'ensemble des informations apportées sur le[ ] personnage par le narrateur de cet extrait.

2. Quel est le point de vue utilisé ? Justifiez votre réponse.

Il y avait à Montmartre, au troisième étage du 75 bis de[ ] la rue d'Orchampt, un excellent homme nommé Dutil-leul qui possédait le don singulier de passer à travers les murs sans en être incommodé.
5 Il portait un binocle, une petite barbiche noire et i[l] était employé de troisième classe au ministère de l'Enre-gistrement. En hiver, il se rendait à son bureau par l'auto-bus et, à la belle saison, il faisait le trajet à pied, sous son[ ] chapeau melon.
10 Dutilleul venait d'entrer dans sa quarante-troisième[ ] année lorsqu'il eut la révélation de son pouvoir. Un soir[,] une courte panne d'électricité l'ayant surpris dans le ves-tibule de son petit appartement de célibataire, il tâtonna[ ] un moment dans les ténèbres et, le courant revenu, se[ ]
15 trouva sur le palier du troisième étage. Comme sa porte[ ] d'entrée était fermée à clef de l'intérieur, l'incident lui[ ] donna à réfléchir et, malgré les remontrances de sa rai-son, il se décida à rentrer chez lui comme il en était sorti[,] en passant à travers la muraille.

MARCEL AYMÉ, *Le Passe-Muraille*, Éd. Gallimard, 1943[.]

EXERCICE 10 ••

1. Relevez les mots et expressions qui montrent que le narrateur rapporte la réalité de manière objective, telle qu'il la perçoit, comme s'il était placé en position d'observateur impartial.
2. Comment appelle-t-on ce type de point de vue ?

Il y eut d'abord un soupir, un souffle exhalé d'une poitrine, et de nouveau un soupir rude et grave. Une buée d'haleines flottait entre les arbres, où les échines bougeaient en ondulant vaguement sur place.
5   Les bêtes étaient encore debout. Elles devaient être nombreuses. Elles demeuraient serrées les unes contre les autres, se réchauffant ensemble à leur chaleur. L'aube commençait à rôder de toute part. Les arbres étaient de vieux hêtres gris. Les feuilles des ronces, violettes et
10 sanglantes, s'allumaient deçà delà. Les silhouettes des bêtes grandissaient dans la lueur du crépuscule. Il y avait au moins dix ou douze biches, au long cou grêle, aux oreilles disproportionnées. Toutes étaient amaigries par l'hiver, le crâne marqué de durs creux d'ombre en arrière
15 de leurs yeux tristes.

MAURICE GENEVOIX, *La Dernière Harde*,
Éd. Flammarion, 1938.

EXERCICE 11 •••

1. À partir de quel moment précis du texte le lecteur perçoit-il la scène à travers les yeux du personnage ? Comment appelle-t-on ce type de focalisation ?
2. Que nous apprend la description sur le caractère et les ambitions de Saccard ? Expliquez en un paragraphe rédigé et illustré d'exemples comment le point de vue narratif utilisé permet au lecteur de mieux connaître le personnage.

Le personnage d'Aristide Saccard s'installe à Paris, ambitieux, impatient de faire fortune.

Ce jour-là, ils dînèrent aux sommets des buttes, dans un restaurant dont les fenêtres s'ouvraient sur Paris, sur cet océan de maisons aux toits bleuâtres, pareils à des flots pressés emplissant l'immense horizon. Leur table
5   était placée devant une des fenêtres.
Ce spectacle des toits de Paris égaya Saccard. Au dessert, il fit apporter une bouteille de bourgogne. Il souriait à l'espace, il était d'une galanterie inusitée. Et ses regards, amoureusement, redescendaient toujours sur
10 cette mer vivante et pullulante, d'où sortait la voix profonde des foules. On était à l'automne ; la ville, sous le grand ciel pâle, s'alanguissait d'un gris doux et tendre, piqué çà et là de verdures sombres qui ressemblaient à de larges feuilles de nénuphars nageant sur un lac ; le
15 soleil se couchait dans un nuage rouge et, tandis que les fonds s'emplissaient d'une brume légère, une poussière d'or, une rosée d'or tombait sur la rive droite de la ville, du côté de la Madeleine et des Tuileries. C'était comme

le coin enchanté d'une cité des *Mille et Une Nuits*, aux
20 arbres d'émeraude, aux toits de saphir, aux girouettes de rubis. Il vint un moment où le rayon qui glissait entre deux nuages fut si resplendissant que les maisons semblèrent flamber et se fondre comme un lingot d'or dans un creuset.
« Oh ! vois, dit Saccard, avec un rire d'enfant, il pleut des pièces de vingt francs dans Paris ! »

ÉMILE ZOLA, *La Curée*, 1871.

EXERCICE 12 •••

1. Repérez les étapes de la séquence narrative suivante.
2. Quel est le mode de narration choisi par le romancier ?
3. Rédigez un paragraphe qui développe la situation finale de l'épisode.

Madame Aubain et ses deux enfants, accompagnés de Félicité, la servante, se promènent dans la campagne normande.

Un soir d'automne, on s'en retourna par les herbages.
La lune à son premier quartier éclairait une partie du ciel, et un brouillard flottait comme une écharpe sur les sinuosités de la Touques. Des bœufs, étendus au milieu
5   du gazon, regardaient tranquillement ces quatre personnes passer. Quelques-uns se levèrent puis se mirent en rond devant elles.
« Ne craignez rien ! » dit Félicité ; elle flatta sur l'échine celui qui se trouvait le plus près ; il fit volte-
10 face, les autres aussi. Mais quand l'herbage suivant fut traversé, un beuglement formidable s'éleva. C'était un taureau, que cachait le brouillard. Il avança vers les deux femmes. Mme Aubain allait courir. – « Non ! non ! moins vite ! » Elles pressaient le pas cependant, et enten-
15 daient par-derrière un souffle sonore qui se rapprochait. Les sabots, comme des marteaux, battaient l'herbe de la prairie ; voilà qu'il galopait maintenant ! Félicité se retourna et elle arrachait à deux mains des plaques de terre qu'elle lui jetait dans les yeux. Il baissait le mufle,
20 secouait les cornes et tremblait de fureur en beuglant horriblement. Madame Aubain, au bout de l'herbage avec ses deux petits, cherchait, éperdue, comment franchir le haut bord. Félicité reculait toujours devant le taureau, et continuellement lançait des mottes de gazon
25 qui l'aveuglaient, tandis qu'elle criait : « Dépêchez-vous ! Dépêchez-vous ! »
Madame Aubain descendit le fossé, poussa Virginie, Paul ensuite, tomba plusieurs fois en tâchant de gravir le talus, et à force de courage y parvint.
30 Le taureau avait acculé Félicité contre une claire-voie ; sa bave lui rejaillissait à la figure, une seconde de plus il l'éventrait. Elle eut le temps de se glisser entre deux barreaux, et la grosse bête, toute surprise, s'arrêta.

GUSTAVE FLAUBERT, « Un cœur simple », *Trois Contes*, 1877.

Le cadre du récit

L'histoire racontée dans un roman ou une nouvelle est ancrée dans une époque et un lieu déterminés qui constituent le cadre du récit. À l'intérieur de ce cadre, les événements s'enchaînent plus ou moins vite, tandis que les lieux se modifient en fonction de l'action.

OBSERVATION

Le cadre spatial du récit

Le cadre temporel du récit

L'Or raconte le destin d'un personnage qui a fait fortune en Amérique, avant d'être ruiné par la ruée vers l'or. Les premières lignes fixent le cadre de ce récit.

La journée venait de finir. Les bonnes gens rentraient des champs, qui une bine sur l'épaule ou un panier au bras. En tête venaient les jeunes filles en corselet blanc et la cotte haut-plissée[1]. [...]

Sur le pas de leur porte, les vieux fumaient leur pipe en porcelaine
5   et les vieilles tricotaient de longs bas blancs. Devant l'auberge « Zum Wilden Mann »[2] on vidait des cruchons du petit vin blanc du pays, des cruchons curieusement armoriés d'une crosse d'évêque entourée de sept points rouges. Dans les groupes on parlait posément, sans cris et sans gestes inutiles. Le sujet de toutes les conversations était la chaleur
10   précoce et extraordinaire **pour la saison** et la sécheresse qui menaçait déjà la tendre moisson.

C'était le 6 mai 1834.

Les vauriens du pays entouraient un petit Savoyard qui tournait la manivelle de son orgue de Sainte-Croix, et les mioches avaient peur de
15   la marmotte émoustillée qui venait de mordre l'un d'eux. Un chien noir pissait contre l'une des quatre bornes qui encadraient la fontaine poly-chrome[3]. **Les derniers rayons du jour** éclairaient la façade historiée des maisons. Les fumées montaient tout droit dans l'air pur **du soir**. Une carriole grinçait au loin dans la plaine.

20   Ces paisibles campagnards bâlois furent **tout à coup** mis en émoi par l'arrivée d'un étranger. Même en plein jour, un étranger est quelque chose de rare dans ce petit village de Rünenberg[4] ; mais que dire d'un étranger qui s'amène à une heure indue, le soir, si tard, juste avant le coucher du soleil ? Le chien noir resta la patte en l'air et les vieilles femmes laissèrent
25   choir leur ouvrage.

BLAISE CENDRARS, *L'Or*, Éd. Denoël, 1926

1. cotte haut-plissée : petite tunique.

2. « À l'homme sauvage ».

3. polychrome : multicolore.

4. Rünenberg : commune suisse du canton de Bâle.

QUESTIONS

1. À quelle époque précise se situe l'action du récit ? Combien de temps s'écoule approximativement dans cette scène ?

2. Où la scène est-elle située par le narrateur ? Le lieu de l'action est-il un endroit réel ou imaginaire ?

3. De quelle manière la scène associe-t-elle la narration et la description ? À travers quels détails le narrateur met-il en place un cadre pittoresque ?

1 Le cadre temporel

Le cadre temporel de l'intrigue est fixé dès les premières pages du récit. Le temps s'y écoule ensuite à des rythmes différents.

1. L'écoulement du temps

L'époque du récit est souvent située avec précision (« C'était le 6 mai 1834 »). Le narrateur raconte ensuite les événements dans l'ordre chronologique de leur déroulement. Il peut effectuer des retours en arrière (analepses) pour apporter des explications ou procéder à des anticipations (prolepses) pour annoncer un événement à venir.

2. Le rythme du récit

Le narrateur peut choisir de mettre en valeur ou de passer sous silence des moments de l'histoire au moyen de différentes techniques d'écriture.

TECHNIQUES	DÉFINITIONS
La scène	Elle correspond à un événement privilégié, raconté en détail à travers l'ensemble des actions et des paroles prononcées.
Le sommaire	L'écoulement du temps s'accélère et les événements sont résumés par le narrateur en quelques mots.
La pause	Le narrateur interrompt l'enchaînement des actions par des commentaires, la description d'un lieu, le portrait d'un personnage.
L'ellipse	Elle constitue un saut dans le temps qui permet de passer sous silence des événements sans importance (« Trois jours plus tard »).

2 Le cadre spatial

Le cadre spatial du récit peut évoluer en fonction de l'intrigue.

1. Les lieux du roman

Dès les premières lignes du roman, le narrateur fixe avec précision le cadre spatial du récit. Il met ainsi en place le lieu dans lequel se déroule l'action. Il peut s'agir d'un lieu réel (*L'Or* de Blaise Cendrars) ou imaginaire (*Voyage au centre de la Terre*, de Jules Verne), d'un espace limité (*La Modification* de Michel Butor) ou d'un espace ouvert et diversifié (*Le Hussard sur le toit* de Jean Giono).

2. Le rôle de la description

La description montre au lecteur les lieux, les personnages et les objets évoqués.

TECHNIQUES	DÉFINITIONS
Les toponymes et les indicateurs spatiaux	La description s'organise comme un tableau. Elle indique des noms de lieux. Elle découpe l'espace en différents plans, au moyen d'adverbes de lieu (« au loin ») et de prépositions (« au-dessus »).
Le lexique de la perception	Les verbes de perception signalent le passage de la narration à la description. Ils indiquent le foyer de la perception. Le lexique des cinq sens (la vue, l'ouïe, le goût, le toucher ou l'odorat) apporte des précisions sur ce qui est décrit.
Les verbes et les temps verbaux	La description utilise des verbes d'état (*être, sembler, paraître*) et des présentatifs (« c'était », « il y avait ») conjugués à l'imparfait pour fixer l'image de ce qui est décrit. Elle marque une pause dans le récit.
Les réseaux lexicaux	La description s'organise autour d'un thème (un village, un immeuble) en développant des réseaux lexicaux qui créent une atmosphère.

LE CADRE TEMPOREL

EXERCICE 1 •

1. Repérez, dans chacun des extraits, les mots et expressions qui donnent des indications sur l'écoulement du temps.
2. Le temps s'écoule-t-il au même rythme dans chaque extrait ? Justifiez votre réponse.

À quinze ans, on lui avait acheté une lieutenance dans un régiment anglais qui allait aux Indes, et pendant douze ans, il s'y était battu contre les Marattes.

JULES BARBEY D'AURÉVILLY, *Les Diaboliques*, 1874.

Naoh marcha sept jours en évitant les embûches du monde.

J.-H. ROSNY AÎNÉ, *La Guerre du feu*, 1909.

Queequeg, nu jusqu'à la ceinture, s'élança du bord comme un arc vivant. Pendant trois minutes ou plus, on le vit nageant comme un chien, projetant ses longs bras droit devant lui et montrant l'une après l'autre ses
5 épaules musclées à travers l'écume glaciale. Je voyais mon grand et glorieux ami mais n'apercevais nulle part celui qu'il voulait sauver.

HERMAN MELVILLE, *Moby Dick*, Éd. Gallimard, trad. J. Giono, 1941.

EXERCICE 2 •

Relevez, dans l'extrait suivant, les repères temporels qui marquent l'écoulement du temps de la fiction. Comment peut-on qualifier le rythme du récit ? Pourquoi ?

Des années s'écoulèrent, toutes pareilles et sans autres épisodes que le retour des grandes fêtes : Pâques, l'Assomption, la Toussaint. Des événements intérieurs faisaient une date, où l'on se reportait plus tard. Ainsi,
5 en 1825, deux vitriers badigeonnèrent le vestibule ; en 1827, une portion du toit, tombant dans la cour, faillit tuer un homme. L'été de 1828, ce fut à Madame d'offrir le pain bénit ; Bourais, vers cette époque, s'absenta mystérieusement ; et les anciennes connaissances peu à peu
10 s'en allèrent.

GUSTAVE FLAUBERT, « Un cœur simple », *Trois Contes*, 1877.

EXERCICE 3 ••

Repérez le retour en arrière effectué dans les deux extraits : quelle est leur fonction commune ?

Ma mère avait fait cinq heures de taxi pour venir me dire adieu à la mobilisation, à Salon-de-Provence, où j'étais alors sergent instructeur à l'École de l'Air.
Le taxi était une vieille Renault délabrée : nous avions
5 détenu, pendant quelque temps, une participation de cinquante, puis de vingt-cinq pour cent, dans l'exploitation commerciale du véhicule.

ROMAIN GARY, *La Promesse de l'aube*, Éd. Gallimard, 1960.

Mon père s'était méfié de moi et m'avait déshérité lorsque j'avais quitté la ferme. En la mettant au nom

d'Evelyne, il savait ce qu'il faisait. C'était un vieux sentimental, attaché au sol sur lequel il avait passé sa vie et en
5 cela, ma sœur lui ressemblait. Déjà, lorsque nous étions enfants, il nous attrapait sur ses genoux et nous faisait jurer que nous ne vendrions jamais.

PHILIPPE DJIAN, *Crocodiles*, Éd. Barrault, 1989.

EXERCICE 4 ••

1. Analysez le rythme de cet extrait en repérant accélérations et ralentissements de la narration.
2. Quels effets le romancier cherche-t-il à produire ?

Sa jeune femme, qui possédait l'intelligence du cœur, fut la première à deviner son étrange et mortel chagrin.
– Tu t'ennuies, je le vois bien. Allons, avoue que tu la regrettes !
5 – Moi ? Tu es folle ! Je regrette qui, quoi ?
– Ton île déserte, bien sûr ! Et je sais ce qui te retient de partir dès demain, je le sais, va ! C'est moi !
Il protestait à grands cris, mais plus il criait fort, plus elle était sûre d'avoir raison.
10 Elle l'aimait tendrement et n'avait jamais rien su lui refuser. Elle mourut. Aussitôt il vendit sa maison et son champ, et fréta un voilier pour les Caraïbes.
Des années passèrent encore. On recommença à l'oublier. Mais quand il revint de nouveau, il parut plus
15 changé encore qu'après son premier voyage.

MICHEL TOURNIER, « La fin de Robinson Crusoé », *Le Coq de bruyère*, Éd. Gallimard, 1978.

LE CADRE SPATIAL

EXERCICE 5 •

1. Quels termes constituent le cadre spatial du récit ?
2. Ces termes renvoient-ils à un lieu réel ou imaginaire ? à un espace fermé ou ouvert ?

Depuis que son train avait passé les faubourgs et les fumées de Charleville, il semblait à l'aspirant Grange que la laideur du monde se dissipait : il s'aperçut qu'il n'y avait plus en vue une seule maison. Le train, qui
5 suivait la rivière lente, s'était enfoncé d'abord entre de médiocres épaulements de collines couverts de fougères et d'ajoncs. Puis, à chaque coude de la rivière, la vallée s'était creusée, pendant que le ferraillement du train dans la solitude rebondissait contre les falaises, et qu'un vent
10 cru, déjà coupant dans la fin d'après-midi d'automne, lui lavait le visage quand il passait la tête par la portière. La voie changeait de rive capricieusement, passait la Meuse sur des ponts faits d'une seule travée de poutrages de fer, s'enfonçait par instants dans un bref tunnel à travers le
15 col d'un méandre[1].

JULIEN GRACQ, *Un balcon en forêt*, Éd. José Corti, 1958.

1. méandre : lacet, détour.

EXERCICE 6 •

Relevez, dans chacun des textes, les indications temporelles et spatiales qui mettent en place le cadre du récit.

Le 15 septembre 1840, vers six heures du matin, *La Ville-de-Montereau*, près de partir, fumait à gros tourbillons devant le quai Saint-Bernard.

GUSTAVE FLAUBERT, *L'Éducation sentimentale*, 1869.

Dans les premiers jours de l'an VIII, au commencement de vendémiaire, ou, pour se conformer au calendrier actuel, vers la fin du mois de septembre 1799, une centaine de paysans et un assez grand nombre de
5 bourgeois, partis le matin de Fougères pour se rendre à Mayenne, gravissaient la montagne de la Pèlerine, située à mi-chemin environ de Fougères à Ernée, petite ville où les voyageurs ont coutume de se reposer.

HONORÉ DE BALZAC, *Les Chouans*, 1829.

Pendant la guerre fédérale des États-Unis, un nouveau club très influent s'établit dans la ville de Baltimore, en plein Maryland. On sait avec quelle énergie l'instinct militaire se développa chez ce peuple d'armateurs, de
5 marchands et de mécaniciens. De simples négociants enjambèrent leur comptoir pour s'improviser capitaines, colonels, généraux.

JULES VERNE, *De la Terre à la Lune*, 1865.

LE RÔLE DE LA DESCRIPTION

EXERCICE 7 •

1. Relevez les toponymes et les indicateurs spatiaux utilisés. Quelle est leur fonction ?
2. Quelle est la nature des verbes utilisés ? Pourquoi peut-on dire que ce passage marque une pause dans le récit ?

Il n'avait jamais vu tant d'espace. Ibusun, la maison de Geoffroy, était située en dehors de la ville, en amont du fleuve, au-dessus de l'embouchure de la rivière Omurun, là où commençaient les roseaux. De l'autre côté de la
5 butte, vers le soleil levant, il y avait une immense prairie d'herbes jaunes qui s'étendait à perte de vue, dans la direction des collines d'Ihni et de Munshi où s'accrochaient les nuages.

J.-M.-G. LE CLÉZIO, *Onitsha*, Éd. Gallimard, 1991.

EXERCICE 8 ••

Quels sont les sens dominants utilisés (ouïe, vue, odorat, toucher, goût) pour décrire ce paysage ? Relevez et classez les termes qui renvoient à chacun d'eux.

La fraîcheur embaumée des brises d'automne, la forte senteur des forêts, s'élevaient comme un nuage d'encens et enivrait les admirateurs de ce beau pays, qui contem-
5 plaient avec ravissement ses fleurs inconnues, sa végétation vigoureuse, sa verdure rivale de celle d'Angleterre, sa voisine, dont le nom est commun aux deux pays. Quelques bestiaux animaient cette scène déjà si dramatique. Les oiseaux chantaient, et faisaient ainsi rendre à la vallée une suave, une sourde mélodie qui frémissait
10 dans les airs.

HONORÉ DE BALZAC, *Les Chouans*, 1829.

EXERCICE 9 •••

1. Relevez, dans le texte, l'ensemble des indications données sur le cadre temporel du récit.
2. Sur quelle technique s'appuie le romancier pour mettre en valeur ce moment du récit : scène, sommaire, pause, ellipse ?
3. Recopiez le tableau et complétez-le de manière à analyser les caractéristiques de la description.

Toponymes et indicateurs spatiaux
Lexique de la perception
Verbes et temps verbaux
Réseaux lexicaux et atmosphère

4. **Entraînement au commentaire.** Rédigez un paragraphe d'analyse dans lequel vous exposerez les caractéristiques de cette description.

Il était minuit à peu près ; la lune, échancrée par sa décroissance et ensanglantée par les dernières traces de l'orage, se levait derrière la petite ville d'Armentières, qui détachait sur sa lueur blafarde la silhouette sombre de ses maisons et le squelette de son haut clocher
5 découpé à jour. En face, la Lys roulait ses eaux pareilles à une rivière d'étain fondu ; tandis que sur l'autre rive on voyait la masse noire des arbres se profiler sur un ciel orageux envahi par de gros nuages cuivrés qui faisaient une espèce de crépuscule au milieu de la nuit. À
10 gauche s'élevait un vieux moulin abandonné, aux ailes immobiles, dans les ruines duquel une chouette faisait entendre son cri aigu, périodique et monotone. Çà et là dans la plaine, à droite et à gauche du chemin que suivait le lugubre cortège, apparaissaient quelques arbres bas
15 et trapus, qui semblaient des nains difformes accroupis pour guetter les hommes à cette heure sinistre.

De temps en temps un large éclair ouvrait l'horizon dans toute sa largeur, serpentait au-dessus de la masse noire des arbres et venait comme un effrayant cimeterre
20 couper le ciel et l'eau en deux parties. Pas un souffle de vent ne passait dans l'atmosphère alourdie. Un silence de mort écrasait toute la nature.

ALEXANDRE DUMAS, *Les Trois Mousquetaires*, 1844.

26 *La construction du personnage*

Personnage principal du roman, le héros poursuit une quête qui guide l'ensemble de ses actions. Autour de lui, le romancier peuple l'univers romanesque de multiples personnages.

OBSERVATION

L'identité
du personnage

Le portrait
du personnage

La quête
du héros

Antoine Bello imagine dans Les Falsificateurs *les aventures d'un jeune Islandais, Sliv, qui est recruté sans s'en douter par une organisation secrète : le Consortium de Falsification du Réel.*

« Félicitations, mon garçon, dit Gunnar Eriksson en me regardant parapher mon contrat de travail. Voilà qui fait de vous l'un des nôtres. »

Je rangeai mon exemplaire du contrat dans ma sacoche en me réjouissant encore une fois de la tournure qu'avaient prise les événements
5 dernièrement. Quinze jours plus tôt, j'avais été à deux doigts d'accepter une proposition qui eût fait de moi l'adjoint du directeur export d'une conserverie de Siglufjördhur (1815 habitants sans compter les ours). [...]

Heureusement, le matin du jour que je m'étais fixé comme limite pour arrêter ma décision, je tombai sur une annonce qui paraissait écrite
10 pour moi. « Cabinet d'études environnementales cherche chef de projet. Formation supérieure requise en géographie, économie ou biologie. Première ou deuxième expérience. Poste basé à Reykjavík[1]. Voyages. Salaire compétitif. Adressez votre candidature à Gunnar Eriksson, directeur des Opérations, cabinet Baldur, Furuset & Thorberg. »
15 Bien décidé à saisir ma chance, j'avais porté en personne mon curriculum vitae à l'adresse indiquée. À ma grande surprise, la réceptionniste avait appelé Gunnar Eriksson, qui avait proposé de me recevoir aussitôt. J'acceptai bien volontiers, en m'excusant toutefois pour ma tenue, guère appropriée pour un entretien d'embauche.
20 « Bah, avait rétorqué Eriksson en m'invitant à le suivre, je me fiche de votre tenue comme de ma première aurore boréale[2]. »

ANTOINE BELLO, *Les Falsificateurs*, Éd. Gallimard, 2007.

1. Reykjavík : capitale de l'Islande.

2. aurore boréale : aurore polaire, caractérisée par des lumières intenses et colorées.

QUESTIONS

1. Que nous apprennent les informations données par le texte sur le héros ?

2. Comment le héros apparaît-il aux yeux du lecteur ? Distinguez ses caractéristiques physiques et psychologiques.

3. Quel est l'objet de la quête du héros ? Quel est le personnage secondaire qui lui vient en aide ?

1 L'identité du personnage

Chaque personnage est un être fictif, « un être de papier », auquel le romancier a donné toutes les caractéristiques d'une personne réelle.

1. L'état civil du personnage

Le romancier dote ses personnages d'une identité en leur attribuant un état civil. Il leur donne un nom, un âge, une situation de famille, un métier, des amis, etc.

→ Au début du *Comte de Monte-Cristo* d'Alexandre Dumas, le héros du roman, Edmond Dantès, est un jeune officier de marine sur le point de se marier, entouré de sa famille et de ses amis, au mois de juillet 1815.

2. L'évolution du personnage

Le romancier fait évoluer les personnages au fil du récit à travers les rencontres, les voyages, les mariages, les deuils. Ils peuvent ainsi se transformer en changeant de situation sociale ou en vieillissant sous les yeux du lecteur.

→ À la fin du roman de Dumas, en 1839, Edmond Dantès a pris le nom de Monte-Cristo : trahi, emprisonné, évadé, il s'est vengé de ceux qui ont ruiné son existence.

2 Le portrait du personnage de roman

L'auteur apporte des précisions sur le physique et le caractère du personnage. Il crée une proximité avec le lecteur, qui peut s'identifier à lui.

1. Le portrait physique

Le portrait écrit présente des similitudes avec le portrait peint. La description du personnage présente ainsi au lecteur les traits de son visage, les formes de son corps, ses attitudes et ses vêtements. L'auteur effectue un cadrage qui met en valeur le personnage en le présentant dans un décor, au milieu des personnages et des objets qui l'entourent. Le portrait peut enfin se rapprocher du personnage en plans successifs, en allant de la vision d'ensemble jusqu'au détail caractéristique, en gros plan.

2. Le portrait psychologique

Le portrait psychologique constitue la description morale du personnage, en indiquant ses idées, ses sentiments, son comportement et ses valeurs. Les traits de caractère dominants du personnage sont parfois mis en relief par les commentaires du narrateur. Celui-ci peut aussi associer les descriptions physique et psychologique pour assurer la cohérence du personnage. Il évoque alors le passé, l'enfance, les actions et les événements qui ont conduit à forger sa personnalité.

> *Repère*
>
> **Le portrait et les valeurs de l'imparfait**
>
> Comme le présent, l'imparfait montre l'action sous un aspect duratif (« Il pensait à elle pendant des heures »). Il est aussi le temps de la description et donc du portrait. Il peut enfin souligner l'habitude (« Chaque jour il regrettait son absence »).

3 Les fonctions des personnages

FONCTION	EXPLICATION
Sujet de la quête	Le héros est animé par un but qu'il cherche à atteindre. Tout au long de sa quête, il est confronté à une série d'épreuves qui transforment sa personnalité.
Objet de la quête	L'objet de la quête du héros est un idéal (l'amour, l'amitié, la vengeance...) ou une chose (un trésor, une lettre perdue...), mais ce peut aussi être un autre personnage (l'être aimé, un parent disparu, un ennemi...).
Adjuvant (ou auxiliaire)	Les adjuvants sont les personnages qui aident le héros, volontairement ou non. On peut aussi considérer comme adjuvants des qualités physiques et psychologiques, ou encore des objets.
Opposant	Les opposants sont les personnages, les traits de caractère ou les objets qui font obstacle au héros. Dans l'intrigue, un opposant peut devenir adjuvant, et réciproquement.

L'IDENTITÉ DU PERSONNAGE

EXERCICE 1 •

Le nom du personnage suggère souvent l'une de ses caractéristiques. Mettez en relation les noms de personnages suivants grâce aux connotations qu'ils comportent.

Noms des personnages
• Candide
• Félicité
• Rouletabille
• Aristide Saccard
• Tuvache
• Zazie
• Angelo Pardi

Caractéristiques suggérées
• banquier avide de richesses
• hussard de cavalerie romantique
• servante malheureuse
• jeune garçon naïf
• reporter globe-trotter
• jeune fille délurée
• paysan normand

EXERCICE 2 ••

1. Recopiez le tableau ci-dessous et classez les informations données sur l'identité du personnage.

Sexe	
Âge	
Particularités physiques	
Détails vestimentaires	
Apparence générale	

2. Imaginez un nom pour ce personnage, en accord avec son apparence.

Ce soir froid de février 1924, sur les sept heures, un homme paraissant la soixantaine bien sonnée, avec une barbe inculte et d'un gris douteux, était planté sur une patte devant une boutique de la rue de la Glacière, non
5 loin du boulevard Arago, et lisait le journal à la lumière de la devanture, en s'aidant d'une grande loupe rectangulaire de philatéliste. Il était vêtu d'une houppelande[1] noire usagée, qui lui descendait jusqu'à mi-jambes, et coiffé d'une casquette sombre, du modèle des casquettes
10 mises en vente vers 1885 : avec une sous-mentonnière à deux ailes, actuellement relevées de chaque côté sur le dessus. Quelqu'un qui l'aurait examiné de près aurait vu que chaque détail de son accoutrement était « comme de personne ». Sa casquette était démodée de trente ans.

HENRY DE MONTHERLANT, *Les Célibataires*,
Éd. Gallimard, 1954.

1. houppelande : long manteau sans manches.

L'ÉVOLUTION DU PERSONNAGE

EXERCICE 3 ••

Confrontez ces trois extraits de manière à mettre en évidence l'évolution du personnage en relevant les points communs et les différences. Rédigez votre réponse.

Texte A

Il était difficile de rencontrer un passant d'un aspect plus misérable. C'était un homme de moyenne taille, trapu et robuste, dans la force de l'âge. Il pouvait avoir quarante-six ou quarante-huit ans. Une casquette
5 à visière de cuir rabattue cachait en partie son visage brûlé par le soleil et le hâle et ruisselant de sueur. Sa chemise de grosse toile jaune, rattachée au col par une petite ancre d'argent, laissait voir sa poitrine velue ; il avait une cravate tordue en corde, un pantalon de coutil
10 bleu usé et râpé, blanc à un genou, troué à l'autre […] les pieds sans bas dans des souliers ferrés, la tête tondue et la barbe longue.

La sueur, la chaleur, le voyage à pied, la poussière, ajoutaient je ne sais quoi de sordide à cet ensemble
15 délabré.

Texte B

C'était un homme d'environ cinquante ans, qui avait l'air préoccupé et qui était bon. Voilà tout ce qu'on en pouvait dire […]. Il avait les cheveux gris, l'œil sérieux, le teint hâlé d'un ouvrier, le visage pensif d'un philo-
5 sophe. Il portait habituellement un chapeau à bords larges et une longue redingote de gros drap, boutonnée jusqu'au menton. Il remplissait ses fonctions de maire, mais hors de là il vivait solitaire. Il parlait à peu de monde, Il se dérobait aux politesses, saluait de côté, s'es-
10 quivait vite, souriait pour se dispenser de causer, donnait pour se dispenser de sourire. Les femmes disaient de lui : « Quel bon ours ! »

Texte C

Le plein jour s'était fait dans la chambre. Il éclairait en face le visage de M. Madeleine. Le hasard fit que la sœur leva les yeux.

– Mon Dieu, monsieur ! s'écria-t-elle, que vous est-il
5 donc arrivé ? vos cheveux sont tout blancs !

– Blancs ! dit-il.

La sœur Simplice n'avait point de miroir ; elle fouilla dans une trousse et en tira une petite glace dont se servait le médecin de l'infirmerie pour constater qu'un
10 malade était mort et ne respirait plus. M. Madeleine prit la glace, y considéra ses cheveux, et dit : Tiens !

Il prononça ce mot avec indifférence et comme s'il pensait à autre chose.

La sœur se sentit glacée par je ne sais quoi d'inconnu
15 qu'elle entrevoyait dans tout ceci.

VICTOR HUGO, *Les Misérables*, 1866.

LE PORTRAIT DU PERSONNAGE

EXERCICE 4 •

1. Relevez les caractéristiques physiques du personnage : visage, corps, vêtements, attitudes.
2. Quel élément de décor met en valeur son apparition ? À travers quel point de vue le portrait est-il construit ? Sur quels détails le regard s'arrête-t-il ?

Un homme d'une trentaine d'années, très brun, le visage coupé par une fine moustache noire, apparut dans l'entrée demi-circulaire. Il posa l'étui à guitare qu'il portait, à ses pieds, et, sans hâte, rangea son carnet de
5 tickets dans son portefeuille. Jacques observa le pantalon gris, la veste bleu marine puis il se leva.
L'homme venait de glisser le portefeuille dans une de ses poches intérieures. Il reprit son étui à guitare et s'approcha de la fosse[1]. Jacques vint prendre place derrière lui.

Didier Daeninckx, *Métropolice*, Éd. Gallimard, 1985.

1. la fosse : la voie où circule le métro.

EXERCICE 5 •

1. Relevez les caractéristiques physiques du personnage décrit.
2. Montrez comment l'auteur associe les descriptions physique et psychologique.

Elle portait une robe violette, des sandalettes de cuir blanc, et je remarquai qu'elle avait coloré les ongles de ses pieds en jaune. Assise sur un banc dans le parc du château de Nérac, la jeune fille semblait lire son gros livre
5 les pieds enfoncés dans deux bouquets de crocus[1]. C'était la première fois que je la voyais. Elle lisait Chateaubriand.
Le lendemain, je la revis au même endroit. Elle lisait Francis Ponge, *Le Savon*. Dans la nuit, elle avait fini son Chateaubriand, cinq cents pages, quel appétit ! Je me
10 souviens lui avoir dit, pour la faire rire, vous lisez un savon ? Comme elle était gentille elle avait ri. Son rire était haut. Clair. Mais la jeune fille avait ri avec retard, en posant sur moi un regard perdu.

Jean-Marie Gourio, *Chut*, Éd. Julliard, 1998.

1. crocus : plante à bulbe avec des fleurs violettes ou jaunes.

EXERCICE 6 ••

1. Quelles sont les différentes parties du corps successivement décrites dans ce portrait ?
2. Quelles indications sur la psychologie du personnage ce portrait apporte-t-il ? Caractérisez-le au moyen de trois adjectifs.

À l'adolescence, les jeunes filles font un compte lucide et presque impitoyable de leurs qualités physiques. Catherine s'était accordée de jolis bras mais jusqu'aux mains qu'elle avait un peu carrées, des jambes très
5 moyennes, grasses aux genoux, défaut encore imperceptible mais dont sa mère offrait la triste prémonition, des cheveux d'un blond distingué quoique paraissant artificiel et qui ondulaient d'eux-mêmes. Elle sut tôt que, toute sa vie, elle aurait l'air d'avoir apprêté sa coiffure
10 quand elle la laisserait libre et qu'elle devrait passer des heures à lui donner, pour un moment, l'air spontané. Elle se voyait un visage acceptable bien que peu marquant, un nez moyen, des yeux marron, une bouche sans expression particulière. Elle ne savait ni bien sourire ni
15 marquer la tristesse. Le seul élément saillant était, lui, exagéré : elle avait un menton proéminent et de trop lourdes proportions. Un joli menton, comme d'élégantes chaussures, est celui qui ne se remarque pas. Pour dissimuler ce défaut, elle avait étudié un port de tête un peu
20 incliné et, dans sa main ouverte, faisait reposer – donc disparaître – la fâcheuse proéminence. Cette pose pensive lui était devenue naturelle.
Elle avait quarante-six ans, mais ce premier bilan gardait sa pertinence. Rien n'avait vraiment changé depuis
25 sa jeunesse sinon que des rides étroites et profondes avaient entrepris leurs fines œuvres sur son visage.

Jean-Christophe Rufin, *La Salamandre*, Éd. Gallimard, 2005.

LES FONCTIONS DES PERSONNAGES

EXERCICE 7 •

Lisez ce résumé de *L'Éducation sentimentale*. Dressez la liste des personnages. Indiquez la ou les fonctions qu'ils occupent dans l'intrigue.

En 1840, à Paris, Frédéric Moreau, jeune bachelier aux ambitions mondaines, littéraires et politiques vagues, entreprend des études de droit en compagnie de Deslauriers, un ami qu'attire la politique. Il fréquente le salon
5 des Dambreuse, retrouve un certain Jacques Arnoux, et tombe amoureux de sa femme. Mais, déçu par la froideur de Mme Arnoux, Frédéric se lie avec une coquette mondaine, Rosanette Bron. Désormais il est tiraillé entre les séductions d'une vie facile, les tentations du grand
10 monde et l'amour qu'il ressent pour Mme Arnoux. Celle-ci lui avoue enfin ses sentiments ; mais à la suite d'un rendez-vous manqué, Frédéric devient l'amant de Rosanette. Lorsque éclatent les journées de 1848, il s'éloigne et file le parfait amour avec sa maîtresse à Fontainebleau.
15 Puis il rompt avec elle, connaît une brève liaison avec Mme Dambreuse devenue veuve et perd la trace de Mme Arnoux, qu'il ne revoie qu'en 1867. Deux ans plus tard, Deslauriers et Frédéric reconnaissent, dans une conversation, qu'ils ont, comme leurs amis, tout raté,
20 sauf leurs souvenirs.

Henri Mitterand, *Dictionnaire des grandes œuvres de la littérature française*, Éd. Le Robert, 1992.

Le roman et la nouvelle réalistes

27

Dans la première moitié du XIXᵉ siècle, les écrivains réalistes veulent donner une représentation exacte de la société. S'opposant aux romantiques, ils ouvrent la voie à un vaste courant esthétique qui traverse tous les arts.

OBSERVATION

Les principes du réalisme

Les thèmes du réalisme

[   ] Les procédés du réalisme

Texte A

Le Réalisme conclut à la reproduction exacte, complète, sincère, du milieu social, de l'époque où l'on vit, parce qu'une telle direction d'études est justifiée par la raison, les besoins de l'intelligence et l'intérêt du public, et qu'elle est exempte de tout mensonge, de toute tricherie. [...] Soit que
5 l'écrivain aille de lui-même chercher les sujets d'observation ou qu'ils viennent s'offrir naturellement à lui, soit qu'il entreprenne de peindre la société entière ou qu'il se borne à son petit coin personnel, il faut qu'il ne déforme rien.

EDMOND DURANTY, *Le Réalisme*, 1856-1857.

Texte B

Exact précision

Madame est là dès le matin, elle est factrice[1] aux halles et gagne à ce métier douze mille francs par an, dit-on. Monsieur, quand madame se lève, passe dans un sombre cabinet, où il prête à la petite semaine, aux commerçants de son quartier. À neuf heures, il se trouve au bureau
5 des passeports, dont il est un des sous-chefs. Le soir, il est à la caisse du Théâtre Italien, ou de tout autre théâtre qu'il vous plaira choisir. Les enfants sont mis en nourrice, et en reviennent pour aller au collège ou dans un pensionnat. [Monsieur et madame demeurent à un troisième étage, n'ont qu'une cuisinière, donnent des bals dans un salon de douze
10 pieds sur huit, et éclairé par des quinquets ; mais ils donnent cent cinquante mille francs à leur fille, et se reposent à cinquante ans, âge auquel ils commencent à paraître aux troisièmes loges à l'Opéra, dans un fiacre à Longchamp, ou en toilette fanée, tous les jours de soleil, sur les boulevards...]. Estimés dans le quartier, aimés du gouvernement, alliés
15 à la haute bourgeoisie, Monsieur obtient à soixante-cinq ans la croix de la Légion d'honneur.

Petits bourgeois

HONORÉ DE BALZAC, *La Fille aux yeux d'or*, 1834-1835.

1. factrice : employée, mandataire.

QUESTIONS

1. Comment Duranty, théoricien du réalisme, définit-il le romancier dans le texte A ? Balzac correspond-il, selon vous, à cette définition ?

2. Quelle vision de son temps Balzac donne-t-il en associant les thèmes de l'argent et de l'ascension sociale (texte B) ?

3. Relevez les petits détails qui, dans le texte B, font de Balzac le « peintre fidèle » de ses contemporains, et qui donnent au lecteur l'illusion de la réalité.

1 Les principes du réalisme

Les romanciers réalistes se donnent pour mission de décrire la réalité de leur temps, marquée par la révolution industrielle et les bouleversements politiques.

■ **Donner l'illusion de la réalité.** L'écrivain fait du roman et de la nouvelle le reflet du monde réel. Le lecteur découvre le monde tel qu'il est, dans tous ses aspects.

→ « Un roman est un miroir qui se promène sur une grande route », affirme Stendhal.

■ **Représenter toute la société.** L'écrivain représente la globalité de la société dans laquelle il vit. Il décrit la diversité des milieux et des hommes du haut en bas de l'échelle sociale.

→ Dans la Préface de *La Comédie humaine*, titre qu'il donne à son œuvre, Balzac veut « décrire la société dans son entier, telle qu'elle est ».

2 Les thèmes essentiels du réalisme

Les romanciers réalistes privilégient les thèmes qui leur permettent de faire partager au lecteur leur vision de la société.

■ **L'ascension sociale et la chute.** Le roman ou la nouvelle racontent l'itinéraire de personnages qui cherchent à trouver leur place dans la société. Ils luttent pour réussir, mais leur quête se heurte aux obstacles d'une société impitoyable.

→ *Le Rouge et le Noir* (Stendhal) ; *La Peau de chagrin* (Balzac) ; *L'Éducation sentimentale* (Flaubert).

■ **La puissance de l'argent.** Le romancier souligne le pouvoir de l'argent qui détruit toutes les valeurs morales. Il décrit les mécanismes qui permettent aux ambitieux sans scrupules de s'enrichir au détriment des plus naïfs.

→ Les personnages du ministre, du banquier, de l'usurier, du spéculateur sont présents dans de nombreux romans réalistes.

■ **L'amour et le désenchantement.** Le héros réaliste rencontre la passion, mais il affronte une société égoïste dans laquelle l'amour romantique n'a pas sa place.

→ *Madame Bovary*, de Flaubert, retrace le destin d'une héroïne dont les rêves d'amour se heurtent à la médiocrité du quotidien.

■ **La misère du peuple.** Le roman réaliste représente les déshérités de la ville ou de la campagne, victimes de la pauvreté et de l'injustice.

→ Victor Hugo choisit le réalisme pour dénoncer l'oppression du peuple dans *Les Misérables*.

Repère

Le réalisme

En philosophie, le réalisme s'oppose à l'idéalisme.
En peinture et en littérature, les artistes réalistes du XIX⁰ siècle refusent l'exaltation romantique et cherchent à représenter le réel tel qu'il est, même dans ses aspects les plus crus, sans préjugés.

3 Les procédés privilégiés de l'écrivain réaliste

Le point de vue interne	L'écrivain réaliste s'appuie sur le regard des personnages pour faire découvrir au lecteur le monde qui l'entoure.	« Jamais il n'avait vu cette splendeur de sa peau brune, la séduction de sa taille, ni cette finesse des doigts que la lumière traversait. » (Flaubert)
L'expansion de la description	Le roman réaliste donne une place capitale à la description qui, par la précision du détail, permet de représenter la réalité.	*Le Père Goriot* de Balzac commence par une longue description de la façade de la pension Vauquer, le cadre du récit.
Le discours indirect libre	La parole du narrateur fait place à celle du personnage dans une continuité du récit et du discours : le lecteur accède aux pensées du héros.	« Quoi, c'était là ce précepteur qu'elle s'était figuré comme un prêtre sale et mal vêtu, qui viendrait gronder et fouetter ses enfants ! » (Stendhal)
L'effet de réel	L'écrivain réaliste introduit dans le récit des documents pour renforcer l'illusion de réalité : lettre, carte de visite, article de presse.	Dans *Bouvard et Pécuchet*, Flaubert insère dans le récit la lettre du notaire annonçant un héritage à l'un des héros.

LES PRINCIPES DU RÉALISME

EXERCICE 1 •

1. Classez les auteurs suivants par ordre chronologique.
Proust – Balzac – Zola – Voltaire – Molière – Flaubert – Stendhal
2. Parmi eux, lesquels peuvent être qualifiés de romanciers réalistes ?

EXERCICE 2 •

Dans la première partie de *La Comédie humaine*, appelée « Études de mœurs », Balzac classe ses romans en six sections. Associez les titres de romans à la section à laquelle ils appartiennent.

Les six sections :
• Scènes de la vie privée
• Scènes de la vie de province
• Scènes de la vie parisienne
• Scènes de la vie politique
• Scènes de la vie militaire
• Scènes de la vie de campagne

Les romans de Balzac :
Les Paysans – Les Chouans – La Muse du département – Mémoires de deux jeunes mariés – Le Curé de Tours – Le Dernier Champ de bataille – La Femme abandonnée – Splendeurs et Misères des courtisanes – Le Député d'Arcis – Le Curé de village – La Paix du ménage – Une ténébreuse affaire – Les Employés – Le Colonel Chabert.

plus matérialiste

EXERCICE 3 •

1. Que veut dire Balzac lorsqu'il se donne pour objectif d'être « l'historien des mœurs » ?
2. De quelle manière le romancier pense-t-il atteindre cet objectif ?

Le hasard est le plus grand romancier du monde : pour être fécond, il n'y a qu'à l'étudier. La société française allait être l'historien, je ne devais être que le secrétaire. En dressant l'inventaire des vices et des vertus, en ras-
5 semblant les principaux faits des passions, en peignant les caractères, en choisissant les événements principaux de la société, en composant des types par la réunion des traits de plusieurs caractères homogènes, peut-être pouvais-je arriver à écrire l'histoire oubliée par tant
10 d'historiens, celle des mœurs. [...]
Ce n'était pas une petite tâche que de peindre les deux ou trois mille figures[1] saillantes d'une époque, car telle est, en définitive, la somme des types que présente chaque génération et que *La Comédie humaine*[2] comportera.

HONORÉ DE BALZAC, Avant-Propos de
La Comédie humaine, 1842.

1. figures : personnages.
2. *La Comédie humaine* : titre donné par Balzac à son œuvre romanesque, constituée de 95 romans et nouvelles.

EXERCICE 4 ••

1. Sur quelle opposition repose le travail de l'écrivain, selon Flaubert ?
2. Comment Flaubert définit-il l'écrivain réaliste ?

Il y a en moi, littérairement parlant, deux bons-hommes distincts : un qui est épris de gueulades, de lyrisme, de grands vols d'aigle, de toutes les sonorités de la phrase et des sommets de l'idée ; un autre qui fouille
5 et creuse le vrai tant qu'il peut, qui aime à accuser le petit fait aussi puissamment que le grand, qui voudrait vous faire sentir presque matériellement les choses qu'il reproduit ; celui-là aime à rire et se plaît dans les anima-lités de l'homme.

GUSTAVE FLAUBERT, Lettre à Louise Collet, 16 janvier 1852.

EXERCICE 5 •••

1. Quels aspects de la société du XIXe siècle apparaissent dans ce tableau réaliste ?
2. À travers quels détails le peintre cherche-t-il à donner l'illusion de la réalité ?
3. Recherche documentaire. Gustave Courbet se qualifie lui-même de peintre réaliste. Recherchez sur Internet les raisons pour lesquelles l'œuvre exposée lors du Salon de 1850 fait scandale.

GUSTAVE COURBET, *Les Cribleuses de blé* (détail), 1854.

LES THÈMES ESSENTIELS DU RÉALISME

EXERCICE 6 •

À partir des titres de romans réalistes suivants, indiquez quel est leur thème dominant :
• *L'Éducation sentimentale* (Flaubert)
• *La Fille aux yeux d'or* (Balzac)
• *Les Mystères du peuple* (Eugène Sue)
• *Illusions perdues* (Balzac)

• *La Petite Fadette* (George Sand)
• *Les Misères de Londres* (Ponson du Terrail)
• *La Femme abandonnée* (Balzac)

EXERCICE 7 •

1. Relevez, dans le texte, toutes les indications qui soulignent la misère de la famille Valjean.
2. À quels moments le narrateur intervient-il dans le récit ? Quels sentiments exprime-t-il ?

Il gagnait dans la saison de l'émondage[1] vingt-quatre sous par jour, puis il se louait comme moissonneur, comme manœuvre, comme garçon de ferme bouvier[2], comme homme de peine. Il faisait ce qu'il pouvait. Sa
5 sœur travaillait de son côté, mais que faire avec sept petits enfants ? C'était un triste groupe que la misère enveloppa et étreignit peu à peu. Il arriva qu'un hiver fut rude. Jean n'eut pas d'ouvrage. La famille n'eut pas de pain. Pas de pain. À la lettre. Sept enfants ! Un dimanche
10 soir, Maubert Isabeau, boulanger sur la place de l'Église, à Faverolles, se disposait à se coucher, lorsqu'il entendit un coup violent dans la devanture grillée et vitrée de sa boutique. Il arriva à temps pour voir un bras passé à travers un trou fait d'un coup de poing dans la grille
15 et dans la vitre. Le bras saisit un pain et l'emporta. Isabeau sortit en hâte ; le voleur s'enfuyait à toutes jambes ; Isabeau courut après lui et l'arrêta. Le voleur avait jeté le pain, mais il avait encore le bras ensanglanté. C'était Jean Valjean.

VICTOR HUGO, *Les Misérables*, Livre deuxième, 1862.

1. émondage : élagage des arbres.
2. bouvier : qui s'occupe des bœufs.

EXERCICE 8 ••

1. Repérez les personnages présents ou évoqués dans cette scène. À quels milieux sociaux appartiennent-ils ?
2. Quels détails soulignent la pauvreté de Rastignac ?
3. Analysez le troisième paragraphe de manière à montrer comment s'exprime l'ambition du héros réaliste.

Le jeune Eugène de Rastignac, étudiant à Paris, assiste à l'enterrement du père Goriot en compagnie de Christophe, un modeste domestique.

Au moment où le corps fut placé dans le corbillard, deux voitures armoriées, mais vides, celle du comte de Restaud[1] et celle du baron de Nucingen[1], se présentèrent et suivirent le convoi jusqu'au Père-Lachaise. À six
5 heures, le corps du père Goriot fut descendu dans sa fosse, autour de laquelle étaient les gens de ses filles, qui disparurent avec le clergé aussitôt que fut dite la courte prière due au bonhomme pour l'argent de l'étudiant.
Quand les deux fossoyeurs eurent jeté quelques pelle-
10 tées de terre sur la bière pour la cacher, ils se relevèrent et l'un d'eux, s'adressant à Rastignac, lui demanda leur pourboire. Eugène fouilla dans sa poche et n'y trouva rien ; il fut forcé d'emprunter vingt sous à Christophe.

Ce fait, si léger en lui-même, détermina chez Rastignac
15 un accès d'horrible tristesse. Le jour tombait, un humide crépuscule agaçait les nerfs, il regarda la tombe et y ensevelit sa dernière larme de jeune homme, cette larme arrachée par les saintes émotions d'un cœur pur, une de ces larmes qui, de la terre où elles tombent, rejaillissent
20 jusque dans les cieux. Il se croisa les bras, contempla les nuages, et le voyant ainsi, Christophe le quitta.
Rastignac, resté seul, fit quelques pas vers le haut du cimetière et vit Paris tortueusement couché le long des deux rives de la Seine, où commençaient à briller les
25 lumières. Ses yeux s'attachèrent presque avidement entre la colonne de la place Vendôme et le dôme des Invalides, là où vivait ce beau monde dans lequel il avait voulu pénétrer. Il lança sur cette ruche bourdonnant un regard qui semblait par avance en pomper le miel, et dit ces
30 mots grandioses : « À nous deux maintenant ! »
Et pour premier acte du défi qu'il portait à la Société, Rastignac alla dîner chez Mme de Nucingen[2].

HONORÉ DE BALZAC, *Le Père Goriot*, 1834-1835.

1. Restaud, Nuncingen : maris des filles du père Goriot.
2. Mme de Nucingen : fille du père Goriot, qui a épousé un riche banquier.

EXERCICE 9 ••

1. Comment le romancier met-il en valeur la longueur de l'attente des personnages ?
2. Ce passage met fin aux rêves et aux aspirations du héros. Relevez ce qui souligne la gravité du verdict prononcé.

Julien Sorel a gravi peu à peu tous les échelons de la société, mais il est jugé à la fin du roman après avoir tiré un coup de feu sur Mme de Rênal.

Une heure sonnait comme les jurés se retiraient dans leur chambre. Aucune femme n'avait abandonné sa place ; plusieurs hommes avaient les larmes aux yeux. Les conversations furent d'abord très vives ; mais peu
5 à peu, la décision du jury se faisant attendre, la fatigue générale commença à jeter du calme dans l'assemblée. Ce moment était solennel ; les lumières jetaient moins d'éclat. Julien, très fatigué, entendait discuter auprès de lui la question de savoir si ce retard était de bon ou de
10 mauvais augure. Il vit avec plaisir que tous les vœux étaient pour lui ; le jury ne revenait point, et cependant aucune femme ne quittait la salle.
Comme deux heures venaient de sonner, un grand mouvement se fit entendre. La petite porte de la chambre
15 des jurés s'ouvrit. M. le baron de Valenod s'avança d'un pas grave et théâtral, il était suivi de tous les jurés. Il toussa, puis déclara qu'en son âme et conscience la déclaration unanime du jury était que Julien Sorel était coupable de meurtre, et de meurtre avec préméditation :
20 cette déclaration entraînait la peine de mort ; elle fut prononcée un instant après.

STENDHAL, *Le Rouge et le Noir*, 1830.

EXERCICE 10 ••

1. Repérez les étapes de l'ascension du personnage.
2. Quelle est la motivation principale du père Grandet ? Relevez le champ lexical de l'argent.
3. Expliquez : « légalement, sinon légitimement ».

Monsieur Grandet, encore nommé par certaines gens le père Grandet, mais le nombre de ces vieillards diminuait sensiblement, était en 1789 un maître-tonnelier fort à son aise, sachant lire, écrire et compter. Dès que la République
5 française mit en vente, dans l'arrondissement de Saumur, les biens du clergé, le tonnelier, alors âgé de quarante ans, venait d'épouser la fille d'un riche marchand de planches. Grandet alla, muni de sa fortune liquide et de la dot, muni de deux mille louis d'or, au district, où, moyennant deux
10 cents doubles louis offerts par son beau-père au farouche républicain qui surveillait la vente des domaines nationaux, il eut pour un morceau de pain, légalement, sinon légitimement, les plus beaux vignobles de l'arrondissement, une vieille abbaye et quelques métairies. […] Il fut
15 nommé membre de l'administration du district de Saumur, et son influence pacifique s'y fit sentir politiquement et commercialement.

Honoré de Balzac, *Eugénie Grandet*, 1833.

LES PROCÉDÉS PRIVILÉGIÉS DE L'ÉCRIVAIN RÉALISTE

EXERCICE 11 •

1. À travers quels points de vue successifs le lecteur découvre-t-il les personnages ? À quel moment précis passe-t-on d'un point de vue à un autre ?
2. Recopiez le tableau suivant et relevez l'ensemble des caractéristiques attribuées à chaque personnage.

Madame de Bargeton	Lucien de Rubempré

3. Quel jugement chaque personnage porte-t-il sur l'autre ? Expliquez les raisons de ce jugement.

Venu de province, Lucien de Rubempré découvre la vie parisienne en compagnie de sa maîtresse, madame de Bargeton.

Cette soirée fut remarquable par la répudiation[1] secrète d'une grande quantité de ses idées sur la vie de province. Le cercle s'élargissait, la société prenait d'autres proportions. Le voisinage de plusieurs jolies
5 Parisiennes si élégamment, si fraîchement mises, lui fit remarquer la vieillerie de la toilette de Mme de Bargeton, quoiqu'elle fût passablement ambitieuse : ni les étoffes, ni les façons, ni les couleurs n'étaient de mode. La coiffure qui le séduisait tant à Angoulême lui parut
10 d'un goût affreux comparée aux délicates inventions par lesquelles se recommandait chaque femme. – Va-t-elle rester comme ça ? se dit-il, sans savoir que la journée

avait été employée à préparer une transformation. […]
De son côté, Mme de Bargeton se permettait d'étranges
15 réflexions sur son amant. Malgré son étrange beauté, le pauvre poète n'avait point de tournure.

Sa redingote dont les manches étaient trop courtes, ses méchants gants de province, son gilet étriqué, le rendaient prodigieusement ridicule auprès des jeunes gens
20 du balcon : Madame de Bargeton lui trouvait un air piteux.

Honoré de Balzac, *Illusions perdues*, 1843.

1. la répudiation : le rejet.

EXERCICE 12 ••

1. Comment la description s'organise-t-elle dans le passage suivant ? Étudiez sa progression.
2. Quels détails renforcent l'impression de réalité ?

Ce soir-là, ils dînèrent dans une auberge, au bord de la Seine. La table était près de la fenêtre, Rosanette en face de lui ; et il contemplait son petit nez fin et blanc, ses lèvres retroussées, ses yeux clairs, ses bandeaux châtains qui bouffaient, sa jolie figure ovale. Sa robe de foulard écru collait à ses épaules un peu tombantes ; et, sortant de leurs manchettes tout unies, ses deux mains découpaient, versaient à boire, s'avançaient sur la nappe. On leur servit un poulet avec les quatre membres étendus, une matelote d'anguilles dans un compotier en terre de pipe, du vin râpeux, du pain trop dur, des couteaux ébréchés. Tout cela augmentait le plaisir, l'illusion. Ils se croyaient presque au milieu d'un voyage, en Italie, dans leur lune de miel.

Gustave Flaubert, *L'Éducation sentimentale*, 1869.

EXERCICE 13 ••

1. Relevez l'ensemble des noms de lieux cités dans le texte. Quel effet le narrateur cherche-t-il à produire ?
2. À travers quel point de vue le lecteur découvre-t-il la boutique de l'écrivain public ?
3. Pourquoi le narrateur reproduit-il l'inscription écrite sur la porte ?

La baronne et le fumiste[1] sortirent pour aller au passage du Soleil.

– Par ici, madame, dit le fumiste en montrant la rue de la Pépinière.
5 Le passage du Soleil est, en effet, au commencement de la rue de la Pépinière et débouche rue du Rocher. Au milieu de ce passage, de création récente et dont les boutiques sont d'un prix très modique, la baronne aperçut, au-dessus d'un vitrage garni de taffetas[2] vert à une
10 hauteur qui ne permettait pas aux passants de jeter des regards indiscrets : Écrivain public, et sur la porte :

CABINET D'AFFAIRES
*Ici l'on rédige les pétitions,
on met les mémoires au net, etc.
Discrétion, célérité.*

Honoré de Balzac, *La Cousine Bette*, 1846.

1. fumiste : ramoneur. 2. taffetas : tissu.

QUESTIONS

ANALYSE ▶
1. Quel est l'effet produit par l'insertion de la lettre dans le récit ?
2. Relevez ce qui caractérise les souvenirs d'Emma Bovary. À quels termes les associe-t-elle dans la série d'exclamations qui exprime ses pensées ?
3. Analysez la métaphore des lignes 15-17. De quelle manière le narrateur souligne-t-il la perte par Emma de ses illusions ?
4. À travers quelle technique d'écriture le désarroi du personnage s'exprime-t-il dans les deux derniers paragraphes ? Analysez le contraste qui existe entre l'état d'âme du personnage et la réalité qui l'entoure.

ENTRAÎNEMENT ▶
AU COMMENTAIRE

Montrez que ce texte présente toutes les caractéristiques du roman réaliste.

Dans Madame Bovary, *Gustave Flaubert raconte les désillusions d'une jeune épouse accablée par l'ennui. Une lettre de son père ravive sa nostalgie du passé…*

Le cadeau arrivait toujours avec une lettre. Emma coupa la corde qui la retenait au panier, et lut les lignes suivantes :

« Mes chers enfants,
J'espère que la présente vous trouvera en bonne santé […] Il me fait deuil de ne pas
5 *connaître encore ma bien-aimée petite-fille Berthe Bovary. J'ai planté pour elle, dans le jardin, sous ta chambre, un prunier de prunes d'avoine, et je ne veux pas qu'on y touche, si ce n'est pour lui faire plus tard des compotes, que je garderai dans l'armoire, à son intention, quand elle viendra.*
Adieu, mes chers enfants. Je t'embrasse, ma fille ; vous aussi, mon gendre, et la
10 *petite, sur les deux joues.*
Je suis, avec bien des compliments,

Votre tendre père,
Théodore ROUAULT. »

Elle resta quelques minutes à tenir entre ses doigts ce gros papier. Les fautes
15 d'orthographe s'y enlaçaient les unes aux autres, et Emma poursuivait la pensée douce qui caquetait tout au travers comme une poule à demi cachée dans une haie d'épines. On avait séché l'écriture avec les cendres du foyer, car un peu de poussière grise glissa de la lettre sur sa robe, et elle crut presque apercevoir son père se courbant vers l'âtre pour saisir les pincettes. Comme il y avait long-
20 temps qu'elle n'était plus auprès de lui, sur l'escabeau, dans la cheminée, quand elle faisait brûler le bout d'un bâton à la grande flamme des joncs marins qui pétillaient !... Elle se rappela des soirs d'été tout pleins de soleil. Les poulains hennissaient quand on passait, et galopaient, galopaient... Il y avait sous sa fenêtre une ruche à miel, et quelquefois les abeilles, tournoyant dans la lumière, frap-
25 paient contre les carreaux comme des balles d'or rebondissantes. Quel bonheur dans ce temps-là ! quelle liberté ! quel espoir ! quelle abondance d'illusions ! Il n'en restait plus maintenant ! Elle en avait dépensé à toutes les aventures de son âme, par toutes les conditions successives, dans la virginité, dans le mariage et dans l'amour – les perdant ainsi continuellement le long de sa vie, comme un
30 voyageur qui laisse quelque chose de sa richesse à toutes les auberges de la route.
Mais qui donc la rendait si malheureuse ? Où était la catastrophe extraordinaire qui l'avait bouleversée ? Et elle releva la tête, regardant autour d'elle, comme pour chercher la cause de ce qui la faisait souffrir.
Un rayon d'avril chatoyait sur les porcelaines de l'étagère ; le feu brûlait ; elle
35 sentait sous ses pantoufles la douceur du tapis ; le jour était blanc, l'atmosphère tiède, et elle entendit son enfant qui poussait des éclats de rire.

GUSTAVE FLAUBERT, *Madame Bovary*, 1857.

Le roman et la nouvelle naturalistes

Dans la seconde moitié du XIXe siècle, Émile Zola regroupe autour de lui une génération de jeunes écrivains qui, appliquant ses principes dans leurs romans et leurs nouvelles, donnent naissance au mouvement naturaliste.

OBSERVATION

Les principes
du naturalisme

Les thèmes
du naturalisme

[ ] Les procédés
du naturalisme

La parution de L'Assommoir, *en 1877, rend Émile Zola célèbre grâce au scandale qui l'accompagne. L'écrivain s'impose comme le théoricien du naturalisme.*

Texte A

Mon œuvre me défendra. C'est une œuvre de vérité, le premier roman sur le peuple, qui ne mente pas et qui ait l'odeur du peuple. Et il ne faut point conclure que le peuple tout entier est mauvais, car mes personnages ne sont pas mauvais, ils ne sont qu'ignorants et gâtés par le milieu de
5 rude besogne et de misère où ils vivent.

ÉMILE ZOLA, Préface de *L'Assommoir*, 1877.

Texte B

Elle étouffait, les yeux brûlés, la tête déjà alourdie par l'odeur d'alcool qui s'exhalait de la salle entière. Puis, brusquement, elle eut la sensation d'un malaise plus inquiétant derrière son dos. Elle se tourna, elle aperçut l'alambic¹, la machine à soûler, fonctionnant sous le vitrage de
5 l'étroite cour, avec la trépidation profonde de sa cuisine d'enfer. [Le soir, les cuivres étaient plus mornes, allumés seulement sur leur rondeur d'une large étoile rouge ; et l'ombre de l'appareil, contre la muraille du fond, dessinait des abominations, des figures avec des queues, des monstres ouvrant leurs mâchoires comme pour avaler le monde.]
10 – [Dis donc, Marie-bon-Bec, ne fais pas ta gueule !] cria Coupeau. [Tu sais, à Chaillot² les rabat-joie !… Qu'est-ce que tu veux boire ?]
– Rien, bien sûr, répondit la blanchisseuse. Je n'ai pas dîné, moi.
– Eh bien ! raison de plus ; ça soutient, une goutte de quelque chose.
Mais, comme elle ne se déridait pas, Mes-Bottes se montra galant de
15 nouveau.
– Madame doit aimer les douceurs, murmura-t-il.

ÉMILE ZOLA, *L'Assommoir*, 1877.

1. l'alambic : appareil servant à distiller l'alcool.

2. à Chaillot : expression d'argot parisien signifiant : « Va te promener ailleurs ! »

QUESTIONS

1. Quelle fonction Émile Zola attribue-t-il au roman dans le texte A ? Sous quelle forme retrouve-t-on l'influence néfaste du milieu social dans le texte B ?

2. À la lecture du texte B, quels reproches ont, selon vous, été adressés à *L'Assommoir* ? Recherchez dans cette scène ce qui menace le destin de Gervaise.

3. Relevez des exemples d'utilisation du langage familier : pourquoi l'écrivain naturaliste utilise-t-il ce procédé ?

1 Les principes du naturalisme

Les naturalistes s'appuient sur les recherches scientifiques pour transposer dans le roman les lois de l'hérédité et l'influence du milieu sur les individus.

■ **Montrer le rôle de l'hérédité.** L'écrivain fait du roman le laboratoire où il observe l'influence des lois de l'hérédité sur les personnages.

→ La fresque des *Rougon-Macquart* de Zola explore l'arbre généalogique d'une famille marquée par une « fêlure » transmise de génération en génération.

■ **Mettre en évidence l'influence du milieu.** L'écrivain souligne l'importance du contexte familial dans le développement des individus. Le milieu social présente une série d'épreuves dont seuls les plus forts peuvent triompher.

→ Les vingt romans des *Rougon-Macquart* explorent le milieu des mineurs, des employés, des cheminots, des ouvriers, de la finance, etc.

■ **Dénoncer les défauts de la société.** L'écrivain montre la misère, les vices et les fléaux de la société. De nombreux romans connaissent ainsi un scandale lors de leur parution :

→ *L'Assommoir* de Zola dénonce les ravages de l'alcoolisme chez les ouvriers ; *Boule de Suif* de Maupassant présente l'humiliation de la prostituée.

2 Les thèmes essentiels du naturalisme

Les romanciers naturalistes développent leur vision d'un monde partagé entre la force des pulsions, les bouleversements de la révolution industrielle et la menace de la mort.

■ **La puissance des instincts.** Le récit met en évidence la force brutale des instincts. Il représente des personnages entraînés par des pulsions qui les dépassent.

→ *Germinie Lacerteux* des frères Goncourt ; *La Bête humaine* de Zola ; *Le Journal d'une femme de chambre* d'Octave Mirbeau.

■ **La lutte pour la vie.** Influencé par la science, l'écrivain crée des personnages qui s'efforcent d'échapper au déclin, à la maladie et à la mort. Il fait souvent partager au lecteur une vision pessimiste de l'Homme et de la société.

→ Les mineurs de *Germinal* chez Zola ; l'héroïne désanchantée d'*Une vie* de Maupassant ; la prostituée de *La Fille Élisa* d'Edmond de Goncourt.

■ **Les mutations du monde moderne.** Le roman décrit les profonds bouleversements subis par la société de la seconde moitié du XIXe siècle.

→ La révolution industrielle et l'essor du chemin de fer, les travaux d'Haussmann à Paris, la naissance des grands magasins, le développement de la presse écrite...

Repère

Le naturalisme

Au XVIIIe siècle, le naturalisme désigne le système philosophique de ceux pour qui la nature est le principe fondamental de l'univers. Au XIXe siècle, Émile Zola donne au mot un nouvel éclat en fondant l'école naturaliste qui rassemble les écrivains qui veulent peindre la société en utilisant la démarche scientifique.

3 Les procédés privilégiés de l'écrivain naturaliste

Le romancier naturaliste conserve les procédés du réalisme, qu'il amplifie.

PROCÉDÉS	EXPLICATIONS	EXEMPLES
L'amplification épique	Les descriptions donnent aux machines, aux lieux et aux personnages une dimension mythique.	Le puits de mine, la locomotive, le grand magasin, la bourse, le jardin deviennent des êtres vivants, souvent monstrueux, sous la plume de Zola.
Le dossier documentaire et le vocabulaire technique	L'écrivain mène une enquête sur les lieux de son roman. Il utilise le lexique de chaque métier.	« Il était tombé dans les qualités thérapeutiques de la source, bicarbonatée, sodique, mixte, acidulée, lithinée, ferrugineuse, etc. » (Maupassant)
L'usage du langage populaire	Les personnages s'expriment dans un langage populaire. L'usage du discours direct amplifie l'effet de réalité.	« Eh ! voyons, ne fais pas ta tête, tu vois bien que je blague. Tiens, je t'offre de fioler avec nous une tasse de café. » (Huysmans)

LES PRINCIPES DU NATURALISME

EXERCICE 1 •

1. Classez les auteurs suivants par ordre chronologique :
Hugo – Montesquieu – Huysmans – Maupassant – Flaubert – Molière – Zola – Apollinaire
2. Parmi eux, lesquels sont naturalistes ?

EXERCICE 2 •

1. Quelle est l'intention du dessinateur en associant Honoré de Balzac et Émile Zola ?
2. Quelle image cette caricature donne-t-elle de Zola ?

Émile Zola par André Gill, *Les Hommes d'aujourd'hui*, 1878.

EXERCICE 3 •

Quelle est la fonction du roman pour les frères Goncourt ? Pourquoi peut-on dire qu'ils sont naturalistes ?

Aujourd'hui que le roman s'est imposé les études et les devoirs de la science, il peut en revendiquer les libertés et les franchises. Et qu'il cherche l'art et la vérité ; qu'il montre des misères bonnes à ne pas laisser oublier aux
5   heureux de Paris ; qu'il fasse voir aux gens du monde ce que les dames de charité ont le courage de voir, ce que les reines d'autrefois faisaient toucher de l'œil à leurs enfants dans les hospices : la souffrance humaine, présente et toute vive.

Edmond et Jules de Goncourt,
Préface de *Germinie Lacerteux*, 1864.

EXERCICE 4 ••

1. Reformulez le projet défini par Zola dans la préface du premier volume des *Rougon-Macquart*.
2. Expliquez la phrase : « L'hérédité a ses lois, comme la pesanteur. »
3. Recherche documentaire. Faites une recherche sur Internet et réalisez une fiche de synthèse sur *Les Rougon-Macquart* (titre complet, titres des romans, principaux personnages, citations, époque et lieux de l'action, etc.).

Je veux expliquer comment une famille, un petit groupe d'êtres, se comporte dans une société, en s'épanouissant pour donner naissance à dix, à vingt individus qui paraissent, au premier coup d'œil, profondément
5   dissemblables, mais que l'analyse montre intimement liés les uns aux autres. L'hérédité a ses lois, comme la pesanteur.

Émile Zola, Préface de *La Fortune des Rougon*, 1871

EXERCICE 5 •••

1. Relevez, dans le texte suivant, le champ lexical de l'hérédité. Comment expliquer cette forte présence ?
2. Sur quel contraste repose le bilan que tire Clotilde de l'histoire de sa famille ?
3. En définitive, cette vision de l'humanité est-elle optimiste ou pessimiste ? Justifiez votre réponse.

À la fin de la série des Rougon-Macquart, *Clotilde Rougon, qui vient d'avoir un enfant, s'interroge devant l'arbre généalogique de la famille dont Zola a raconté l'histoire.*

L'œuvre était bonne, quand il y avait l'enfant, au bout de l'amour. Dès lors, l'espoir se rouvrait, malgré les plaies étalées, le noir tableau des hontes humaines. C'était la vie perpétuée, tentée encore, la vie qu'on ne se lasse pas
5   de croire bonne, puisqu'on la vit avec tant d'acharnement, au milieu de l'injustice et de la douleur.
Clotilde avait eu un regard involontaire sur l'Arbre des ancêtres, déployé près d'elle. Oui ! la menace était là, tant de crimes, tant de boue, parmi tant de larmes et tant
10   de bonté souffrante ! Un si extraordinaire mélange de l'excellent et du pire, une humanité en raccourci, avec toutes ses tares et toutes ses luttes ! C'était à se demander si, d'un coup de foudre, il n'aurait pas mieux valu balayer cette fourmilière gâtée et misérable. Et, après tant de
15   Rougon terribles, après tant de Macquart abominables, il en naissait encore un. La vie ne craignait pas d'en créer un de plus, dans le défi brave de son éternité. Elle poursuivait son œuvre, se propageait selon ses lois, indifférente aux hypothèses, en marche pour son labeur infini.
20   Au risque de faire des monstres, il fallait bien qu'elle créât, puisque, malgré les malades et les fous qu'elle crée, elle ne se lasse pas de créer, avec l'espoir sans doute que les bien portants et les sages viendront un jour.

Émile Zola, *Le Docteur Pascal*, 1893.

LES THÈMES ESSENTIELS DU NATURALISME

EXERCICE 6 •

Classez les titres de romans naturalistes suivants selon qu'ils renvoient à la puissance des instincts, aux mutations du monde moderne ou à la lutte pour la vie.

- *Une vie*, Guy de Maupassant
- *La Lutte pour l'amour*, Oscar Méténier
- *L'Argent*, Émile Zola
- *Le Calvaire*, Octave Mirbeau
- *La Bête humaine*, Émile Zola
- *Germinal*, Émile Zola
- *La Course à la mort*, Édouard Rod
- *Au Bonheur des Dames*, Émile Zola
- *Misère humaine*, Guy de Maupassant (nouvelle)
- *Un mâle*, Camille Lemonnier

EXERCICE 7 •

1. Relevez ce qui, dans le portrait de Jacques, en fait un être à la fois séduisant et menaçant.
2. Comment s'explique, selon vous, le titre du roman ?

Dans La Bête humaine, *Séverine s'interroge sur l'attitude étrange de son compagnon, Jacques, sans s'apercevoir que celui-ci est habité par de dangereuses pulsions criminelles.*

Cependant, elle, qui croyait bien connaître Jacques, s'étonnait. Il avait sa tête ronde de beau garçon, ses cheveux frisés, ses moustaches très noires, ses yeux bruns diamantés d'or ; mais sa mâchoire inférieure avançait
5 tellement, dans une sorte de coup de gueule, qu'il s'en trouvait défiguré. En passant près d'elle, il venait de la regarder, comme malgré lui, et l'éclat de ses yeux s'était terni d'une fumée rousse, tandis qu'il se rejetait en arrière, d'un recul de tout son corps. Qu'avait-il donc
10 à l'éviter ? Était-ce que son courage, une fois de plus, l'abandonnait ? Depuis quelque temps, dans l'ignorance du continuel danger de mort où elle était avec lui, elle expliquait la peur sans cause, instinctive, qu'elle éprouvait, par le pressentiment d'une rupture prochaine.

ÉMILE ZOLA, *La Bête humaine*, 1890.

EXERCICE 8 ••

1. Analysez ce qui, dans le portrait du père Dugué, insiste sur sa vieillesse et son déclin.
2. Commentez, dans le deuxième paragraphe, le contraste établi entre le personnage et la nature qui l'entoure.

Maintenant, le bonhomme était vieux. Ses cheveux avaient blanchi sur sa figure rouge et ravinée par les rides : son grand corps maigre, jadis si robuste, se cassait en deux et s'inclinait, de plus en plus, vers la terre ; la
5 force abandonnait ses membres qui tremblaient sous le moindre fardeau s'épuisaient à la moindre fatigue. Il dut se résigner à quitter le travail.

Le soir qu'il revint, pour la dernière fois, avant de remiser, au fond du cellier, ses outils désormais inutiles, le père
10 Dugué alla dans le jardin, d'où l'on apercevait, par-dessus la haie d'épines taillées, les champs qui s'étendaient au loin. Sous le ciel crépusculaire, les champs s'endormaient, toujours forts, toujours beaux. La sève battait en eux, comme bat le sang aux veines des jeunes gens. Et
15 longtemps il contempla cette terre, la « tè » bien aimée, la « tè » triomphante, la « tè » que la neige des hivers ne refroidit jamais, que ne dévore jamais l'incendie des étés, qui renaît toujours plus splendide de ses éternels enfantements, sur laquelle les hommes, les idées et les siècles
20 passent sans y laisser la trace de leurs querelles, de leurs avortements, de leurs ruines, la « tè » où bientôt il reposerait ses bras, devenus trop faibles pour l'étreindre, où il coucherait ses reins devenus trop vieux pour la féconder.

OCTAVE MIRBEAU, *La Mort du père Dugué*, 1885.

EXERCICE 9 ••

1. Relevez l'ensemble des termes qui désignent le nouveau-né : quelle image l'auteur l'en donne-t-il ? Pourquoi ?
2. À travers quelles expressions et quels procédés le naturaliste souligne-t-il la puissance de l'instinct maternel ?
3. Commentez la dernière phrase du texte.

Elle se tendit dans un effort suprême pour rejeter d'elle ce fardeau. Il lui sembla soudain que tout son ventre se vidait brusquement ; et sa souffrance s'apaisa.

La garde et le médecin étaient penchés sur elle, la
5 maniaient. Ils enlevèrent quelque chose ; et bientôt ce bruit étouffé qu'elle avait entendu déjà la fit tressaillir ; puis ce petit cri douloureux, ce miaulement frêle d'enfant nouveau-né lui entra dans l'âme, dans le cœur, dans tout son pauvre corps épuisé ; et elle voulut, d'un geste
10 inconscient, tendre les bras.

Ce fut en elle une traversée de joie, un élan vers un bonheur nouveau, qui venait d'éclore. Elle se trouvait, en une seconde, délivrée, apaisée, heureuse, heureuse comme elle ne l'avait jamais été. Son cœur et sa chair se
15 ranimaient, elle se sentait mère !

Elle voulut connaître son enfant ! Il n'avait pas de cheveux, pas d'ongles, étant venu trop tôt ; mais lorsqu'elle vit remuer cette larve, qu'elle la vit ouvrir la bouche, pousser des vagissements, qu'elle toucha cet avorton,
20 fripé, grimaçant, vivant, elle fut inondée d'une joie irrésistible, elle comprit qu'elle était sauvée, garantie contre tout désespoir, qu'elle tenait là de quoi aimer à ne savoir plus faire autre chose.

Dès lors elle n'eut plus qu'une pensée : son enfant.
25 Elle devint subitement une mère fanatique, d'autant plus exaltée qu'elle avait été plus déçue dans son amour, plus trompée dans ses espérances. Il lui fallait toujours le berceau près de son lit, puis, quand elle put se lever, elle resta des journées entières assise contre la fenêtre, auprès
30 de la couche légère qu'elle balançait.

GUY DE MAUPASSANT, *Une vie*, 1883.

EXERCICE 10 ● ● ●

1. Repérez, dans le texte, tout ce qui souligne l'agitation provoquée par l'ouverture du grand magasin.
2. Relevez les termes qui appartiennent au champ lexical du bruit. Expliquez l'intérêt de ce procédé.
3. À quoi le magasin est-il comparé ? Analysez la dernière phrase du texte.

Octave Mouret est le directeur du premier grand magasin parisien, Au Bonheur des Dames. *Il observe l'agitation provoquée par la réussite de son entreprise.*

La vue des galeries, au rez-de-chaussée, le rassurait surtout : on s'écrasait devant la mercerie, le blanc et les lainages eux-mêmes étaient envahis, le défilé des ache-teuses se serrait, presque toutes en chapeau à présent,
5 avec quelques bonnets de ménagères attardées. Dans le hall des soieries, sous la blonde lumière, des dames s'étaient dégantées, pour palper doucement des pièces de Paris-Bonheur[1], en causant à demi-voix. Et il ne se trom-pait plus aux bruits qui lui arrivaient du dehors, rou-
10 lements de fiacres, claquement de portières, brouhaha grandissant de foule. Il sentait, à ses pieds, la machine se mettre en branle, s'échauffer et revivre, depuis les caisses où l'or sonnait, depuis les tables où les garçons de magasin se hâtaient d'empaqueter les marchandises,
15 jusqu'aux profondeurs du sous-sol, au service du départ, qui s'emplissait de paquets descendus, et dont le gronde-ment souterrain faisait vibrer la maison.

ÉMILE ZOLA, *Au Bonheur des Dames*, 1883.

1. des pièces de Paris-Bonheur : des pièces de tissu.

LES PROCÉDÉS PRIVILÉGIÉS DU NATURALISME

EXERCICE 11 ●

1. Relevez, dans les textes suivants, l'ensemble des termes d'argot utilisés par les personnages.
2. Par quels termes contemporains pourrait-on les rempla-cer ? Quel peut être l'intérêt de cette utilisation ?
3. **Entraînement à la dissertation.** Rédigez un paragraphe argumenté et illustré d'exemples dans lequel vous montre-rez comment l'écrivain utilise l'argot dans ses romans.

Texte A

« Comment ! c'est cet aristo de Cadet-Cassis[1] ! cria Mes-Bottes, en appliquant une rude tape sur l'épaule de Coupeau. Un joli monsieur qui fume du papier et qui a du linge !… On veut donc épater sa connaissance, on lui
5 paie des douceurs !

— Hein ! ne m'embête pas, répondit Coupeau, très contrarié.

Mais l'autre ricanait.

« Suffit ! on est à la hauteur, mon bonhomme… »

ÉMILE ZOLA, *L'Assommoir*, 1877.

1. Cadet-Cassis : surnom de Coupeau.

Texte B

— Quelqu'un a-t-il à redire ? demanda rudement Jacques.

Il n'y eut pas de réclamation, mais le Vieux demanda d'une voix passionnée :
5 — Combien ?

— On va le savoir. Faut d'abord que je dise un mot. Et tâchez voir de bien ouvrir vos escouanes ! C'est fini d'être gosses. On est des gonces… On commence aujourd'hui une vie sérieuse. Alors, voilà ce que j'ai à dire : si jamais
10 y en avait un de vous autres qui donnait un poteau, je promets qu'il n'y coupera pas d'avaler sa fourchette.

J.-H. ROSNY AÎNÉ, *Dans les rues, roman de mœurs apaches et bourgeoises*, 1913.

EXERCICE 12 ● ●

1. Quel champ lexical domine dans le texte suivant ? Relevez les termes qui le composent, justifiez son emploi.
2. Quel est l'effet recherché par l'énumération des différents ateliers de construction ? Sur quelles recherches le roman-cier a-t-il pu s'appuyer, selon vous ?
3. Repérez l'ensemble des termes techniques utilisés. Quelle est l'intention de l'auteur ?

Par désœuvrement, elles observaient les moindres détails du chemin de fer, le miroitement des poignées de cuivre des voitures, les bouillons de leurs vitres ; écou-taient le tic tac du télégraphe, le bruit doux que font les
5 wagons qui glissent, poussés par des hommes ; considé-raient les couleurs différentes des fumées de machines, des fumées qui variaient du blanc au noir, du bleu au gris et se teintaient parfois de jaune, du jaune sale et pesant des bains de barège[1] ; et elles reconnaissaient
10 chaque locomotive, savaient son nom, lisaient sur son flanc l'usine où elle était née : chantiers et ateliers de l'océan, Cail et cie, usine de Graffenstaden, Koechlin à Mulhouse, Schneider au Creusot, Gouin aux Batignolles, Claparède à Saint-Denis, participation Cail, Parent,
15 Schalken et cie de Fives-Lille ; et elles se montraient la différence des bêtes, les frêles et les fortes, les petiotes sans tenders pour les trains de banlieue, les grosses pataudes pour les convois à marchandises.

Puis, leur attention se fixait sur une machine en panne,
20 et elles regardaient le monstrueux outillage de ses roues, le remuement d'abord silencieux et doux des pistons entrant dans les cylindres, puis leurs efforts multipliés, leurs va-et-vient rapides, toute l'effroyable mêlée de ces bielles et de ces tiges ; elles regardaient les éclairs de la
25 boîte à feu, les dégorgements des robinets de vidange et de purge ; elles écoutaient le hoquet de la locomotive qui se met en marche, le sifflement saccadé de ses jets, ses cris stridulés, ses ahans[2] rauques.

J.-K. HUYSMANS, *Les Sœurs Vatard*, 1879.

1. barège : produit chimique.
2. ahans : respiration bruyante accompagnant un effort.

ANALYSE ▶
1. Dans quelle situation se trouvent les personnages présents dans cet extrait de *Germinal* ?
2. En vous appuyant sur les comparaisons et les métaphores, analysez la description des lignes 7 à 18. Comment la machine est-elle représentée ?

ENTRAÎNEMENT ▶
AU COMMENTAIRE
Commentez le texte en montrant comment l'auteur a recours aux procédés de l'amplification épique?

Germinal s'achève sur l'explosion du Voreux, le puits de mine dans lequel travaillent dans des conditions épouvantables les personnages du roman naturaliste d'Émile Zola.

Et, brusquement, comme les ingénieurs s'avançaient avec prudence, une suprême convulsion du sol les mit en fuite. Des détonations souterraines éclataient, toute une artillerie monstrueuse cartonnant le gouffre. À la surface, les dernières constructions se culbutaient, s'écrasaient.
5 D'abord, une sorte de tourbillon emporta les débris du criblage et de la salle de recette. Le bâtiment des chaudières creva ensuite, disparut. Puis, ce fut la tourelle carrée où râlait la pompe d'épuisement, qui tomba sur la face, ainsi qu'un homme fauché par un boulet. Et l'on vit alors une effrayante chose, on vit la machine, disloquée sur son massif, les membres
10 écartelés, lutter contre la mort : elle marcha, elle détendit sa bielle, son genou de géante, comme pour se lever ; mais elle expirait, broyée, engloutie. Seule, la haute cheminée de trente mètres restait debout, secouée, pareille à un mât dans l'ouragan. On croyait qu'elle allait s'émietter et voler en poudre, lorsque, tout d'un coup, elle s'enfonça d'un bloc, bue par
15 la terre, fondue ainsi qu'un cierge colossal ; et rien ne dépassait, pas même la pointe du paratonnerre. C'était fini, la bête mauvaise, accroupie dans ce creux, gorgée de chair humaine, ne soufflait plus de son haleine grosse et longue. Tout entier, le Voreux venait de couler à l'abîme.
Hurlante, la foule se sauva. Des femmes couraient en se cachant les
20 yeux. L'épouvante roula des hommes comme un tas de feuilles sèches. On ne voulait pas crier, et on criait, la gorge enflée, les bras en l'air, devant l'immense trou qui s'était creusé. Ce cratère de volcan éteint, profond de quinze mètres, s'étendait de la route au canal, sur une largeur de quarante mètres au moins. Tout le carreau de la mine y avait suivi les bâtiments, les
25 tréteaux gigantesques, les passerelles avec leurs rails, un train complet de berlines, trois wagons ; sans compter la provision des bois, une futaie de perches coupées, avalées comme des pailles. Au fond, on ne distinguait plus qu'un gâchis de poutres, de briques, de fer, de plâtre, d'affreux restes pilés, enchevêtrés, salis, dans cet encagement de la catastrophe.

ÉMILE ZOLA, *Germinal*, 1885.

SUJET VERS LE BAC

Le sujet comprend :

TEXTE A : Honoré de Balzac, *Le Père Goriot*, 1835.

TEXTE B : Michel Tournier, *Le Vol du vampire*, Éd. Mercure de France, 1981.

DOCUMENTS ICONOGRAPHIQUES : Honoré Daumier, *Le Père Goriot* et *Vautrin*

OBJET D'ÉTUDE : Le roman et la nouvelle au xixᵉ siècle : réalisme et naturalisme.

TEXTE A

Honoré de Balzac,
Le Père Goriot.

Dans La Comédie humaine, Balzac fait le tableau réaliste de la société du xixᵉ siècle. On rencontre ainsi, dans le roman intitulé Le Père Goriot, les pensionnaires de la maison Vauquer parmi lesquels vit un forçat évadé, Jacques Collin connu de tous sous le pseudonyme de Vautrin.

Bientôt le silence régna dans la salle à manger, les pensionnaires se séparèrent pour livrer passage à trois de ces hommes qui tous avaient la main dans leur poche de côté et y tenaient un pistolet armé. Deux gendarmes qui suivaient les agents occupèrent la porte du salon, et deux
5   autres se montrèrent à celle qui sortait par l'escalier. Le pas et les fusils de plusieurs soldats retentirent sur le pavé caillouteux qui longeait la façade. Tout espoir de fuite fut donc interdit à Trompe-la-Mort¹, sur qui tous les regards s'arrêtèrent irrésistiblement. Le chef alla droit à lui, commença par lui donner sur la tête une tape si violemment appliquée
10 qu'il fit sauter la perruque et rendit à la tête de Collin toute son horreur. Accompagnées de cheveux rouge brique et courts qui leur donnaient un épouvantable caractère de force mêlée de ruse, cette tête et cette face, en harmonie avec le buste, furent intelligemment illuminées comme si les feux de l'enfer les eussent éclairées. Chacun comprit tout Vautrin, son
15 passé, son présent, son avenir, ses doctrines implacables, la religion de son bon plaisir, la royauté que lui donnaient le cynisme² de ses pensées, de ses actes, et la force d'une organisation faite à tout. Le sang lui monta au visage, et ses yeux brillèrent comme ceux d'un chat sauvage. Il bondit sur lui-même par un mouvement empreint d'une si féroce énergie, il rugit
20 si bien qu'il arracha des cris de terreur à tous les pensionnaires. À ce geste de lion, et s'appuyant de la clameur générale, les agents tirèrent leurs pistolets. Collin comprit son danger en voyant briller le chien³ de chaque arme, et donna tout à coup la preuve de la plus haute puissance humaine. Horrible et majestueux spectacle ! Sa physionomie présenta un
25 phénomène qui ne peut être comparé qu'à celui de la chaudière pleine de cette vapeur fumeuse qui soulèverait des montagnes, et que dissout en un clin d'œil une goutte d'eau froide. La goutte d'eau qui froidit sa rage fut une réflexion rapide comme un éclair. Il se mit à sourire et regarda sa perruque.
30   « Tu n'es pas dans tes jours de politesse, dit-il au chef de la police de sûreté. Et il tendit ses mains aux gendarmes en les appelant par un signe de tête. Messieurs les gendarmes, mettez-moi les menottes ou les poucettes⁴. Je prends à témoin les personnes présentes que je ne résiste pas. »

1. Trompe-la-Mort :
surnom donné à Vautrin.

2. cynisme : qui brave
les principes moraux.

3. le chien : le percuteur
du pistolet ou du fusil.

4. les poucettes : chaînettes
pour attacher les pouces.

HONORÉ DE BALZAC, *Le Père Goriot*, 1835.

TEXTE B

Michel Tournier,
Le Vol du vampire.

Romancier et critique littéraire, Michel Tournier analyse avec précision les caractéristiques du personnage de Vautrin en s'appuyant sur des citations du texte de Balzac.

C'est Vautrin qui illustre de la façon la plus écrasante l'équation muscle = crime. Deux traits physiques le poussent plus loin que les autres dans la bestialité. À sa force colossale s'ajoutent en effet le poil et la rousseur. Il teint ses favoris[1], mais ses mains épaisses s'adornent à
5 chaque phalange de « bouquets de poils touffus et d'un roux ardent ». La rousseur, encore un détail qui dans la peinture traditionnelle caractérise le mauvais, le maudit, à commencer bien entendu par Judas l'Iscariote[2]. Comme la force de Goriot, la rousseur de Vautrin est secrète, et elle n'est dévoilée que lors de son arrestation. On lui
10 arrache sa perruque. Apparaissent alors « des cheveux rouge brique et courts qui lui donnaient un épouvantable caractère de force mêlée de ruse ». Aussitôt ses yeux se mettent à briller « comme ceux d'un chat sauvage », il rugit comme un lion.

MICHEL TOURNIER, *Le Vol du vampire*, Éd. Mercure de France, 1981.

.. les favoris : touffes de poils
e chaque côté du visage.
. Judas l'Iscariote : l'apôtre
ui trahit Jésus-Christ.

DOCUMENTS ICONOGRAPHIQUES

Vautrin et *Le Père Goriot*, **Honoré Daumier.**

Honoré Daumier (1808-1879), *Le Père Goriot*, gravure.   Honoré Daumier (1808-1879), *Vautrin*, gravure.

QUESTIONS

ANALYSE ▶ **1.** Quelles sont les caractéristiques physiques et psychologiques qui font de Vautrin un héros hors du commun ? (texte A)

2. Pourquoi peut-on dire qu'Honoré Daumier reproduit dans ses dessins la dimension réaliste de l'œuvre de Balzac ?

3. Recherchez dans le texte de Balzac (texte A) les caractéristiques du personnage mises en évidence par Michel Tournier (texte B). Quelle est la thèse défendue par ce dernier ? Quels sont les arguments et les exemples apportés ?

ENTRAÎNEMENT À ▶
CRITURE D'INVENTION

Sur le modèle de Michel Tournier, vous analyserez le portrait psychologique de Vautrin. Votre travail intégrera, comme celui de Tournier, des citations commentées du texte de Balzac.

29 Le personnage de roman aux XVIIᵉ et XVIIIᵉ siècles

Aux XVIIᵉ et XVIIIᵉ siècles, le roman trouve sa place grâce à l'apparition de personnages nouveaux qui proposent au lecteur des modèles à suivre ou, au contraire, à rejeter.

OBSERVATION

Texte A
XVIIᵉ siècle,
le personnage de
l'héroïne vertueuse

    La passion

    Le devoir

[ ] L'analyse
    psychologique

Texte B
XVIIIᵉ siècle,
le personnage de
la libertine cynique

    L'hypocrisie

    L'ambition

Texte A

La princesse de Clèves, veuve depuis peu, vient d'avouer au duc de Nemours qu'elle l'aime depuis longtemps. Elle est partagée entre la culpabilité et la passion.

> Quoique la pensée de l'épouser lui fût venue dans l'esprit sitôt qu'elle l'avait revu dans ce jardin, elle ne lui avait pas fait la même impression que venait de faire la conversation qu'elle avait eue avec lui ; et il [y avait des moments où elle avait de la peine à comprendre] qu'elle pût être
> 5 malheureuse en l'épousant.
>   Elle eût bien voulu se pouvoir dire qu'elle était mal fondée[1], et dans ses scrupules du passé, et dans ses craintes de l'avenir. [La raison et son devoir lui montraient], dans d'autres moments, [des choses tout opposées], qui l'emportaient[2] rapidement à la résolution de ne se point rema-
> 10 rier et de ne voir jamais M. de Nemours. Mais [c'était une résolution bien violente à établir dans un cœur aussi touché que le sien].

MADAME DE LAFAYETTE, *La Princesse de Clèves*, 1678

Texte B

La marquise de Merteuil, libertine cynique, fait son autoportrait dans une lettre adressée à son complice, le vicomte de Valmont.

> Entrée dans le monde dans le temps où, fille[3] encore, j'étais vouée par état au silence et à l'inaction, j'ai su en profiter pour observer et réfléchir. Tandis qu'on me croyait étourdie ou distraite, écoutant peu à la vérité les discours qu'on s'empressait à me tenir, je recueillais avec soin ceux qu'on cherchait à me cacher.
>   Cette utile curiosité, en servant à m'instruire, m'apprit encore à dissimuler.

PIERRE CHODERLOS DE LACLOS, *Les Liaisons dangereuses*, 1782

1. était mal fondée : se trompait.
2. l'emportaient : la poussaient à.
3. fille : jeune fille.

QUESTIONS

1. À quel dilemme la princesse de Clèves, dans le texte A, est-elle confrontée ? Pourquoi peut-on parler de roman d'analyse ?

2. Quel portrait Mme de Merteuil propose-t-elle d'elle-même ? En quoi le personnage apparaît-il comme un être cynique et calculateur ?

3. Confrontez le portrait des deux héroïnes. Quelle vision du monde chaque personnage apporte-t-il au lecteur ?

1 Le personnage au XVIIᵉ siècle : un modèle moral

Descendants des héros de chevalerie, les personnages de roman fascinent le public des salons de la préciosité, qui commentent leurs aventures dans des débats passionnés.

1. Le héros précieux

Dans la première moitié du XVIIᵉ siècle, les personnages idéalisés du roman précieux vivent dans un univers raffiné et élégant. Le public des salons est charmé par leurs aventures amoureuses qui permettent les discussions sur les règles de l'amour et de la galanterie.

→ Céladon et Astrée sont les bergers du roman pastoral *L'Astrée*, d'Honoré d'Urfé ; Clélie est l'héroïne du roman galant du même nom de Mlle de Scudéry, qui dresse la carte de Tendre, le pays de l'Amour.

2. L'héroïne vertueuse

Dans la seconde moitié du XVIIᵉ, le roman de Mme de Lafayette, *La Princesse de Clèves*, s'attache à l'analyse psychologique des personnages face aux épreuves de la passion. L'héroïne se présente comme un exemple de vertu par les valeurs qu'elle incarne : fidélité, grandeur d'âme, sens du devoir et du sacrifice.

→ À la suite de la princesse de Clèves, d'autres personnages incarnent cette dimension vertueuse de l'héroïne : Julie dans *La Nouvelle Héloïse* de Rousseau ; Virginie, dans *Paul et Virginie* de Bernardin de Saint-Pierre.

2 Le personnage au XVIIIᵉ siècle : une quête de liberté

En diversifiant ses personnages, le roman contribue à la contestation du pouvoir entreprise par les Lumières.

1. Le héros parvenu

De nombreux héros de roman sont d'origine modeste : paysan, enfant trouvé, étudiant sans fortune... Conduits par la volonté de s'élever dans la société aristocratique, ils vont avec courage à la découverte du monde.

→ Le héros de Lesage dans *Gil Blas de Santillane*, comme ceux de Marivaux – Jacob dans *Le Paysan parvenu* ou Marianne dans *La Vie de Marianne* –, échappent à leur condition médiocre.

2. L'amoureux sensible

Frappé par un coup de foudre, le jeune homme amoureux vit les tourments de la passion. Il fait partager au lecteur des sentiments exacerbés. Sa quête d'un amour idéal s'achève le plus souvent sur un échec.

→ Des Grieux raconte son amour fou pour Manon Lescaut ; dans *La Nouvelle Héloïse*, Saint-Preux doit renoncer à son amour pour Julie, mariée et inaccessible.

3. Le voyageur philosophe

Le personnage porte un regard critique sur le monde. Voyageur étranger dans un pays qu'il découvre, innocent confronté à la cruauté des hommes, il interroge la société au nom des valeurs de la raison et de l'humanité.

→ Usbek, le Persan imaginé par Montesquieu, fait partager ses observations satiriques sur la société française ; Candide, le héros de Voltaire, dénonce le fanatisme qui conduit au malheur des hommes.

4. Le libertin cynique

À travers le personnage du libertin, le roman montre les travers d'une aristocratie corrompue et débauchée, qui a perdu ses valeurs. Aux libertins hypocrites et cruels s'opposent les personnages de victimes innocentes et sincères.

→ Le marquis de Valmont et Mme de Merteuil sont les libertins des *Liaisons dangereuses* de Laclos ; à l'innocente Justine s'oppose la perverse Juliette dans l'œuvre de Sade.

Repère

Le héros

Dans l'Antiquité, le héros désigne un demi-dieu ou un chef militaire exceptionnel. À l'époque de la Renaissance, il désigne un homme de valeur qui mérite l'estime de tous. C'est ainsi que héros ou héroïne renvoient au personnage principal d'une œuvre littéraire. À partir du XXᵉ siècle, on parle d'anti-héros dans le roman et de super héros dans la bande dessinée et au cinéma.

LE HÉROS PRÉCIEUX

EXERCICE 1 •

Classez les écrivains suivants selon qu'ils appartiennent au XVIIᵉ ou au XVIIᵉ siècle :

Montesquieu – Madame de Lafayette – Voltaire – Scarron – Prévost – Diderot – Marivaux – Lesage – Rousseau – Laclos – Mademoiselle de Scudéry

EXERCICE 2 •

Cette carte du pays de Tendre (ci-dessous) illustre le roman de Madeleine de Scudery, *Clélie*. On y retrouve les noms de lieux suivants :

Obéissance, Négligence, Amitié, Sensibilité, Empressement, Assiduité, Petits soins, Soumission, Méchanceté, Médisance, Grand cœur, Perfidie, Indiscrétion, Orgueil, Tendresse, Jolis vers, Tiédeur, Légèreté, Sincérité, Billet doux, Probité, Oubli, Générosité, Exactitude, Billet galant, Respect, Bonté.

Classez les sentiments, objets et attitudes évoqués selon qu'ils entretiennent la passion amoureuse ou constituent un danger pour l'amour.

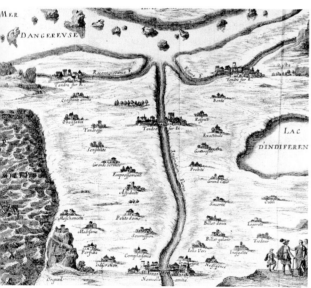

La Carte de Tendre, Chauveau, 1654.

EXERCICE 3 •

Quels détails soulignent le caractère idéalisé du cadre du récit ? Quels sentiments animent Céladon et Astrée ?

Par hasard, ce jour-là, Céladon, le Berger amoureux, qui s'était levé très tôt pour réfléchir, laissant paître ses troupeaux dans l'herbe la moins foulée, alla s'asseoir sur la rive sinueuse du Lignon, attendant la venue de
5 sa belle Bergère qui ne tarda guère, car, maintenue en éveil par un soupçon très cuisant, elle n'avait pu fermer l'œil de toute la nuit. À peine le Soleil commençait-il de dorer le haut des montagnes d'Isoure et de Marcill que le Berger aperçut au loin un troupeau qu'il reconnu
10 aussitôt comme celui d'Astrée. Car, outre que Mélampe le chien tant aimé de sa Bergère, vint le caresser gaie ment dès qu'il le vit, il remarqua la brebis la plus chéri de sa maîtresse, bien qu'elle ne portât pas ce matin-là la guirlande de rubans de diverses couleurs qu'elle avai
15 habituellement à la tête parce que la Bergère, atteinte d trop de déplaisir, ne s'était pas donné la peine de l'agen cer comme de coutume.

HONORÉ D'URFÉ, *L'Astrée*, 1607 (français moderne)

L'HÉROÏNE VERTUEUSE

EXERCICE 4 ••

1. Repérez, dans le passage suivant, ce qui souligne le cadre aristocratique du récit.
2. Quelles sont les caractéristiques physiques de la jeune fille ?
3. Quels sont les objectifs de l'éducation donnée par Mme de Chartres à sa fille ?

Âgée de seize ans, Mlle de Chartres, la future princesse de Clèves, apparaît pour la première fois à la cour du roi de France.

Il parut alors une beauté à la cour, qui attira les yeux de tout le monde, et l'on doit croire que c'étai une beauté parfaite, puisqu'elle donna de l'admiration dans un lieu où l'on était si accoutumé à voir de
5 belles personnes. Elle était de la même maison que le vidame de Chartres, et une des plus grandes héritières de France. Son père était mort jeune, et l'avait laissée sous la conduite de Mme de Chartres, sa femme, dont le bien, la vertu et le mérite étaient extraordinaires.
10 Après avoir perdu son mari, elle avait passé plusieurs années sans revenir à la cour. Pendant cette absence, elle avait donné ses soins à l'éducation de sa fille ; mais elle ne travailla pas seulement à cultiver son esprit et sa beauté ; elle songea aussi à lui donner de la vertu
15 et à la lui rendre aimable. La plupart des mères s'imaginent qu'il suffit de ne parler jamais de galanterie devant les jeunes personnes pour les en éloigner. Mme de Chartres avait une opinion opposée ; elle faisait souvent à sa fille des peintures de l'amour ; elle lui
20 montrait ce qu'il a d'agréable pour la persuader plus aisément sur ce qu'elle lui en apprenait de dangereux ; elle lui contait le peu de sincérité des hommes, leurs tromperies et leur infidélité, les malheurs domestiques où plongent les engagements ; et elle lui faisait voir,
25 d'un autre côté, quelle tranquillité suivait la vie d'une honnête femme, et combien la vertu donnait d'éclat et d'élévation à une personne qui avait de la beauté et de la naissance.

MADAME DE LAFAYETTE, *La Princesse de Clèves*, 1678.

LE HÉROS PARVENU

EXERCICE 5 •

1. Quelle est l'origine sociale du héros ? Repérez les informations données sur sa famille.
2. De quelles qualités le jeune garçon dispose-t-il pour surmonter son handicap social ?

Blas de Santillane, mon père, après avoir longtemps porté les armes pour le service de la monarchie espagnole, se retira dans la ville où il avait pris naissance. Il y épousa une petite bourgeoise qui n'était plus de sa
5 première jeunesse, et je vins au monde dix mois après leur mariage. Ils allèrent ensuite demeurer à Oviédo, où ma mère se mit femme de chambre, et mon père écuyer. Comme ils n'avaient pour tout bien que leurs gages[1], j'aurais couru le risque d'être assez mal élevé, si
10 je n'eusse pas eu dans la ville un oncle chanoine[2]. Il se nommait Gil Perez.

Il me prit chez lui dès mon enfance, et se chargea de mon éducation. Je lui parus si éveillé, qu'il résolut de cultiver mon esprit. Il m'acheta un alphabet, et entreprit de
15 m'apprendre lui-même à lire ; ce qui ne lui fut pas moins utile qu'à moi ; car, en me faisant connaître mes lettres, il se remit à la lecture, qu'il avait toujours fort négligée, et, à force de s'y appliquer, il parvint à lire couramment son bréviaire, ce qu'il n'avait jamais fait auparavant.

ALAIN RENÉ LESAGE, *Gil Blas de Santillane*, 1715.

1. gages : salaire donné aux domestiques.
2. chanoine : religieux servant dans une église.

EXERCICE 6 •

1. Relevez et classez les caractéristiques physiques et psychologiques du narrateur-personnage.
2. Que recherche-t-il dans la capitale ?

J'avais alors dix-huit à dix-neuf ans ; on disait que j'étais beau garçon, beau comme peut l'être un paysan dont le visage est à la merci du hâle de l'air et du travail des champs. Mais à cela près j'avais effectivement assez
5 bonne mine ; ajoutez-y je ne sais quoi de franc dans ma physionomie ; l'œil vif, qui annonçait un peu d'esprit, et qui ne mentait pas totalement.

L'année d'après le mariage de mon frère, j'arrivai donc à Paris avec ma voiture et ma bonne façon rustique.
10 Je fus ravi de me trouver dans cette grande ville ; tout ce que j'y voyais m'étonnait moins qu'il ne me divertissait ; ce qu'on appelle le grand monde me paraissait plaisant.

Je fus fort bien venu dans la maison de notre seigneur.
15 Les domestiques m'affectionnèrent tout d'un coup ; je disais hardiment mon sentiment sur tout ce qui s'offrait à mes yeux ; et ce sentiment avait assez souvent un bon sens villageois qui faisait qu'on aimait à m'interroger.

MARIVAUX, *Le Paysan parvenu*, 1734-1735.

L'AMOUREUX SENSIBLE

EXERCICE 7 ••

1. Qu'est-ce qui, dans les paroles prononcées, exprime l'intensité des sentiments des personnages ?
2. Repérez le lien entre attitudes et sentiments.
3. **Entraînement à l'écriture d'invention.** Adaptez cette scène pour le théâtre en distinguant répliques et didascalies.

Trompé par Manon, dont il était follement amoureux, le narrateur reçoit la visite inattendue de son ancienne maîtresse.

Elle s'assit. Je demeurai debout, le corps à demi tourné, n'osant l'envisager[1] directement. Je commençai plusieurs fois une réponse, que je n'eus pas la force d'achever. Enfin, je fis un effort pour m'écrier douloureusement : « Perfide
5 Manon ! Ah ! perfide ! perfide ! » Elle me répéta, en pleurant à chaudes larmes, qu'elle ne prétendait point justifier sa perfidie[2]. « Que prétendez-vous donc ? » m'écriai-je encore. – Je prétends mourir, répondit-elle, si vous ne me rendez votre cœur, sans lequel il est impossible que
10 je vive. – Demande donc ma vie, infidèle ! repris-je en versant moi-même des pleurs, que je m'efforçai en vain de retenir. Demande ma vie, qui est l'unique chose qui me reste à te sacrifier ; car mon cœur n'a jamais cessé d'être à toi. » À peine eus-je achevé ces derniers mots, qu'elle se
15 leva avec transport pour venir m'embrasser.

L'ABBÉ PRÉVOST, *Histoire du chevalier Des Grieux et de Manon Lescaut*, 1731.

1. l'envisager : la regarder. 2. sa perfidie : sa trahison.

EXERCICE 8 •••

1. À quels sentiments l'auteur de cette lettre est-il en proie ?
2. Par quels procédés d'écriture exprime-t-il sa sensibilité exacerbée ?
3. Commentez la phrase : « Que c'est un fatal présent du ciel qu'une âme sensible ! »

Lettre de Saint-Preux à Julie

Que d'amertumes se mêlent à la douceur de me rapprocher de vous ! Que de tristes réflexions m'assiègent ! Que de traverses[1] mes craintes me font prévoir ! Ô Julie ! que c'est un fatal présent du ciel qu'une âme sensible ! Celui
5 qui l'a reçu doit s'attendre à n'avoir que peine et douleur sur la terre. [...]

Dans les violents transports qui m'agitent, je ne saurais demeurer en place ; je cours, je monte avec ardeur, je m'élance sur les rochers, je parcours à grands pas tous
10 les environs, et trouve partout dans les objets la même horreur qui règne au dedans de moi. On n'aperçoit plus de verdure, l'herbe est jaune et flétrie, les arbres sont dépouillés, le séchard[2] et la froide bise entassent la neige et les glaces ; et toute la nature est morte à mes yeux,
15 comme l'espérance au fond de mon cœur.

JEAN-JACQUES ROUSSEAU, *La Nouvelle Héloïse*, 1761.

1. traverses : difficultés. 2. séchard : vent du nord-est.

LE VOYAGEUR PHILOSOPHE

EXERCICE 9 ••

1. Relevez les termes et les expressions qui soulignent la petitesse des humains.
2. De quelles qualités humaines les deux géants font-ils preuve ?
3. Expliquez ce qui provoque le rire des géants. Montrez que l'auteur partage leur point de vue sur les hommes.

Micromégas, un géant de la planète Sirius, visite la Terre en compagnie d'un habitant de Saturne. Ils rencontrent un groupe de philosophes avec lesquels ils engagent un débat sur la place de l'Homme dans l'univers.

Il y avait là, par malheur, un petit animalcule en bonnet carré[1] qui coupa la parole à tous les animalcules philosophes ; il dit qu'il savait tout le secret, que cela se trouvait dans la Somme de saint Thomas[2] ; il regarda de
5 haut en bas les deux habitants célestes ; il leur soutint que leurs personnes, leurs mondes, leurs soleils, leurs étoiles, tout était fait uniquement pour l'homme. À ce discours, nos deux voyageurs se laissèrent aller l'un sur l'autre en étouffant de ce rire inextinguible qui, selon
10 Homère, est le partage des dieux[3] : leurs épaules et leurs ventres allaient et venaient, et dans ces convulsions le vaisseau, que le Sirien avait sur son ongle, tomba dans une poche de la culotte du Saturnien. Ces deux bonnes gens le cherchèrent longtemps ; enfin ils retrouvèrent
15 l'équipage, et le rajustèrent fort proprement. Le Sirien reprit les petites mites ; il leur parla encore avec beaucoup de bonté, quoiqu'il fût un peu fâché dans le fond du cœur de voir que les infiniment petits eussent un orgueil presque infiniment grand.

VOLTAIRE, *Micromégas*, 1752.

1. un petit animalcule en bonnet carré : un représentant de l'Église, professeur à la Sorbonne. 2. Somme de saint Thomas : écrits théologiques. 3. le partage des dieux : le propre des dieux.

LE LIBERTIN CYNIQUE

EXERCICE 11 ••

1. Identifiez l'émetteur, le destinataire et l'objet de cette lettre. Quels sentiments poussent l'émetteur à l'écrire ?
2. Relevez l'ensemble des termes qui caractérisent le libertin Valmont. Qu'est-ce qui le distingue d'un amoureux ordinaire ?

Madame de Volanges à la Présidente de Tourvel

Je n'ai jamais douté, ma jeune et belle amie, ni de l'amitié que vous avez pour moi, ni de l'intérêt sincère que vous prenez à tout ce qui me regarde. Ce n'est pas pour éclaircir ce point, que j'espère convenu à jamais
5 entre nous, que je réponds à votre réponse : mais je ne

crois pas pouvoir me dispenser de causer avec vous a sujet du Vicomte de Valmont. Je ne m'attendais pas, j l'avoue, à trouver jamais ce nom-là dans vos Lettres. E effet, que peut-il y avoir de commun entre vous et lui
10 Vous ne connaissez pas cet homme ; où auriez-vous pr l'idée de l'âme d'un libertin ? Vous me parlez de sa rar candeur[1] : oh ! oui ; la candeur de Valmont doit être e effet très rare. Encore plus faux et dangereux qu'il n'es aimable et séduisant, jamais depuis sa plus grande jeu
15 nesse, il n'a fait un pas ou dit une parole sans avoir u projet, et jamais il n'eut un projet qui ne fût malhonnêt ou criminel. Mon amie, vous me connaissez ; vous save si, des vertus que je tâche d'acquérir, l'indulgence n'es pas celle que je chéris le plus. Aussi, si Valmont étai
20 entraîné par des passions fougueuses ; si, comme mill autres, il était séduit par les erreurs de son âge, blâman sa conduite je plaindrais sa personne, et j'attendrais en silence, le temps où un retour heureux lui rendrai l'estime des gens honnêtes. Mais Valmont n'est pas cela
25 sa conduite est le résultat de ses principes. Il sait calcu ler tout ce qu'un homme peut se permettre d'horreurs sans se compromettre ; et pour être cruel et méchan sans danger, il a choisi les femmes pour victimes. Je n m'arrête pas à compter celles qu'il a séduites : mais com
30 bien n'en a-t-il pas perdues ?

PIERRE CHODERLOS DE LACLOS, *Les Liaisons dangereuses*, 1782

1. candeur : naïveté, innocence.

LES MOTS DU BAC

Le personnage de roman au XVIIe et au XVIIIe siècle

1. Associez chaque type de personnage à l'adjectif qui convient.
   a. héroïne b. voyageur c. libertin
   A. précieuse B. cynique C. philosophe

2. Sur quel mot sont formés les adjectifs suivants.
   pastoral – picaresque

3. Classez les noms suivants en deux groupes, selon leurs connotations, positives ou négatives.
   a. pédanterie b. pruderie c. vertu d. délicatesse
   e. raffinement f. courtoisie g. élégance
   h. extravagance.

4. Complétez les phrases suivantes par les mots qui conviennent : *scrupule, lucidité, faconde, frivolité.*
   a. Les héros du roman libertin se caractérisent par leur absence de ... .
   b. Les personnages voyageurs du XVIIIe siècle observent le monde avec ... .
   c. On reproche souvent aux salons précieux leur ... .
   d. La ... est l'une des caractéristiques du héros picaresque.

5. Chassez l'intrus de la série.
   a. pervers b. cynique c. ingénu d. dépravé e. criminel

QUESTIONS

ANALYSE ▶

1. Quelles réactions l'apparition du voyageur suscite-t-elle chez les Parisiens ? Quelle critique Montesquieu adresse-t-il ainsi à ses contemporains ?

2. Relevez et commentez la présence du champ lexical de la vue dans le premier paragraphe.

3. Quelle leçon le second paragraphe propose-t-il au lecteur ? Montrez que le Persan apparaît comme un voyageur philosophe.

ENTRAÎNEMENT À ▶
LA DISSERTATION

Selon un auteur contemporain, derrière chaque personnage de roman se trouve un modèle humain, qui se définit soit par les valeurs qu'il propose, soit par les critiques dont il est porteur.

En vous appuyant sur les extraits proposés dans le chapitre, vous rédigerez deux paragraphes argumentatifs illustrant ce jugement.

Rica à Ibben, à Smyrne.

Les habitants de Paris sont d'une curiosité qui va jusqu'à l'extravagance. Lorsque j'arrivai, je fus regardé comme si j'avais été envoyé du ciel : vieillards, hommes, femmes, enfants, tous voulaient me voir. Si je sortais, tout le monde se mettait aux fenêtres ; si j'étais aux Tuileries[1], je voyais aussitôt un cercle se
5 former autour de moi ; les femmes mêmes faisaient un arc-en-ciel nuancé de mille couleurs, qui m'entourait. Si j'étais aux spectacles, je voyais aussitôt cent lorgnettes dressées contre ma figure : enfin jamais homme n'a tant été vu que moi. Je souriais quelquefois d'entendre des gens qui n'étaient presque jamais sortis de leur chambre, qui disaient entre eux : « Il faut avouer qu'il a l'air bien
10 persan. » Chose admirable ! Je trouvais de mes portraits partout ; je me voyais multiplié dans toutes les boutiques, sur toutes les cheminées, tant on craignait de ne m'avoir pas assez vu.

Tant d'honneurs ne laissent pas d'être à la charge : je ne me croyais pas un homme si curieux et si rare ; et quoique j'aie très bonne opinion de moi, je ne
15 me serais jamais imaginé que je dusse troubler le repos d'une grande ville où je n'étais point connu. Cela me fit résoudre à quitter l'habit persan, et à en endosser un à l'européenne, pour voir s'il resterait encore dans ma physionomie quelque chose d'admirable. Cet essai me fit connaître ce que je valais réellement. Libre de tous les ornements étrangers, je me vis apprécié au plus juste. J'eus sujet de
20 me plaindre de mon tailleur, qui m'avait fait perdre en un instant l'attention et l'estime publique ; car j'entrai tout à coup dans un néant affreux. Je demeurais quelquefois une heure dans une compagnie sans qu'on m'eût regardé, et qu'on m'eût mis en occasion d'ouvrir la bouche ; mais, si quelqu'un par hasard apprenait à la compagnie que j'étais Persan, j'entendais aussitôt autour de moi un
25 bourdonnement : « Ah ! ah ! monsieur est Persan ? C'est une chose bien extraordinaire ! Comment peut-on être Persan ? »

À Paris, le 6 de la lune de Chalval, 1712.

MONTESQUIEU, *Lettres persanes*, Lettre XXX, 1721.

1. aux Tuileries : le jardin du château des Tuileries, à Paris.

30 Le personnage de roman du XIXᵉ au XXIᵉ siècle

Au fil des siècles, le public se passionne de plus en plus pour les héros de romans, qui incarnent la diversité des hommes. Le roman témoigne ainsi des doutes et des certitudes qu'éprouve le lecteur.

OBSERVATION

Texte A

Le héros hors du commun

> La séduction physique

> Le caractère mystérieux

Texte B

Le personnage du déraciné

> L'éloignement

> La solitude

> La pauvreté

Texte A

Il eût été très difficile d'assigner un caractère certain à la physionomie de Rodolphe ; elle réunissait les contrastes les plus bizarres. Ses traits étaient régulièrement beaux, trop beaux peut-être pour un homme. Son teint d'une pâleur délicate, ses grands yeux d'un brun orangé
5 presque toujours à demi fermés et entourés d'une légère auréole d'azur, sa démarche nonchalante, son regard distrait, son sourire ironique semblaient annoncer un homme blasé, dont la constitution était sinon délabrée, du moins affaiblie par les aristocratiques excès d'une vie opulente. Et pourtant, de sa main élégante et blanche, Rodolphe venait
10 de terrasser un des bandits les plus robustes, les plus redoutés de ce quartier de bandits.

EUGÈNE SUE, *Les Mystères de Paris*, 1842-1843.

Texte B

C'est un vieil homme debout à l'arrière d'un bateau. Il serre dans ses bras une valise légère et un nouveau-né, plus léger encore que la valise. Le vieil homme se nomme Monsieur Linh. Il est seul à savoir qu'il s'appelle ainsi car tous ceux qui le savaient sont morts autour de lui.
5 Debout à la poupe du bateau, il voit s'éloigner son pays, celui de ses ancêtres et de ses morts, tandis que dans ses bras l'enfant dort. Le pays s'éloigne, devient infiniment petit, et Monsieur Linh le regarde disparaître à l'horizon, pendant des heures, malgré le vent qui souffle et le chahute comme une marionnette.
10 Le voyage dure longtemps. Des jours et des jours. Et tout ce temps, le vieil homme le passe à l'arrière du bateau, les yeux dans le sillage blanc qui finit par s'unir au ciel, à fouiller le lointain pour y chercher encore les rivages anéantis.

PHILIPPE CLAUDEL, *La Petite Fille de Monsieur Linh*, Éd. Stock, 2005.

QUESTIONS

1. Expliquez sur quel contraste repose le portrait de Rodolphe, le héros des *Mystères de Paris* (texte A).

2. Comment s'explique l'attitude du vieil homme lors de son voyage (texte B) ?

3. Quel intérêt le lecteur peut-il trouver dans chacun de ces deux personnages ? Expliquez ce qui les oppose.

1 Le sacre du personnage de roman : XIXᵉ siècle

Au XIXᵉ siècle, le romantisme, le réalisme puis le naturalisme font du roman le genre littéraire dominant. Le public lit avec passion les aventures des personnages familiers ou héroïques porteurs de valeurs.

1. Le romantique tourmenté

Chateaubriand crée le héros romantique. Amoureux, épris de justice, marqué par la mélancolie, il exprime son émotion devant la nature, mais aussi les inquiétudes d'un « moi » incompris.

→ Le héros de *René*, le roman de Chateaubriand, comme le jeune Julien Sorel, celui du roman de Stendhal *Le Rouge et le Noir*, incarnent les tourments du personnage romantique.

2. L'archétype social

Les mouvements réaliste puis naturaliste créent des personnages qui correspondent à des types sociaux et psychologiques, représentant tous les milieux.

→ Balzac fait se croiser dans son œuvre l'ambitieux Rastignac, le banquier avide Nucingen et le parfumeur ruiné César Birotteau.

3. Le héros hors du commun

Doté de qualités physiques ou morales exceptionnelles, le héros connaît un destin extraordinaire et fait partager ses valeurs au lecteur.

→ Vautrin dans *Le Père Goriot* de Balzac, Jean Valjean dans *Les Misérables* de Hugo, le prince Rodolphe des *Mystères de Paris* d'Eugène Sue.

2 Le renouveau du personnage : XXᵉ siècle

Au XXᵉ siècle, le roman continue de se diversifier, proposant au lecteur des personnages de plus en plus complexes.

1. L'auteur, narrateur de lui-même

Dans *À la recherche du temps perdu*, Marcel Proust invente un nouveau type de personnage : le personnage principal, double fictif de l'auteur, raconte son histoire à la première personne. Il est aussi le témoin privilégié des mutations du monde.

→ Louis-Ferdinand Céline est Ferdinand Bardamu dans le *Voyage au bout de la nuit* ; Amélie Nothomb est Amélie-san dans *Stupeur et tremblements*.

nouveau ?

2. Le héros engagé

Le contexte tragique du XXᵉ siècle conduit à créer des personnages qui luttent contre l'oppression. Le héros engagé incarne les valeurs de solidarité et de liberté.

→ Les héros de *L'Espoir*, d'André Malraux, se battent auprès des Républicains espagnols ; le docteur Rieux, dans *La Peste* d'Albert Camus, lutte contre l'épidémie au nom de la solidarité.

3. L'anti-héros

Dépourvu de qualités particulières, l'anti-héros subit les événements dans une vie sans relief, conduisant le lecteur à réfléchir sur son existence dans un monde déshumanisé.

→ Roquentin, dans *La Nausée* de Sartre, s'enfonce dans la solitude ; Meursault, dans *L'Étranger* de Camus, est le spectateur de sa propre vie.

4. Le personnage déraciné

Partagé entre deux cultures, le personnage déraciné cherche sa place dans la société, à travers des obstacles mais aussi des rencontres enrichissantes avec les autres.

→ L'héroïne de *Désert*, de Le Clézio, affronte la cruauté de la société occidentale ; le vieil homme du roman de Philippe Claudel, *La Petite fille de Monsieur Linh*, connaît la solitude et la folie.

Repère

Le personnage

Dans l'Antiquité romaine, *persona* est un masque de théâtre. Au Moyen Âge, un personnage est un dignitaire religieux. Le mot désigne aussi un homme qui montre de la prestance. Il renvoie ensuite à une personne fictive dans une pièce de théâtre. Ce n'est qu'à partir des XVIIIᵉ et XIXᵉ siècles qu'on parle couramment d'un personnage dans un texte narratif, dans une nouvelle ou un roman.

LE ROMANTIQUE TOURMENTÉ

EXERCICE 1 •

Classez les romanciers suivants selon qu'ils appartiennent au XIXᵉ ou au XXᵉ siècle : Proust – Céline – Zola – Balzac – Camus – Chateaubriand – Dumas – Verne – Sartre – Le Clézio – Nothomb – Daudet – Giono – Duras – Ben Jelloun

EXERCICE 2 •

Attribuez à chacun de ces héros romantiques célèbres le terme qu'il a employé : *malheureux, souffrir, mal, boule-verse.*

• Werther (Goethe) : « Où que j'aille quelque phéno-mène m'apparaît, qui me … de fond en comble. »
• Corinne (Madame de Staël) : « Un autre … pénétra plus avant que jamais dans son cœur. La générosité, l'amour que son ami lui avait témoignés redoublèrent encore l'attachement qu'elle ressentait pour lui. »
• Oberman (Senancour) : « J'avais besoin de bonheur. J'étais né pour … . »
• Adolphe (Benjamin Constant) : « Près de vous, loin de vous, je suis également … . »

EXERCICE 3 ••

1. Quelles caractéristiques du héros romantique retrouve-t-on dans l'extrait de *René* ?
2. Quels thèmes du romantisme le tableau de Friedrich explore-t-il ?

Caspar David Friedrich (1774-1840), *Le Voyageur au-dessus de la mer de nuages*, 1818.

Un secret instinct me tourmentait : je sentais que n'étais moi-même qu'un voyageur, mais une voix du ci semblait me dire : « Homme, la saison de ta migratic n'est pas encore venue ; attends que le vent de la mort s
5 lève, alors tu déploieras ton vol vers ces régions inco nues que ton cœur demande. »

« Levez-vous vite, orages désirés qui devez emport René dans les espaces d'une autre vie ! » Ainsi disant, marchais à grands pas, le visage enflammé, le vent si
10 flant dans ma chevelure, ne sentant ni pluie, ni frima enchanté, tourmenté, et comme possédé par le démo de mon cœur.

FRANÇOIS RENÉ DE CHATEAUBRIAND, *René*, 180⁻

L'ARCHÉTYPE SOCIAL

EXERCICE 4 •

1. Quel est le type social représenté dans chacun des extrait suivants ?
2. Relevez pour chaque personnage les caractéristiques qu lui sont associées.

Texte A

M. Caravan avait toujours mené l'existence normal des bureaucrates. Depuis trente ans, il venait invariable ment à son bureau, chaque matin, par la même route rencontrant, à la même heure, aux mêmes endroits, le
5 mêmes figures d'hommes allant à leurs affaires ; et il s'en retournait, chaque soir, par le même chemin où il retrou vait encore les mêmes visages qu'il avait vus vieillir.

GUY DE MAUPASSANT, *En famille*, 1881

Texte B

Le cocher Césaire Horlaville, un petit homme à gros ventre, souple cependant, par suite de l'habitude constante de grimper sur ses roues et d'escalader l'im-périale, la face rougie par le grand air des champs, les
5 pluies, les bourrasques et les petits verres, les yeux deve-nus clignotants sous les coups de vent et de grêle, appa-rut sur la porte de l'hôtel en s'essuyant la bouche d'un revers de main.

GUY DE MAUPASSANT, *La Bête à Maît' Belhomme*, 1885

Texte C

Il était donc parti, muni de papiers et de certificats, avec sept francs dans sa poche et portant sur l'épaule, dans un mouchoir bleu attaché au bout de son bâton, une paire de souliers de rechange, une culotte et une
5 chemise. Et il avait marché sans repos, pendant les jours et les nuits, par les interminables routes, sous le soleil et sous les pluies, sans arriver jamais à ce pays mystérieux où les ouvriers trouvent de l'ouvrage.

GUY DE MAUPASSANT, *Le Vagabond*, 1887

LE HÉROS HORS DU COMMUN

EXERCICE 5 ●●●

1. Comment se justifie l'étonnement du marin qu'interroge Edmond Dantès ?

2. Relevez ce qui, dans l'extrait, souligne le caractère dramatique de la situation vécue par le héros.

3. Quelles péripéties les dernières lignes annoncent-elles ? Appuyez votre réponse sur le portrait final du héros.

4. Entraînement au commentaire. Vous commenterez ce passage sous la forme d'un paragraphe rédigé en montrant qu'il présente un héros au destin hors du commun.

Edmond Dantès, le héros du Comte de Monte-Cristo, *vient d'être recueilli sur un navire après s'être évadé de la prison du château d'If.*

Sous le prétexte qu'il était fatigué, Dantès demanda alors à s'asseoir au gouvernail. Le timonier, enchanté d'être relayé dans ses fonctions, consulta de l'œil le patron, qui lui fit de la tête signe qu'il pouvait remettre
5 la barre à son nouveau compagnon.

Dantès ainsi placé put rester les yeux fixés du côté de Marseille.

« Quel quantième du mois tenons-nous ? demanda Dantès à Jacopo, qui était venu s'asseoir auprès de lui,
10 en perdant de vue le château d'If.

– Le 28 février, répondit celui-ci.

– De quelle année ? demanda encore Dantès.

– Comment, de quelle année ! Vous demandez de quelle année ?
15 – Oui, reprit le jeune homme, je vous demande de quelle année.

– Vous avez oublié l'année où nous sommes ?

– Que voulez-vous ! J'ai eu si grande peur cette nuit, dit en riant Dantès, que j'ai failli en perdre l'esprit ; si
20 bien que ma mémoire en est demeurée toute troublée : je vous demande donc le 28 de février de quelle année nous sommes ?

– De l'année 1829 », dit Jacopo.

Il y avait quatorze ans, jour pour jour, que Dantès
25 avait été arrêté.

Il était entré à dix-neuf ans au château d'If, il en sortait à trente-trois ans.

Un douloureux sourire passa sur ses lèvres ; il se demanda ce qu'était devenue Mercédès pendant ce
30 temps où elle avait dû le croire mort.

Puis un éclair de haine s'alluma dans ses yeux en songeant à ces trois hommes auxquels il devait une si longue et si cruelle captivité.

Et il renouvela contre Danglars, Fernand et Villefort[1]
35 ce serment d'implacable vengeance qu'il avait déjà prononcé dans sa prison.

ALEXANDRE DUMAS, *Le Comte de Monte-Cristo*, 1845.

1. Danglars, Fernand et Villefort : ceux qui ont fait condamner injustement Edmond Dantès.

L'AUTEUR, NARRATEUR DE LUI-MÊME

EXERCICE 6 ●●

1. Quelle vision de la guerre le narrateur donne-t-il ?

2. Qu'est-ce qui caractérise le langage du narrateur ? Comment expliquer ce choix ?

3. Quel portrait se dégage du narrateur à travers cet extrait ?

Louis-Ferdinand Céline raconte son expérience de la Première Guerre mondiale à travers le personnage du narrateur du Voyage au bout de la nuit, *Ferdinand Bardamu.*

« Allez-vous-en tous ! Allez rejoindre vos régiments ! Et vivement ! qu'il gueulait.

– Où qu'il est le régiment, mon commandant ? qu'on demandait nous...
5 – Il est à Barbagny.

– Où que c'est Barbagny ?

– C'est par là ! »

Par là, où il montrait, il n'y avait rien que la nuit, comme partout d'ailleurs, une nuit énorme qui bouffait
10 la route à deux pas de nous et même qu'il n'en sortait du noir qu'un petit bout de route grand comme la langue.

Allez donc le chercher son Barbagny dans la fin d'un monde ! Il aurait fallu qu'on sacrifiât pour le retrouver son Barbagny au moins un escadron tout entier ! Et
15 encore un escadron de braves ! Et moi qui n'étais point brave et qui ne voyais pas du tout pourquoi je l'aurais été brave, j'avais évidemment encore moins envie que personne de retrouver son Barbagny, dont il nous parlait d'ailleurs lui-même absolument au hasard. C'était
20 comme si on avait essayé en m'engueulant très fort de me donner l'envie d'aller me suicider. Ces choses-là on les a ou on ne les a pas.

LOUIS-FERDINAND CÉLINE, *Voyage au bout de la nuit*, Éd. Gallimard, 1932.

LE HÉROS ENGAGÉ

EXERCICE 7 ●

1. Au nom de quelle valeur le personnage s'engage-t-il dans son combat ? Quelles sont les causes de cet engagement ?

2. Quel type de réflexion le romancier cherche-t-il à provoquer chez le lecteur, à travers ce personnage ?

Les héros de La Condition humaine *participent à la lutte des révolutionnaires chinois qui préparent le soulèvement de la ville de Shanghaï.*

Chez Kyo, tout était plus simple. Le sens héroïque lui avait été donné comme une discipline, non comme une justification de la vie. Il n'était pas inquiet. Sa vie avait un sens, et il le connaissait : donner à chacun de
5 ces hommes que la famine, en ce moment même, faisait mourir comme une peste lente, la possession de sa

propre dignité. Il était des leurs : ils avaient les mêmes ennemis. Métis, hors-castes, dédaigné des Blancs et plus encore des Blanches, Kyo n'avait pas tenté de les séduire :
10 il avait cherché les siens et les avait trouvés. Il n'y a pas de dignité possible, pas de vie réelle pour un homme qui travaille douze heures par jour sans savoir pour quoi il travaille. Il fallait que ce travail prît un sens, devînt une patrie. Les questions individuelles ne se posaient pour
15 Kyo que dans sa vie privée.

André Malraux, *La Condition humaine*,
Éd. Gallimard, 1933.

L'ANTI-HÉROS

EXERCICE 8 ●●●

1. En quoi le personnage de Meursault apparaît-il différent des héros de roman habituels ? Commentez la dernière phrase du texte.
2. Pourquoi peut-on dire que Meursault est un anti-héros ?

Meursault apparaît comme un « étranger » : il semble indifférent aux événements qui lui arrivent et incapable d'éprouver des émotions.

Le soir, Marie est venue me chercher et m'a demandé si je voulais me marier avec elle. J'ai dit que cela m'était égal et que nous pourrions le faire si elle le voulait. Elle a voulu savoir alors si je l'aimais. J'ai répondu comme je l'avais
5 déjà fait une fois, que cela ne signifiait rien mais que sans doute je ne l'aimais pas. « Pourquoi m'épouser alors ? » a-t-elle dit. Je lui ai expliqué que cela n'avait aucune importance et que si elle le désirait, nous pouvions nous marier. D'ailleurs, c'était elle qui le demandait et moi je me
10 contentais de dire oui. Elle a observé alors que le mariage était une chose grave. J'ai répondu : « Non. » Elle s'est tue un moment et elle m'a regardé en silence.

Albert Camus, *L'Étranger*, Éd. Gallimard, 1942.

LE PERSONNAGE DÉRACINÉ

EXERCICE 9 ●●●

1. Relevez dans le texte l'ensemble des références faites à l'Afrique et à sa culture.
2. Quelles réactions successives le récit du narrateur provoque-t-il chez son amie ?
3. Commentez le changement de ton qui intervient à la fin du texte.
4. Quelles valeurs l'auteur cherche-t-il à faire partager au lecteur ?

Puisqu'elle était friande de mes histoires de gamin au pays, je lui narrais aussi comment on avait survécu sans jouets de Noël, on jouait au football avec un ballon pas du tout rond, il fallait pourtant tirer tout droit, dribbler

5 seul onze joueurs regroupés, marquer des buts comme si le ballon était rond. […]

On était comme ça, on se disait que d'autres jeunes ne pouvaient pas mieux s'amuser que nous dans les pays étrangers, et on était heureux dans notre monde à
10 nous, avec nos chemises en lambeaux, avec nos sandales usées mais qui tenaient au pied grâce aux fils de fer ; on était comme ça, avec nos culottes trouées aux fesses et tout le bazar de la vie quotidienne de ceux qui n'avaient rien inventé, ni la poudre, ni la boussole, de ceux qui
15 n'avaient pas su dompter la vapeur ni l'électricité, de ceux qui n'avaient exploré ni les mers ni le ciel.

Et mon ex, touchée, me demandait :
— Est-ce que ça vient de toi toutes ces choses sur la poudre, la boussole, la vapeur, l'électricité, les mers et
20 le ciel ?

Je lui répondais que ce n'était pas de moi, que c'étaient des trucs qu'on avait appris à l'école, au pays, et qu'on n'enseignait pas aux Européens. Ça venait d'un type en colère, un poète noir[1] qui disait des paroles courageuses.
25 Il avait écrit ça quand il était rentré dans son pays natal et avait trouvé son peuple qui avait faim, des rues sales, du rhum qui dynamitait son île, des gens qui ne se révoltaient pas devant leur condition et cette main invisible qui les assujettissait[2].

Alain Mabanckou, *Black Bazar*, Éd. du Seuil, 2009.

1. **poète noir** : le narrateur cite des vers du poète antillais Aimé Césaire, extraits de son *Cahier d'un retour au pays natal*.
2. **assujettissait** : soumettait, asservissait.

LES MOTS DU BAC

Le personnage de roman du xixe au xxie siècle

1. Associez à chaque mouvement le type de personnage qui convient.
   a. le romantisme b. le réalisme c. le naturalisme
   A. l'ambitieux B. le tourmenté C. l'impulsif

2. Chassez l'intrus de chaque série.
   a. fresque b. saga c. somme d. nouvelle
   a. écrivain b. plumitif c. narrateur d. romancier
   a. personnage b. héros c. acteur d. protagoniste

3. Qu'est-ce qu'un anti-héros ?
   a. l'adversaire du héros dans un roman
   b. un héros dénué de qualités
   c. un héros qui incarne le Mal

4. Qu'est-ce qu'un héros engagé ?
   a. un héros qui s'engage dans l'Histoire
   b. un héros qui est amoureux
   c. un héros qui combat à la guerre

5. Parmi ces noms et adjectifs, lesquels sont élogieux ? lesquels sont péjoratifs ?
   magnanime – malicieux – gredin – espiègle – fripon – fantoche – clément – crapule – narquois – coquin – intrigant

QUESTIONS

ANALYSE ▶

1. Quelle image le narrateur donne-t-il de lui-même dans chacun de ces extraits ?
2. À quelle difficulté le narrateur est-il confronté dans le texte B. Comment peut-on l'expliquer ?
3. De quelle manière les deux extraits font-ils écho au titre de l'œuvre ? Montrez que le narrateur est aussi le personnage principal du roman.

**ENTRAÎNEMENT ▶
À L'ÉCRITURE
D'INVENTION**

Poursuivez, à la première personne, le texte B, en développant les impressions et les réflexions du narrateur à la suite de la rencontre qu'il vient de faire.

Texte A

*Au début d'*À la Recherche du temps perdu, *le narrateur évoque longuement les scènes familières de son enfance au sein du milieu familial.*

Ma seule consolation, quand je montais me coucher, était que maman viendrait m'embrasser quand je serais dans mon lit. Mais ce bonsoir durait si peu de temps, elle redescendait si vite, que le moment où je l'entendais monter, puis où passait dans le couloir à double porte le bruit léger de sa robe de jardin en mousseline
5 bleue, à laquelle pendaient de petits cordons de paille tressée, était pour moi un moment douloureux. Il annonçait celui qui allait le suivre, où elle m'aurait quitté, où elle serait redescendue. De sorte que ce bonsoir que j'aimais tant, j'en arrivais à souhaiter qu'il vînt le plus tard possible, à ce que se prolongeât le temps de répit où maman n'était pas encore venue.

MARCEL PROUST, *À la recherche du temps perdu, Du côté de chez Swann*, 1913.

Texte B

*À la fin d'*À la Recherche du temps perdu, *le narrateur, devenu vieux, retrouve à l'occasion d'un bal les personnages qu'il a croisés tout au long du récit.*

Une grosse dame me dit un bonjour pendant la courte durée duquel les pensées les plus différentes se pressèrent dans mon esprit. J'hésitai un instant à lui répondre, craignant que ne reconnaissant pas les gens mieux que moi, elle eût cru que j'étais quelqu'un d'autre, puis son assurance me fit au contraire, de peur
5 que ce fût quelqu'un avec qui j'avais été lié, exagérer l'amabilité de mon sourire, pendant que mes regards continuaient à chercher dans ses traits le nom que je ne trouvais pas. Tel un candidat au baccalauréat, incertain de ce qu'il doit répondre attache ses regards sur la figure de l'examinateur et espère vainement y trouver la réponse qu'il ferait mieux de chercher dans sa propre mémoire, tel, tout en lui souriant, j'attachais mes regards sur les traits de la grosse dame. Ils me semblèrent
10 être ceux de Mme de Forcheville, aussi mon sourire se nuança-t-il de respect, pendant que mon indécision commençait à cesser. Alors j'entendis la grosse dame me dire, une seconde plus tard : « Vous me preniez pour maman[1], en effet je commence à lui ressembler beaucoup. » Et je reconnus Gilberte.

MARCEL PROUST, *À la recherche du temps perdu, Le Temps retrouvé*, 1927.

1. maman : Gilberte est la fille d'Odette Swann, que le narrateur a connue séduisante et belle.

SUJET BAC

TOUTES SÉRIES

Le sujet comprend :

TEXTE A : Henri Bernardin de Saint-Pierre, *Paul et Virginie*, 1788.

TEXTE B : Alexandre Dumas, *Les Trois Mousquetaires*, 1844.

TEXTE C : Jean-Paul Sartre, *La Nausée*, 1938.

TEXTE D : Jean-Marie Gustave Le Clézio, *Désert*, 1980.

OBJET D'ÉTUDE : Le personnage de roman, du XVIIe siècle à nos jours

---

TEXTE A

Bernardin de Saint-Pierre, *Paul et Virginie*.

Dans les balancements du vaisseau, ce qu'on craignait arriva. Les câbles de son avant rompirent, et comme il n'était plus retenu que par une seule aussière[1], il fut jeté sur les rochers à une demi-encablure[2] du rivage. Ce ne fut qu'un cri de douleur parmi nous. Paul allait s'élancer à
5 la mer, lorsque je le saisis par le bras :

« Mon fils[3], lui dis-je, voulez-vous périr ?

– Que j'aille à son secours, s'écria-t-il, ou que je meure ! »

Comme le désespoir lui ôtait la raison, pour prévenir sa perte, Domingue et moi lui attachâmes à la ceinture une longue corde dont
10 nous saisîmes l'une des extrémités. Paul alors s'avança vers le *Saint-Géran*, tantôt nageant, tantôt marchant sur les récifs. Quelquefois il avait l'espoir de l'aborder, car la mer, dans ses mouvements irréguliers, laissait le vaisseau presque à sec, de manière qu'on en eût pu faire le tour à pied ; mais bientôt après, revenant sur ses pas avec une nouvelle furie, elle le couvrait
15 d'énormes voûtes d'eau qui soulevaient tout l'avant de sa carène[4], et rejetaient bien loin sur le rivage le malheureux Paul, les jambes en sang, la poitrine meurtrie, et à demi noyé. À peine ce jeune homme avait-il repris l'usage de ses sens qu'il se relevait et retournait avec une nouvelle ardeur vers le vaisseau, que la mer cependant entrouvrait par d'horribles
20 secousses. Tout l'équipage, désespérant alors de son salut, se précipitait en foule à la mer, sur des vergues[5], des planches, des cages à poules, des tables et des tonneaux. On vit alors un objet digne d'une éternelle pitié : une jeune demoiselle parut dans la galerie de la poupe du *Saint-Géran*, tendant les bras vers celui qui faisait tant d'efforts pour la joindre. C'était
25 Virginie.

BERNARDIN DE SAINT-PIERRE, *Paul et Virginie*, 1788.

1. aussière : cordage.

2. demi-encablure : environ cent mètres.

3. mon fils : le narrateur est un vieil homme, ami des familles de Paul et de Virginie.

4. carène : martie immergée de la coque d'un bateau.

4. vergues : parties du mât.

TEXTE B

Alexandre Dumas, *Les Trois Mousquetaires*.

Le jeune d'Artagnan, qui rêve de devenir mousquetaire, se retrouve entre deux groupes prêts à s'affronter : d'un côté, trois mousquetaires du roi Louis XIII ; de l'autre, les gardes du cardinal de Richelieu.

« Ils sont cinq, dit Athos à demi-voix, et nous ne sommes que trois ; nous serons encore battus, et il nous faudra mourir ici, car je le déclare, je ne reparais pas vaincu devant le capitaine. »

Alors Porthos et Aramis se rapprochèrent à l'instant les uns des autres,
5 pendant que Jussac[1] alignait ses soldats.

1. Jussac : chef des gardes du cardinal de Richelieu, ennemi des mousquetaires du roi.

Ce seul moment suffit à d'Artagnan pour prendre son parti : c'était là un de ces événements qui décident de la vie d'un homme, c'était un choix à faire entre le roi et le cardinal ; ce choix fait, il allait y persévérer. Se battre, c'est-à-dire désobéir à la loi[2], c'est-à-dire risquer sa tête, c'est-à-dire se faire d'un seul coup l'ennemi d'un ministre plus puissant que

10 le roi lui-même : voilà ce qu'entrevit le jeune homme, et, disons-le à sa louange, il n'hésita point une seconde. Se tournant donc vers Athos et ses amis :

« Messieurs, dit-il, je reprendrai, s'il vous plaît, quelque chose à vos paroles. Vous avez dit que vous n'étiez que trois, mais il me semble, à moi,

15 que nous sommes quatre.

— Mais vous n'êtes pas des nôtres, dit Porthos.

— C'est vrai, répondit d'Artagnan ; je n'ai pas l'habit, mais j'ai l'âme. Mon cœur est mousquetaire, je le sens bien, monsieur, et cela m'entraîne. »

ALEXANDRE DUMAS, *Les Trois Mousquetaires*, 1844.

2. la loi : l'édit du cardinal de Richelieu qui interdit les duels.

TEXTE C

Jean-Paul Sartre,
La Nausée.

Je vois ma main, qui s'épanouit sur la table. Elle vit – c'est moi. Elle s'ouvre, les doigts se déploient et pointent. Elle est sur le dos. Elle me montre son ventre gras. Elle a l'air d'une bête à la renverse. Les doigts, ce sont les pattes. Je m'amuse à les faire remuer, très vite, comme les pattes

5 d'un crabe qui est tombé sur le dos. Le crabe est mort : les pattes se recroquevillent, se ramènent sur le ventre de ma main. Je vois les ongles – la seule chose de moi qui ne vit pas. Et encore. Ma main se retourne, s'étale à plat ventre, elle m'offre à présent son dos. Un dos argenté, un peu brillant – on dirait un poisson, s'il n'y avait pas les poils roux à la naissance des

10 phalanges. Je sens ma main. C'est moi, ces deux bêtes qui s'agitent au bout de mes bras. Ma main gratte une de ses pattes, avec l'ongle d'une autre patte ; je sens son poids sur la table qui n'est pas moi. C'est long, long, cette impression de poids, ça ne passe pas. Il n'y a pas de raison pour que ça passe. À la longue, c'est intolérable... Je retire ma main, je la mets

15 dans ma poche. Mais je sens tout de suite, à travers l'étoffe, la chaleur de ma cuisse. Aussitôt, je fais sauter ma main de ma poche ; je la laisse pendre contre le dossier de la chaise. Maintenant, je sens son poids au bout de mon bras. Elle tire un peu, à peine, mollement, moelleusement, elle existe. Je n'insiste pas : ou que je la mette, elle continuera d'exister

20 et je continuerai de sentir qu'elle existe ; je ne peux pas la supprimer, ni supprimer le reste de mon corps, la chaleur humide qui salit ma chemise, ni toute cette graisse chaude qui tourne paresseusement comme si on la remuait à la cuiller, ni toutes les sensations qui se promènent là-dedans, qui vont et viennent, remontent de mon flanc à mon aisselle ou bien qui

25 végètent doucement, du matin jusqu'au soir, dans leur coin habituel. Je me lève en sursaut : si seulement je pouvais m'arrêter de penser, ça irait déjà mieux. Les pensées, c'est ce qu'il y a de plus fade. Plus fade encore que de la chair.

JEAN-PAUL SARTRE, *La Nausée*, Éd. Gallimard, 1938.

SUJET BAC

TEXTE D

J.-M. G. Le Clézio,
Désert.

Lalla Hawa, descendante d'une tribu nomade du Sahara, s'installe à Marseille. Employée dans un hôtel misérable, elle reste habitée par le souvenir nostalgique de son pays natal.

Les autos, les motos, les cyclos, les camions, les autocars vont à toute vitesse, vers la mer, ou vers le haut de la ville, tous chargés d'hommes et de femmes aux visages identiques. Lalla marche sur le trottoir, elle voit tout cela, ces mouvements, ces formes, ces éclats de lumière, et tout cela
5 entre en elle et fait un tourbillon. Elle a faim, son corps est fatigué par le travail de l'hôtel, mais pourtant elle a envie de marcher encore, pour voir davantage de lumière, pour chasser toute l'ombre qui est restée au fond d'elle. Le vent glacé de l'hiver souffle par rafales le long de l'avenue, soulève les poussières et les vieilles feuilles de journaux. Lalla ferme à
10 demi les yeux, elle avance, un peu penchée en avant, comme autrefois dans le désert, vers la source de lumière, là-bas, au bout de l'avenue.

Quand elle arrive au port, elle sent une sorte d'ivresse en elle, et elle titube[1] au bord du trottoir. Ici le vent tourbillonne en liberté, chasse devant lui l'eau du port, fait claquer les agrès[2] des bateaux. La lumière
15 vient d'encore plus loin, au-delà de l'horizon, tout à fait au sud, et Lalla marche le long des quais, vers la mer.

1. titube : trébuche.
2. agrès : cordages d'un navire.

JEAN-MARIE G. LE CLÉZIO, *Désert*, Éd. Gallimard, 1980.

QUESTIONS

4 points ▶ **I.** Après avoir lu attentivement les textes du corpus,
vous répondrez aux questions suivantes.

1. Quelles caractéristiques principales les personnages des textes du corpus présentent-ils ?

2. Confrontez les personnages de d'Artagnan (texte B) et de Roquentin (texte C). Montrez ce qui les oppose.

16 points ▶ **II.** Vous traiterez, au choix, l'un des sujets suivants.

1. COMMENTAIRE
Vous commenterez le texte de Bernardin de Saint-Pierre (texte A).

2. DISSERTATION
« Le premier homme qui passe est un héros suffisant », déclare Zola. Vous discuterez cette conception du personnage de roman en vous appuyant sur les textes du corpus.

3. INVENTION
Vous prolongerez le texte de Jean-Marie Gustave Le Clézio (texte D) en racontant la rencontre de l'héroïne de *Désert* avec un autre personnage avec lequel elle peut partager ses impressions sur le pays qu'elle découvre.
Vous respecterez les caractéristiques narratives du texte de Le Clézio.

Le théâtre

Le texte théâtral

31

Le théâtre se distingue de tous les arts du spectacle, danse, mime, cirque, par la place qu'il accorde à la parole. Mettant en scène le langage, le théâtre est un genre pleinement littéraire. Comme il est écrit en vue d'une représentation, le texte théâtral appelle une lecture différente de celle que demandent le théâtre ou le roman.

OBSERVATION

Le nom des personnages qui parlent

Les indications qui décrivent ce qui se passe sur scène : les didascalies

Sur les conseils de son ami Machu, François Cabussat, ancien négociant qui se présente aux élections municipales, est allé faire campagne auprès du père Madou, un électeur très fier de ses choux.

CABOUSSAT, *paraît au fond avec un chou sous un bras et une betterave sous l'autre.* – L'affaire du père Madou est arrangée. Je lui ai demandé un de ses choux… comme objet d'art… Je lui ai dit que je le mettrais dans mon salon. Il y avait là un voisin, dans son champ de betteraves, qui
5 commençait à faire la grimace. Je ne pouvais faire moins pour lui que pour l'autre… C'est un électeur… Alors je lui ai demandé aussi une betterave… comme objet d'art… Il faut savoir prendre les masses. *(Embarrassé de son chou et de sa betterave.)* C'est très lourd, ces machines-là ! *(Appelant.)* Jean !
10 JEAN, *entrant par le premier plan à droite.* – Monsieur…
CABOUSSAT. – Débarrasse-moi de ça… tu mettras le chou dans le pot… quant à la betterave, tu la feras cuire ; on en fait des ronds, c'est très bon dans la salade.
JEAN, *à part, sortant par le fond.* – Voilà Monsieur qui fait son marché
15 maintenant.
CABOUSSAT, *seul.* – Tout en promenant mon chou, j'ai réfléchi à ce que m'a dit Machu… Je serais maire, le premier magistrat d'Arpajon ! puis conseiller général ! puis député !… et après ? le portefeuille ! qui sait ?… *(Tristement.)* Mais non ! ça ne se peut pas !… Je suis riche, considéré,
20 adoré… et une chose s'oppose à mes projets… la grammaire française !… Je ne sais pas… *(Regardant autour de lui avec inquiétude.)* Je ne sais pas l'orthographe ! Les participes surtout, on ne sait par quel bout les prendre… tantôt ils s'accordent, tantôt ils ne s'accordent pas… quels fichus caractères ! Quand je suis embarrassé, je fais un pâté… mais ce
25 n'est pas de l'orthographe !

EUGÈNE LABICHE, *La Grammaire*, scène 5, 1867.

QUESTIONS

1. Relevez et classez les remarques en italique, les didascalies, selon ce qu'elles indiquent : mouvement scénique, accessoires, intonation.

2. À quelles répliques se limite le dialogue ? Pourquoi l'auteur a-t-il recouru au monologue ?

3. Quelle réplique ne relève ni du dialogue ni du monologue ? À quoi sert-elle ?

1 Un texte écrit pour la scène

1. Le dialogue théâtral : une énonciation complexe

L'auteur de théâtre s'adresse au public par l'intermédiaire des discours échangés par les acteurs. Mais le texte donne aussi des indications à ceux qui sont chargés de la mise en scène : acteurs, décorateurs, costumier, metteur en scène.

Schéma de la communication théâtrale

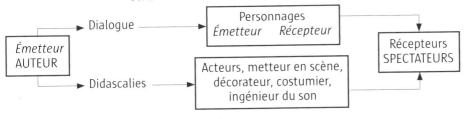

2. Les didascalies et la mise en scène

Écrit pour être mis en scène, le texte de théâtre comporte d'abord le texte que prononcent les acteurs. En marge du texte, des didascalies, d'un mot grec qui signifie « enseigner, renseigner », décrivent les décors, les costumes, les accessoires, les mouvements scéniques, parfois même les intonations. Plus ou moins nombreuses et précises selon les époques et les auteurs, elles orientent la mise en scène et la lecture.

Repère

**Le théâtre,
le lieu où l'on voit**

Du mot grec *theatron*, qui désigne le lieu où l'on peut voir, le mot « théâtre » désigne d'abord la salle puis le bâtiment consacré aux représentations. À partir du XVIIe siècle, le mot désigne aussi les textes conçus pour être mis en scène. On parle ainsi du théâtre de Marivaux, du théâtre anglais…

2 Les circuits de la parole

1. La distribution de la parole

Au théâtre, la distribution de la parole est un enjeu essentiel : qui prend la parole, qui la garde, qui la coupe, qui la perd ? La parole est toujours action : elle informe, elle cherche à modifier une situation, à imposer, à séduire un interlocuteur.

2. Les formes du dialogue théâtral

	DÉFINITION	EFFET CHERCHÉ	EXEMPLE
La tirade	Longue réplique (récit, plaidoirie, réquisitoire, aveu) adressée à un ou plusieurs interlocuteurs.	Le personnage veut se faire écouter : il informe, il explique ; auteur et acteur peuvent y briller.	• Théramène raconte la mort d'Hippolyte. • Don Juan vante l'infidélité ou l'hypocrisie.
La répartie	Réplique brève, souvent cinglante. Peut prendre la forme d'une maxime.	La répartie souligne la vivacité de l'affrontement, le caractère ou la situation du personnage.	Le Comte. – Qui t'a donné une philosophie aussi gaie ? Figaro. – L'habitude du malheur. (Beaumarchais)
La stichomythie	Succession de répliques brèves (limitées à un vers ou un hémistiche).	Précipite le rythme d'un duo ou d'un duel : annonce la rupture du dialogue.	Le Comte. – Es-tu si las de vivre ? Rodrigue. – As-tu peur de mourir ? (Corneille)
Le monologue	Un personnage parle seul en scène, parfois longuement.	Il met en scène la solitude d'un personnage qui doit prendre une décision, qui affronte une crise.	Rodrigue se demande s'il doit venger son père. Figaro se croit trahi par sa fiancée.
L'aparté	Réplique entendue par le public mais non par l'interlocuteur pourtant en scène.	Il montre la difficulté d'un échange transparent ; crée une complicité avec le public.	Le Comte (à part). – Voici du neuf. Figaro (à part). – À mon tour maintenant. (Beaumarchais)

UN TEXTE ÉCRIT POUR LA SCÈNE

EXERCICE 1 •

1. Quels sont les deux accessoires indispensables à la représentation de cette scène ?
2. Décrivez le costume du personnage de Cormeau.
3. Quel effet produit la dernière réplique de Cormeau ?

Dans le hall d'un château, des ministres s'apprêtent à participer à une chasse organisée en l'honneur d'un roi étranger en visite en France.

CORMEAU. – Bonjour, Messieurs ! J'ai apporté le traité. *(Il dépose son portefeuille sur le guéridon.)* Moi, frais comme une rose ! *(Il montre son costume.)* Réussi, hein ?
GABRIER. – Mâtin, vous me rappelez Guillaume Tell.
5 CORMEAU. – Cher ami, ne faites donc pas le malin avec vos relations.

FLERS ET CAILLAVET, *Le Roi*, Acte IV, scène 2, 1908.

EXERCICE 2 •

1. Aux emplacements indiqués par le symbole ◆, placez la didascalie qui convient :
« *vingt ouvriers le suivent en silence, et s'arrêtent contre la porte.* », « *à ses camarades* », « *aux ouvriers avec colère* », « *regardant arriver John Bell* ».
2. Proposez deux didascalies pour les deux dernières répliques.

LE QUAKER ◆. – Le voilà en fureur… Voilà l'homme riche, le spéculateur heureux ; voilà l'égoïste par excellence, le juste selon la loi.
    ◆
5 JOHN BELL ◆. – Non, non, non, non ! – Vous travaillerez davantage, voilà tout.
UN OUVRIER ◆. – Et vous gagnerez moins, voilà tout.
JOHN BELL. – Si je savais qui a répondu cela, je le chasserais sur-le-champ comme l'autre.
10 LE QUAKER. – Bien dit, John Bell ! tu es beau précisément comme un monarque au milieu de ses sujets.

ALFRED DE VIGNY, *Chatterton*, Acte I, scène 2, 1835.

EXERCICE 3 •

1. On appelle « didascalies » internes les indications scéniques données par les répliques des personnages. Relevez deux de ces didascalies.
2. Qu'indiquent les adverbes « là » et « voilà » ?
3. Quel contraste entre les deux personnages doit être marqué par les acteurs ?

TOLKATCHEV. – Non ! j'en ai assez ! j'en ai assez !
MOURACHKINE. – Ne crie pas, les voisins pourraient t'entendre.
TOLKATCHEV. – Je me fiche de tes voisins. Et si tu refuses
5 de me prêter ton revolver, j'en trouverais un ailleurs ; de toute façon, je veux en finir avec la vie. C'est décidé.

MOURACHKINE. – Attends, tu m'arraches mes boutons. Là, parle avec calme. Je ne comprends toujours pas ce que ta vie a de terrible.
10 TOLKATCHEV. – Ce qu'elle a de terrible ? Tu le demandes ? Très bien, je vais te le dire, te déballer tout, peut-être que ça me soulagera. Asseyons-nous. Voilà, écoute-moi… Oh ! mon Dieu, que je suis essoufflé !

ANTON TCHEKHOV, *Tragédien malgré lui*, 1890, trad. Génia Cannac et Georges Perros, L'Arche Éd., 1961.

EXERCICE 4 ••

1. Qu'a entendu le spectateur que n'a pas entendu Ottavio ?
2. Que voit le spectateur que ne voit pas Florindo ?
3. Monologue et aparté ont-ils la même fonction ?

FLORINDO, *seul*. – Le voici cet adorable balcon auquel s'accoude ma bien-aimée. Si elle y venait maintenant, il me semble que j'oserais lui dire quelques mots. Je lui dirais par exemple… *(Ottavio arrive du côté opposé au*
5 *balcon et s'immobilise pour observer Florindo.)* Oui, je lui dirais : « Madame, je vous aime tendrement ; sans vous je ne puis vivre ; vous êtes mon âme, ma vie. Oh, mon cher ange, je vous en supplie, ayez pitié de moi ! » *(Il se retourne et voit Ottavio. À part :)* Ciel ! je ne voudrais pas
10 qu'il m'ait vu. *(À Ottavio :)* Cher ami, que dites-vous de la belle architecture de ce balcon ?

CARLO GOLDONI, *Le Menteur*, Acte I, scène 7, 1753, trad. Michel Arnaud, Bibliothèque de la Pléiade, Éd. Gallimard.

EXERCICE 5 ••

1. Que sait le spectateur que ne sait pas le marquis ?
2. La dernière réplique est-elle un aparté ?
3. Quel effet produit le contraste entre le ton du marquis et celui de son domestique ?

Le marquis de Valberg est étourdi : il a mis dans une malle qu'il a fermée à clé un papier de musique qu'il cherche partout. Son domestique Germain annonce l'arrivée de son oncle le baron.

LE MARQUIS. – Ah ça ! c'est donc une gageure[1] ? on me volera donc toujours mes papiers !
GERMAIN. – Monsieur, voilà M. le Baron…
LE MARQUIS. – Qu'as-tu fait, drôle, d'un papier de musique
5 que j'avais tantôt ? Où l'as-tu mis ? Où est-il passé ?
LE BARON. – Bonjour, Valberg ; que vous arrive-t-il ?
LE MARQUIS. – Je ferai maison nette, un de ces jours, je vous mettrai tous à la porte. *(Au baron, qui rit.)* Et vous, maraud, tout le premier.
10 GERMAIN. – Monsieur, c'est M. le Baron.
LE MARQUIS. – Ah ! pardon, mon cher oncle, vous venez donc de Paris ? C'est que j'ai perdu un papier de musique.
GERMAIN. – C'est sûrement celui-là qu'il a si bien serré[2].

ALFRED DE MUSSET, *On ne saurait penser à tout*, Acte 1, scène 2, 1849.

1. gageure : action étrange qu'on s'explique mal.
2. serré : mis quelque part pour être conservé.

EXERCICE 6 •

1. Quelles indications sont destinées uniquement au lecteur et ne peuvent être représentées ?
2. Quelles didascalies ont été retenues par le metteur et scène, le décorateur et le costumier ? Lesquelles ont été négligées ?
3. Quelle interprétation vous semble la plus proche des intentions de l'auteur ?

Intérieur bourgeois anglais, avec des fauteuils anglais. Soirée anglaise. M. Smith, Anglais, dans son fauteuil anglais et ses pantoufles anglaises, fume sa pipe anglaise et lit un journal anglais, près d'un feu anglais. Il a des lunettes anglaises, une petite moustache grise, anglaise. À côté de lui, dans un autre fauteuil anglais, Mme Smith, Anglaise, raccommode des chaussettes anglaises. Un long moment de silence anglais. La pendule anglaise frappe dix-sept coups anglais.

Eugène Ionesco, *La Cantatrice chauve*, Éd. Gallimard, 1950.

Christine Boisson et Paul Charieras dans *La Cantatrice chauve* de Eugène Ionesco, mise en scène par Daniel Benoin, 2008.

Françoise Pinkwasser et Serge Noel dans *La Cantatrice chauve* de Eugène Ionesco, mise en scène par Nicolas Bataille, 2011.

EXERCICE 7 •

1. Quelle réplique ressemble à une tirade ? Pourquoi ?
2. En quoi la tirade est-elle surprenante ?
3. Sur quel ton est-elle prononcée ?

Le Général s'adresse à son fils Toto que le fils du laitier vient de terrifier en jouant au rodéo.

LE GÉNÉRAL. – Il te fait peur, le fils du laitier ?
TOTO. – Oui.
LE GÉNÉRAL. – Et qu'est-ce que tu fais quand tu as peur ?
TOTO. – Je me sauve.
5 LE GÉNÉRAL. – Dans quelle direction ?
TOTO. – Par-derrière.
LE GÉNÉRAL. – Écoute-moi bien, ce n'est pas difficile. La prochaine fois, quand tu auras peur, au lieu de te sauver par-derrière, sauve-toi par-devant. Devant ou derrière,
10 qu'est-ce que ça peut bien te faire à toi, pourvu que tu cours ?… Seulement, comme ça, c'est lui qui aura peur. Il n'y a pas d'autre secret. Au combat, tout le monde a peur. La seule différence est dans la direction qu'on prend pour courir.
15 TOTO. – Et s'il n'a pas peur ?
LE GÉNÉRAL. – Si tu cours vite, il aura sûrement peur.

Jean Anouilh, *L'Hurluberlu*, Acte I, Éd. de la Table Ronde, 1959.

EXERCICE 8 •

1. Repérez les parallélismes de construction, les effets sonores qui rythment cet échange.
2. De quelle façon Figaro met-il fin à ce jeu ?

Figaro et Bazile sont tous deux au service du Comte. Mais depuis longtemps, ils sont ennemis.

FIGARO. – Nous, amis !
BAZILE. – Quelle erreur !
FIGARO, *vite*. – Parce qu'il fait de plats airs de chapelle ?
Bazile, *vite*. – Et lui, des vers comme un journal ?
5 FIGARO, *vite*. – Un musicien de guinguette !
BAZILE, *vite*. – Un postillon de gazette !
FIGARO, *vite*. – Cuistre d'oratorio !
BAZILE, *vite*. – Jockey diplomatique !
LE COMTE, *assis*. – Insolents tous les deux !
10 BAZILE. – Il me manque[1] en toute occasion.
FIGARO. – C'est bien dit ; si cela se pouvait[2] !
BAZILE. – Disant partout que je ne suis qu'un sot.
FIGARO. – Vous me prenez donc pour un écho ?
BAZILE. – Tandis qu'il n'est pas un chanteur que mon
15 talent n'ait fait briller.
FIGARO. – Brailler.
BAZILE. – Il le répète !
FIGARO. – Et pourquoi non, si cela est vrai ? Es-tu un prince pour qu'on te flagorne ?

Beaumarchais, *Le Mariage de Figaro*, Acte IV, scène 10, 1784.

1. il me manque : sous entendu, de respect. 2. si cela se pouvait : comme s'il pouvait être digne de respect !

LE THÉÂTRE **161**

EXERCICE 9 ••

1. Quel effet produit le rythme de l'échange ?
2. Quelles antithèses et quel parallélisme renforcent l'affrontement ?
3. Par quelles formules se montre la désinvolture méprisante de Médée ?
4. Que suggère Hypsipyle pour blesser Médée ?

Hypsipyle et Médée se disputent le cœur de Jason. Celui-ci, pour conquérir la Toison d'or, a besoin de Médée et de ses pouvoirs magiques, ses charmes.

HYPSIPYLE

Moi, je n'en sais pas tant, mais j'avoue entre nous
Que s'il faut qu'il me quitte, il a besoin de vous.

MÉDÉE

Ce que vous en pensez me donne peu d'alarmes.

HYPSIPYLE

Je n'ai que des attraits, et vous avez des charmes.

MÉDÉE

5 C'est beaucoup en amour que de savoir charmer.

HYPSIPYLE

Et c'est beaucoup aussi que de se faire aimer.

MÉDÉE

Si vous en avez l'art, j'ai celui d'y contraindre.

HYPSIPYLE

À faute d'être aimée, on peut se faire craindre.

MÉDÉE

Il vous aima jadis ?

HYPSIPYLE

Peut-être il m'aime encor,
10 Moins que vous toutefois, ou que la Toison d'or.

PIERRE CORNEILLE, *La Conquête de la Toison d'or*,
Acte III, scène 4, 1660.

EXERCICE 10 ••

1. Pourquoi le Tambour rit-il au début de la scène ?
2. Qui pose les questions, au début et à la fin du passage ?
3. De quelle façon Knock rend-il plus fragiles les réponses du Tambour ?
4. À quels moments les hypothèses du docteur semblent-elles hasardeuses ? Que suggère ainsi l'auteur ?

Le Tambour, chargé de faire les annonces dans la ville, profite d'une consultation gratuite du docteur Knock.

KNOCK. – De quoi souffrez-vous ?

LE TAMBOUR. – Attendez que je réfléchisse! *(Il rit.)* Voilà. Quand j'ai dîné, il y a des fois que je sens une espèce de démangeaison ici. *(Il montre le haut de son épigastre.)* Ça
5 me chatouille, ou plutôt, ça me grattouille.

KNOCK, *d'un air de profonde concentration.* – Attention. Ne confondons pas. Est-ce que ça vous chatouille, ou est-ce que ça vous grattouille ?

LE TAMBOUR. – Ça me grattouille. *(Il médite.)* Mais ça me
10 chatouille bien un peu aussi.

KNOCK. – Désignez-moi exactement l'endroit.

LE TAMBOUR. – Par ici.

KNOCK. – Par ici... où cela, par ici ?

LE TAMBOUR. – Là. Ou peut-être là... Entre les deux.

15 KNOCK. – Juste entre les deux ?... Est-ce que ça ne serait pas plutôt un rien à gauche, là, où je mets mon doigt ?

LE TAMBOUR. – Il me semble bien.

KNOCK. – Ça vous fait mal quand j'enfonce mon doigt ?

LE TAMBOUR. – Oui, on dirait que ça me fait mal.

20 KNOCK. – Ah! ah! *(Il médite d'un air sombre.)* Est-ce que ça ne vous grattouille pas davantage quand vous avez mangé de la tête de veau à la vinaigrette ?

LE TAMBOUR. – Je n'en mange jamais. Mais il me semble que si j'en mangeais, effectivement, ça me grattouillerait
25 plus.

KNOCK. – Ah ! ah ! très important. Ah ! ah ! Quel âge avez-vous ?

LE TAMBOUR. – Cinquante et un, dans mes cinquante-deux.

30 KNOCK. – Plus près de cinquante-deux ou de cinquante et un ?

Pierre Trapet et Fabrice Luchini dans *Knock,* de Jules Romains, mise en scène par Maurice Bénichou, 2002.

LE TAMBOUR, *il se trouble peu à peu.* – Plus près de cinquante deux. Je les aurai fin novembre.

KNOCK, *lui mettant la main sur l'épaule.* – Mon ami, faites votre travail aujourd'hui comme d'habitude. Ce soir, couchez-vous de bonne heure. Demain matin, gardez le lit. Je passerai pour voir. Pour vous mes visites seront gratuites. Mais ne le dites pas, c'est une faveur.

LE TAMBOUR, *avec anxiété.* – Vous êtes trop bon, docteur. Mais c'est donc grave, ce que j'ai ?

JULES ROMAINS, *Knock*, Acte II, scène 1,
1923, Éd. Gallimard, 1924.

EXERCICE 11 •

1. Ce monologue fait-il avancer l'action ?
2. Quelle modalité (déclarative, interrogative, exclamative, impérative) et quel mode dominent dans le premier temps du monologue ? Que révèlent-ils du personnage ?
3. Dans le deuxième temps, relevez les marques négatives. Quelle tonalité donnent-elles à ce passage ?

Cælio est amoureux de Marianne, mais il n'a pas osé se déclarer et a demandé l'aide de son ami Octave.

CÆLIO – Ah ! que je fusse né dans le temps des tournois et des batailles ! Qu'il m'eût été permis de porter les couleurs de Marianne et de les teindre de mon sang ! Qu'on m'eût donné un rival à combattre, une armée entière à défier ! Que le sacrifice de ma vie eût pu lui être utile ! Je sais agir, mais je ne puis lui parler. Ma langue ne sert point mon cœur, et je mourrai sans m'être fait comprendre, comme un muet dans une prison.

ALFRED DE MUSSET, *Les Caprices de Marianne*,
Acte II, scène 2, 1833.

EXERCICE 12 ••

1. Relevez quatre apartés qui ne sont pas indiqués.
2. Pourquoi ces apartés étaient-ils nécessaires ?
3. Quel aparté paraît particulièrement artificiel ? Serait-il plus naturel dans un roman ?

Mademoiselle Eurydice élégamment vêtue vient chercher son châle de dentelle qu'elle a donné à réparer. Edmond Gombert, le mari de la dentellière, la reçoit dans une chambre mansardée, très pauvrement meublée.

MLLE EURYDICE. – Un pot de fleurs sur la fenêtre. Il faut prendre garde de se cogner la tête. Un miroir fêlé. C'est là le bonheur. *(Se décidant à apercevoir Edmond Gombert.)* Bonjour monsieur. Qui êtes-vous ?

EDMOND GOMBERT. – Je suis chez moi, madame.

MLLE EURYDICE. – Je le vois bien. Mais qui êtes-vous ?

EDMOND GOMBERT. – Un ouvrier. Et vous, madame ?

MLLE EURYDICE. – Vous êtes curieux.

EDMOND GOMBERT, *à part.* – Qu'elle est belle ! C'est l'entrée d'un éblouissement. Elle est trop belle ! Oh ! le grand monde. Je le hais.

MLLE EURYDICE. – Nique, noc, nac, muche. *(À Edmond Gombert.)* Je viens chercher mon châle de dentelle. Est-il raccommodé ?

EDMOND GOMBERT. – Ah ! c'est la personne au châle. – Le voici, madame, il est prêt. – Quelle drôle de chanson elle chante. Mais c'est égal, elle est bien jolie. Je ne sais pas ce que j'ai.

MLLE EURYDICE, *à part.* – Tiens, il n'est pas mal, ce garçon-là. De grosses mains qui travaillent, un sarreau de coutil[1], il est beau tout de même. Il me plaît. Ça me reposerait de tous mes petits vicomtes qui sont si bêtes. Dans ma jeunesse, ô mon Dieu – voilà que j'ai tout à l'heure vingt-cinq ans – dans ma jeunesse, j'ai été paysanne. Je remordrais bien dans le pain bis. *(Haut, examinant le châle.)* Il est supérieurement réparé, ce châle. C'est très bien fait.

VICTOR HUGO, *L'Intervention*, scène 2, 1869.

1. sarreau de coutil : blouse de travail en grosse toile ; Gombert peint des éventails.

EXERCICE 13 •

1. Qu'est-ce qui « ne marche pas dans cette conversation » ? Quel effet produit ce blocage ?
2. Qu'indiquent les deux didascalies ? Quelle didascalie aurait-on pu ajouter ? Quel climat est ainsi créé ?

Le jeune homme et la jeune fille ont loué leur maison à un couple qui se dispute. Ils essaient de rétablir le calme.

LE JEUNE HOMME. – Monsieur... Madame... Vous êtes nos hôtes.

LA JEUNE FILLE. – Nos hôtes.

LE JEUNE HOMME. – Installez-vous...

LA JEUNE FILLE. – Une bonne fois...

LE JEUNE HOMME. – Dans ce fauteuil...

LA JEUNE FILLE. – Sur cette serviette...

MADAME. – Allons, Léon.

MONSIEUR. – Appelle-moi Jules.

MADAME. – Assieds-toi.

MONSIEUR. – Assieds-toi toi-même.

MADAME. – Qu'à cela ne tienne.

MONSIEUR. – C'est moi qui l'ai dit. *(Ils s'assoient.)*

MADAME. – Après tout, Monsieur, vous êtes nos hôtes.

LE JEUNE HOMME. – Vous êtes nos hôtes.

MADAME. – Vous l'avez dit vous-même.

MONSIEUR, *à la jeune fille.* – Vous êtes nos hôtes.

LA JEUNE FILLE. – Vous êtes nos hôtes.

MADAME. – Nos hôtes c'est vous.

LE JEUNE HOMME. – C'est vous nos hôtes.

MONSIEUR. – Je bois à nos hôtes.

LA JEUNE FILLE. – Il y a quelque chose qui ne marche pas dans cette conversation.

ROLAND DUBILLARD, *Les Crabes*, scène 6, Éd. Gallimard, 1971.

L'action théâtrale

32

Alors que le roman et la poésie rapportent les événements par la média-
tion d'un narrateur qui raconte, sélectionne, commente, le théâtre montre
l'action comme si elle était en train de se produire sous les yeux des spectateurs. L'action se place ainsi au cœur de la représentation théâtrale.

OBSERVATION

Les didascalies
décrivent
ce qui se passe
sur scène

La réplique
brève révèle
l'état d'esprit
du personnage

Paroles enten-
dues seulement
par le public

*Le Comte poursuit à Séville la jeune Rosine dont il tombé follement amoureux. Mais
celle-ci est étroitement surveillée par son oncle Bartholo qui compte l'épouser.*

La jalousie du premier étage s'ouvre, et Bartholo et Rosine se mettent à la fenêtre.
ROSINE. — Comme le grand air fait plaisir à respirer ! Cette jalousie
s'ouvre si rarement...
BARTHOLO. — Quel papier tenez-vous là ?
5 ROSINE. — Ce sont des couplets de *la Précaution inutile* que mon Maître à
chanter m'a donnés hier.
BARTHOLO. — Qu'est-ce que *la Précaution inutile* ?
ROSINE. — C'est une Comédie nouvelle.
BARTHOLO. — Quelque Drame encore ! Quelque sottise d'un nouveau
10 genre !
ROSINE. — Je n'en sais rien.
BARTHOLO. — Euh ! euh ! les journaux et l'Autorité nous en feront raison.
Siècle barbare !...
ROSINE. — Vous injuriez toujours notre pauvre siècle.
15 BARTHOLO. — Pardon de la liberté : qu'a-t-il produit pour qu'on le loue ?
Sottises de toute espèce : la liberté de penser, l'attraction, l'électricité, le
tolérantisme, l'inoculation, le quinquina, l'Encyclopédie et les drames...
ROSINE. *(Le papier lui échappe et tombe dans la rue.)* — Ah ! ma chanson ! ma
chanson est tombée en vous écoutant ; courez, courez donc, Monsieur ;
20 ma chanson ! elle sera perdue.
BARTHOLO. — Que diable aussi, l'on tient ce qu'on tient. *(Il quitte le balcon.)*
ROSINE *regarde en dedans et fait signe dans la rue.* — S't, s't, *(Le Comte
paraît)* ramassez vite et sauvez-vous. *(Le Comte ne fait qu'un saut, ramasse
le papier et rentre.)*
25 BARTHOLO *sort de la maison et cherche.* — Où donc est-il ? je ne vois rien.
ROSINE. — Sous le balcon, au pied du mur.
BARTHOLO. — Vous me donnez là une jolie commission ! Il est donc passé
quelqu'un ?
ROSINE. — Je n'ai vu personne.
30 BARTHOLO, *à lui-même.* — Et moi qui ai la bonté de chercher...

BEAUMARCHAIS, *Le Barbier de Séville*, Acte I, scène 3, 1775.

QUESTIONS

1. Décrivez les divers mouvements qui se produisent sur la scène.

2. De quelle façon se manifeste le conflit qui surgit entre la jeune fille et son oncle ?

1 Le développement de l'action théâtrale

1. L'action et l'intrigue

L'action désigne l'événement sur lequel repose la pièce : conquête du pouvoir, mariage. L'intrigue désigne les étapes qui mènent du début à la fin de la pièce.

2. La construction de la pièce

■ **L'exposition.** Premier temps de l'action, elle indique ce qui se passe sur scène : où est-on ? Qui est en scène ? Que se passe-t-il ?

■ **Le nœud et les péripéties.** L'action se noue quand les projets des personnages se heurtent à des obstacles. La péripétie est un événement qui modifie la situation.

■ **Le dénouement.** Dernier temps de l'action, il est marqué par la disparition des obstacles qui avaient lancé l'action. Il instaure une nouvelle situation.

2 Les repères de l'action théâtrale

1. Le lieu de l'action

Décrit avec plus ou moins de précision dans les didascalies, le lieu de l'action est également évoqué par les dialogues. Pour le spectateur, il peut être rendu visible par l'usage des décors ou des accessoires.

2. Le temps de l'action

Limitée à une journée dans le théâtre classique, l'action peut s'étendre sur plusieurs mois, plusieurs années, et les séquences peuvent être juxtaposées sans souci de chronologie. Mais on assiste toujours en direct à ce qui se produit sur la scène : le théâtre se conjugue au présent.

3 Les personnages de théâtre

1. Le caractère du personnage

L'imitation théâtrale est faite par des personnages en action, longtemps appelés « acteurs ». Selon le rôle qu'ils tiennent dans l'action, on distingue les protagonistes, les personnages secondaires, les confidents et les figurants.

■ **Le personnage type.** Défini par quelques traits schématiques, le personnage correspond à un emploi traditionnel : valet rusé, jeunes premiers, vieux barbons.

■ **Le personnage mythique.** Tiré de récits légendaires, le personnage mythique, comme Antigone ou Don Juan, soulève des questions fondamentales que chaque auteur réactualise.

■ **Le personnage individualisé.** Grâce à des caractéristiques sociales, psychologiques, le personnage théâtral peut perdre son caractère schématique. Ainsi Figaro se distingue du valet type car il a un passé, un amour, un avenir.

2. Les mobiles du personnage

Chaque personnage se détermine par ce qu'il cherche à atteindre, par la force qui le pousse à agir. Son action, soutenue par des adjuvants, se heurte à ceux qui s'opposent à la réalisation de ses désirs. Saisir un personnage, c'est discerner dans quel réseau de forces opposées se déploient ses gestes et ses discours.

3. Les conflits révélateurs

Les personnages les plus complexes existent par les conflits auxquels ils participent : la façon dont ils se heurtent aux autres, leurs discours et leurs silences, leur action ou leur inaction, les discours qu'on tient sur eux, leur donnent vie et profondeur.

Repère

Protagoniste

Du mot grec *prôtagônistès*, « celui qui combat au premier rang », il désigne dans l'Antiquité l'acteur chargé du rôle principal face au chœur qui commente les événements. Aujourd'hui, on appelle ainsi le personnage principal, celui qui fait avancer l'action ou le récit, au théâtre ou dans un roman ; il se distingue ainsi des personnages secondaires et des confidents.

LE DÉVELOPPEMENT DE L'ACTION THÉÂTRALE

EXERCICE 1 •

1. Quel procédé utilise Molière pour présenter l'action ?
2. Quel conflit est ainsi exposé ?
3. Comment se marque la détermination de Lélie ?

LÉLIE

Hé bien ! Léandre, hé bien, il faudra contester :
Nous verrons de nous deux qui pourra l'emporter,
Qui dans nos soins communs pour ce jeune miracle,
Aux vœux de son rival portera plus d'obstacle.
5 Préparez vos efforts et vous défendez bien,
Sûr que de mon côté je n'épargnerai rien.

MOLIÈRE, *L'Étourdi*, Acte I, scène 1, 1655.

EXERCICE 2 •

1. Comment Musset anime-t-il le premier temps de l'exposition ?
2. Quelles indications sont données sur le lieu et le moment de l'action ?
3. Quel décalage se marque entre les deux jeunes gens ?

Une rue ; il fait nuit. Razetta descend d'une gondole ; Laurette paraît à un balcon.

RAZETTA. – Partez-vous, Laurette ? Est-il vrai que vous partiez ?
LAURETTE. – Je n'ai pu faire autrement.
RAZETTA. – Vous quittez Venise ?
5 LAURETTE. – Demain matin.
RAZETTA. – Ainsi cette funeste nouvelle qui courait la ville aujourd'hui n'est que trop vraie. On vous vend au prince d'Eysenach. Quelle fête ; votre orgueilleux tuteur n'en mourra-t-il pas de joie ! Lâche et vil courtisan !
10 LAURETTE. – Je vous en supplie, Razetta, n'élevez pas la voix ; ma gouvernante est dans la salle voisine ; on m'attend ; je ne puis que vous dire adieu.
RAZETTA. – Adieu pour toujours ?
LAURETTE. – Pour toujours.
15 RAZETTA. – Je suis assez riche pour vous suivre en Allemagne.
LAURETTE. – Vous ne devez pas le faire. Ne nous opposons pas, mon ami, à la volonté du ciel.

ALFRED DE MUSSET, *La Nuit vénitienne*, scène 1, 1830.

EXERCICE 3 •

1. Quel est le discours qui crée la surprise ?
2. En quoi la situation est-elle modifiée ?
3. Comment Léandre se justifie-t-il ? Est-il convaincant ?
4. À quoi sert l'interruption qui termine la scène ?

Léandre et Lélie se disputent le cœur de la belle esclave Célie (voir exercice 1). Mais Anselme voudrait que Léandre épouse sa fille, la jeune Hippolyte qui brûle depuis longtemps pour le jeune homme.

ANSELME

Je vous le dis encore, ces bouillants mouvements,
Ces ardeurs de jeunesse et ces emportements
Nous font trouver d'abord quelques nuits agréables ;
Mais ces félicités ne sont guère durables,
5 Et notre passion alentissant son cours,
Après ces bonnes nuits donnent de mauvais jours.
De là viennent les soins, les soucis, les misères,
Les fils déshérités par le courroux des pères.

LÉANDRE

Dans tout votre discours je n'ai rien écouté
10 Que mon esprit déjà ne m'ait représenté.
Je sais combien je dois à cet honneur insigne
Que vous me voulez faire et dont je suis indigne,
Et vois, malgré l'effort dont je suis combattu,
Ce que vaut votre fille et quelle est sa vertu :
15 Aussi veux-je tâcher…

ANSELME
On ouvre cette porte ;
Retirons-nous plus loin, de crainte qu'il n'en sorte
Quelque secret poison dont vous seriez surpris.

MOLIÈRE, *L'Étourdi*, Acte IV, scène 3, 1655.

EXERCICE 4 •

1. En quoi ce dénouement est-il caractéristique de la comédie ?
2. De quelle façon Molière le rend-il vivant et amusant ?

Par un heureux concours de circonstances, Célie a retrouvé son père Truffaldin et son frère : elle peut épouser Lélie tandis que Léandre épousera Hippolyte, la fille d'Anselme. Lélie montre sa joie à Mascarille qui, à sa façon, l'a aidé.

LÉLIE, à *Mascarille*

Il faut que je t'embrasse, et mille et mille fois,
Dans cette joie…

MASCARILLE
Ahi, ahi, doucement, je vous prie :
Il m'a presque étouffé. Je crains fort pour Célie,
Si vous la caressez avec tant de transport.
5 De vos embrassements on se passerait fort.

TRUFFALDIN, à *Lélie*

Vous savez le bonheur que le Ciel me renvoie ;
Mais puisqu'un même jour nous met tous dans la joie,
Ne nous séparons point qu'il ne soit terminé,
Et que son père aussi nous soit vite amené.

MASCARILLE

10 Vous voilà tous pourvus : n'est-il point quelque fille
Qui pût accommoder le pauvre Mascarille ?
À voir chacun se joindre à sa chacune ici,
J'ai des démangeaisons de mariage aussi.

ANSELME

J'ai ton fait.

MASCARILLE
Allons donc, et que les Cieux prospères
15 Nous donnent des enfants dont nous soyons les pères.

MOLIÈRE, *L'Étourdi*, Acte V, scène 11, 1655.

EXERCICE 5 ••

1. Où et quand se déroule cette scène de dénouement ?

2. Entre quelles décisions Razetta hésite-t-il ?

3. En vous appuyant sur les réponses précédentes, expliquez dans un paragraphe d'une dizaine de lignes pourquoi ce dénouement vous paraît amusant ou mélancolique.

Laurette a été séduite par le prince d'Eysenach et c'est en vain que Razetta l'attend toute la nuit. D'une gondole char-gée de musiciens, des amis appellent l'amoureux délaissé.

UNE VOIX DE FEMME. – Venez, Razetta, nous sommes vos véritables amis, et nous ne désespérons pas de vous faire oublier la belle Laurette. Nous n'aurons pour cela qu'à vous rappeler ce que vous disiez vous-même, il y
5 a quelques jours, ce que vous nous avez appris. – Ne perdez pas ce nom glorieux que vous portiez du premier mauvais sujet de la ville.

LE JEUNE HOMME. – De l'Italie ! Viens, nous allons souper chez Camilla ; tu y retrouveras ta jeunesse tout entière,
10 tes anciens amis, tes anciens défauts, ta gaieté. – Veux-tu tuer ton rival ou te noyer ? Laisse ces idées communes au vulgaire des amants ; souviens-toi de toi-même, et ne donne pas le mauvais exemple. Demain matin les femmes seront inabordables, si on apprend cette nuit
15 que Razetta s'est noyé. Encore une fois, viens souper avec nous.

RAZETTA. – C'est dit. Puissent toutes les folies des amants finir aussi joyeusement que la mienne ! (*Il monte sur la barque, qui disparaît au bruit des instruments.*)

ALFRED DE MUSSET, *La Nuit vénitienne*, dernière scène, 1830.

LES REPÈRES DE L'ACTION THÉÂTRALE

EXERCICE 6 ••

1. Comment l'auteur a-t-il procédé pour évoquer plusieurs lieux sur la même scène ?

2. Montrez que les modifications du décor correspondent à des changements d'époque.

3. De quelle façon le metteur en scène a-t-il mis en œuvre les indications de l'auteur ?

Un décor vague avec des piliers partout. C'est la cathédrale. Le tombeau de Becket, au milieu de la scène, une dalle avec un nom gravé sur la pierre. Deux gardes entrent et se postent au loin, puis le Roi entre par le fond. Il a la couronne sur la tête, il est nu sous un vaste manteau. [...]

LE ROI. – Alors, Thomas Becket, tu es content ? Je suis nu sur ta tombe et tes moines vont venir me battre. Quelle fin pour notre histoire ! Toi, pourrissant dans ce tom-beau, lardé des coups de dague de mes barons et moi,
5 tout nu, comme un imbécile, dans les courants d'air, attendant que ces brutes viennent me taper dessus. Tu ne crois pas qu'on aurait mieux fait de s'entendre ?

Bruno Cremer et Daniel Ivernel dans *Becket ou l'Honneur de Dieu* de Jean Anouilh, mis en scène par l'auteur et Roland Pietri, 1959.

Becket en archevêque, comme au jour de sa mort, est apparu sur le côté, derrière un pilier. Il dit doucement.

10 BECKET. – On ne pouvait pas s'entendre.

LE ROI. – Je te l'ai dit : « Sauf l'honneur du royaume! » C'est toi qui m'avais appris la formule pourtant.

BECKET. – Je t'ai répondu : « Sauf l'honneur de Dieu! » C'était un dialogue de sourds.

15 LE ROI. – Qu'il faisait froid dans cette plaine nue de La Ferté-Bernard la dernière fois que nous nous sommes vus ! [...]

Beckett va s'enfoncer doucement dans l'ombre et disparaître pendant la réplique du Roi.

20 LE ROI. – Je les regarde entre mes doigts, qui me guettent des allées latérales. Tu avais beau dire, quelle trogne ils ont, tes Saxons ! Se livrer tout nu à ces brutes. Moi qui ai la peau tellement fragile... Même toi, tu aurais peur ! [...]

25 *L'éclairage change. C'est encore la cathédrale vide, et puis à un moment Becket tirera un rideau et ce sera la chambre du Roi. Leur ton d'abord lointain comme celui d'un souvenir changera aussi et deviendra plus réaliste. Thomas Becket en gentilhomme élégant, jeune, charmant, avec sa veste courte
30 et ses souliers au bout curieusement retourné, est entré, allègre, et salue le Roi.*

THOMAS. – Mes respects, mon seigneur !...

LE ROI *s'illumine*. – Ah, Thomas ! Je pensais que tu dor-mais encore.

35 THOMAS. – J'ai déjà fait un petit temps de galop jusqu'à Richmond, mon seigneur. Il a fait un froid divin.

LE ROI, *qui claque des dents*. – Dire que tu aimes le froid, toi !

JEAN ANOUILH, *Becket ou l'Honneur de Dieu*, Acte I, Éd. de la table Ronde, 1959.

EXERCICE 7 ••

1. De quelle façon l'espace où sont les personnages est-il évoqué ? Le texte implique-t-il des gestes, des déplacements ?
2. Quel personnage découvre cet espace ? Quel effet produit son silence ?
3. Comment décririez-vous le décor adapté à cet échange ?

L'appartement de Lili Ross Nano

LILI. – Comme elle est belle Suzanne !
NANO. – Voilà Manman c'est l'appartement.
LILI. – Là c'est le petit coin je vous embrasse.
NANO. – Ma chambre est au fond tu ne dis rien ?
5 LILI. – On est très content que Nano vive avec nous je suis très contente de vivre avec Ross et Nano.
NANO. – Le salon.
ROSS. – Il y a le rôti qui brûle.
NANO. – La salle de bains dis quelque chose !
10 LILI. – C'est pas le rôti.
ROSS. – Ça brûle.

PHILIPPE MINYANA, *Quatuor*, Edilig, 1986.

LES PERSONNAGES DE THÉÂTRE

EXERCICE 8 •

1. Certains personnages de la liste suivante sont des types. Lesquels jouent le rôle de domestique ?
2. Quels personnages sont des héros mythiques ?
Arlequin – Oncle Vania – Don Juan – Célimène – Scapin – Chimène – Faust – Sganarelle – Antigone – Figaro– Ruy Blas.

EXERCICE 9 •

1. En lisant ces listes de personnages, peut-on deviner s'ils agissent dans une comédie ou une tragédie ?
2. Dans quel ordre sont-ils présentés ?
3. En lisant ces listes, quels conflits peut-on pressentir ?

Liste 1 (*Sganarelle*, Molière, 1660)
Gorgibus, bourgeois de Paris. – **Célie**, sa fille. – **Lélie**, amant de Célie. – **Gros-René**, valet de Lélie. – **Sganarelle**, bourgeois de Paris, et cocu imaginaire. – **Sa femme** – **Villebrequin**, père de Valère. – **La suivante de Célie**. – **Un parent de Sganarelle**.

Liste 2 (*Mithridate*, Racine, 1673)
Mithridate, roi de Pont et de quantité d'autres royaumes. – **Monime**, accordée avec Mithridate, et déjà déclarée reine. – **Pharnace**, **Xiphares**, fils de Mithridate, mais de différentes mères. – **Arbate**, confident de Mithridate, et gouverneur de la place de Nymphée. – **Phoedime**, confidente de Monime. – **Arcas**, domestique de Mithridate. – **Gardes**.

Liste 3 (*Permettez, Madame*, Labiche, 1863)
Léon, oncle d'Henri – **Bonacieux** – **Henri** – **Baptiste**, domestique – **Madame Bonacieux** – **Blanche**, fille de Bonacieux – **Julie**, femme de chambre.

Liste 4 (*Pour un oui ou pour un non*, Sarraute, 1982)
H.1 – H.2 – H.3 – F.

EXERCICE 10 •

De quelle façon le costumier a-t-il interprété les indications données pour le costume du personnage du Père Ubu ?

PÈRE UBU. – Complet veston gris d'acier, toujours une canne enfoncée dans la poche droite, chapeau melon. Couronne par-dessus son chapeau, à partir de la scène 2 de l'acte II. (*Répertoire des costumes, publié par J.-H. Sainmont sur le manuscrit inédit.*)

Denis Lavant dans *Ubu Roi* d'Alfred Jarry, mis en scène par Bernard Sobel, 2001.

EXERCICE 11 ••

1. Quelle action est en cours ?
2. Quels sont les deux personnages qui s'opposent ?
3. À quel moment la baronne change-t-elle d'avis ?
4. Quelle image cette scène donne-t-elle des trois personnages ?

Frontin vient plaider la cause de son maître le Chevalier auquel la Baronne n'est pas insensible : le Chevalier a besoin de mille écus. Marine, la suivante de la Baronne pense qu'on cherche à tromper sa maîtresse.

FRONTIN. – […] Que lui dirai-je, madame ?
LA BARONNE. – Tu lui diras, Frontin, qu'il peut toujours faire fonds[1] sur moi, et que, n'étant point en argent comptant… (*Elle veut retirer son diamant.*)

5 MARINE, *la retenant.* – Hé, madame, y songez-vous ?

LA BARONNE, *remettant son diamant.* – Tu lui diras que je suis touchée de son malheur.

MARINE, *à Frontin.* – Et que je suis, de mon côté, très fâchée de son infortune.

10 FRONTIN. – Ah ! qu'il sera fâché, lui !... *(Bas, à part.)* Maugrebleu[2] de la soubrette !

LA BARONNE. – Dis-lui, Frontin, que je suis sensible à ses peines.

MARINE. – Que je sens vivement son affliction, Frontin.

15 FRONTIN. – C'en est donc fait, madame ; vous ne verrez plus M. le chevalier. La honte de ne pouvoir payer ses dettes va l'écarter de vous pour jamais ; car rien n'est plus sensible pour un enfant de famille. Nous allons tout à l'heure[3] prendre la poste[4].

20 LA BARONNE. – Prendre la poste, Marine !

MARINE, *à la baronne.* – Ils n'ont pas de quoi la payer.

FRONTIN. – Adieu, madame.

LA BARONNE, *tirant son diamant.* – Attends, Frontin.

MARINE, *à Frontin.* – Non, non ; va-t'en vite lui faire
25 réponse.

LA BARONNE, *à Marine.* – Oh ! je ne puis me résoudre à l'abandonner. *(Donnant son diamant à Frontin.)* Tiens, voilà un diamant de cinq cents pistoles que M. Turcaret m'a donné ; va le mettre en gage, et tire ton maître de
30 l'affreuse situation où il se trouve.

FRONTIN. – Je vais le rappeler à la vie. Je lui rendrai compte, Marine, de l'excès de ton affliction. *(Il sort.)*

ALAIN-RENÉ LESAGE, *Turcaret*, Acte I, scène 2, 1709.

1. faire fonds sur : s'appuyer, compter sur. 2. Maugrebleu : juron, maudite soit-elle ! 3. tout à l'heure : tout de suite. 4. la poste : transport public.

EXERCICE 12 ••

1. Quel conflit éclaire le comportement des personnages ?

2. Quels discours permettent de caractériser le personnage de César ?

3. En vous appuyant sur les réponses précédentes, vous rédigerez la lettre que Fanny adresse à une amie pour évoquer les personnages de César et de Marius.

César, patron du bar de la Marine, s'aperçoit en se réveillant d'une petite sieste que son fils Marius a offert un café à la jeune (et jolie) Fanny.

CÉSAR, *à Marius.* – Marius, c'est toi qui offres le café ?

MARIUS. – Oui.

CÉSAR, *impénétrable et froid.* – Bon.

MARIUS. – Je viens de le faire. Tu en veux une tasse ?

5 CÉSAR. – Non.

MARIUS. – Pourquoi ?

CÉSAR. – Parce que si nous buvons tous gratis, il ne restera plus rien pour les clients.

FANNY, *elle rit.* – Oh ! vous n'allez pas pleurer pour une
10 tasse de café ?

CÉSAR. – Ce n'est pas pour le café, c'est pour la manière.

MARIUS. – Qué manière ?

CÉSAR. – De boire le magasin pendant que je dors.

Il va lentement sur la porte et regarde le port en se grattant
15 *les cheveux.*

MARIUS. – Si tu as voulu me faire un affront, tu as réussi.

CÉSAR. – Un affront ! Quel affront ?

MARIUS. – Si, à vingt-trois ans, je ne peux pas offrir une tasse de café, alors qu'est-ce que je suis ?

20 CÉSAR. – Tu es un enfant qui doit obéir à son père.

FANNY. – À vingt-trois ans.

CÉSAR. – Oui, ma belle. Moi, il a fallu que j'attende l'âge de trente-deux ans pour que mon père me donne son dernier coup de pied au derrière. Voilà ce que c'était que
25 la famille de mon temps. Et il y avait du respect et de la tendresse.

MARIUS, *à mi-voix.* – À coups de pied au cul.

CÉSAR. – Et on ne voyait pas tant d'ingrats et de révoltés.

MARCEL PAGNOL, *Marius*, Acte I, scène 2,
collection Fortunio, Éd. De Fallois, 2004.

EXERCICE 13 ••

1. Le dialogue fait-il avancer l'action ?

2. Les deux ménagères sont-elles des personnages individualisés ?

3. D'où vient la drôlerie du dialogue ? Reste-t-il d'actualité ?

CINQUIÈME MÉNAGÈRE, *entrant par la gauche, avec une autre.* – Dans le temps, il fallait bien laver les carottes. Sinon elles vous faisaient attraper la lèpre.

5 SIXIÈME MÉNAGÈRE. – Maintenant ce sont les pommes de terre qui vous donnent le diabète ou qui vous font trop grossir. Les épinards sont mauvais, ça donne trop de sang. Les lentilles trop d'amidon. Les fruits, les salades, toutes les crudités vous donnent des colites ; si on les
10 cuit, ça n'a plus de vitamines, ça n'a plus d'enzymes, ça vous tue. L'alcool ça fait du mal, ça alcoolise. L'eau n'est pas bonne, même dans les bottes. Ça gonfle l'estomac. Ça le remplit de grenouilles.

CINQUIÈME MÉNAGÈRE. – La viande est mauvaise. C'est de
15 l'acide urique. Le poisson vous énerve.

SIXIÈME MÉNAGÈRE. – Le poisson vous énerve ?

CINQUIÈME MÉNAGÈRE. – À cause du phosphore. Ça le fait éclater.

SIXIÈME MÉNAGÈRE. – Dans la tête ?

20 CINQUIÈME MÉNAGÈRE. – Et les moules, ça peut donner la peste ! Et les huîtres et les coquillages.

SIXIÈME MÉNAGÈRE. – Les asperges, mon mari n'en veut pas, ça fait mal aux reins. Il le sait. Il est docteur. Il a des clients qui ont de l'aspergite.

25 CINQUIÈME MÉNAGÈRE. – Il y a les aubergines, ça ne donne que le rhume.

SIXIÈME MÉNAGÈRE. – C'est moins gai que la peste. *(Elles sortent.)*

EUGÈNE IONESCO, *Jeux de massacre*, Éd. Gallimard, 1970.

La tragédie classique

Dès les premières décennies du XVIIᵉ siècle, on assiste en France à un véritable engouement pour le théâtre qui va contribuer à la naissance de la tragédie classique française. Répondant aux exigences de nouveaux publics, l'esthétique classique, qui veut à la fois « plaire et instruire », trouve dans la tragédie une de ses formes les plus accomplies.

OBSERVATION

Champ lexical du malheur

Synecdoque qui souligne la grandeur du personnage

Expression de la violence meurtrière

Viriate, reine de Lusitanie, veut épouser Sertorius, général romain qui s'est rendu maître de l'Espagne. Mais son lieutenant Perpenna est amoureux de la reine et jaloux de Sertorius. Thamire, dame d'honneur de Viriate, vient d'apprendre une terrible nouvelle.

> THAMIRE
> Ah ! Madame.
>
> VIRIATE
>   Qu'as-tu,
> Thamire ? et d'où te vient ce visage abattu ?
> Que nous disent tes pleurs ?
>
> THAMIRE
>   Que vous êtes perdue,
> Que cet illustre bras qui vous a défendue…
>
> VIRIATE
> 5 Sertorius ?
>
> THAMIRE
>   Hélas ! ce grand Sertorius…
>
> VIRIATE
> N'achèveras-tu point ?
>
> THAMIRE
>   Madame, il ne vit plus.
>
> VIRIATE
> Il ne vit plus ? Ô ciel ! Qui te l'a dit, Thamire ?
>
> THAMIRE
> Ses assassins font gloire eux-mêmes de le dire.
> Ces tigres, dont la rage, au milieu du festin,
> 10 Par l'ordre d'un perfide a tranché son destin,
> Tout couverts de son sang, courent parmi la ville
> Émouvoir les soldats et le peuple imbécile[1] ;
> Et Perpenna par eux proclamé général
> Ne vous fait que trop voir d'où part ce coup fatal.

1. imbécile : sens latin, sans vigueur, passif.

PIERRE CORNEILLE, *Sertorius*, Acte V, scène 3, 1662.

QUESTIONS

1. Comment les modalités des phrases expriment-elles l'émotion des personnages ?

2. Quelles expressions évoquent une force à laquelle l'homme ne peut échapper ?

1 Les règles de la tragédie classique

1. Les trois unités

■ **L'unité d'action.** La concentration sur l'action principale, et le refus de toute action secondaire, assure la cohérence de l'œuvre qui, à partir d'une exposition rapide, conduit, par une série de péripéties, à un dénouement complet.

■ **L'unité de lieu.** Concentrée en un seul lieu, l'action paraît plus crédible : pendant tout le spectacle, la scène est identifiée au lieu de l'action.

■ **L'unité de temps.** Pour que la durée du spectacle se rapproche de la durée de l'action représentée, l'action ne peut pas durer plus d'une journée.

2. La vraisemblance

La vraisemblance est nécessaire car « l'esprit n'est point ému de ce qu'il ne croit pas » (Boileau). Les actions possibles sont crédibles et exemplaires.

3. Les bienséances

Elles interdisent tout ce qui pourrait agresser le public comme l'excès de violence ou de grossièretés : les héros tuent et meurent en coulisses.

2 Le style de la tragédie classique

La tragédie classique est inséparable d'un style qui donne une grandeur poignante, une « tristesse majestueuse », écrit Racine, aux malheurs qu'elle évoque.

1. L'énonciation

Le nom et le rang des personnages, le vouvoiement, le « je » et le « vous » remplacés par la troisième personne créent un effet d'éloignement qui grandit les personnages.

→ Qui l'eût dit ? qu'un rivage à mes vœux si funeste
   Présenterait d'abord Pylade aux yeux d'Oreste ? (Racine, *Andromaque*, I, 1.)

2. Le lexique

Le lexique de la tragédie exclut les termes bas et familiers. Des synecdoques, « vos yeux », « mon bras », animent les personnages sans les rendre familiers.

→ Que nous disent tes pleurs ? (Corneille)

3. La syntaxe

Les modalités interrogative, exclamative, la modalité impérative dans les imprécations, font retentir l'émotion des personnages.

→ Il ne vit plus ? Ô ciel ! Qui te l'a dit, Thamire ? (Corneille)

3 Le conflit tragique

1. Les formes du conflit

NATURE DU CONFLIT	EXEMPLES
Le héros affronte un destin inévitable, des divinités hostiles.	• Les dieux demandent la mort de la jeune Iphigénie.
Le héros se heurte à la volonté criminelle, à la jalousie ou à l'ambition de rivaux.	• Médée se venge de Jason qui l'a trahie.
Le héros est déchiré par des désirs contradictoires.	• Phèdre, amoureuse de son beau-fils, le trahit et se tue.

2. La portée du conflit

Le conflit tragique est révélateur car il montre que le malheur est inhérent à la condition humaine. Œuvre d'art, la tragédie éloigne le malheur qu'elle donne à voir. Elle remplit ainsi les fonctions que s'assigne la littérature classique : plaire et instruire.

Repère

Tragédie et tragique

Venant du mot grec *tragos*, bouc (animal sacrifié ou récompense d'un chœur ?), la tragédie désigne une pièce de théâtre qui met en scène des personnages illustres dans des situations déchirantes. Le mot tragique, dérivé du précédent, désigne un malheur profond, inéluctable. Le tragique est distinct de la tragédie et peut qualifier une situation, un roman, une philosophie.

LES RÈGLES DE LA TRAGÉDIE CLASSIQUE

EXERCICE 1 •

1. Parmi ces personnages, quels sont ceux qui relèvent du mythe et ceux qui appartiennent à l'Histoire ?
2. Racontez l'histoire d'Agamemnon et celle de Jason.

Andromaque – Jason – Néron – Iphigénie – Agamemnon – Achille – Attila – Alexandre – Auguste – Médée

EXERCICE 2 •

Connaissez-vous les auteurs des tragédies suivantes ?

Cinna – Bajazet – La Mort de Pompée – Mithridate – Nicomède – Pyrame et Thisbée

EXERCICE 3 •

1. Relevez les expressions qui indiquent le nom des personnages, le lieu et le moment où se déroule la scène.
2. Quel personnage est ignorant comme le spectateur ? Pourquoi cela rend-il l'exposition plus naturelle ?
3. Que projette Jason ? Qui pourrait s'opposer à lui ?

POLLUX

Que je sens à la fois de surprise et de joie !
Se peut-il qu'en ces lieux enfin je vous revoie,
Que Pollux dans Corinthe ait rencontré Jason ?

JASON

Vous n'y pouviez venir en meilleure saison
5 Et pour vous rendre encor l'âme plus étonnée,
Préparez-vous à voir mon second hyménée.[1]

POLLUX

Quoi ! Médée[2] est donc morte, ami ?

JASON

Non, elle vit,
Mais un objet[3] plus beau la chasse de mon lit.

POLLUX

Dieux ! et que fera-t-elle ?

JASON

Et que fit Hypsipyle[4]
10 Que pousser les éclats d'un courroux inutile ?

PIERRE CORNEILLE, *Médée*, Acte I, scène 1, 1635.

1. hyménée : mariage. 2. Médée : magicienne qui aida Jason dans la conquête de la Toison d'or, mère de deux enfants dont Jason est le père. 3. objet : être aimé. 4. Hypsipyle : reine de Lemnos qui eut deux enfants de Jason.

EXERCICE 4 ••

1. Dans les premiers et les derniers vers de cette tragédie, relevez les formules qui soulignent que l'unité de temps a été respectée.
2. De quelle façon ces quelques vers soulignent-ils l'unité d'action ?
3. En quoi l'écart entre l'exposition (texte A) et le dénouement (texte B) relève-t-il de la tragédie ?

Texte A

ALBINE (*s'adressant à la mère de Néron, Agrippine*)
Quoi ! tandis que Néron s'abandonne au sommeil,
Faut-il que vous veniez attendre son réveil ?
Qu'errant dans le palais sans suite et sans escorte
5 La mère de César veille seule à sa porte ?
Madame, retournez dans votre appartement.

RACINE, *Britannicus*, Acte I, scène 1, 1669

Texte B

ALBINE, *s'adressant à la mère de Néron, évoque Néron qui fait tuer Britannicus et a perdu Junie.* […]
Il marche sans dessein, ses yeux mal assurés
N'osant lever au ciel leurs regards égarés.
5 Et l'on craint, si la nuit jointe à la solitude
Vient de son désespoir aigrir l'inquiétude,
Si vous l'abandonnez plus longtemps sans secours,
Que sa douleur bientôt n'attente sur ses jours.
Le temps presse. Courez. Il ne faut qu'un caprice.

RACINE, *Britannicus*, Acte V, scène 8, 1669

EXERCICE 5 •

Comparez les deux péripéties : sur quoi est fondé le retournement de situation ?

A. *Pendant que Mithridate passait pour mort sur le champ de bataille, ses deux fils ont avoué qu'ils aimaient Monime promise à leur père.*

PHOÉDIME

Princes, toute la mer est de vaisseaux couverte,
Et bientôt démentant le faux bruit de sa mort
Mithridate lui-même arrive dans le port.

MONIME

Mithridate !

XIPHARÈS

Mon père !

PHARNACE

Ah ! que viens-je d'entendre ?

JEAN RACINE, *Mithridate*, Acte I, scène 4, 1673

B. *Mithridate, ayant découvert que son fils Pharnace aimait Monime, le fait arrêter en présence de Xipharès, son frère.*

MITHRIDATE

Holà, gardes. Qu'on le saisisse.
Oui, lui-même, Pharnace. Allez, et de ce pas
Qu'enfermé dans la tour on ne le quitte pas.

PHARNACE

Hé bien ! Sans me parer d'une innocence vaine,
5 Il est vrai mon amour mérite votre haine.
J'aime. L'on vous a fait un fidèle récit.
Mais Xipharès, Seigneur, ne vous a pas tout dit.
C'est le moindre secret qu'il pouvait vous apprendre.
Et ce fils si fidèle a dû vous faire entendre,
10 Que des mêmes ardeurs dès longtemps enflammé,
Il aime aussi la reine, et même en est aimé.

JEAN RACINE, *Mithridate*, Acte III, scène 2, 1673.

EXERCICE 6 ●●●

1. Sur quelle opposition Boileau fonde-t-il « l'art judicieux » ?
2. Comment Boileau définit-il les bienséances ? Quel regret exprime-t-il ?
3. Entraînement à la dissertation. Est-il légitime de respecter les bienséances ? a. Quels « objets » doit-on « reculer des yeux » ? b. Le respect des bienséances est-il une forme de censure qui affaiblit le théâtre ? c. Les bienséances restent-elles nécessaires ?

> Ce qu'on ne doit point voir, qu'un récit nous l'expose :
> Les yeux en le voyant saisiraient mieux la chose ;
> Mais il est des objets que l'art judicieux
> Doit offrir à l'oreille et reculer des yeux.
>
> NICOLAS BOILEAU, *Art poétique*, Chant III, 1674.

LE STYLE DE LA TRAGÉDIE CLASSIQUE

EXERCICE 7 ●

1. Dans les deux passages suivants, qu'y a-t-il de surprenant dans la façon dont se désignent les interlocuteurs ? Quel effet est ainsi produit ?
2. Relevez les mots qui appartiennent au lexique de la tragédie.

> A. *Pour sauver Bajazet qu'elle aime, Atalide lui conseille de l'abandonner.*
>
> ATALIDE
> Il faut vous rendre. Il faut me quitter et régner.
>
> BAJAZET
> Vous quitter ?
>
> ATALIDE
> Je le veux. Je me suis consultée.
> De mille soins jaloux jusqu'alors agitée,
> Il est vrai, je n'ai pu concevoir sans effroi
> 5 Que Bajazet pût vivre et n'être pas à moi.
>
> JEAN RACINE, *Bajazet*, II, 5, 1672.
>
> B. *Monime avoue enfin à Xipharès que c'est lui qu'elle aime.*
>
> MONIME
> Quel amour ai-je enfin sans colère écouté ?
>
> XIPHARÈS
> Ô ciel ! Quoi, je serais ce bienheureux coupable
> Que vous avez pu voir d'un regard favorable ?
> 5 Vos pleurs pour Xipharès auraient daigné couler ?
>
> MONIME
> Oui, Prince, il n'est plus temps de le dissimiler.
>
> JEAN RACINE, *Mithridate* II, 6, 1673.

EXERCICE 8 ●

1. De quelle façon le lieu contribue-t-il au climat de la tragédie ?
2. Comment les décorateurs ont-ils interprété ces indications ?

> PHÈDRE
> Je connais mes fureurs[1], je les rappelle toutes.
> Il me semble déjà que ces murs, que ces voûtes
> Vont prendre la parole, et prêts à m'accuser
> Attendent mon époux, pour le désabuser.
> Mourons.
>
> JEAN RACINE, *Phèdre*, Acte III, scène 3, 1677.

1. fureurs : manifestations de passion allant à la folie.

Dominique Blanc dans *Phèdre* de Racine, mise en scène par Patrice Chéreau, 2003.

Phèdre de Racine, mise en scène par Philippe Adrien, 2006.

LE CONFLIT TRAGIQUE

EXERCICE 9 •

1. Par quelles expressions Corneille déprécie-t-il l'intrigue d'amour ?
2. Quels sont, selon lui, les conflits qui s'élèvent « jusqu'à la tragédie » ?
3. Comment Corneille justifie-t-il le recours au thème amoureux ?

> Lorsqu'on met sur la scène une simple intrigue d'amour entre des rois, et qu'ils ne courent aucun péril ni de leur vie ni de leur État, je ne crois pas que, bien que les personnes soient illustres, l'action le soit assez pour
> 5 s'élever jusqu'à la tragédie. Sa dignité demande quelque grand intérêt d'État ou quelque passion plus noble et plus mâle que l'amour, telles que sont l'ambition et la vengeance, et veut donner à craindre des malheurs plus grands que la perte d'une maîtresse. Il est à pro-
> 10 pos d'y mêler l'amour, parce qu'il a toujours beaucoup d'agrément et peut servir de fondement à ces intérêts et à ces autres passions dont je parle ; mais il faut qu'il se contente du second rang dans le poème, et leur laisse le premier.
>
> **Pierre Corneille**, *Discours de l'utilité et des parties du poème dramatique*, 1660.

EXERCICE 10 ••

1. Relevez trois antithèses. Quelle passion anime la reine Viriate ?
2. En vous appuyant sur les remarques de Corneille citées dans l'exercice précédent, expliquez en quoi Viriate est un personnage digne d'une tragédie.

> *Sertorius a accepté que son lieutenant Perpenna demande la main de la reine Viriate mais il sent qu'il est amoureux de la reine et le lui avoue.*
>
> SERTORIUS
> Je me rends donc, Madame ; ordonnez de ma vie :
> Encor tout de nouveau je vous la sacrifie.
> Aimez-vous Perpenna ?
>
> VIRIATE
> Je sais vous obéir,
> Mais je ne sais que c'est d'aimer ni de haïr ;
> 5 Et la part que tantôt vous aviez dans mon âme
> Fut un don de ma gloire, et non pas de ma flamme.
> Je n'en ai point pour lui, je n'en eus point pour vous :
> Je ne veux point d'amant, mais je veux un époux ;
> Mais je veux un héros, qui par son hyménée
> 10 Sache élever si haut le trône où je suis née,
> Qu'il puisse de l'Espagne être l'heureux soutien,
> Et laisser de vrais rois de mon sang et du sien.
>
> **Pierre Corneille**, *Sertorius*, Acte IV, scène 2, 1662.

EXERCICE 11 •

1. À quelle conception de la tragédie s'oppose Racine ?
2. Quel est le but de la tragédie ?
3. Précisez le sens des expressions « grandes », « héroïques », « majestueuse».
4. En quoi cette remarque s'écarte-t-elle de la conception cornélienne citée dans l'exercice 9 ?

> Ce n'est point une nécessité qu'il y ait du sang et des morts dans une tragédie ; il suffit que l'action en soit grande, que les acteurs en soient héroïques, que les passions y soient excitées, et que tout s'y ressente de cette
> 5 tristesse[1] majestueuse qui fait tout le plaisir de la tragédie.
>
> **Jean Racine**, Préface de *Bérénice*, 1671.
>
> 1. tristesse : affliction profonde.

EXERCICE 12 •••

1. À qui s'adresse le personnage ? En quoi ses interlocuteurs révèlent-ils sa folie ?
2. Relevez les modalités des phrases : de quel état d'esprit sont-elles les indices ?
3. Quelle figure de la mythologie nourrit la vision d'Oreste ?
4. **Entraînement au commentaire.** En vous aidant des réponses précédentes, vous expliquerez, dans un paragraphe d'une quinzaine de lignes, comment Racine a donné une dimension tragique à la folie d'Oreste.

> *Hermione a demandé à Oreste de tuer Pyrrhus, le fiancé qui l'a trahie. Mais lorsqu'elle apprend la mort de Pyrrhus, elle se retourne contre Oreste et se tue sur le cadavre de Pyrrhus qu'elle n'a jamais cessé d'aimer. Oreste devient fou et ne reconnaît plus son ami Pylade.*
>
> ORESTE
> Quoi, Pyrrhus, je te rencontre encore ?
> Trouverai-je partout un rival que j'abhorre ?
> Percé de tant de coups comment t'es-tu sauvé ?
> Tiens, tiens, voilà le coup que je t'ai réservé.
> 5 Mais que vois-je ? À mes yeux Hermione l'embrasse ?
> Elle vient l'arracher au coup qui le menace ?
> Dieux, quels affreux regards elle jette sur moi !
> Quels démons, quels serpents traîne-t-elle après soi ?
> Hé bien, filles d'enfer, vos mains sont-elles prêtes ?
> 10 Pour qui sont ces serpents qui sifflent sur vos têtes ?
> À qui destinez-vous l'appareil[1] qui vous suit ?
> Venez-vous m'enlever dans l'éternelle nuit ?
> Venez, à vos fureurs Oreste s'abandonne.
> Mais non, retirez-vous, laissez faire Hermione.
> 15 L'ingrate mieux que vous saura me déchirer,
> Et je lui porte enfin mon cœur à dévorer.
>
> **Jean Racine**, *Andromaque*, Acte V, scène 5, 1667.
>
> 1. appareil : escorte, suite.

QUESTIONS

ANALYSE ▶

1. À quelle règle du théâtre classique obéit le recours au récit ?
2. Quelle modalité contribue à dramatiser l'invocation de Cléopâtre ? En quoi cette invocation relève-t-elle de la tragédie ?
3. Cléopâtre voudrait savoir quelles ont été les dernières paroles de Pompée. Pourquoi ne s'est-il adressé ni aux dieux ni à ses meurtriers ?
4. Quels termes désignent Pompée ? Quels termes désignent ses ennemis ? Que soulignent-ils ?
5. Dans les quatre derniers vers, relevez les effets rythmiques et sonores et expliquez l'effet produit.

ENTRAÎNEMENT ▶
AU COMMENTAIRE

En un ou deux paragraphes, vous expliquerez comment la grandeur héroïque du vaincu contribue au climat tragique du récit.

Vaincu par Jules César à la bataille de Pharsale, le général romain Pompée croit pouvoir se réfugier en Égypte. Mais, espérant s'attirer les bonnes grâces du vainqueur, le roi d'Égypte charge Achillas et Septime de tuer le vaincu. Cléopâtre, la sœur du roi d'Égypte, indignée de cette lâche trahison, écoute avec horreur le récit que lui fait son écuyer Achorée.

CLÉOPÂTRE
Vous qui livrez la terre aux discordes civiles
Si vous vengez sa mort, dieux, épargnez nos villes !
N'imputez rien aux lieux, reconnaissez les mains :
Le crime de l'Égypte est fait par des Romains.
5 Mais que fait et que dit ce généreux courage ?

ACHORÉE
D'un des pans de sa robe il couvre son visage,
À son mauvais destin en aveugle obéit,
Et dédaigne de voir le ciel qui le trahit,
10 De peur que d'un coup d'œil contre une telle offense
Il ne semble implorer son aide ou sa vengeance.
Aucun gémissement à son cœur échappé
Ne le montre, en mourant, digne d'être frappé :
Immobile à leurs coups, en lui-même il rappelle
15 Ce qu'eut de beau sa vie et ce qu'on dira d'elle,
Et tient la trahison que le roi leur prescrit
Trop au-dessous de lui pour y prêter l'esprit.
Sa vertu dans leur crime augmente ainsi son lustre[1],
Et son dernier soupir est un soupir illustre,
20 Qui de cette grande âme achevant les destins,
Étale[2] tout Pompée aux yeux des assassins.
Sur les bords de l'esquif sa tête enfin penchée,
Par le traître Septime indignement tranchée,
Passe au bout d'une lance en la main d'Achillas,
25 Ainsi qu'un grand trophée après de grands combats.
On descend, et pour comble à sa noire aventure
On donne à ce héros la mer pour sépulture,
Et le tronc sous les flots roule dorénavant
Au gré de la fortune, et de l'onde et du vent.

PIERRE CORNEILLE, *La Mort de Pompée*, Acte II, scène 2, 1644.

1. lustre : éclat. 2. étale : fait éclater ce qu'il est.

La comédie classique

La comédie, genre longtemps tenu comme inférieur, semble éloignée de l'idéal classique. Si le rire peut plaire, peut-il instruire ? Ne perd-il pas sa force en ménageant la vraisemblance, les bienséances et les unités ? En rendant à la comédie son énergie joyeuse, son mordant et sa profondeur, Molière a su concilier l'art de la comédie et les exigences de l'art classique.

OBSERVATION

- Deux personnages de comédie : le père et le valet rusé
- Le retour de la formule est comique et révèle l'embarras du personnage
- Le valet rend la situation plus difficile

Scapin fait croire à Géronte que son fils a été enlevé et qu'on lui demande une rançon de cinq cents écus pour le libérer.

GÉRONTE. – Comment, diantre, cinq cents écus !

SCAPIN. – Oui, Monsieur ; et de plus, il ne m'a donné pour cela que deux heures.

GÉRONTE. – Ah ! le pendard de Turc, m'assassiner de la façon !

5 SCAPIN. – C'est à vous, Monsieur, d'aviser promptement au moyen de sauver des fers un fils que vous aimez avec tant de tendresse.

GÉRONTE. – Que diable allait-il faire dans cette galère ?

SCAPIN. – Il ne songeait pas à ce qui est arrivé.

GÉRONTE. – Va-t'en, Scapin, va-t'en vite dire à ce Turc que je vais envoyer

10 la justice après lui.

SCAPIN. – La justice en pleine mer ! Vous moquez-vous des gens !

GÉRONTE. – Que diable allait-il faire dans cette galère ?

SCAPIN. – Une méchante destinée conduit quelquefois les personnes.

GÉRONTE. – Il faut, Scapin, il faut que tu fasses ici l'action d'un serviteur

15 fidèle.

SCAPIN. – Quoi, Monsieur ?

GÉRONTE. – Que tu ailles dire à ce Turc qu'il me renvoie mon fils, et que tu te mets à sa place jusqu'à ce que j'aie amassé la somme qu'il demande.

SCAPIN. – Eh ! Monsieur, songez-vous à ce que vous dites ? et vous

20 figurez-vous que ce Turc ait si peu de sens, que d'aller recevoir un misérable comme moi à la place de votre fils ?

GÉRONTE. – Que diable allait-il faire dans cette galère ?

MOLIÈRE, *Les Fourberies de Scapin*, Acte II, scène 7, 1671

QUESTIONS

1. Dans quelle situation se trouve Géronte ? Pourquoi fait-elle rire ?

2. Les solutions envisagées par Géronte sont-elle adaptées à la situation ?

3. Que révèle le retour de la formule : « Que diable allait-il faire dans cette galère ? »

1 Les genres de la comédie

1. La farce

Héritage du Moyen Âge, la farce fait rire par des situations scabreuses, des gestes parfois osés, des jeux de mots où fleurissent les grossièretés.

2. La commedia dell'arte

Venue d'Italie, la commedia dell'arte est jouée par des comédiens professionnels, de véritables virtuoses, qui improvisent à partir de canevas préconçus.

3. La comédie régulière

La grande comédie en cinq actes et en vers respecte les règles de l'idéal classique : unité d'action, de lieu, de temps, vraisemblance et bienséances. Corneille, dès 1633, puis Molière font de la comédie un genre pleinement littéraire.

4. La comédie-ballet

La comédie-ballet fait intervenir la musique, la danse et le chant. En unissant ces arts si différents, la comédie gagne en fantaisie sans perdre sa dimension satirique.

Repère

Le mot « comédie »

Venu du mot grec *kômôdia* qui désignait une procession burlesque lors des fêtes en l'honneur de Dionysos, le dieu de l'ivresse, le mot français « comédie » a le sens de pièce de théâtre, quel que soit le genre. Encore aujourd'hui, un comédien peut jouer la comédie comme la tragédie. C'est à partir du XVIe siècle que le mot « comédie » se spécialise et s'oppose à « tragédie » et « drame ».

2 Les exigences du classicisme

1. La comédie et les règles du théâtre classique

Si dans les grandes comédies, Molière respecte la règle des trois unités, il néglige parfois la vraisemblance et les bienséances. Pour lui, la première règle est de plaire : « Laissons-nous aller de bonne foi, dit-il, aux choses qui nous prennent par les entrailles ! »

2. La comédie et l'antihumanisme classique

La « matière de la comédie », dit Molière, est le moment où une intention louable devient nocive : le croyant devient crédule, la femme instruite devient méprisante, l'amoureux devient tyrannique. Emportés par leurs illusions, les êtres humains échappent rarement à « ce grand aveuglement où chacun est pour soi ». Cette méfiance à l'égard de la nature humaine est propre à la littérature classique.

3 Les ressorts de la comédie

	DÉFINITION	EXEMPLE
Comique de geste	Les gesticulations, les mimiques, les grimaces, les poursuites, les coups de bâton font rire par la mise en avant du corps qu'on doit maîtriser en société.	Le maître de philosophie de M. Jourdain se jette sur le maître d'armes, le maître de danse, le maître de musique et se fait rosser.
Comique de situation	L'irruption imprévue d'un personnage, un malentendu, un coup de théâtre créent une situation embarrassante qui fait rire.	Le pédant Vadius critique un sonnet devant son ami Trissotin, or c'est Trissotin qui en est l'auteur.
Comique de mots	Le rire naît du langage lui-même : mots déformés, jargons ridicules, mots mal compris dans les quiproquos. Le retour prolongé d'un mot crée le comique de répétition.	• Le latin des médecins. • La répétition de « Et Tartuffe ? » montre à quel point Orgon ne pense plus qu'au faux dévot qu'il a accueilli.
Comique de caractère	L'exagération grossit un trait de caractère et accentue un défaut. La caricature rend ridicule une manie, un vice ou une mode.	• La femme savante Bélise croit que tous les jeunes gens lui font une cour assidue. • À tout instant, Harpagon a peur d'être volé.

LES GENRES DE LA COMÉDIE

EXERCICE 1 •

1. En quoi l'entrée en scène de Mascarille est-elle specta-culaire ?
2. Quel mouvement de scène doit-on imaginer en lisant les adverbes « holà » et les six « là » ?
3. Quelles expressions rendent Mascarille ridicule ?
4. S'agit-il d'une scène de farce ou de comédie ?

La scène se passe dans le salon du bourgeois parisien Gor-gibus.

Mascarille. – Holà ! porteurs, holà ! Là, là, là, là, là, là !
Je pense que ces marauds-là ont dessein de me briser, à
force de heurter contre les murailles et les pavés.
Premier porteur. – Dame, c'est que la porte est étroite.
5 Vous avez voulu aussi que nous soyons entrés jusqu'ici.
Mascarille. – Je le crois bien. Voudriez-vous, faquins,
que j'exposasse l'embonpoint de mes plumes aux inclé-
mences de la saison pluvieuse, et que j'allasse imprimer
mes souliers en boue ? Allez, ôtez votre chaise d'ici.
10 Second porteur. – Payez-nous donc, s'il vous plaît, Monsieur.
Mascarille. – Hem ?
Second porteur. – Je dis, Monsieur, que vous nous don-
niez de l'argent, s'il vous plaît.
15 Mascarille, *lui donnant un soufflet.* – Comment ! coquin,
demander de l'argent à une personne de ma qualité ?
Second porteur. – Est-ce ainsi que l'on paye les pauvres
gens ? et votre qualité nous donne-t-elle à dîner ?
Mascarille. – Ah ! ah ! ah ! je vous apprendrai à vous
20 connaître. Ces canailles-là s'osent jouer à moi.
Premier porteur, *prenant un des bâtons de sa chaise.* – Çà,
payez-nous vitement.
Mascarille. – Quoi ?

Molière, *Les Précieuses ridicules*, scène 7, 1659.

EXERCICE 2 ••

1. Le texte suivant décrit le vêtement que portait Molière dans le rôle de Mascarille. Quels sont les excès qui relèvent de la farce ?
2. Quel principe de l'esthétique classique n'est pas respecté ?
3. Ces outrances sont-elles de pure fantaisie ou ont-elles un but plus précis ?

Imaginez-vous donc, Madame, que sa perruque était si
grande qu'elle balayait la place à chaque fois qu'il faisait
la révérence, et son chapeau si petit qu'il était aisé de
juger que le marquis le portait bien plus souvent dans
5 la main que sur la tête ; son rabat[1] se pouvait appeler
un honnête peignoir, et ses canons semblaient n'être
faits que pour servir de caches aux enfants qui jouent
à la cligne-musette[2]. Et en vérité, Madame, je ne crois
pas que les tentes des jeunes Massagettes[3] soient plus
10 spacieuses que ses honorables canons[4] ; un brandon

de galands[5] lui sortait de la poche comme d'une corn[e]
d'abondance, et ses souliers étaient si couverts de ruban[s]
qu'il ne m'est pas possible de vous dire s'ils étaient d[e]
roussi[6], de vache d'Angleterre ou de maroquin ; d[u]
15 moins sais-je bien qu'ils avaient un demi-pied[7] de hau[t]
et que j'étais fort en peine de savoir comment des talon[s]
si hauts et si délicats pouvaient porter le corps du ma[r]-
quis, ses rubans, ses canons et la poudre.

Mademoiselle des Jardins, *Récit en prose et en ver[s]
de la farce des Précieuses*, 166[0].

1. rabat : pièce de tissu, parfois garni de dentelle, qui tombait sur [le]
devant de la poitrine. **2. cligne-musette** : jeu d'enfants dit aujourd'h[ui]
cache-cache. **3. Massagettes** : peuple scythe cité dans *Le Grand Cyr[us]*
de Mlle de Scudéry. **4. canons** : ornements de tissu qu'on attacha[it]
au bas de la culotte, foncés et embellis de dentelles et de rubans[.]
5. brandon de galands : paquets de nœuds de rubans. **6. roussi** : cu[ir]
de Russie. **7. demi-pied** : seize centimètres.

EXERCICE 3 •

1. Qu'est-ce qui, dans la façon dont s'expriment les person[-]
nages, éloigne de la farce ?
2. Quels indices annoncent le respect des trois unités ?
3. Quelle allusion serait déplacée dans une tragédie ?

Chrysalde
Vous venez, dites-vous, pour lui donner la main ?

Arnolphe
Oui, je veux terminer la chose dans demain.

Chrysalde
Nous sommes ici seuls ; et l'on peut, ce me semble,
Sans craindre d'être ouïs, y discourir ensemble :
5 Voulez-vous qu'en ami je vous ouvre mon cœur ?
Votre dessein pour vous me fait trembler de peur ;
Et de quelque façon que vous tourniez l'affaire,
Prendre femme est à vous un coup bien téméraire.

Arnolphe
Il est vrai, notre ami. Peut-être que chez vous
10 Vous trouvez des sujets de craindre pour chez nous ;
Et votre front, je crois, veut que du mariage
Les cornes soient partout l'infaillible apanage.

Molière, *L'École des femmes*, Acte I, scène 1, 1662[.]

LES EXIGENCES DU CLASSICISME

EXERCICE 4 •

1. Quelles sont les sources du comique : situation, acces[-]
soires, répliques ?
2. Cette scène respecte-t-elle l'exigence de la vraisem[-]
blance ?
3. Entraînement à l'entretien oral. Racine écrit dans l[a]
Préface des *Plaideurs* que le comique grec Aristophane « a[…]
eu raison de pousser les choses au-delà du vraisemblable »[.]
Pensez-vous que les invraisemblances sont nécessaires dan[s]
les comédies ?

*Le juge Perrin Dandin a sauté par la fenêtre de sa maison.
Son fils Léandre essaie de le faire rentrer chez lui.*

LÉANDRE

Vite, un flambeau. J'entends mon père dans la rue.
Mon père, si matin qui¹ vous fait déloger ?
Où courez-vous, la nuit ?

DANDIN

Je veux aller juger.

LÉANDRE

Et qui juger ? Tout dort.

PETIT JEAN

Ma foi, je ne dors guère.

LÉANDRE

5 Que de sacs² ! Il en a jusques aux jarretières.

DANDIN

Je ne veux de trois mois rentrer dans la maison.
De sacs et de procès j'ai fait provision.

LÉANDRE

Et qui vous nourrira ?

DANDIN

Le buvetier³, je pense.

LÉANDRE

Mais où dormirez-vous, mon père ?

DANDIN

À l'audience.

JEAN RACINE, *Les Plaideurs*, Acte I, scène 4, 1668.

1. qui : qu'est-ce qui ? 2. sacs : les actes des procès étaient rangés
dans des sacs. 3. buvetier : tenancier de la buvette du palais de
justice.

EXERCICE 5 ••

1. Quel est le thème de cette discussion ? Appartient-il au
répertoire habituel de la comédie ?
2. Qu'est-ce qui oppose les deux amis ?
3. Quelle est la position de Philinte ? Est-il moins lucide que
le misanthrope ?

*Alceste, le misanthrope, révolté par la conduite de ses sem-
blables, est appelé à l'indulgence par son ami Philinte.*

PHILINTE

J'observe, comme vous, cent choses tous les jours,
Qui pourraient mieux aller, prenant un autre cours ;
Mais quoi qu'à chaque pas je puisse voir paraître,
En courroux, comme vous, on ne me voit point être ;
5 Je prends tout doucement les hommes comme ils sont,
J'accoutume mon âme à souffrir ce qu'ils font ;
Et je crois qu'à la cour, de même qu'à la ville,
Mon flegme est philosophe autant que votre bile.

ALCESTE

Mais ce flegme, Monsieur, qui raisonne si bien,
10 Ce flegme pourra-t-il ne s'échauffer de rien ?
Et s'il faut, par hasard, qu'un ami vous trahisse,
Que, pour avoir vos biens, on dresse un artifice,

Ou qu'on tâche à semer de mauvais bruits de vous,
Verrez-vous tout cela sans vous mettre en courroux ?

PHILINTE

15 Oui, je vois ces défauts dont mon âme murmure
Comme vices unis à l'humaine nature ;
Et mon esprit enfin n'est pas plus offensé
De voir un homme fourbe, injuste, intéressé,
Que de voir des vautours affamés de carnage,
20 Des singes malfaisants, et des loups pleins de rage.

MOLIÈRE, *Le Misanthrope*, Acte I, scène I, 1666.

EXERCICE 6 ••

1. Quelle thèse est commune aux trois remarques qui
suivent ?
2. En quoi ces remarques sont-elles proches du point de vue
de Philinte exprimé dans l'exercice précédent ?
3. Pourquoi peut-on parler à leur propos d'antihumanisme
propre au classicisme ?

A. Nous sommes incapables et de vrai et de bien.

BLAISE PASCAL, *Pensées*, 1670 (posthume).

B. Combien y a-t-il d'hommes qui vivent du sang et de
la vie des innocents, les uns comme des tigres, toujours
farouches et toujours cruels, d'autres comme des lions,
en gardant quelque apparence de générosité, d'autres
5 comme des ours, grossiers et avides, d'autres comme des
loups, ravisssants¹ et impitoyables, d'autres comme des
renards, qui vivent d'industrie², et dont le métier³ est de
tromper.

LA ROCHEFOUCAULD, *Réflexions diverses*,
vers 1670, publié en 1731.

1. ravissants : qui se jettent sur leur proie et les emportent. 2. industrie : adresse, ruse. 3. métier : comportement habituel.

C. Ne nous emportons point contre les hommes en
voyant leur dureté, leur ingratitude, leur injustice, leur
fierté, l'amour d'eux-mêmes, et l'oubli des autres ; ils
sont ainsi faits, c'est leur nature, c'est ne pouvoir sup-
5 porter que la pierre tombe ou que le feu s'élève.

JEAN DE LA BRUYÈRE, *Les Caractères*, X, 1, 1688.

LES RESSORTS DE LA COMÉDIE

EXERCICE 7 •

1. Relevez trois mots dont la prononciation est modifiée, et
trois expressions amusantes.
2. La drôlerie du passage tient-elle à la seule déformation
des mots ?

Pierrot reproche à Charlotte de ne pas l'aimer comme il faut.

CHARLOTTE. – Ne t'aimè-je pas aussi comme il faut ?
PIERROT. – Non : quand ça est, ça se voit, et l'en fait mille
petites singeries aux personnes quand on les aime du
bon du cœur. Regarde la grosse Thomasse, comme elle

5 est assotée du jeune Robain : alle est toujou autour de li
à l'agacer, et ne le laisse jamais en repos ; toujou al li fait
queuque niche ou li baille quelque taloche en passant ; et
l'autre jour qu'il estait assis sur un escabiau, al fut le tirer
de dessous li, et le fit choir de tout son long par tarre.
10 Jarni ! vlà où l'en voit les gens qui aimont ; mais toi tu
ne me dis jamais mot, t'es toujou là comme eune vraie
souche de bois ; et je passerais vingt fois devant toi, que
tu ne te grouillerais pas pour me bailler le moindre coup,
ou me dire la moindre chose. Ventrequenne ! ça n'est pas
15 bian, après tout, et t'es trop froide pour les gens.

CHARLOTTE. – Que veux-tu que j'y fasse ? C'est mon
himeur, et je ne me pis me refondre.

PIERROT. – Ignia humeur qui quienne. Quand en a de
l'amiquié pour les personnes, l'an en baille toujou
20 queuque petite signifiance.

MOLIÈRE, Dom Juan, Acte II, scène 1, 1665.

EXERCICE 8 ••

1. Quel est le mot qui condense la pensée du médecin ? En
quoi est-il amusant ?
2. De quoi se moque Toinette ?

*Le médecin Monsieur Diafoirus explique devant la servante
Toinette pourquoi il n'aime pas soigner les grands seigneurs.*

MONSIEUR DIAFOIRUS. – Le public est commode. Vous
n'avez à répondre de vos actions à personne ; et pourvu
que l'on suive le courant des règles de l'art, on ne se met
point en peine de tout ce qui peut arriver. Mais ce qu'il
5 y a de fâcheux auprès des grands, c'est que, quand ils
viennent à être malades, ils veulent absolument que
leurs médecins les guérissent.

TOINETTE. – Cela est plaisant, et ils sont bien impertinents
de vouloir que vous autres Messieurs vous les guéris-
10 siez : vous n'êtes point auprès d'eux pour cela ; vous n'y
êtes que pour recevoir vos pensions, et leur ordonner des
remèdes ; c'est à eux à guérir s'ils peuvent.

MONSIEUR DIAFOIRUS. – Cela est vrai. On n'est obligé qu'à
traiter les gens dans les formes.

MOLIÈRE, Le Malade imaginaire, Acte II, scène 5, 1673.

EXERCICE 9 •

1. Quand la situation devient-elle critique pour Dorante ?
2. Comment Dorante sort-il de la situation où il s'est mis ?
3. D'où vient le comique du passage ?

*Dorante ment comme il respire. Pour éviter le mariage que
lui proposait son père Géronte, il a prétendu avoir épousé à
Poitiers une femme dont il a eu un enfant. Tout se complique
quand Géronte veut féliciter l'autre grand-père et demande
son nom à son fils.*

GÉRONTE
Ne me fais plus attendre.
Dis-moi…

DORANTE
Que lui dirais-je ?

GÉRONTE
Il s'appelle ?

DORANTE
Pyrandre.

GÉRONTE
Pyrandre ! tu m'as dit tantôt un autre nom :
C'était, je m'en souviens, oui, c'était Armédon.

DORANTE
5 Oui, c'est là son nom propre, et l'autre d'une terre ;
Il portait ce dernier quand il fut à la guerre,
Et se sert si souvent de l'un et l'autre nom,
Que tantôt c'est Pyrandre, et tantôt Armédon.

GÉRONTE
C'est un abus commun qu'autorise l'usage,
10 Et j'en usais ainsi du temps de mon jeune âge.
Adieu, je vais écrire.

DORANTE
Enfin j'en suis sorti.

CLITON
Il faut bonne mémoire après qu'on a menti.

DORANTE
L'esprit a secouru le défaut de mémoire.

PIERRE CORNEILLE, Le Menteur, Acte IV, 1643

EXERCICE 10 •

1. Par quelles expressions Orgon exprime-t-il son admiration
pour Tartuffe ?
2. Quelles exagérations font rire du caractère d'Orgon ?
3. Orgon est-il la seule cible de Molière ?

*Orgon a recueilli Tartuffe chez lui car il pense que c'est un
saint homme. Il veut s'en expliquer à son beau-frère, Cléante.*

ORGON
Halte-là, mon beau-frère :
Vous ne connaissez pas celui dont vous parlez.

CLÉANTE
Je ne le connais pas puisque vous le voulez ;
Mais enfin, pour savoir quel homme ce peut être…

ORGON
5 Mon frère, vous seriez charmé de le connaître,
Et vos ravissements ne prendraient point de fin.
C'est un homme… qui,… ha ! un homme… un homme
enfin.
Qui suit bien ses leçons goûte une paix profonde,
Et comme du fumier regarde tout le monde.
10 Oui, je deviens tout autre avec son entretien ;
Il m'enseigne à n'avoir affection pour rien,
De toutes amitiés il détache mon âme ;
Et je verrais mourir frère, enfants, mère et femme,
Que je m'en soucierais autant que de cela.

CLÉANTE
15 Les sentiments humains, mon frère, que voilà !

MOLIÈRE, Le Tartuffe, Acte I, scène 5, 1664

ANALYSE ▶ 1. Comment Molière met-il en valeur l'explication de Philaminte ?
2. Quelles hypothèses viennent à l'esprit de Chrysale ?
3. Des deux époux, qui a le plus d'audace et d'originalité ?
4. Pourquoi Philaminte est-elle ridicule ?

VERS L'ÉCRITURE ▶ En vous appuyant sur les réponses précédentes, vous rédigerez un paragraphe
DE COMMENTAIRE où vous expliquerez ce qui fait la grandeur et le ridicule de Philaminte.

Philaminte, éprise de sciences et de beau langage, a obligé son mari Chrysale à renvoyer Martine, la servante de la maison. Mais ni Chrysale ni Martine ne savent pour quelle raison.

MARTINE
Qu'est-ce donc que j'ai fait ?

CHRYSALE
Ma foi, je ne sais pas.

PHILAMINTE
Elle est d'humeur encore à n'en faire aucun cas.

CHRYSALE
A-t-elle, pour donner matière à votre haine,
Cassé quelque miroir ou quelque porcelaine ?

PHILAMINTE
5 Voudrais-je la chasser, et vous figurez-vous
Que pour si peu de chose on se mette en courroux ?

CHRYSALE
Qu'est-ce à dire ? L'affaire est donc considérable ?

PHILAMINTE
Sans doute. Me voit-on femme déraisonnable ?

CHRYSALE
Est-ce qu'elle a laissé, d'un esprit négligent,
10 Dérober quelque aiguière, ou quelque plat d'argent ?

PHILAMINTE
Cela ne serait rien.

CHRYSALE
Oh, oh ! Peste, la belle !
Quoi, l'avez-vous surprise à n'être pas fidèle ?

PHILAMINTE
C'est pis que tout cela.

CHRYSALE
Pis que tout cela ?

PHILAMINTE
Pis.

CHRYSALE
Comment, diantre, friponne ! Euh ? A-t-elle commis…

PHILAMINTE
15 Elle a, d'une insolence à nulle autre pareille,
Après trente leçons, insulté mon oreille,
Par l'impropriété d'un mot sauvage et bas,
Qu'en termes décisifs condamne Vaugelas[1].

MOLIÈRE, *Les Femmes savantes*, Acte II, scène 6, 1672.

1. **Vaugelas :** grammairien dont les *Remarques sur la langue française* publiées en 1647 ont fait longtemps autorité.

SUJET VERS LE BAC

Le sujet comprend :
TEXTE A : Pierre Corneille, *Le Cid*, Acte III, scène 6, 1637.
TEXTE B : Molière, *La Critique de l'École des femmes*, scène 6, 1663.
OBJET D'ÉTUDE : La tragédie et la comédie au XVIIᵉ siècle : le classicisme.

TEXTE A

Pierre Corneille, *Le Cid*.

Pour venger l'honneur de son père Don Diègue, Rodrigue a dû tuer en duel le père de celle qu'il aime. Si Don Diègue est fier d'avoir un tel fils, Rodrigue, lui, ne pense qu'à son amour perdu.

DON RODRIGUE

Souffrez qu'en liberté mon désespoir éclate ;
Assez et trop longtemps votre discours le flatte[1].
Je ne me repens point de vous avoir servi,
Mais rendez-moi le bien que ce coup m'a ravi.
5 Mon bras, pour vous venger, armé contre ma flamme,
Par ce coup glorieux m'a privé de mon âme ;
Ne me dites plus rien, pour vous j'ai tout perdu :
Ce que je vous devais, je vous l'ai bien rendu.

DON DIÈGUE

Porte, porte plus haut le fruit de ta victoire :
10 Je t'ai donné la vie et tu me rends ma gloire
Et d'autant que l'honneur m'est plus cher que le jour,
D'autant plus maintenant je te dois de retour.
Mais d'un cœur magnanime éloigne ces faiblesses,
Nous n'avons qu'un honneur, il est tant de maîtresses !
15 L'amour n'est qu'un plaisir, l'honneur est un devoir.

DON RODRIGUE

Ah ! que me dites-vous ?

DON DIÈGUE

                Ce que tu dois savoir.

DON RODRIGUE

Mon honneur offensé sur moi-même se venge
Et vous m'osez pousser à la honte du change[2] !
L'infamie est pareille et suit également
20 Le guerrier sans courage et le perfide amant.
À ma fidélité ne faites point d'injure,
Souffrez-moi généreux sans me rendre parjure,
Mes liens sont trop forts pour être ainsi rompus,
Ma foi m'engage encor si je n'espère plus
25 Et ne pouvant quitter ni posséder Chimène,
Le trépas que je cherche est ma plus douce peine.

DON DIÈGUE

Il n'est pas temps encor de chercher le trépas :
Ton prince et ton pays ont besoin de ton bras.

1. flatte : adoucit par des consolations trompeuses.

2. change : changement, infidélité.

PIERRE CORNEILLE, *Le Cid*, Acte III, scène 6, 1637.

TEXTE B

Molière, *La Critique de l'École des femmes.*

Au cours d'une discussion entre partisans et détracteurs de L'École des femmes, *Dorante et Uranie s'opposent aux partisans de la tragédie.*

DORANTE. – Vous croyez donc, Monsieur Lysidas, que tout l'esprit et toute la beauté sont dans les poèmes sérieux[1], et que les pièces comiques sont des niaiseries qui ne méritent aucune louange ?

URANIE. – Ce n'est pas mon sentiment, pour moi. La tragédie, sans
5   doute, est quelque chose de beau quand elle est bien touchée[2] ; mais la comédie a ses charmes, et je tiens que l'une n'est pas moins difficile à faire que l'autre.

DORANTE. – Assurément, Madame ; et quand, pour la difficulté, vous mettriez un plus du côté de la comédie, peut-être que vous ne vous
10   abuseriez pas. Car enfin, je trouve qu'il est bien plus aisé de se guinder sur de grands sentiments, de braver en vers la Fortune, accuser les Destins, et dire des injures aux Dieux, que d'entrer comme il faut dans le ridicule des hommes, et de rendre agréablement sur le théâtre des défauts de tout le monde. Lorsque vous peignez des héros, vous faites
15   ce que vous voulez. Ce sont des portraits à plaisir, où l'on ne cherche point de ressemblance ; et vous n'avez qu'à suivre les traits d'une imagi-nation qui se donne l'essor, et qui souvent laisse le vrai pour attraper le merveilleux. Mais lorsque vous peignez les hommes, il faut peindre d'après nature. On veut que ces portraits ressemblent ; et vous n'avez
20   rien fait, si vous n'y faites reconnaître les gens de votre siècle.

MOLIÈRE, *La Critique de l'École des femmes*, scène 6, 1663.

1. poèmes sérieux : les tragédies.
2. touchée : exprimée, bien tournée.

QUESTIONS

ANALYSE ▶

1. Dans l'extrait du *Cid*, relevez les caractéristiques de l'affrontement entre Don Diègue et Don Rodrigue.
2. En quoi cette scène est-elle tragique ?
3. Dans le texte de Molière (texte B), quels reproches Dorante adresse-t-il à la tragédie ?
4. Pourquoi, selon Dorante, la comédie est-elle plus « difficile à faire » que la tragédie ?

ENTRAÎNEMENT À ▶
LA DISSERTATION

Molière fait dire à Dorante que, dans la tragédie, « l'on ne cherche pas de res-semblance », alors que dans la comédie, « il faut peindre d'après nature ». En vous aidant des textes du corpus, des œuvres étudiées et de vos lectures, vous expliquerez cette remarque et vous vous demanderez ce qui distingue, selon vous, la comédie de la tragédie.

Le théâtre et la représentation du XVIIᵉ au XIXᵉ siècle

Du XVIIᵉ au XIXᵉ siècle, le théâtre français s'est développé à partir de la notion d'imitation. Le théâtre imite la réalité et l'intensité de l'émotion, rire ou larmes, naît de la qualité de l'imitation. La façon de concevoir et de mettre en œuvre cette imitation a subi en trois siècles des variations sensibles.

OBSERVATION

Indications sur le lieu de l'action

Indications sur le décor

Les caractéristiques du drame romantique

Le jardin de Claudio. Il est nuit.
(Entre Cœlio.) Cœlio, *frappant à la jalousie*[1]. – Marianne ! Marianne ! êtes-vous là ?

Marianne, *paraissant à la fenêtre*. – Fuyez, Octave ; vous n'avez donc
5 pas reçu ma lettre ?

Cœlio. – Seigneur mon Dieu ! Quel nom ai-je entendu ?

Marianne. – La maison est entourée d'assassins ; mon mari vous a vu entrer ce soir ; il a écouté notre conversation, et votre mort est certaine, si vous restez une minute encore.

10 Cœlio. – Est-ce un rêve ? suis-je Cœlio ?

Marianne. – Octave, Octave ! au nom du ciel, ne vous arrêtez pas ! Puisse-t-il être encore temps de vous échapper ! Demain trouvez-vous à midi dans un confessionnal de l'église, j'y serai. *(La jalousie se referme.)*

Cœlio. – Ô mort ! puisque tu es là, viens donc à mon secours. Octave,
15 traître Octave ! puisse mon sang retomber sur toi ! Puisque tu savais quel sort m'attendait ici, et que tu m'y as envoyé à ta place, tu seras satisfait dans ton désir. Ô mort ! je t'ouvre les bras ; voici le terme de mes maux. *(Il sort. On entend des cris étouffés et un bruit*
20 *éloigné dans le jardin.)*

Alfred de Musset, *Les Caprices de Marianne*, Acte II, scène 5, 1833.

Les Caprices de Marianne, mise en scène par Stéphane Peyrau, 2015.

QUESTIONS

1. Où se déroule l'action ? À quel moment ?
2. Quels sont les sentiments éprouvés par Marianne ?
3. Quels mouvements indiquent les didascalies ?
4. Comment le metteur en scène et le décorateur ont-ils rendu sensible le climat de cette scène ?

1 Les conditions de la représentation théâtrale

1. Les lieux du spectacle

Au XVIIe siècle, la représentation pouvait se donner dans des lieux divers, tréteaux des bateleurs, salles de bal ou de sport, jardins illuminés. Puis des bâtiments de plus en plus perfectionnés lui sont réservés.

Au XVIIIe siècle, le théâtre à l'italienne triomphe car il facilite l'illusion : les spectateurs ont l'impression de découvrir une pièce dont on aurait enlevé le quatrième mur.

2. Les décors

D'abord limités à une toile de fond et quelques accessoires, les décors reproduisent de plus en plus précisément le lieu de l'action. Au XIXe siècle, la recherche de la couleur locale conduit à des reconstitutions méticuleuses.

3. Les acteurs

Au XVIIe siècle, les acteurs deviennent de véritables professionnels. La tragédie exige une déclamation solennelle, alors que la comédie, tout en admettant les outrances de la farce, recherche l'imitation la plus naturelle.

Au cours des XVIIIe et XIXe siècles, les acteurs évoluent vers une plus grande spontanéité dans l'expression des sentiments.

Repère

Le mélodrame

Emprunté à l'italien *melodramma*, drame entièrement chanté, le mot désigne d'abord une pièce dont la musique accompagnait certaines scènes. Au XIXe siècle, on l'emploie pour les œuvres qui cherche les effets les plus pathétiques en multipliant les épisodes violents et les caractères outrés.

2 Les genres théâtraux du XVIIe au XIXe siècle

	LA TRAGÉDIE (XVIIe SIÈCLE)	LA COMÉDIE (XVIIe-XIXe SIÈCLES)	LE DRAME (XIXe SIÈCLE)
La forme du texte	Cinq actes en alexandrins : style noble, solennel.	Un, trois ou cinq actes, en vers ou en prose : langue soutenue ou familière.	Un, trois ou cinq actes, en prose ou en vers : styles mêlés, noble, familier.
L'effet recherché	Inspirer la terreur et la pitié qui saisit à la vue d'un malheur exemplaire.	Faire rire ou sourire en montrant les ridicules des hommes ou des groupes sociaux.	Émouvoir en représentant l'individu face à la société et aux bouleversements historiques.
Le lieu de l'action	Lieu unique : pièce d'un palais où peuvent se rencontrer tous les personnages.	Lieu unique (XVIIe-XVIIIe) ou multiple (XVIIIe-XIXe) : ville, maison, salon bourgeois.	Lieux multiples : palais, chambre, jardins, rues, salons.
La durée de l'action	Pas plus de vingt-quatre heures.	Pas plus de vingt-quatre heures.	Durée variable, d'un jour à plusieurs mois.
L'action et le dénouement	Action unique qui se finit mal : meurtres, mort, exil.	Action unique qui se finit bien : mariage, défaite du méchant.	Action unique qui se finit mal : suicide, exécutions.
Les auteurs	Corneille, Racine.	Molière, Marivaux, Beaumarchais, Labiche.	Hugo, Vigny, Musset, Dumas.
Les genres voisins	Tragi-comédie, comédie héroïque.	Farce, comédie-ballet, vaudeville.	Mélodrame.

LES CONDITIONS DE LA REPRÉSENTATION

EXERCICE 1 •

1. Dans quelle situation le peintre a-t-il choisi de montrer les comédiens ? Quel aspect de leur condition souligne-t-il ainsi ?

2. À partir de cette gravure, peut-on imaginer les spectacles qu'ils donnent ? Expliquer.

Karel Dujardin, *Les Charlatans italiens*, 1657.

EXERCICE 2 •

1. Quel lieu a été adopté pour la représentation ? Comment a-t-il été adapté ?

2. À partir de quel personnage s'organise cette image ?

3. Comment les artistes sont-ils représentés ?

Gravure de Le Pautre : représentation d'*Alceste*, tragédie de Lully, à Versailles en 1676.

EXERCICE 3 ••

1. Comparez les deux décors : lequel tient compte des indications de l'auteur ?

2. Quel effet a recherché le décorateur de la création ?

3. Ces deux décors renvoient-ils à deux conceptions de la tragédie ? Lesquelles ?

A. Pour sa tragédie *Iphigénie*, Racine indique : « La scène est en Aulide, dans la tente d'Agamemnon. »

B. La tragédie a été créée en août 1674 dans les jardins du palais de Versailles.

« La décoration […] représentait une longue allée de verdure où, de part et d'autre, il y avait des bassins de fontaines et, d'espace en espace, des grottes d'un ouvrage rustique, mais travaillé très délicatement. Sur leur entablement régnait une balustrade où étaient arrangés des vases de porcelaine pleins de fleurs. Les bassins de fontaines étaient de marbre, soutenus par des tritons dorés et, dans ces bassins, on en voyait d'autres plus élevés qui portaient de grandes statues d'or. » (Félibien, 1674)

C. À la fin de décembre 1674, la tragédie a été représentée à Paris dans le décor suivant : « Le théâtre est des tentes et dans le fond une mer et des vaisseaux ; un billet pour commencer. » (Décorateur de l'Hôtel de Bourgogne, 1678)

EXERCICE 4 •

1. Quelles sont les deux façons de jouer que Molière oppose dans ce passage ?

2. Quels sont les arguments du poète et du comédien ? De qui se moque Molière ?

Molière imagine un poète qui demanderait à un comédien de réciter une douzaine de vers.

MOLIÈRE. – Là-dessus le comédien aurait récité, par exemple, quelques vers du roi de *Nicomède*[1] :

« Te le dirais-je ? Araspe ? il m'a trop bien servi ;
Augmentant mon pouvoir… » le plus naturellement
5 qu'il aurait été possible. Et le poète : « Comment ? vous appelez cela réciter ? C'est se railler ! il faut dire les choses avec emphase. Écoutez-moi. (*Imitant Montfleury*[2] *excellent acteur de l'Hôtel de Bourgogne.*)
« Te le dirais-je, Araspe ? etc. » Voyez-vous cette pos-
10 ture ? Remarquez bien cela. Là, appuyez comme il faut le dernier vers. Voilà ce qui attire l'approbation et fait faire le brouhaha. – Mais, Monsieur, aurait répondu le comédien, il me semble qu'un roi qui s'entretient tout seul avec son capitaine des gardes parle un peu plus humai-
15 nement, et ne prend guère ce ton de démoniaque. – Vous ne savez ce que c'est. Allez-vous-en réciter comme vous faites, vous verrez si vous ferez faire aucun « ah ! ».

MOLIÈRE, *L'Impromptu de Versailles*, scène 1, 1663.

1. *Nicomède* : tragédie de Corneille.
2. **Montfleury** : acteur célèbre qui par sa façon de déclamer les vers et son sens du pathétique, allait, paraît-il, jusqu'à faire perdre la respiration aux spectateurs.

EXERCICE 5 •

De quel mouvement littéraire et culturel peut-on rapprocher les œuvres suivantes ?

L'École des femmes – Lorenzaccio – Bérénice – Le Barbier de Séville.

EXERCICE 6 ••

1. En lisant les dernières répliques ci-après, peut-on deviner de quel genre elles relèvent ?
2. Quels indices permettent d'identifier le genre de l'œuvre : nom des personnages, didascalies, niveau de langue, champ lexical, effet recherché ?

A. FALINGARD, *à part.* – Trois moutons… et une femme !… c'est bien de l'ouvrage !… Ma femme soignera les moutons (*gaillard*) et moi, je soignerai ma femme !…

B. FLIBBERTIGIBBET. – […] Adieu ! Alasco ! adieu, Varney ! démons de cet ange que vous avez assassinée. Suivez-la dans ce gouffre. Vous ne la suivrez pas plus loin. *Il disparaît par une crevasse du toit qui s'écroule et ensevelit*
5 *Varney et Alasco.*

EXERCICE 7 •

1. Que dénonce ce dialogue : un ridicule ? un abus ?
2. À quels indices reconnaît-on une scène de comédie ?

Iphicrate et son valet Arlequin ont fait naufrage sur une île dirigée par d'anciens esclaves. L'un d'eux, Trivelin, accourt vers Iphicrate qui tient son épée à la main.

TRIVELIN, *faisant saisir et désarmer Iphicrate par ses gens.* – Arrêtez, que voulez-vous faire ?

IPHICRATE. – Punir l'insolence de mon esclave.

TRIVELIN. – Votre esclave ! vous vous trompez et l'on vous
5 apprendra à corriger vos termes. (*Il prend l'épée d'Iphicrate et la donne à Arlequin.*) Prenez cette épée, mon camarade ; elle est à vous.

ARLEQUIN. – Que le ciel vous tienne gaillard, brave camarade que vous êtes !

10 TRIVELIN. – Comment vous appelez-vous ?

ARLEQUIN. – Est-ce mon nom que vous demandez ?

TRIVELIN. – Oui vraiment.

ARLEQUIN. – Je n'en ai point, mon camarade.

TRIVELIN. – Quoi donc, vous n'en avez pas ?

15 ARLEQUIN. – Non, mon camarade ; je n'ai que des sobriquets qu'il m'a donnés ; il m'appelle quelquefois Arlequin, quelquefois Hé.

TRIVELIN. – Hé ! le terme est sans façon ; je reconnais ces Messieurs à de pareilles licences. Et lui, comment
20 s'appelle-t-il ?

ARLEQUIN. – Oh, diantre ! il s'appelle par un nom, lui ; c'est le seigneur Iphicrate.

TRIVELIN. – Eh bien ! changez de nom à présent ; soyez le seigneur Iphicrate à votre tour ; et vous, Iphicrate,
25 appelez-vous Arlequin, ou bien Hé.

ARLEQUIN, *sautant de joie, à son maître.* – Oh ! oh ! que nous allons rire, seigneur Hé !

MARIVAUX, *L'Île des esclaves*, scène 2, 1725.

EXERCICE 8 •

1. Comment Labiche fait-il attendre le coup de théâtre ?
2. Quel rôle joue le serviteur Pitois ?
3. Quel personnage multiplie les apartés ? Pourquoi ?
4. En quoi cette scène est-elle amusante ?

Pour dissimuler à sa jeune épouse Emma Colombot et à ses beaux-parents la liaison qu'il a eue avec Héloïse Vernouillet, Célimare a caché les lettres de sa maîtresse dans un petit coffret déposé dans… la corbeille de la mariée !

MADAME COLOMBOT, *un petit coffret à la main, s'adressant à Emma.* – Ma chère enfant, impossible de mettre la main sur tes bracelets… J'ai fouillé partout et je n'ai trouvé que ce coffret.

5 CÉLIMARE, *le reconnaissant, à part.* – Ah ! mon Dieu ! (*Haut.*) Où avez-vous pris ça ?

MADAME COLOMBOT. – Dans la corbeille…

COLOMBOT. – C'est moi… une surprise.

EMMA, *secouant le coffret.* – Tiens, il y a quelque chose
10 dedans !

CÉLIMARE, *à part.* – Les lettres d'Héloïse.

EMMA. – Eh bien, où donc est la clef ?

CÉLIMARE. – Je ne sais… (*Se fouillant.*) Je l'avais hier… (*À part.*) Pas de clef, je suis sauvé !

15 PITOIS, *s'avançant et remettant la clef à Emma.* – La voici ; je l'ai trouvée ce matin dans la poche de votre gilet.

CÉLIMARE, *bas, bourrant Pitois.* – Butor !… animal !…

PITOIS. – Quoi donc ?

CÉLIMARE, *à part.* – Et Vernouillet ! Vernouillet qui est là !

20 EMMA, *qui a ouvert le coffret, gagnant la droite.* – Des lettres !

CÉLIMARE, *à part.* – Patatras !

EMMA. – Une écriture de femme !… Elles sont signées !…

CÉLIMARE, *à demi-voix et vivement.* – Taisez-vous !… Pas
25 devant lui !

TOUS, *excepté Vernouillet.* – Comment ?

CÉLIMARE, *bas, montrant Vernouillet.* – Le mari ! silence !… c'est le mari !

MONSIEUR ET MADAME COLOMBOT. – Hein ?

30 EMMA. – Ah, monsieur, c'est indigne !…

EUGÈNE LABICHE, *Célimare le bien-aimé*, Acte II, scène 14, 1863.

EXERCICE 9 •

1. Comment Musset a-t-il montré l'animation d'une rue ?
2. Montrez que les répliques mêlent le drame politique, la comédie de mœurs, l'intrigue amoureuse.
3. En quoi ce dialogue répond-il aux exigences du drame romantique ?

*À Florence au XVI*e *siècle, le jour se lève. Pendant que les nobles masqués sortent d'un palais encore en fête, les marchands ouvrent leur boutique, les écoliers vont à l'école.*

LA FEMME. – Regarde donc le joli masque. Ah ! la belle robe ! Hélas ! tout cela coûte très cher, et nous sommes bien pauvres à la maison. *Ils sortent.*

UN SOLDAT, *au marchand.* – Gare, canaille ! laisse passer
5 les chevaux.

LE MARCHAND. – Canaille, toi-même, Allemand du diable ! *Le soldat le frappe de sa pique.*

LE MARCHAND, *se retirant.* – Voilà comme on suit la capitulation ! Ces gredins-là maltraitent les citoyens. *Il rentre*
10 *chez lui.*

L'ÉCOLIER, *à son camarade.* – Vois-tu celui qui ôte son masque ? C'est Palla Rucellai. Un fier luron ! Ce petit-là, à côté de lui, c'est Thomas Strozzi, Masaccio, comme on dit.

15 UN PAGE, *criant.* – Le cheval de Son Altesse ! [...]

Le duc sort, vêtu en religieuse, avec Julien Salviati, habillé de même, tous deux masqués.

LE DUC, *montant à cheval.* – Viens-tu, Julien ?

SALVIATI. – Non, Altesse, pas encore. (*Il lui parle à*
20 *l'oreille.*)

LE DUC. – Bien, bien, ferme !

SALVIATI. – Elle est belle comme un démon. – Laissez-moi faire, si je peux me débarrasser de ma femme. (*Il rentre dans le bal.*)

25 LE DUC. – Tu es gris, Salviati ; le diable m'emporte, tu vas de travers. (*Il part avec sa suite.*)

ALFRED DE MUSSET, *Lorenzaccio*, Acte I, scène 2, 1834.

EXERCICE 10 •

1. Quelle règle du théâtre classique n'est pas respectée ?
2. De quelle façon Hugo joue-t-il avec la lumière ?

Alors qu'un édit royal condamne tout participant à un duel à la pendaison, Didier et le marquis de Savigny se provoquent en combat singulier.

BRICHANTEAU, *sautant de joie*
Un bon duel ! c'est charmant !

SAVERNY, *à Didier*
Mais où nous mettre ?

DIDIER
Sous
Ce réverbère.

GASSÉ
Allons ! messieurs, êtes-vous fous ?
On n'y voit pas. Ils vont s'éborgner, par Saint-George !

DIDIER
On y voit assez clair pour se couper la gorge.

SAVERNY
5 Bien dit.

VILLAC
On n'y voit pas !

DIDIER
On y voit assez clair,
Vous dis-je ! et chaque épée est dans l'ombre un éclair !
Allons, marquis !

Tous deux jettent leurs manteaux, ôtent leurs chapeaux, dont ils se saluent et qu'ils jettent derrière eux. – Puis ils tirent leurs épées.

SAVERNY
Monsieur, à vos ordres.

DIDIER
En garde !

Ils croisent le fer et ferraillent pied à pied, en silence et avec fureur.

VICTOR HUGO, *Marion Delorme*, Acte II, scène 3, 1829.

LES MOTS DU BAC

Le théâtre et sa représentation

1. Quel genre d'œuvre doit inspirer la terreur et la pitié ?

2. Quelle est la différence entre les adjectifs « dramatique » et « mélodramatique » ?

3. Qu'appelle-t-on une « tragi-comédie » ?
   a. une comédie qui finit mal.
   b. une tragédie qui finit bien.

4. Placez les mots suivants dans la phrase qui les éclaire :
paroxysme, véhémence, sublime, grotesque.
   a. Il a exprimé sa haine avec une telle ... que le public était fasciné.
   b. Il ne pouvait détacher les yeux de cette beauté ... .
   c. Avec ses grimaces continuelles, ses gestes outrés, il était ... .
   d. La lecture de cette lettre avait porté sa jalousie à son ... .

5. Classez les adjectifs suivants selon leur intensité :
ordurier, grivois, trivial, grossier, vulgaire.

ANALYSE ▶ **1.** À quelle règle du théâtre classique ce dénouement contrevient-il ?
2. Quel type de phrase domine dans le passage ? Que fait-il sentir ?
3. En quoi le geste d'Antony révèle-t-il la force de sa passion ?

ÉCRITURE ▶
D'INVENTION
Deux spectateurs ont assisté à la représentation d'*Antony*. L'un est enthousiaste, l'autre est goguenard. Imaginez leur dialogue en vous aidant des indications de Théophile Gautier.

Texte A

Emportée par la passion, Adèle d'Hervey a trahi son mari dans les bras d'Antony. Elle ne sait comment échapper au déshonneur et à la honte.

ADÈLE. – On monte l'escalier… On sonne… C'est lui… Fuis, fuis !

ANTONY, *fermant la porte*. – Eh ! je ne veux pas fuir, moi… Écoute… Tu disais tout à l'heure que tu ne craignais pas la mort ?

ADÈLE. – Non, non… Oh ! tue-moi, par pitié !

5 ANTONY. – Une mort qui sauverait ta réputation, celle de ta fille ?

ADÈLE. – Je la demanderais à genoux.

UNE VOIX, *en dehors*. – Ouvrez !... ouvrez !... Enfoncez cette porte…

ANTONY. – Et, à ton dernier soupir, tu ne haïrais pas ton assassin ?

ADÈLE. – Je le bénirais … Mais hâte-toi !… cette porte…

10 ANTONY. – Ne crains rien, la mort sera ici avant lui… Mais, songes-y, la mort !

ADÈLE. – Je la demande, je la veux, je l'implore ! (*Se jetant dans ses bras.*) Je viens la chercher.

ANTONY, *lui donnant un baiser*. – Eh bien, meurs ! (*Il la poignarde.*)

ADÈLE, *tombant dans un fauteuil*. – Ah !...
Au même moment, la porte du fond est enfoncée ; le colonel d'Hervey se précipite sur le théâtre, avec plusieurs domestiques.

15 LE COLONEL. – Infâme !... Que vois-je ?... Adèle !... morte !...

ANTONY. – Oui ! morte ! Elle me résistait, je l'ai assassinée !...
Il jette son poignard aux pieds du colonel.

ALEXANDRE DUMAS, *Antony*, Acte V, scènes 3 et 4, 1831.

Texte B

Dans un conte fantastique, Théophile Gautier, ami de Hugo et de Dumas, évoque la représentation d'Antony au théâtre de la porte Saint-Martin : Antony était joué par Borange et Adèle par Marie Dorval, la grande interprète du théâtre romantique.

La pièce finissait, c'était la catastrophe. Dorval, l'œil sanglant, noyée de larmes, les lèvres bleues, les tempes livides, échevelée, à moitié nue, se tordait sur l'avant-scène à deux pas de la rampe. Bocage, fatal et silencieux, se tenait debout dans le fond : tous les mouchoirs étaient en jeu ; les sanglots brisaient les corsets ; un ton-
5 nerre d'applaudissements entrecoupait chaque râle de la tragédienne ; le parterre, noir de têtes, houlait comme une mer ; les loges se penchaient sur les galeries, les galeries sur le balcon. La toile tomba : je crus que la salle allait crouler : c'étaient des battements de mains, des trépignements, des hurlements.

THÉOPHILE GAUTIER, *Onuphrius*, 1832.

La création théâtrale au xxe siècle

Comme tous les arts, le théâtre a connu au xxe siècle plus de changements que pendant les trois siècles précédents. Aidé par l'évolution des techniques, le théâtre moderne ne cherche plus à imiter le monde réel : l'équilibre entre le texte et la représentation s'en trouve profondément modifié.

OBSERVATION

- Les indices du dialogue
- L'origine des paroles qu'entendent les spectateurs
- Description de ce qu'on voit sur la scène

À la fin de la pièce de Bernard-Marie Koltès, Zucco, qui a échappé à ses gardiens, est monté sur les toits de la prison.

> *Le sommet des toits de la prison, à midi. On ne voit personne, pendant toute la scène, sauf Zucco quand il grimpe au sommet du toit. Voix de gardiens et de prisonniers mêlés. […]*
>
> UNE VOIX. – Zucco est peut-être fichu, mais pour l'instant, il est en train
> 5 de grimper sur le toit et de se foutre de votre gueule. *(Zucco, torse et pieds nus, arrive au sommet du toit.)*
>
> UNE VOIX. – Que faites-vous là ?
>
> UNE VOIX. – Descendez immédiatement. *(Rires)*
>
> UNE VOIX. – Zucco, vous êtes fichu. *(Rires)*
>
> 10 UNE VOIX. – Zucco, Zucco, dis-nous comment tu fais pour ne pas rester une heure en prison ?
>
> UNE VOIX. – Comment tu fais ?
>
> UNE VOIX. – Par où as-tu filé ? Donne-nous la filière.
>
> ZUCCO. – Par le haut. Il ne faut pas chercher à traverser les murs, parce
> 15 que, au-delà des murs, il y a d'autres murs. Il y a toujours la prison. Il faut s'échapper par les toits, vers le soleil. On ne mettra jamais un mur entre le soleil et la terre.

BERNARD-MARIE KOLTÈS, *Roberto Zucco*, XV, Éd. de Minuit, 1990.

QUESTIONS

1. Sur quels contrastes se développe le dialogue théâtral ? Identifiez l'origine des voix.

2. De quelle façon le metteur en scène a-t-il rendu sensibles ces contrastes ?

1 La naissance du théâtre contemporain

■ **La crise de l'imitation.** Vouloir reproduire minutieusement la réalité conduit à nier les moyens propres du théâtre : jouant des éclairages, des sons, des décors, libéré du souci de la reproduction, le théâtre peut tout récréer, tout dire.

■ **La crise du texte.** Pour Antonin Artaud, il faut délivrer le théâtre du respect du texte car le langage des signes, des gestes, des corps est plus profond que le langage des mots. Véritable cérémonie, la représentation théâtrale doit être l'occasion d'une expérience unique qui bouleverse notre rapport à la vie.

■ **La crise de l'identification.** L'identification, loin de purger les passions comme le suggérait Aristote, maintiendrait le spectateur dans le respect de l'ordre établi. Pour Bertolt Brecht, le théâtre doit libérer le public des illusions qui l'asservissent.

2 Les conditions actuelles de la représentation

1. La scène moderne

Le théâtre à l'italienne est délaissé au profit d'espaces ouverts qui créent de nouveaux rapports entre les acteurs et les spectateurs. L'électricité, apparue vers 1880, transforme l'espace scénique. Le décor construit s'efface devant des installations plus souples.

2. Le metteur en scène

Le chef de troupe est remplacé par le metteur en scène qui harmonise les effets visuels, les ambiances sonores, le jeu des comédiens. Il apparaît comme un médiateur indispensable entre l'œuvre et le public.

3. Les acteurs

Placé sous les feux des projecteurs, l'acteur ne doit plus seulement maîtriser la diction : il danse, chante et adapte son jeu à des styles différents pour assurer cette présence sans laquelle il n'y aurait pas de théâtre.

Lexique

Le langage théâtral

L'expression « langage théâtral » assimile les techniques de la représentation théâtrale à un langage qui a ses règles et ses conventions. On souligne ainsi que le théâtre est un système complexe de signes – gestes, voix, costumes, décors, techniques de jeu – dont le texte n'est qu'un des éléments.

3 Les principaux courants du théâtre du XXe siècle

	THÈMES ET CARACTÈRES	EFFET RECHERCHÉ	AUTEURS ET METTEURS EN SCÈNE
Théâtre symboliste	Dans des temps et des lieux incertains, des figures de rêve ou de cauchemar.	Loin de la reproduction naturaliste, faire surgir ce qui se cache derrière les apparences.	• Auteurs : M. Maeterlinck, A. Jarry, P. Claudel. • Metteur en scène : A. Lugné-Poë.
Théâtre de boulevard	Déboires, souvent conjugaux, de la vie bourgeoise.	Divertissement. Connivence avec le public.	• Auteurs : M. Achard, F. Dorin, Y. Réza, E.-E. Schmitt.
Théâtre engagé	Des conflits, mythiques ou historiques, soulèvent des questions politiques.	Faire réfléchir, provoquer une prise de conscience.	• Auteurs : J. Giraudoux, J.-P. Sartre, A. Camus, J. Anouilh, A. Césaire. • Metteurs en scène : L. Jouvet, J. Vilar, A. Mouchkine.
Théâtre de l'absurde	Des discours qui dérapent mettent en crise le langage.	Donner une image de l'homme jeté dans l'existence.	• Auteurs : E. Ionesco, S. Beckett. • Metteur en scène : R. Blin.
Théâtre contemporain	Des scènes ordinaires ou des évocations plus lyriques mettent au jour la violence des rapports humains.	Jouer avec les formes du théâtre pour mettre en question notre rapport au monde et à l'Histoire.	• Auteurs : M. Vinaver, B.-M. Koltès, V. Novarina. • Metteurs en scène : P. Chéreau, J. Lassalle.

LA NAISSANCE DU THÉÂTRE CONTEMPORAIN

EXERCICE 1 •

1. Quelle difficulté rencontre le dramaturge pour évoquer cette situation ? Comment la surmonte-t-il ?
2. Comment est suggérée l'immensité de la création ?
3. Comment la mise en scène restitue-t-elle le texte ?

En pleine mer, sous la pleine lune, Doña Sept-Épées et la Bouchère à la nage. Pas d'autre musique que quelques coups espacés de grosse caisse. On pourra employer le cinéma.

DoÑa Sept-Épées. – En avant ! Courage, la Bouchère !
La Bouchère. – Oh ! ce n'est pas le cœur qui me manque ! Partout où vous allez, Mademoiselle, je sais bien que je n'ai autre chose à faire que d'aller avec vous.
5 Sept-Épées. – Si tu es fatiguée, il n'y a qu'à se mettre sur le dos, comme ça, en croix, les bras écartés.
On ne sort que la bouche et le nez et quand on enfonce une grande respiration vous retire en l'air aussitôt.
Un tout petit mouvement, comme ça, avec les pieds et la
10 moitié des mains.
Il n'y a pas danger de se fatiguer.
La Bouchère. – Ce n'est pas tant que je sois fatiguée, mais quelqu'un m'a dit qu'il avait vu des requins. Oh ! j'ai peur qu'il y ait un requin qui vienne me tirer en bas par
15 les pieds !
Sept-Épées. – Ce n'est pas des requins, je les ai vus ! Ce sont des pourpoises[1] qui s'amusent. Ils n'ont pas le droit de s'amuser ? Ce n'est pas amusant peut-être d'être une jolie pourpoise ? *(Elle fait sauter de l'eau à grand bruit*
20 *avec ses pieds.)*
La Bouchère. – Oh ! j'ai peur qu'ils me sautent dessus !
Sept-Épées. – N'aie pas peur, qu'ils y viennent, s'il y en a un qui veut te faire du mal je te défendrai contre eux, les fils de garce ! *(Elle rit aux éclats.)*

Paul Claudel, *Le Soulier de satin*, Quatrième journée, scène 10, Éd. Gallimard, 1924.

1. pourpoise : cétacé de la famille des baleines et des dauphins.

Céline Chéenne et Sissi Duparc dans *Le Soulier de satin* de Paul Claudel, mis en scène par Olivier Py, 2009.

EXERCICE 2 •

1. Quels langages distingue Antonin Artaud ?
2. Quel langage valorise-t-il ? Pourquoi ?
3. Par quels mots Artaud oppose-t-il deux sortes de metteurs en scène ?

Il n'est pas absolument prouvé que le langage des mots soit le meilleur possible. Et il semble que sur la scène, qui est avant tout un espace à remplir et un endroit où il se passe quelque chose, le langage des mots doive céder
5 la place au langage par signes dont l'aspect objectif est ce qui nous frappe immédiatement le mieux.
Considéré sous cet angle le travail objectif de la mise en scène reprend une sorte de dignité intellectuelle du fait de l'effacement des mots derrière les gestes, et du fait
10 que la partie plastique et esthétique du théâtre abandonne son caractère d'intermède décoratif pour devenir au sens propre du mot *un langage* directement communicatif.

Antonin Artaud, *Lettres sur le langage*, *Œuvres complètes*, t. IV, 1931, Éd. Gallimard, 1964.

LES CONDITIONS DE LA REPRÉSENTATION

EXERCICE 3 ••

1. Étudiez les jeux de lumière et d'ombre.
2. Que suggère le retour des points de suspension ?
3. Comment surgit l'impression d'un au-delà mystérieux ?
4. En quoi ce dialogue diffère-t-il du théâtre traditionnel : du point de vue de l'action, des personnages, de l'usage du dialogue ?

La jeune Mélisande s'est avancée du côté de la mer en compagnie de Geneviève, la mère de son mari et de son beau-frère Pelléas.

Mélisande. – Quelque chose sort du port...
Pelléas. – Il faut que ce soit un grand navire... Les lumières sont très hautes, nous le verrons tout à l'heure quand il entrera dans la bande de clarté...
5 Geneviève. – Je ne sais si nous pourrons le voir... il y a une brume sur la mer...
Pelléas. – On dirait que la brume s'élève lentement...
Mélisande. – Oui ; j'aperçois, là-bas, une petite lumière que je n'avais pas vue...
10 Pelléas. – C'est un phare ; il y en a d'autres que nous ne voyons pas encore.
Mélisande. – Le navire est dans la lumière... Il est déjà bien loin...
Pelléas. – C'est un navire étranger. Il me semble plus
15 grand que les nôtres...
Mélisande. – C'est le navire qui m'a menée ici !...
Pelléas. – Il s'éloigne à toutes voiles...
Mélisande. – C'est le navire qui m'a menée ici. Il a de grandes voiles... Je le reconnais à ses voiles...
20 Pelléas. – Il aura mauvaise mer cette nuit.

MÉLISANDE. – Pourquoi s'en va-t-il ?... On ne le voit presque plus… Il fera peut-être naufrage…

PELLÉAS. – La nuit tombe très vite…

MAURICE MAETERLINCK, *Pelléas et Mélisande*, Acte I, scène 4, 1893.

EXERCICE 4 •

1. À quelle transformation appelle Antonin Artaud ?
2. Quel effet cherche-t-il ainsi à produire ?
3. Que peut-on en déduire de sa conception du théâtre ?

Nous supprimons la scène et la salle qui sont remplacées par une sorte de lieu unique, sans cloisonnement ni barrière d'aucune sorte, et qui deviendra le théâtre même de l'action. Une communication directe sera réta-
5 blie entre le spectateur et le spectacle, entre l'acteur et le spectateur, du fait que le spectateur placé au milieu de l'action est enveloppé et sillonné par elle. Cet enveloppement provient de la configuration même de la salle.

C'est ainsi qu'abandonnant les salles de théâtre exis-
10 tant actuellement, nous prendrons un hangar ou une grange quelconque, que nous ferons reconstruire selon les procédés qui ont abouti à l'architecture de certaines églises ou de certains lieux sacrés, et de certains temples du Haut-Thibet.
15 […] La salle sera close de quatre murs, sans aucune espèce d'ornement, et le public assis au milieu de la salle, en bas, sur des chaises mobiles qui lui permettront de suivre le spectacle qui se passera autour de lui.

ANTONIN ARTAUD, *Le Théâtre et son double*, « Le Théâtre de la cruauté » *(premier manifeste)*, 1932, Éd. Gallimard, 1964.

EXERCICE 5 •

1. Jean Genet condamne le théâtre à l'italienne. Pour quelle raison ?
2. Quel espace remplacera le théâtre à l'italienne ? Dans quel but ?

Le spectateur de l'orchestre et des loges se savait regardé – goulûment – par celui de la poulaille[1]. Se sachant spectacle avant le spectacle, il se comportait comme un spectacle doit le faire : afin d'être vu.
5 D'un côté comme de l'autre – je veux dire, en haut comme en bas – le spectacle de la scène n'arrivait donc jamais aux spectateurs dans sa totale pureté.

Et je n'oublie ni le velours, ni les cristaux, ni les dorures chargés de rappeler aux privilégiés qu'ils sont chez eux
10 et qu'à mesure qu'il s'éloigne du sol et de ses tapis le spectacle se dégrade.

Vous aurez peut-être des théâtres de dix mille places, ressemblant probablement aux théâtres grecs, où le public sera discret, et placé selon la chance, ou l'agilité, ou la
15 ruse spontanée, non selon la fortune ni le rang. Le spectacle de la scène s'adressera donc à ce qu'il y a de plus nu et de plus pur dans le spectateur.

JEAN GENET, *Lettres à Roger Blin*, Éd. Gallimard, 1966.

1. poulaille : le poulailler désigne les places les plus élevées et les moins chères.

EXERCICE 6 •

De quelle façon le dispositif mis en place par Luca Ronconi répond-il aux désirs d'Antonin Artaud et de Jean Genet ?

Orlando Furioso, mis en scène par Luca Ronconi, à Paris, juillet 1970.

EXERCICE 7 ••

1. Quel reproche Brecht adresse-t-il aux comédiens ou à la recherche de la suggestion ?
2. Comment oppose-t-il deux types de jeu ?
3. Quel est, selon lui, le but du théâtre ?

[Les comédiens] font appel à la suggestion. Ils se mettent et mettent le public en transes.
— Donne un exemple.
— Ils ont à représenter, disons, une scène d'adieux. Que
5 font-ils ? Ils se plongent dans l'état d'esprit de celui qui fait ses adieux, et ils cherchent à mettre le spectateur dans la même disposition. En fin de compte, et si la séance est réussie, personne ne voit plus rien, n'apprend plus rien ; chacun a au mieux des souvenirs ; bref, cha-
10 cun éprouve des sentiments.
— Tu décris un processus presque érotique. Mais comment devrait-on représenter la scène ?
— D'une manière purement spirituelle, comme un céré-monial, un rite. Le spectateur et le comédien devraient
15 non pas se rapprocher, mais au contraire s'éloigner l'un de l'autre. Chacun devrait s'éloigner de soi-même. Sinon, c'en est fini de l'effroi nécessaire à la connaissance.

Bertolt Brecht, *Écrits sur le théâtre*, L'Arche Éd., 1972.

LES COURANTS DU THÉÂTRE DU XXᵉ

EXERCICE 8 •

1. Reformulez en une phrase les arguments des deux personnages.
2. Sur quelle métaphore s'appuie Hector ? Par quelles images Priam lui répond-il ?
3. Quel est l'enjeu de ce débat ?

Hector voudrait écarter la guerre qui menace Troie, mais son père Priam reste inquiet.

HECTOR. — Mon père, tu dois pourtant savoir ce que signifie la paix pour des hommes qui depuis des mois se battent. C'est toucher enfin le fond pour ceux qui se noient ou s'enlisent. Laisse-nous prendre pied sur le
5 moindre carré de paix, effleurer la paix une minute, fût-ce d'un orteil !
PRIAM. — Hector, songe que jeter aujourd'hui le mot paix dans la ville est aussi coupable que d'y jeter un poison. Tu vas y détendre le cuir et le fer. Tu vas frapper avec le
10 mot paix la monnaie courante des souvenirs, des affections, des espoirs. Les soldats vont se précipiter pour acheter le pain de paix, boire le vin de paix, étreindre la femme de paix, et dans une heure tu les remettras face à la guerre.
15 HECTOR. — La guerre n'aura pas lieu !

Jean Giraudoux, *La guerre de Troie n'aura pas lieu*,
Acte II, scène 5, Fondation Jean Giraudoux.

EXERCICE 9 •

1. Comment la dernière réplique est-elle mise en valeur ?
2. Quelle maxime lance cet échange de répliques ?
3. Que révèle le dernier mot de Caligula ?

Le jeune Scipion passe derrière Caligula et s'approche, hési-tant. Il tend une main vers Caligula et la pose sur son épaule Caligula, sans se retourner, la couvre d'une des siennes.

LE JEUNE SCIPION. — Tous les hommes ont une douceu dans la vie. Cela les aide à continuer. C'est vers elle qu'il se retournent quand ils se sentent trop usés.
CALIGULA. — C'est vrai, Scipion.
5 LE JEUNE SCIPION. — N'y a-t-il rien dans la tienne qui soi semblable, l'approche des larmes, un refuge silencieux ?
CALIGULA. — Si, pourtant.
LE JEUNE SCIPION. — Et quoi donc ?
CALIGULA, *lentement*. — Le mépris.

Albert Camus, *Caligula*, Acte II, scène 14, Éd. Gallimard, 1945

EXERCICE 10 •

1. Comment le dialogue est-il rendu surprenant ?
2. Quelle situation est ainsi mise en scène ?
3. Le dialogue est-il absurde ? ridicule ? angoissant ?

Le professeur tente d'apprendre la soustraction à son élève très attentive (et très douée pour l'addition).

L'ÉLÈVE. — Je n'y arrive pas, Monsieur. Je ne sais pas, Monsieur.
LE PROFESSEUR. — Prenez des exemples plus simples. Si vous aviez eu deux nez, et je vous en aurais arraché un…
5 combien vous en resterait-il maintenant ?
L'ÉLÈVE. — Aucun.
LE PROFESSEUR. — Comment aucun ?
L'ÉLÈVE. — Oui, c'est justement parce que vous n'en avez arraché aucun, que j'en ai un maintenant. Si vous l'aviez
10 arraché, je ne l'aurais plus.

La Leçon d'Eugène Ionesco, mise en scène de Samuel Sené.

Lᴇ Pʀᴏꜰᴇssᴇᴜʀ. – Vous n'avez pas compris mon exemple. Supposez que vous n'avez qu'une seule oreille.

L'ÉʟÈᴠᴇ. – Oui, après ?

Lᴇ Pʀᴏꜰᴇssᴇᴜʀ. – Je vous en ajoute une, combien en
15 auriez-vous ?

L'ÉʟÈᴠᴇ. – Deux.

Lᴇ Pʀᴏꜰᴇssᴇᴜʀ. – Bon. Je vous en ajoute encore une. Combien en auriez-vous ?

L'ÉʟÈᴠᴇ. – Trois oreilles.

20 Lᴇ Pʀᴏꜰᴇssᴇᴜʀ. – J'en enlève une… Il vous reste… combien d'oreilles ?

L'ÉʟÈᴠᴇ. – Deux.

Lᴇ Pʀᴏꜰᴇssᴇᴜʀ. – Bon. J'en enlève encore une, combien vous en reste-t-il ?

25 L'ÉʟÈᴠᴇ. – Deux.

Lᴇ Pʀᴏꜰᴇssᴇᴜʀ. – Non. Vous en avez deux, j'en prends une, je vous en mange une, combien vous en reste-t-il ?

L'ÉʟÈᴠᴇ. – Deux.

Lᴇ Pʀᴏꜰᴇssᴇᴜʀ. – J'en mange une… une.

30 L'ÉʟÈᴠᴇ. – Deux.

Lᴇ Pʀᴏꜰᴇssᴇᴜʀ. – Une.

L'ÉʟÈᴠᴇ. – Deux.

Lᴇ Pʀᴏꜰᴇssᴇᴜʀ. – Une !

L'ÉʟÈᴠᴇ. – Deux !

EᴜɢÈɴᴇ Iᴏɴᴇsᴄᴏ, *La Leçon*, 1951, Éd. Gallimard, 1954.

EXERCICE 11 ••

1. Voici les premières et les dernières répliques de l'œuvre. En quoi font-elles allusion à la représentation ?

2. Quel autre thème est aussi évoqué ?

3. En quoi cette exposition et ce dénouement se différencient-ils du théâtre classique ?

4. Étudiez de quelle façon le metteur en scène et le décorateur ont interprété les didascalies.

Texte A. *À l'avant-scène à gauche, recouvertes d'un vieux drap, deux poubelles l'une contre l'autre. Au centre recouvert d'un vieux drap, assis dans un fauteuil à roulettes, Hamm. Immobile à côté du fauteuil, Clov le regarde. Teint très rouge.*

Cʟᴏᴠ, *regard fixe, voix blanche*. – Fini, c'est fini, ça va finir, ça va peut-être finir. *(Un temps.)* Les grains s'ajoutent aux grains, un à un, et un jour, soudain, c'est un tas, un petit tas, l'impossible tas. *(Un temps.)* On ne peut plus
5 me punir. *(Un temps.)* Je m'en vais dans ma cuisine, trois mètres sur trois mètres sur trois mètres, attendre qu'il me siffle. *(Un temps.)* Ce sont de jolies dimensions, je m'appuierai à la table, je regarderai le mur, en attendant qu'il me siffle.

10 *Il reste un moment immobile. Puis il sort. Il revient aussitôt, va prendre l'escabeau. Un temps. Hamm bouge. Il bâille sous le mouchoir. Il ôte le mouchoir de son visage. Teint très rouge. Lunettes noires.*

Hᴀᴍᴍ. – À – *(bâillements)* – à moi. *(Un temps.)* De jouer.
15 *(Il tient à bout de bras le mouchoir ouvert devant lui.)* Vieux linge !

Fin de partie de Samuel Beckett, mise en scène de Alain Francon, théâtre de l'Europe, Odéon, 2013.

Texte B. Hᴀᴍᴍ. *(…)* On arrive. *(Un temps.)* Et pour terminer ? *(Un temps.)* Jeter. *(Il jette le chien. Il arrache le sifflet.)* Tenez ! *(Il jette le sifflet devant lui. Un temps. Il renifle. Bas.)* Clov ! *(Un temps long.)* Non ? Bon. *(Il*
5 *sort son mouchoir.)* Puisque ça se joue comme ça… *(Il déplie)*… et n'en parlons plus… *(Il finit de déplier)* ne parlons plus. *(Il tient à bout de bras le mouchoir ouvert devant lui.)* Vieux linge ! *(Un temps.)* Toi – je te garde. *(Un temps. Il approche le mouchoir de son visage.)*

RIDEAU.

Sᴀᴍᴜᴇʟ Bᴇᴄᴋᴇᴛᴛ, *Fin de partie*, Éd. de Minuit, 1957.

EXERCICE 12 •

1. Que manque-t-il pour que le dialogue soit clair ?

2. Cette omission empêche-t-elle le développement de la scène ?

3. En quoi le dialogue reste-t-il théâtral ?

Au bout d'un moment, la porte s'ouvre. Entre Janine, très pâle, en robe de chambre. Elle marche péniblement. Simone, en la voyant, a un sursaut.

Sɪᴍᴏɴᴇ. – Tu t'es levée ? C'est de la folie !

Jᴀɴɪɴᴇ, *d'une voix blanche*. – Pourquoi as-tu fait cela ?

Sɪᴍᴏɴᴇ. – Réponds-moi d'abord ! Pourquoi t'es-tu levée ? Tu sais bien que le médecin…

5 Jᴀɴɪɴᴇ, *avec un calme terrible*. – Pourquoi as-tu fait cela ?

Sɪᴍᴏɴᴇ. – Mais… parce qu'il le fallait !

Jᴀɴɪɴᴇ. – Tu ne sais donc pas que tu pouvais me tuer !

Sɪᴍᴏɴᴇ. – Je n'ai pensé qu'à ta santé.

Jᴀɴɪɴᴇ. – La belle réponse !… Il n'y a pas que le corps !

10 Sɪᴍᴏɴᴇ. – Il y a le corps d'abord : le reste vient ensuite.

Jᴀɴɪɴᴇ, *avec ironie*. – Voyez-moi cette idéaliste !

Jᴇᴀɴ Tᴀʀᴅɪᴇᴜ, *Eux seuls le savent*, 1955, Éd. Gallimard, 1966.

EXERCICE 13 •••

1. La pièce se situe à deux époques différentes. Indiquez les lignes du texte qui correspondent au présent. Indiquez celles qui correspondent à un retour en arrière.

2. Analysez le retour en arrière. Quels liens l'unissent à l'histoire principale ?

3. Comment une mise en scène peut-elle montrer un retour en arrière ?

Jeanne part à la recherche du passé de sa mère Nawal. Elle demande de l'aide à Antoine qui a soigné sa mère lorsqu'il était infirmier.

ANTOINE. – Quand votre mère a-t-elle cessé de parler ?

JEANNE. – À l'été 97. Au mois d'août. Le 20. Le jour de notre anniversaire. Elle rentre à la maison et elle se tait. Point.

5 ANTOINE. – Qu'est-ce qui s'est passé cette journée-là ?

JEANNE. – À l'époque, elle suivait une série de procès au Tribunal pénal international.

ANTOINE. – Pourquoi ?

JEANNE. – Ça concernait la guerre qui a ravagé le pays de 10 sa naissance.

ANTOINE. – Mais cette journée-là ?

JEANNE. – Rien. Rien. J'ai lu et relu cent fois le procès-verbal pour essayer de comprendre.

ANTOINE. – Vous n'avez rien trouvé d'autre ?

15 JEANNE. – Rien. Une petite photo. Elle me l'avait déjà montrée. Elle, à 35 ans, avec une de ses amies. Regardez. *Elle lui montre la photo.*
Antoine examine la photo.

Nawal (19 ans) et Sawda dans l'orphelinat désert.

20 SAWDA. – Nawal. Il n'y a personne. L'orphelinat est désert.

NAWAL. – Que s'est-il passé ?

SAWDA. – Je ne sais pas.

NAWAL. – Et les enfants, où sont-ils ?

SAWDA. – Il n'y a plus d'enfants. Allons voir à Kfar.

25 RAYAT. – C'est là que se trouve l'orphelinat le plus important.

Antoine garde la photo.

ANTOINE. – Prêtez-moi cette photo. Je la ferai agrandir. Je la regarderai pour vous. J'ai l'habitude de faire atten-30 tion aux petits détails. Il faut commencer par là. Votre mère me manque. Je la revois. Assise. Silencieuse. Pas un regard fou. Pas un regard perdu. Lucide et tranchant.

JEANNE. – Qu'est-ce que tu regardes, maman, qu'est-ce que tu regardes ?

WAJDI MOUAWAD, *Incendies*, 16, Éd. Actes Sud/Léméac, 2003.

Gérard Gagnon (Antoine), Isabelle Leblanc (Jeanne) dans *Incendies* de Wajdi Mouawad, mis en scène de l'auteur, 2009.

LES MOTS DU BAC

Le théâtre et sa représentation

1. Quelle différence suggèrent les appellations de « théâtre engagé » et de « théâtre de l'absurde » ?

2. Quel homme de théâtre remplace le chef de troupe ?
a. le metteur en scène b. l'auteur c. le régisseur

3. Qu'est-ce qu'un comique boulevardier ?
a. un comique grossier b. un comique léger
c. un comique facile

4. Placez les adjectifs « symbolique » et « symboliste » dans la phrase qui convient.
a. Cette déclaration au public avait surtout une valeur ... .
b. Le théâtre ... s'oppose à la fois au théâtre naturaliste et au théâtre de boulevard.

5. Qu'appelle-t-on la distanciation ?
a. une façon de jouer b. le refus de l'effusion
c. un mouvement scénique

6. Que signifie une vision manichéenne ?
a. une conception religieuse
b. une vision erronée
c. une opposition tranchée entre le bien et le mal

7. Qu'est-ce qu'un propos lénifiant ?
a. qui empêche la discussion
b. qui essaie de calmer
c. qui cherche à endormir

8. Complétez les phrases à l'aide des verbes suivants : transgresser, subvertir, révolutionner.
a. L'invention de l'électricité a ... les pratiques théâtrales.
b. Par leurs essais et leurs œuvres, les symbolistes ont contribué à ... le théâtre traditionnel.
c. C'est parce que certains dramaturges ont ... les règles de l'éloquence qu'ils ont inventé un théâtre nouveau.

9. Classez les mots suivants en fonction de leur intensité.
scandale – tapage – esclandre – désordre.

QUESTIONS

ANALYSE ▶ 1. Relevez les comparaisons surprenantes qui attirent l'attention sur le langage.
2. Quelles confusions menacent le fonctionnement de la communication ?
3. En quoi les relations entre les personnages sont-elles surprenantes ?

COMMENTAIRE ▶ En un ou deux paragraphes, vous expliquerez pourquoi la scène a fait scandale lors de sa création.

Dans le salon de Charles et Émilie, on fête l'anniversaire de leur fils Victor, neuf ans. L'enfant porte un regard impitoyable sur le monde qui l'entoure : son père a une liaison tumultueuse avec Thérèse qui brutalise Esther, sa fille âgée de six ans. Lors de la création, dans une mise en scène d'Antonin Artaud, un immense palmier s'élevait en plein milieu du salon bourgeois : pouvait-on mieux souligner le refus de toute imitation du réel ?

LE GÉNÉRAL. – Il y a de ces invraisemblances. Ainsi, Antoine, qui est l'homme le plus doux du monde, s'agite comme un poignard dans la main d'un mameluk, et moi qui suis fait pour la guerre, je suis aussi indifférent qu'un drapeau de gendarmerie.

5 CHARLES. – Oh ! général, vous avez de ces métaphores !

LE GÉNÉRAL. – Quoi ! Qu'est-ce que j'ai dit ? Encore le contraire de ce que je pense. Je dis toujours le contraire de ce que je pense. Mais vous êtes assez intelligent pour rectifier, mon cher Charles.

CHARLES. – C'est cela, traitez-moi d'imbécile, à présent.

10 VICTOR. – Évidemment, si vous pensez qu'il est intelligent, vous devez lui dire qu'il est complètement idiot.

LE GÉNÉRAL. – Ah ! Victor, dans ce cas, tu es le plus parfait des crétins.

VICTOR. – Après vous, mon général !

CHARLES. – Il n'y a pas de raison pour que ce petit jeu finisse, et je vais y mettre un
15 terme. Victor, dis bonsoir à tout le monde et va te coucher.

VICTOR. – Avec qui ?

CHARLES, *exaspéré*. – Avec qui ? avec qui ? Je ne sais pas moi, avec Esther, avec ta mère, si tu veux.

TOUS. – Oh !

20 CHARLES. – C'est vrai, c'est insupportable à la fin ; tantôt c'est le secret, tantôt c'est la démence. Celui-ci ne dit pas ce qu'il pense mais tout le contraire ; l'autre fait le singe. Je ne sais pas pourquoi tout se brise. Je ne comprends rien à toutes ces comédies. Victor a neuf ans, et me demande avec qui il peut coucher, je lui réponds avec Esther, avec sa mère, comme je dirais avec le pape, et tout le monde
25 se met à hurler. Enfin que voulez-vous que je réponde ? Avec qui voulez-vous qu'il couche ? *(Entre la bonne.)*

VICTOR. – Avec la bonne. *(Lili dépose le plateau et disparaît. Un long silence. Gêne.)*

ÉMILIE. – Tu me fais rougir, Victor.

ESTHER. – Moi, je veux bien coucher avec toi.

ROGER **VITRAC**, *Victor ou les Enfants au pouvoir*,
Acte II, scène 4, 1928, Éd. Gallimard.

SUJET BAC

SÉRIES TECHNOLOGIQUES

Le sujet comprend :

TEXTE A : Molière, *Le Misanthrope*, Acte III, scène 1, 1666.

TEXTE B : Jean Genet, *Les Paravents*, Douzième tableau, 1961.

TEXTE C : Eugène Ionesco, *Notes et contre-notes*, 1962.

OBJET D'ÉTUDE : Le texte théâtral et sa représentation du XVIIᵉ siècle à nos jours.

TEXTE A

Molière, *Le Misanthrope.*

CLITANDRE

Cher Marquis, je te vois l'âme bien satisfaite :
Toute chose t'égaye, et rien ne t'inquiète.
En bonne foi, crois-tu, sans t'éblouir les yeux,
Avoir de grands sujets de paraître joyeux ?

ACASTE

5 Parbleu ! je ne vois pas, lorsque je m'examine,
Où prendre aucun sujet d'avoir l'âme chagrine.
J'ai du bien, je suis jeune, et sors d'une maison
Qui se peut dire noble avec quelque raison ;
Et je crois, par le rang que me donne ma race,
10 Qu'il est fort peu d'emplois dont je ne sois en passe.
Pour le cœur[1], dont sur tout nous devons faire cas,
On sait, sans vanité, que je n'en manque pas,
Et l'on m'a vu pousser, dans le monde, une affaire[2]
D'une assez vigoureuse et gaillarde manière.
15 Pour de l'esprit, j'en ai sans doute, et du bon goût
À juger sans étude et raisonner de tout,
À faire aux nouveautés, dont je suis idolâtre,
Figure de savant sur les bancs du théâtre,
Y décider en chef, et faire du fracas
20 À tous les beaux endroits qui méritent des has.
Je suis assez adroit ; j'ai bon air, bonne mine,
Les dents belles surtout, et la taille fort fine.
Quant à se mettre bien, je crois, sans me flatter,
Qu'on serait mal venu de me le disputer.
25 Je me vois dans l'estime autant qu'on le puisse être,
Fort aimé du beau sexe, et bien auprès du maître.
Je crois qu'avec cela, mon cher Marquis, je crois
Qu'on peut, par tout pays, être content de soi.

MOLIÈRE, *Le Misanthrope*, Acte III, scène 1, 1666.

1. cœur : courage.

2. affaire : affaire d'honneur, duel, combat singulier.

TEXTE B

Jean Genet,
Les Paravents.

En haut, sur une plate-forme apparaît un second paravent, tout doré. Sur cette estrade, un très grand mannequin – 2,50 m de haut à peu près – est debout, au centre de la scène. Il est couvert, de haut en bas, de décorations de tous ordres. Près de lui, une lunette d'approche, montée sur un trépied. Une femme est juchée sur une chaise ou plutôt grimpée sur une échelle qui s'appuie sur un mannequin et accroche une décoration à l'épaule du mannequin. Près de cette chaise se tient un vieux monsieur – jaquette, pantalon rayé – portant sur ses deux mains un coussin où sont épinglées trente ou quarante médailles de décorations diverses.

L'HOMME TRÈS FRANÇAIS. – Et les oreilles ?

LA FEMME TRÈS FRANÇAISE, *sèche.* – Une fois pour toutes, on n'épingle pas les décorations aux oreilles. Sur les fesses… les manches… les cuisses… le ventre… passe-moi la bleue… non bleu ciel.

5   L'HOMME TRÈS FRANÇAIS. – Grand-Cordon du Saint-Agneau !

LA FEMME TRÈS FRANÇAISE, *épinglant.* – Pourquoi pas ? Il est à nous. Il a été longtemps réservé aux plénipotentiaires, ensuite on l'a tourné en dérision… plus tard, on devait l'interdire… Il n'en reste plus assez pour qu'on se permette de cracher dessus. Donne la plaque, que je la colle sur
10   la face interne de la cuisse gauche.

L'HOMME TRÈS FRANÇAIS. – Là où il aurait pu recevoir une balle.

LA FEMME TRÈS FRANÇAISE, *méprisante.* – Une balle ! Si seulement il pouvait recevoir ne serait-ce qu'un coup de gourdin ! Donne-moi la croix de la Splendeur boréale et du Sacré Nom. Je vais la piquer au-dessus des
15   Palmes académiques. *(Elle fait comme elle annonce, puis descendant de la chaise.)* Je te prie de reculer – à petits pas – avec moi, pour admirer.

L'UN ET L'AUTRE, *ensemble, admirent.* – Oh !… Oh… Ah !… Ah !… Oh !… Oh !… Ah !… Ah !… Oh ! mais c'est sublime…

LA FEMME TRÈS FRANÇAISE, *elle fait quelques pas, hors des décors, et se*
20   *penche pour appeler, comme si elle se penchait à une fenêtre.* – Monsieur Bonneuil !… Monsieur et madame Bonneuil !… Ah, bonjour ! Quel temps superbe, n'est-ce pas ? Oh ! mais c'est merveilleux ! Oh ! Ouvrez l'autre côté de la fenêtre… Oh, splendide ! *(À son mari)* Georges, viens voir celui de M. et Mme Bonneuil… *(À*
25   *la coulisse)* Vous avez commencé à quelle heure ? Vous vous levez au chant du coq… Très bonne idée d'en mettre aussi sur les cheveux.

L'HOMME TRÈS FRANÇAIS, *penché comme sa*
30   *femme.* – Les deux qui pendent au mollet, au mollet droit, c'est quoi ?… *(Un temps)* Ah, ah ! je ne savais pas que votre famille les possédait.

JEAN GENET, *Les Paravents*, Douzième tableau,
Éd. Gallimard, 1961.

Les Paravents de Jean Genet, mis en scène de Jean-Baptiste Sastre, 2004.

SUJET BAC

Le théâtre peut paraître un genre littéraire inférieur, un genre mineur. Il fait toujours un peu gros. C'est un art à effet, sans doute. Il ne peut s'en dispenser et c'est ce qu'on lui reproche. Les effets ne peuvent être que gros. On a l'impression que les choses s'y alourdissent. Les nuances
5 des textes de littérature s'éclipsent. Un théâtre de subtilités littéraires s'épuise vite. Les demi-teintes s'obscurcissent ou disparaissent dans une clarté trop grande. Pas de pénombre, pas de raffinement possible. Les démonstrations, les pièces à thèse sont grossières, tout y est approximatif. Le théâtre n'est pas le langage des idées.

Eugène Ionesco, *Notes et contre-notes*, Éd. Gallimard, 1962

QUESTIONS

4 points ▶ **I. Vous répondrez aux questions suivantes.**

1. Comparez la façon dont la scène de théâtre est utilisée dans les deux passages.

2. De quelle façon chaque auteur a-t-il grossi le trait ?

16 points ▶ **II. Vous traiterez un de ces sujets au choix.**

1. COMMENTAIRE

Vous rédigerez le commentaire de la tirade d'Acaste en vous appuyant sur le parcours suivant :
– vous étudierez la façon dont Acaste introduit les traits dont il se flatte, et l'ordre dans lequel il les présente ;
– vous vous demanderez d'où vient le comique de la tirade et ce que Molière y dénonce.

2. DISSERTATION

Remarquant que le théâtre « fait toujours un peu gros », Eugène Ionesco ajoute : « Le théâtre n'est pas le langage des idées. » Qu'en pensez-vous ?
Pour répondre à cette question, vous vous appuierez sur les textes du corpus, les œuvres que vous avez étudiées ou lues en classe, les spectacles auxquels vous avez assisté.

3. INVENTION

Rédigez la tirade que pourrait prononcer de nos jours un personnage aussi content de lui que l'était Acaste en 1666.

La poésie

Les règles de la poésie

La poésie se distingue de la prose par les règles de la versification. Celles-ci fixent la mesure du vers et de la strophe, le jeu sur les sonorités et les variations de rythme à l'intérieur du poème. Par sa musicalité, le texte poétique s'inscrit ainsi dans la mémoire du lecteur.

OBSERVATION

Le vers

Les rimes

[   ] Les strophes

Écrit pour être chanté, le poème d'Edmond Haraucourt charme le lecteur par la musique du vers et le retour de la rime. Les trois strophes du Rondel de l'adieu *expriment dans leur simplicité l'émotion universelle de celui qui quitte un être cher.*

Rondel de l'adieu

[Partir, c'est mourir un peu,
C'est mourir à ce qu'on aime :
On laisse un peu de soi-même
En toute heure et dans tout lieu.]

5 [C'est toujours le deuil d'un vœu,
Le dernier vers d'un poème ;
Partir, c'est mourir un peu,
C'est mourir à ce qu'on aime.]

10 [Et l'on part, et c'est un jeu,
Et jusqu'à l'adieu suprême
C'est son âme que l'on sème,
Que l'on sème à chaque adieu :
Partir, c'est mourir un peu...]

EDMOND HARAUCOURT, « Rondel de l'adieu », *Seul*, 1902.

QUESTIONS

1. Comptez le nombre de syllabes du premier vers du poème. Retrouve-t-on cette même mesure dans l'ensemble des autres vers ?

2. Observez les rimes du poème. Leur disposition est-elle identique dans chaque strophe ? Quel est l'effet produit par le retour des mêmes sonorités ?

3. Combien de strophes le poème comporte-t-il ? S'agit-il de strophes régulières ? Commentez le dernier vers du poème.

1 Le vers

Le vers est l'unité rythmique de base du poème.

1. La mesure du vers

■ **Les types de vers.** La désignation des vers correspond au nombre des syllabes : hexamètre (six), octosyllabe (huit), décasyllabe (dix), alexandrin (douze).

■ **Le « e » muet.** Le « e » ne se prononce pas lorsqu'il est suivi d'une voyelle ou lorsqu'il est placé à la fin d'un vers.

→ Heureux qui, comme Ulysse, a fait un beau voyage (Du Bellay)

■ **La diérèse et la synérèse.** La diérèse prononce en deux syllabes deux sons habituellement groupés : « au/da/ci/eux ». La synérèse prononce en une seule syllabe deux sons habituellement séparés : « lion ».

2. Le rythme du vers

■ **Les effets d'harmonie.** La fin du vers coïncide avec la fin d'un groupe syntaxique, ce qui lui donne un rythme régulier. Cette régularité est renforcée par une pause au milieu du vers (la césure), lorsqu'il s'agit d'un décasyllabe ou d'un alexandrin.

→ Par les soirs bleus d'été, // j'irai par les sentiers (Rimbaud)

■ **Les effets de rupture.** Lorsque la mesure du vers change, il se produit un effet de rupture. Lorsqu'un groupe syntaxique ne s'achève pas à la fin d'un vers, mais se poursuit au suivant, l'enjambement crée aussi une rupture dans la régularité du vers.

→ L'empereur se tourna vers Dieu ; l'homme de gloire
Trembla ; Napoléon comprit qu'il expiait (Hugo)

2 La rime

La rime est le retour d'un même son à la fin de deux vers.

■ **Le genre de la rime.** La versification classique impose l'alternance de la rime féminine (terminée par un « e » muet) et de la rime masculine (toutes les autres rimes).

■ **La qualité de la rime.** La rime est pauvre lorsqu'elle comprend un son commun : « remplit/infini ». Elle est suffisante avec deux sons communs : « remplit/lit ». Elle est riche avec trois sons communs ou plus : « remplit/assouplit ».

■ **La disposition des rimes.** Elle est déterminée par la succession des vers.

DISPOSITION	SCHÉMA	EXEMPLES
Rimes plates ou suivies	AA/BB/CC, etc.	sève/rêve/voix/bois
Rimes croisées	AB/AB/CD/CD, etc.	moqueurs/rose/cœurs/morose
Rimes embrassées	ABBA/CDDC, etc.	luit/livre/givre/fuit

3 La strophe

La strophe possède une unité syntaxique et thématique.

TYPE DE STROPHE	NOMBRE DE VERS	SCHÉMA DES RIMES
Tercet	3	ABA // BCB ou AAB // CCB ou AAB // CBC...
Quatrain	4	ABAB // CDCD ou ABBA // CDCD...
Quintil	5	AABBA // CCDDC ou ABABA // CCDDC...
Sizain, septain, huitain, neuvain, dizain	6, 7, 8, 9, 10	Schémas de rimes variés, faisant alterner rimes plates, croisées ou embrassées

Repère

L'origine du mot poésie

Poésie vient du grec *poiein* qui signifie « faire », « créer ». L'Antiquité voit dans la poésie un langage élevé, différent du langage courant. Le Moyen Âge utilise le vers régulier et la rime pour mémoriser des textes longs accompagnés de musique. Au XVIIᵉ siècle, des traités poétiques imposent les règles strictes de la versification.

LA MESURE DU VERS

EXERCICE 1 •

Comptez le nombre de syllabes des vers suivants.
De quels types de vers s'agit-il ?

Deux pigeons s'aimaient d'amour tendre (La Fontaine)

Comme on voit sur la branche, au mois de mai, la rose
(Ronsard)

Mon amour, à moi, n'aime pas qu'on l'aime (Corbière)

EXERCICE 2 •

Comptez le nombre de syllabes des vers suivants.
De quel type de vers s'agit-il ?

Le brouillard est froid, la bruyère est grise (Hugo)

Voici des fruits, des fleurs, des feuilles et des branches,
Et puis voici mon cœur qui ne bat que pour vous.
(Verlaine)

Plus ne suis ce que j'ai été,
Et ne le saurais jamais être. (Marot)

EXERCICE 3 •

Comptez le nombre de syllabes des vers. Repérez la diérèse
et la synérèse.

Une froideur secrètement brûlante
Brûle mon corps, mon esprit, ma raison,
Comme la poix anime le tison
Par une ardeur lentement violente.
(Du Bellay)

De rets ni d'arc sa liberté n'a crainte,
Sinon alors que sa vie est atteinte,
D'un trait meurtrier empourpré de son sang.
(Ronsard)

LE RYTHME DU VERS

EXERCICE 4 •

Repérez la césure dans les vers suivants. Pourquoi peut-on
parler de rythme régulier ?

C'est un arbre en verdeur, un soleil en éclats,
Puis une nuit de rose aux languissants ébats
(Xavier Forneret)

Elle avait pris ce pli dans son âge enfantin
De venir dans ma chambre un peu chaque matin
(Hugo)

France, mère des arts, des armes et des lois,
Tu m'as nourri longtemps du lait de ta mamelle.
(Du Bellay)

EXERCICE 5 •

Identifiez les types de vers. Expliquez quel est l'effet produit
par le changement de mesure.

La cigale ayant chanté
Tout l'été,
Se trouva fort dépourvue
Quand la bise fut venue. (La Fontaine)

C'était dans la nuit brune,
Sur le clocher jauni
La lune,
Comme un point sur un i (Musset)

EXERCICE 6 ••

Repérez l'enjambement. Quel est l'effet produit ?

Va vite, léger peigneur de comètes !
Les herbes aux vents seront tes cheveux,
De ton œil béant jailliront les feux
Follets, prisonniers dans les pauvres têtes…
(Corbière)

Il aimait à la voir, avec ses jupes blanches,
Courir tout au travers du feuillage et des branches,
Gauche et pleine de grâce, alors qu'elle cachait
Sa jambe, si la robe aux buissons s'accrochait.
(Baudelaire)

LA RIME

EXERCICE 7 •

Repérez le genre des rimes dans la strophe suivante.

Quand je pense à ce jour où je la vis si belle,
Toute flamber d'amour, d'honneur et de vertu,
Le regret, comme un trait mortellement pointu,
Me traverse le cœur d'une plaie éternelle.
(Ronsard)

EXERCICE 8 •

Classez les mots de la liste dans le tableau suivant.
• étalé, recherché, appelé
• étaux, râteau, drapeaux
• soldat, retomba, débat
• maison, trahison, leçons

	Rimes pauvres	Rimes suffisantes	Rimes riches
égalé			
château			
combats			
raison			

Repérez, dans les strophes suivantes, le genre, la qualité et la disposition des rimes.

Je suis venu, calme orphelin,
Riche de mes seuls yeux tranquilles,
Vers les hommes des grandes villes :
Ils ne m'ont pas trouvé malin.

(Verlaine)

Déjà les beaux jours, la poussière,
Un ciel d'azur et de lumière,
Les murs enflammés, les longs soirs !...
Et rien de vert : à peine encore
Un reflet rougeâtre décore
Les grands arbres aux rameaux noirs !

(Nerval)

EXERCICE 10 ••

1. Déterminez le genre, la qualité et la disposition des rimes.
2. Quel est l'effet recherché par la répétition des mots « vaisseaux » et « berceaux » dans la dernière strophe ?
3. Lisez à voix haute ce poème en prenant soin de respecter la mesure de chaque vers, la ponctuation et les blancs qui séparent chaque strophe.

Le long des quais les grands vaisseaux,
Que la houle incline en silence,
Ne prennent pas garde aux berceaux
Que la main des femmes balance.

5 Mais viendra le jour des adieux ;
Car il faut que les femmes pleurent
Et que les hommes curieux
Tentent les horizons qui leurrent.

Et ce jour-là les grands vaisseaux,
10 Fuyant le port qui diminue,
Sentent leur masse retenue
Par l'âme des lointains berceaux.

SULLY PRUDHOMME, *Stances et poèmes*, 1865.

LA STROPHE

EXERCICE 11 •

1. Identifiez les strophes suivantes en fonction du nombre de leurs vers. Pourquoi peut-on dire qu'elles possèdent une unité syntaxique ?
2. Quel thème chaque strophe développe-t-elle ? Relevez le champ lexical qui lui correspond.

A. Si l'eau pouvait éteindre un brasier amoureux,
Ton amour qui me brûle est si fort douloureux,
Que j'eusse éteint son feu de la mer de mes larmes.

(Marbeuf)

B.
Parfois, lorsque tout dort, je m'assieds plein de joie
Sous le dôme étoilé qui sur nos fronts flamboie ;
J'écoute si d'en haut il tombe quelque bruit ;
Et l'heure vainement me frappe de son aile
Quand je contemple, ému, cette fête éternelle
Que le ciel rayonnant donne au monde la nuit.

(Hugo)

C.
Rivière, fontaine et ruisseau
Portent, en livrée jolie,
Gouttes d'argent d'orfèvrerie,
Chacun s'habille de nouveau,
Le temps a laissé son manteau.

(Charles d'Orléans)

D.
Midi, Roi des étés, épandu sur la plaine,
Tombe en nappes d'argent des hauteurs du ciel bleu.
Tout se tait. L'air flamboie et brûle sans haleine ;
La Terre est assoupie en sa robe de feu.

(Leconte de Lisle)

EXERCICE 12 •••

1. Quelle est, dans ce poème, la mesure du vers choisie par l'auteur ? Quel thème central chaque strophe développe-t-elle ?
2. Retrouvez la forme du sonnet en vous appuyant sur le nombre de strophes et le schéma des rimes. Quel est l'effet produit par le dernier vers ?
3. Repérez et analysez les enjambements. Comment s'expliquent les ruptures de rythme ?
4. Présentez les caractéristiques de ce poème dans un paragraphe rédigé. Vous associerez la forme du poème avec sa progression thématique.

Le dormeur du val

C'est un trou de verdure où chante une rivière
Accrochant follement aux herbes des haillons
D'argent ; où le soleil, de la montagne fière,
Luit : c'est un petit val qui mousse de rayons.

5 Un soldat jeune, bouche ouverte, tête nue,
Et la nuque baignant dans le frais cresson bleu,
Dort ; il est étendu dans l'herbe, sous la nue,
Pâle dans son lit vert où la lumière pleut.

Les pieds dans les glaïeuls, il dort. Souriant comme
10 Sourirait un enfant malade, il fait un somme :
Nature, berce-le chaudement : il a froid.

Les parfums ne font pas frissonner sa narine ;
Il dort dans le soleil, la main sur sa poitrine
Tranquille. Il a deux trous rouges au côté droit.

ARTHUR RIMBAUD, *Poésies*, 1870.

38 *Les poètes romantiques et les poètes du Parnasse*

Au début du XIXe siècle, les poètes romantiques remettent en cause le classicisme en modifiant les règles de la versification pour exprimer leur lyrisme. Dans la seconde moitié du siècle, les poètes du Parnasse recherchent une poésie pure qui ferait du poème un objet à la forme parfaite.

OBSERVATION

L'expression des sentiments intimes

Les audaces de la versification

Les poètes romantiques fondent le renouveau de la poésie au début du XIXe siècle. Leurs œuvres annoncent l'évolution qui marquera toute l'histoire de la poésie à venir.

Puisque j'ai mis ma lèvre à ta coupe encore pleine ;
Puisque j'ai dans tes mains posé mon front pâli ;
Puisque j'ai respiré parfois la douce haleine
De ton âme, parfum dans l'ombre enseveli ;

5 Puisqu'il me fut donné de t'entendre me dire
Les mots où se répand le cœur mystérieux ;
Puisque j'ai vu pleurer, puisque j'ai vu sourire
Ta bouche sur ma bouche et tes yeux sur mes yeux ;

Puisque j'ai vu briller sur ma tête ravie
10 Un rayon de ton astre, hélas ! voilé toujours ;
Puisque j'ai vu tomber dans l'onde de ma vie
Une feuille de rose arrachée à tes jours ;

Je puis maintenant dire aux rapides années :
– Passez ! passez toujours ! je n'ai plus à vieillir !
15 Allez-vous-en avec vos fleurs toutes fanées ;
J'ai dans l'âme une fleur que nul ne peut cueillir !

Votre aile en le heurtant ne fera rien répandre
Du vase où je m'abreuve et que j'ai bien rempli.
Mon âme a plus de feu que vous n'avez de cendre !
20 Mon cœur a plus d'amour que vous n'avez d'oubli !

1er janvier 1835. Minuit et demi.

Victor Hugo, *Les Chants du crépuscule*, 1835.

pas versification classi

QUESTIONS

1. Quels sont les sentiments exprimés par le poète ? Quels sont les procédés utilisés pour les faire partager au lecteur ?

2. Observez les deux enjambements surlignés dans la deuxième strophe. Quelles règles de la poésie classique transgressent-ils ?

3. Pourquoi peut-on qualifier ce poème de romantique ? Montrez de quelle manière le poète dévoile son « moi » intime.

1 Le lyrisme romantique

À partir des années 1820, autour de Hugo et de Lamartine, enthousiastes et passionnés, les poètes romantiques s'autorisent une grande liberté de création.

1. Le romantisme et l'expression des sentiments intimes

Le poète romantique dévoile son moi intime : la présence insistante du « je » fait du poète la figure centrale de son œuvre. Afin d'exprimer l'intensité du sentiment amoureux et la mélancolie du temps qui passe, il multiplie les figures d'insistance et les formes exclamatives qui caractérisent le lyrisme personnel.

→ Ô temps ! suspends ton vol et vous, heures propices !
Suspendez votre cours. (Lamartine)

2. Le renouveau des formes anciennes

Fascinés par le pittoresque du Moyen Âge, les romantiques y trouvent une source d'inspiration. C'est ainsi qu'ils remettent à la mode des formes poétiques oubliées, comme la ballade, la chanson ou le rondeau. L'ode leur permet également d'exprimer pleinement leur lyrisme et leur éloquence.

→ En 1826, Victor Hugo publie ses *Odes et Ballades* ; en 1832, Gérard de Nerval publie des *Odelettes* ; Alfred de Musset écrit des rondeaux et des chansons publiés en 1850.

3. Les audaces de la versification

L'exaltation des sentiments pousse le poète romantique à briser la régularité du vers. Celui-ci remplace parfois la césure à l'hémistiche de l'alexandrin classique (6/6) par le rythme ternaire du trimètre romantique (4/4/4). De même, la multiplication des enjambements, des rejets et des contre-rejets souligne l'intensité de l'émotion.

→ Une nymphe s'égare et s'arrête. Elle écoute
Les larmes du matin qui pleurent goutte à goutte
Sur la mousse. L'ivresse emplit son jeune cœur. (Hugo)

2 Les recherches du Parnasse

À partir des années 1850, à la suite de Théophile Gautier et de Leconte de Lisle, les poètes parnassiens s'inspirent de l'idéal de beauté de l'Antiquité grecque.

1. La volonté d'impersonnalité

Les parnassiens condamnent l'expression débordante des sentiments chez les romantiques. Ils créent une poésie impersonnelle fondée sur l'impassibilité et l'objectivité. Le poète préfère la description de la beauté du monde à la confession de ses états d'âme.

→ Il y a dans l'aveu public des angoisses du cœur [...] une vanité et une profanation gratuites. (Leconte de Lisle)

2. Le culte de la beauté formelle

■ **La beauté ciselée du vers.** Pour les parnassiens, le poème doit être ciselé comme un bijou ou sculpté comme une statue de marbre. Le sonnet, par la rigueur de ses contraintes, est leur forme privilégiée. Ils pratiquent le culte de « l'art pour l'art », c'est-à-dire d'un art désintéressé, qui séduit uniquement par sa beauté esthétique :

→ Sculpte, lime, cisèle ;
Que ton rêve flottant
Se scelle
Dans le bloc résistant ! (Théophile Gautier)

■ **La beauté des civilisations disparues.** Au monde moderne, les parnassiens préfèrent la grandeur de la civilisation gréco-romaine, l'énergie des conquérants de la Renaissance, mais aussi la splendeur des paysages et des animaux exotiques.

Repère

Le Parnasse

Le mouvement du Parnasse emprunte son nom à une montagne grecque de l'Antiquité dont le sommet était consacré aux Muses, c'est-à-dire aux déesses inspiratrices des poètes. Le terme désigne à partir de 1852 un mouvement poétique qui dénonce le lyrisme des romantiques. Les parnassiens revendiquent la rigueur qui seule permet à leurs yeux d'exprimer la beauté véritable.

L'EXPRESSION ROMANTIQUE DES SENTIMENTS

EXERCICE 1 •

Parmi les poètes suivants, lesquels sont des poètes romantiques ?

Ronsard – Mallarmé – Hugo – Vigny – Du Bellay – Musset – Lamartine – Aragon – Apollinaire – Verlaine.

EXERCICE 2 •

Quel est le sentiment exprimé dans chacune des citations suivantes, extraites des *Méditations poétiques* d'Alphonse de Lamartine (1820) : l'amour, la mélancolie, l'apaisement, l'admiration ?

Souvent sur la montagne, à l'ombre du vieux chêne,
Au coucher du soleil, tristement je m'assieds.
(« L'isolement »)

Mon cœur est en repos, mon âme est en silence.
(« Le vallon »)

Dieu ! que les airs sont doux ! Que la lumière est pure !
Tu règnes en vainqueur sur toute la nature,
Ô soleil ! (« Hymne au soleil »)

Que le vent qui gémit, le roseau qui soupire,
Que les parfums légers de ton air embaumé,
Que tout ce qu'on entend, l'on voit ou l'on respire,
Tout dise : « Ils ont aimé ! » (« Le lac »)

EXERCICE 3 •

1. Repérez les exclamations présentes dans le texte. À quel sentiment sont-elles liées ?
2. Relevez les termes répétés. Quel est l'effet recherché par le poète ?

Oh ! combien de marins, combien de capitaines
Qui sont partis joyeux pour des courses lointaines,
Dans ce morne horizon se sont évanouis !
Combien ont disparu, dure et triste fortune !
5 Dans une mer sans fond, par une nuit sans lune,
Sous l'aveugle océan à jamais enfouis !

Victor Hugo, « Oceano nox »,
Les Rayons et les Ombres, 1840.

EXERCICE 4 ••

1. Quels sont les sentiments successifs exprimés dans chaque strophe ?
2. Montrez comment le paysage et le rythme des vers reflètent les états d'âme de la poétesse.
3. Analysez les procédés du lyrisme romantique présents dans ce poème.

Ma demeure est haute,
Donnant sur les cieux ;
La lune en est l'hôte,
Pâle et sérieux :

5 En bas que l'on sonne,
Qu'importe aujourd'hui
Ce n'est plus personne,
Quand ce n'est plus lui !

Aux autres cachée,
10 Je brode mes fleurs ;
Sans être fâchée,
Mon âme est en pleurs ;
Le ciel bleu sans voiles,
Je le vois d'ici ;
15 Je vois les étoiles
Mais l'orage aussi !

Vis-à-vis la mienne
Une chaise attend :
Elle fut la sienne,
20 La nôtre un instant ;
D'un ruban signée,
Cette chaise est là,
Toute résignée,
Comme me voilà !

Marceline Desbordes-Valmore, « Ma chambre »
Bouquets et prières, 1843

LE RENOUVEAU DES FORMES ANCIENNES

EXERCICE 5 •

1. Sur quelles répétitions le rythme de cette chanson repose-t-il ? Montrez que chaque sizain est construit de la même manière.
2. Quelle opposition de pronoms le poème met-il en place ? Dans quel but ?
3. Quels sentiments le poète exprime-t-il ? Expliquez le vers 16 : « C'est ma joie et mon souci. »

Si vous n'avez rien à me dire,
Pourquoi venir auprès de moi ?
Pourquoi me faire ce sourire
Qui tournerait la tête au roi ?
5 Si vous n'avez rien à me dire,
Pourquoi venir auprès de moi ?

Si vous n'avez rien à m'apprendre,
Pourquoi me pressez-vous la main ?
Sur le rêve angélique et tendre,
10 Auquel vous songez en chemin,
Si vous n'avez rien à m'apprendre,
Pourquoi me pressez-vous la main ?

Si vous voulez que je m'en aille,
Pourquoi passez-vous par ici ?
15 Lorsque je vous vois, je tressaille :
C'est ma joie et mon souci.
Si vous voulez que je m'en aille,
Pourquoi passez-vous par ici ?

Victor Hugo, « Chanson », *Les Contemplations*, 1856.

XERCICE 6 ●●

1. Quel est le thème développé dans chaque strophe ?
2. À travers quels procédés du lyrisme le poète fait-il partager au lecteur la progression de ses sentiments ?
3. Confrontez le poème et son illustration.

Elle a passé, la jeune fille
Vive et preste comme un oiseau :
À la main une fleur qui brille,
À la bouche un refrain nouveau.

5 C'est peut-être la seule au monde
Dont le cœur au mien répondrait,
Qui venant dans ma nuit profonde
D'un seul regard l'éclaircirait !...

Mais, non, – ma jeunesse est finie...
10 Adieu, doux rayon qui m'as lui, –
Parfum, jeune fille, harmonie...
Le bonheur passait, – il a fui !

GÉRARD DE NERVAL, « Une allée du Luxembourg »,
Odelettes, 1833.

John Singer
Sargent
(1856-1925),
*Dans les
jardins du
Luxembourg,*
1879.

EXERCICE 7 ●●

1. Quel est l'intérêt de la répétition des rimes du rondeau ?
2. Entraînement à l'écrit d'invention. Sur le modèle du premier quintil, écrivez une strophe supplémentaire au poème. Vous commencerez par : « Dans vingt ans d'ici seulement ».

Dans dix ans d'ici seulement,
Vous serez un peu moins cruelle.
C'est long, à parler franchement.
L'amour viendra probablement
5 Donner à l'horloge un coup d'aile.

Votre beauté nous ensorcelle,
Prenez-y garde cependant :
On apprend plus d'une nouvelle
En dix ans.

10 Quand ce temps viendra, d'un amant
Je serai le parfait modèle,
Trop bête pour être inconstant,
Et trop laid pour être infidèle.
Mais vous serez encor trop belle
15   Dans dix ans.

ALFRED DE MUSSET, « À madame G. »
(Rondeau), *Poésies nouvelles*, 1850.

EXERCICE 8 ●

Repérez dans les deux strophes suivantes :
– un alexandrin classique qui pratique la césure à l'hémistiche (rythme binaire 6/6) ;
– un trimètre romantique (rythme ternaire 4/4/4).

Il faut qu'il marche ! Il faut qu'il roule ! Il faut qu'il aille !
Il faut qu'on voie, ardents comme un jour de bataille,
Ruer malgré le fouet, courir malgré le frein,
Les coursiers[1] que Dieu lie à son timon d'airain[2].

VICTOR HUGO, *Cromwell*, 1827.

1. coursiers : chevaux qui tirent le char de l'État.
2. timon d'airain : gouvernail de métal.

De féroces oiseaux perchés sur leur pâture
Détruisaient avec rage un pendu déjà mûr,
Chacun plantant, comme un outil, son bec impur
Dans tous les coins saignants de cette pourriture.

CHARLES BAUDELAIRE, « Un voyage à Cythère »,
Les Fleurs du mal, 1857.

EXERCICE 9 ●●

1. Repérez les enjambements présents dans l'extrait suivant. Quels sont les mots ou expressions mis en valeur ?
2. Entraînement à l'oral. Lisez le poème à voix haute. Quel effet les enjambements produisent-ils ? Quel peut être, selon vous, l'intérêt de ce procédé ?

Le spectacle fini, la charmante inconnue
Se leva. Le beau cou, l'épaule à demi nue,
Se voilèrent ; la main glissa dans le manchon ;
Et, lorsque je la vis au seuil de sa maison
S'enfuir, je m'aperçus que je l'avais suivie.
Hélas ! mon cher ami, c'est là toute ma vie.

ALFRED DE MUSSET, « Une soirée perdue »,
Poésies nouvelles, 1850.

EXERCICE 10 ●●

1. Quel est le champ lexical dominant des vers suivants ? Quel sentiment illustre-t-il ?
2. Repérez et expliquez les effets d'harmonie et les effets de rupture.

Ils passèrent deux jours d'amour et d'harmonie,
De chants et de baisers, de voix, de lèvre unie,
De regards confondus, de soupirs bienheureux,
Qui furent deux moments et deux siècles pour eux.
5 La nuit on entendait leurs chants ; dans la journée
Leur sommeil ; tant leur âme était abandonnée
Aux caprices divins du désir ! Leurs repas
Étaient rares, distraits ; ils ne les voyaient pas.

ALFRED DE VIGNY, « Les amants de Montmorency »,
Poèmes antiques et modernes, 1826.

LE PARNASSE ET LA VOLONTÉ D'IMPERSONNALITÉ

EXERCICE 11 •

Parmi les poètes suivants, lesquels appartiennent au mouvement du Parnasse ?

Victor Hugo – José Maria de Heredia – Théodore de Banville – François Villon – René Char – François Coppée – Alfred de Musset – Théophile Gautier.

EXERCICE 12 •••

1. Repérez le champ lexical du cygne dans cet extrait. Quelles qualités lui sont associées ?
2. Selon vous, pourquoi le poète a-t-il choisi d'évoquer cet animal ?

Sans bruit, sous le miroir des lacs profonds et calmes,
Le cygne chasse l'onde avec ses larges palmes,
Et glisse. Le duvet de ses flancs est pareil
À des neiges d'avril qui croulent au soleil ;
5 Mais, ferme et d'un blanc mat, vibrant sous le zéphire[1],
Sa grande aile l'entraîne ainsi qu'un blanc navire.
Il dresse son beau col au-dessus des roseaux,
Le plonge, le promène allongé sur les eaux,
Le courbe gracieux comme un profil d'acanthe[2],
10 Et cache son bec noir dans sa gorge éclatante.

Sully Prudhomme, « Le cygne », *Les Solitudes*, 1869.

1. le zéphyre : le vent. 2. acanthe : plante méditerranéenne, souvent représentée sur les sculptures antiques.

EXERCICE 13 •

1. À qui Leconte de Lisle fait-il référence lorsqu'il évoque ceux qui exposent leur « cœur ensanglanté » ?
2. Comment s'exprime la volonté d'impersonnalité du poète parnassien ? Quelle image le poète donne-t-il de lui-même ?

Tel qu'un morne animal, meurtri, plein de poussière,
La chaîne au cou, hurlant au chaud soleil d'été,
Promène qui voudra son cœur ensanglanté
Sur ton pavé cynique, ô plèbe[1] carnassière !

5 Pour mettre un feu stérile en ton œil hébété,
Pour mendier ton rire ou ta pitié grossière,
Déchire qui voudra la robe de lumière
De la pudeur divine et de la volupté.

Dans mon orgueil muet, dans ma tombe sans gloire,
10 Dussè-je m'engloutir pour l'éternité noire,
Je ne te vendrai pas mon ivresse et mon mal,

Je ne livrerai pas ma vie à tes huées,
Je ne danserai pas sur ton tréteau banal
Avec tes histrions[2] et tes prostituées.

Leconte de Lisle, « Les montreurs », *Poèmes barbares*, 1862.

1. plèbe : foule. 2. histrions : bouffons.

LE CULTE DE LA BEAUTÉ FORMELLE

EXERCICE 14 •••

1. Quelles qualités de la Vénus de Milo le poète célèbre-t-il dans chaque strophe ?
2. En quoi le choix de l'alexandrin s'accorde-t-il avec le thème du poème ? Appuyez votre réponse sur l'analyse rythmique de deux vers précis.
3. Comparez la statue exposée au Louvre et le poème. Quels aspects de la statue retrouve-t-on dans le poème ?

Marbre sacré, vêtu de force et de génie,
Déesse irrésistible au port victorieux,
Pure comme un éclair et comme une harmonie,
Ô Vénus, ô beauté, blanche mère des Dieux ! […]

5 Du bonheur impassible ô symbole adorable,
Calme comme la Mer en sa sérénité,
Nul sanglot n'a brisé ton sein inaltérable,
Jamais les pleurs humains n'ont terni ta beauté.

Salut ! À ton aspect le cœur se précipite.
10 Un flot marmoréen[1] inonde tes pieds blancs ;
Tu marches, fière et nue, et le monde palpite,
Et le monde est à toi, Déesse aux larges flancs !

Leconte de Lisle, « Vénus de Milo » *Poèmes antiques*, 1852

1. marmoréen : qui a la nature ou l'aspect du marbre.

La Vénus de Milo, vers 100 avant J.-C.

QUESTIONS

ANALYSE ▶

1. Relevez les termes qui renvoient à l'Antiquité. Quel est l'effet recherché ?
2. Retrouvez les caractéristiques du sonnet dans le poème suivant. Quel est le thème principal de chaque quatrain ? Quel est celui du sizain décomposé en deux tercets ?
3. Analysez la présence des cinq sens dans le poème. Quelle dimension cette présence donne-t-elle à la description ?
4. Étudiez dans les deux tercets le rythme des vers et la présence insistante des allitérations. De quelle manière soulignent-ils la majesté de la scène ?

**ENTRAÎNEMENT ▶
AU COMMENTAIRE**

Ce poème s'inscrit-il dans l'esthétique romantique ou dans celle du Parnasse ? Vous étayerez votre réponse sur des arguments illustrés d'exemples précis.

Soir de bataille

Le choc avait été très rude. Les tribuns
Et les centurions, ralliant les cohortes,
Humaient encor dans l'air où vibraient leurs voix fortes
La chaleur du carnage et ses âcres parfums.

5 D'un œil morne, comptant leurs compagnons défunts,
Les soldats regardaient, comme des feuilles mortes,
Au loin, tourbillonner les archers de Phraortes[1] ;
Et la sueur coulait de leurs visages bruns.

C'est alors qu'apparut, tout hérissé de flèches,
10 Rouge du flux vermeil de ses blessures fraîches,
Sous la pourpre[2] flottante et l'airain[3] rutilant,

Au fracas des buccins qui sonnaient leur fanfare,
Superbe, maîtrisant son cheval qui s'effare,
Sur le ciel enflammé, l'Imperator[4] sanglant.

JOSÉ MARIA DE HEREDIA, « Soir de bataille », *Les Trophées*, 1893.

1. Phraortes : roi de l'Antiquité.
2. la pourpre : le vêtement rouge du chef des armées romaines.
3. l'airain : la cuirasse.
4. l'Imperator : l'empereur romain.

39

La poésie de la modernité

Figure méprisée de la société industrielle du XIXᵉ siècle, le poète en explore cependant tous les aspects. Baudelaire, Verlaine, Rimbaud puis Mallarmé incarnent chacun à leur manière l'image du poète maudit, incompris de la bourgeoisie, rebelle et marginal. Ensemble, ils participent à la naissance de la poésie moderne.

OBSERVATION

L'expression d'un itinéraire tourmenté

Un rythme neuf

Admirateur de Baudelaire, Paul Verlaine exprime comme lui, dans ses poèmes, les déchirements de son existence. Ennemi de la régularité, il fonde sa poésie sur la musique mélancolique des vers et annonce ainsi le mouvement symboliste.

> Les sanglots longs
> Des violons
>   De l'automne
> Blessent mon cœur
> ₅ D'une langueur
>   Monotone.
>
> Tout suffocant
> Et blême, quand
>   Sonne l'heure,
> ₁₀ Je me souviens
> Des jours anciens
>   Et je pleure ;
>
> Et je m'en vais
> Au vent mauvais
> ₁₅   Qui m'emporte
> Deçà, delà,
> Pareil à la
>   Feuille morte.

PAUL VERLAINE, « Chanson d'automne », *Poèmes saturniens*, 1866.

QUESTIONS

1. Quels sont les sentiments exprimés par le poète ? Pourquoi peut-on parler d'une profonde « mélancolie » ?

2. Observez la composition du poème : strophes, vers, rimes. En quoi la mesure des vers est-elle originale ?

3. De quelle manière le rythme du poème souligne-t-il le sentiment d'angoisse exprimé ?

1 Les poètes de la modernité

Baudelaire, Verlaine puis Rimbaud révolutionnent tour à tour l'art poétique, le faisant évoluer vers une liberté toujours plus grande.

1. Le choc esthétique des *Fleurs du mal*

Par sa nouveauté, le recueil des *Fleurs du mal* influence toute une génération de jeunes poètes. Baudelaire exprime son angoisse devant la solitude, qu'il nomme le « spleen », mais aussi sa recherche de la beauté absolue, « l'idéal ». Il montre les déchirements de l'homme moderne, partagé entre la révolte et l'accablement.

→ Ma jeunesse ne fut qu'un ténébreux orage,
  Traversé çà et là par de brillants soleils (« L'Ennemi »)

2. L'itinéraire tourmenté des « poètes maudits »

À la suite de Baudelaire, Lautréamont, Verlaine et Rimbaud expriment leur sentiment de révolte. L'expérience de la bohème et de la marginalité fonde l'œuvre de ces « poètes maudits », qui dénoncent la laideur et l'hypocrisie de la société bourgeoise.

→ Je m'en allais, les poings dans mes poches crevées ;
  Mon paletot aussi devenait idéal (Rimbaud)

3. Le renouveau des formes poétiques

■ **Un rythme neuf.** Les poètes de la modernité multiplient les coupes et les enjambements qui donnent un rythme nouveau au vers. Verlaine expérimente ainsi l'usage des vers impairs, qui charment le lecteur par leur rythme inattendu.

→ Tout suffocant / Et blême, quand / Sonne l'heure (Verlaine)

■ **Le poème en prose.** Les poètes de la modernité ont aussi recours au poème en prose. Baudelaire, Lautréamont et Rimbaud abandonnent la versification. Ils s'appuient sur les images et les sonorités pour exprimer la force de l'émotion.

→ Les *Petits Poèmes en prose* de Baudelaire paraissent en 1868 ; *Les Chants de Maldoror* de Lautréamont, en 1869 ; les *Illuminations* de Rimbaud, en 1886.

2 Le symbolisme et la révolution du langage poétique

Dans les années 1880, influencée par Baudelaire et Verlaine, la poésie symboliste partage avec la peinture, la danse et la musique, la recherche d'un art moderne.

1. Le sens caché de l'univers

Le poète symboliste s'appuie sur la représentation de paysages fluides et changeants, pour traduire sa mélancolie. Grâce aux symboles, sa poésie explore un univers invisible et secret qui s'appuie sur l'art de la suggestion.

→ Une nuit étoilée, la blancheur du cygne, un paysage enneigé symbolisent la pureté
  et la beauté mystérieuse du monde.

2. La musicalité de la poésie

■ **Le charme subtil du langage.** Les symbolistes expriment la rêverie à travers des tournures déroutantes et des mots rares, aux consonances subtiles et mélodieuses :

→ Brouillards, montez ! versez vos cendres monotones
  Avec de longs haillons de brume dans les cieux
  Que noiera le marais livide des automnes. (Mallarmé)

■ **L'apparition du vers libre.** Les recherches sur la musique du poème conduisent peu à peu à l'abandon de la régularité du vers et de la rime : les symbolistes inventent les premiers vers libres, qui marqueront la poésie du XXe siècle.

→ Il bruine ; / Dans la forêt mouillée, les toiles d'araignées / Ploient sous les gouttes d'eau,
  et c'est leur ruine. (Jules Laforgue)

Repère

La musicalité nouvelle du vers impair

Le vers impair est recommandé par Verlaine pour sa musicalité. On utilise alors l'heptasyllabe (vers de sept syllabes), l'ennéasyllabe (neuf syllabes) ou l'hendécasyllabe (onze syllabes) pour dénoncer la symétrie de la poésie classique et créer un rythme neuf, basé sur les effets de contrastes et de ruptures.

LES POÈTES DE LA MODERNITÉ

EXERCICE 1 •

À partir de leur titre, classez les poèmes suivants des *Fleurs du mal* selon qu'ils expriment un sentiment d'angoisse ou au contraire de plénitude heureuse.

« La Muse malade » – « L'Ennemi » – « Le Guignon » – « Hymne à la Beauté » – « Parfum exotique » – « Remords posthume » – « Le Possédé » – « Harmonie du soir » – « L'Invitation au voyage » – « Sépulture » – « Spleen » – « Le Goût du néant » – « Danse macabre » – « La Mort des amants ».

EXERCICE 2 •

1. Relevez le champ lexical de la hauteur dans cet extrait. Comment sa présence se justifie-t-elle ?
2. Quelle image le poète donne-t-il de lui-même ?
3. Comment le peintre représente-t-il le poète ? Commentez les différents éléments de ce tableau.

Je veux, pour composer chastement mes églogues[1],
Coucher auprès du ciel, comme les astrologues,
Et, voisin des clochers, écouter en rêvant
Leurs hymnes solennels emportés par le vent.
5 Les deux mains au menton, du haut de ma mansarde,
Je verrai l'atelier qui chante et qui bavarde ;
Les tuyaux, les clochers, ces mâts de la cité,
Et les grands ciels qui font rêver d'éternité.

CHARLES BAUDELAIRE, « Paysage », *Les Fleurs du mal*, 1857.

1. églogues : poèmes antiques.

Gustave Courbet (1818-1877), *Portrait de Baudelaire*, 1848.

EXERCICE 3 •

Associez à chacune des citations de Baudelaire le thème dominant du poème : la ville, la solitude, l'exotisme, le spleen, la sensualité.

• Que j'aime voir, chère indolente / De ton corps si beau, / Comme une étoffe vacillante / Miroiter la peau ! (« Le Serpent qui danse »)

• Mon cœur, comme un tambour voilé, / Va battant de marches funèbres. (« Le Guignon »)
• Que diras-tu ce soir, pauvre âme solitaire, / Que diras-tu mon cœur, cœur autrefois flétri. (Poème XLII)
• Là, tout n'est qu'ordre et beauté, / Luxe, calme et volupté (« L'Invitation au voyage »)
• La rue assourdissante autour de moi hurlait. (« À une passante »)

EXERCICE 4 ••

1. Quel événement déclenche l'angoisse du poète ? Sur quel sens le poème repose-t-il ? Relevez son champ lexical.
2. Quels sentiments habitent le poète dans la deuxième strophe ? Expliquez comment ces sentiments sont mis en valeur par la versification.
3. Quelles images successives apparaissent dans les deux dernières strophes ? Montrez qu'elles s'accordent à l'état d'esprit du poète.

Pour Baudelaire, l'automne est la saison du spleen, qui accable le poète. Il éprouve alors un sentiment de désespoir.

Bientôt nous plongerons dans les froides ténèbres ;
Adieu, vive clarté de nos étés trop courts !
J'entends déjà tomber avec des chocs funèbres
Le bois retentissant sur le pavé des cours.

5 Tout l'hiver va rentrer dans mon être : colère,
Haine, frissons, horreur, labeur dur et forcé,
Et, comme le soleil dans son enfer polaire,
Mon cœur ne sera plus qu'un bloc rouge et glacé.

J'écoute en frémissant chaque bûche qui tombe ;
10 L'échafaud qu'on bâtit n'a pas d'écho plus sourd.
Mon esprit est pareil à la tour qui succombe
Sous les coups du bélier infatigable et lourd.

Il me semble, bercé par ce choc monotone,
Qu'on cloue en grande hâte un cercueil quelque part…
15 Pour qui ? – C'était hier l'été ; voici l'automne !
Ce bruit mystérieux sonne comme un départ.

CHARLES BAUDELAIRE, « Chant d'automne »,
Les Fleurs du mal, 1857.

EXERCICE 5 ••

1. Relevez les détails qui soulignent la situation matérielle du « clochard céleste ».
2. Quelles satisfactions le poète retire-t-il de son vagabondage, de la « bohème » ?
3. Repérez les comparaisons et les métaphores. Montrez comment la poésie transforme la réalité.

À dix-sept ans, Rimbaud fuit l'univers familial et se rend à Paris, pour rencontrer Verlaine. C'est lors de ses fugues qu'il compose la plupart de ses poèmes de jeunesse.

Ma bohème (Fantaisie)

Je m'en allais, les poings dans mes poches crevées ;
Mon paletot aussi devenait idéal :
J'allais sous le ciel, Muse[1] ! et j'étais ton féal[2] ;
Oh ! là ! là ! que d'amours splendides j'ai rêvées !

5 Mon unique culotte avait un large trou.
– Petit-Poucet rêveur, j'égrenais dans ma course
Des rimes. Mon auberge était à la Grande-Ourse.
– Mes étoiles au ciel avaient un doux frou-frou.

Et je les écoutais, assis au bord des routes,
10 Ces bons soirs de septembre où je sentais des gouttes
De rosée à mon front, comme un vin de vigueur ;

Où, rimant au milieu des ombres fantastiques,
Comme des lyres³, je tirais les élastiques
De mes souliers blessés, un pied près de mon cœur !

ARTHUR RIMBAUD, « Ma Bohème », *Poésies*, 1871.

1. Muse : inspiratrice du poète. 2. féal : serviteur.
3. lyre : instrument de musique symbolisant la poésie.

EXERCICE 6 ••

1. Quelle définition Verlaine donne-t-il de la poésie dans les strophes suivantes ? Comment applique-t-il ce principe dans la mesure du vers ?
2. Reformulez en une phrase la thèse exprimée dans ce poème.

De la musique avant toute chose,
Et pour cela préfère l'Impair
Plus vague et plus soluble dans l'air,
Sans rien en lui qui pèse ou qui pose.

5 Il faut aussi que tu n'ailles point
Choisir tes mots sans quelque méprise
Rien de plus cher que la chanson grise
Où l'Indécis au Précis se joint. […]

Car nous voulons la Nuance encor,
10 Pas la couleur, rien que la Nuance !
Oh ! la nuance seule fiance
Le rêve au rêve et la flûte au cor !

Fuis du plus loin la Pointe assassine,
L'Esprit cruel et le Rire impur,
15 Qui font pleurer les yeux de l'Azur,
Et tout cet ail de basse cuisine !

Prends l'éloquence et tords-lui son cou
Tu feras bien, en train d'énergie,
De rendre un peu la Rime assagie :
20 Si l'on y veille, elle ira jusqu'où ?

Ô qui dira les torts de la Rime !
Quel enfant sourd ou quel nègre fou
Nous a forgé ce bijou d'un sou
Qui sonne creux et faux sous la lime ?

25 De la musique encore et toujours !
Que ton vers soit la chose envolée
Qu'on sent qui fuit d'une âme en allée
Vers d'autres cieux à d'autres amours.

Que ton vers soit la bonne aventure
30 Éparse au vent crispé du matin
Qui va fleurant la menthe et le thym…
Et tout le reste est littérature.

VERLAINE, « Art poétique », *Jadis et Naguère*, 1884.

EXERCICE 7 ••

1. Quel état d'esprit anime le poète dans la strophe suivante ? De quelles manières le souligne-t-il ?
2. Analysez la mesure des vers. Quelles particularités présente-t-elle ?

Je ne sais pourquoi
Mon esprit amer
D'une aile inquiète et folle vole sur la mer.
Tout ce qui m'est cher,
5 D'une aile d'effroi
Mon amour le couve au ras des flots. Pourquoi,
pourquoi ?

VERLAINE, « Je ne sais pourquoi », *Sagesse*, 1881.

EXERCICE 8 ••

1. Qu'est-ce qui provoque la rêverie du poète dans l'extrait suivant ?
2. Qu'est-ce qui caractérise l'atmosphère du texte ?
3. Expliquez pourquoi on peut parler ici de « poème en prose ».

Au clair de la lune, près de la mer, dans les endroits isolés de la campagne, l'on voit, plongé dans d'amères réflexions, toutes les choses revêtir des formes jaunes, indécises, fantastiques. L'ombre des arbres, tantôt vite, tantôt lentement, court, vient, revient, par diverses formes, en s'aplatissant, en se collant contre la terre. Dans le temps, lorsque j'étais emporté sur les ailes de la jeunesse, cela me faisait rêver, me paraissait étrange ; maintenant, j'y suis habitué.

LAUTRÉAMONT, *Les Chants de Maldoror*, 1870.

EXERCICE 9 •••

1. De quelle manière le texte suivant est-il construit ? Pourquoi peut-on parler de poème en prose ?
2. Sur quels effets de surprises le poème repose-t-il ? Comment, selon vous, séduit-il le lecteur ?
3. **Entraînement à l'écrit d'invention.** Sur le modèle d'Arthur Rimbaud, vous rédigerez un poème construit sur l'anaphore de l'expression « Il y a ». Votre poème commencera par les mots suivants : « Au coin de la rue, il y a… »

Au bois il y a un oiseau, son chant vous arrête et vous fait rougir.

Il y a une horloge qui ne sonne pas.

Il y a une fondrière avec un nid de bêtes blanches.

5 Il y a une cathédrale qui descend et un lac qui monte.

Il y a une petite voiture abandonnée dans le taillis, ou qui descend le sentier en courant, enrubannée.

Il y a une troupe de petits comédiens en costumes, aperçus sur la route à travers la lisière du bois.

10 Il y a enfin, quand l'on a faim et soif, quelqu'un qui vous chasse.

ARTHUR RIMBAUD, « Enfance », *Illuminations*, 1873-1875.

LE SYMBOLISME

EXERCICE 10 ••

1. Comment, dans le texte A, Mallarmé définit-il le travail du poète ?
2. Quel état d'âme est montré dans le texte B ? À travers quels « objets » est-il suggéré ?
3. Quelles images poétiques mettent en place un univers déroutant, propre à déclencher la rêverie du lecteur ?

Texte A

« *Nommer* un objet, c'est supprimer les trois quarts de la jouissance du poème qui est faite de deviner peu à peu : le *suggérer*, voilà le rêve. C'est le parfait usage de ce mystère qui constitue le symbole : évoquer petit à petit un objet pour montrer un état d'âme, ou, inversement, choisir un objet et en dégager un état d'âme, pour une série de déchiffrements. »

STÉPHANE MALLARMÉ, *Réponse à Jules Huret, Enquête sur l'évolution littéraire*, 1891.

Texte B

Mon âme vers ton front où rêve, ô calme sœur,
Un automne jonché de taches de rousseur,
Et vers le ciel errant de ton œil angélique
Monte, comme dans un jardin mélancolique,
5 Fidèle, un blanc jet d'eau soupire vers l'azur !
– Vers l'azur attendri d'Octobre pâle et pur
Qui mire aux grands bassins sa langueur infinie,
Et laisse, sur l'eau morte où la fauve agonie
Des feuilles erre au vent et creuse un froid sillon,
10 Se traîner le soleil jaune d'un long rayon.

STÉPHANE MALLARMÉ, « Soupir », *Poésies*, 1887.

EXERCICE 11 •••

1. Quelles sont les caractéristiques de ce poème en vers libres ? Montrez qu'il se libère des contraintes de la poésie classique.
2. Retrouvez dans le poème les principes du symbolisme : mots rares, tournures déroutantes, symboles mystérieux.
3. De quelle manière cette forme de poésie crée-t-elle une musicalité nouvelle ?

L'eau

Et qu'importe ! ceux-là[1] passent.
Les belles nymphes sont immortelles,
comme le thyrse[2] et le caducée[3],
comme la vague, comme la dentelle,
5 de l'herbe et l'ouate des nuées,
comme la roche aux repos noirs sous l'ondée
arc-en-ciel par le même soleil,
comme le vin pourpre ou le vin vermeil
ou les chaînes de Prométhée[4].

10 Ils se penchent, c'est de l'ombre ; ils crient, c'est de l'écho
ils meurent, c'est du silence ; ils chantent, c'est une phrase
à la beauté sereine du soleil et des flots.

GUSTAVE KAHN, « L'eau », *Le Livre d'images*, 1897.

1. ceux-là : les marins.
2. thyrse : bâton entouré d'une feuille de vigne, symbole du dieu Dionysos.
3. caducée : baguette de laurier entourée de deux serpents, symbole du dieu Hermès.
4. Prométhée : personnage de la mythologie, enchaîné à un rocher.

EXERCICE 12 ••

1. Repérez les répétitions. Quel est l'effet produit ?
2. Que symbolise selon vous le soleil couchant ? Quelles correspondances trouve-t-il dans le poème ?
3. Quels liens pouvez-vous établir entre le poème et la peinture symboliste ?

Une aube affaiblie
Verse par les champs
La mélancolie
Des soleils couchants.
5 La mélancolie
Berce de doux chants
Mon cœur qui s'oublie
Aux soleils couchants.
Et d'étranges rêves
10 Comme des soleils
Couchants sur les grèves[1],
Fantômes vermeils[2],
Défilent sans trêves,
Défilent, pareils
15 À des grands soleils
Couchants sur les grèves.

PAUL VERLAINE, *Poèmes saturniens*, 1866.

1. grèves : plages.
2. vermeils : rouges.

William Turner (1775-1851), *Soleil couchant sur un lac*, 1840-1845, huile sur toile.

QUESTIONS

ANALYSE ▶

1. Analysez la composition du poème : rimes, strophes, mesure du vers.
2. Étudiez la progression du poème. Sur quel jeu d'oppositions repose-t-elle ?
3. Que symbolisent les marins et le pont du bateau ? Que représente finalement l'albatros ?

ENTRAÎNEMENT ▶
AU COMMENTAIRE

Montrez comment Baudelaire, en se comparant à l'albatros, entretient l'image du poète maudit.

L'Albatros

Souvent, pour s'amuser, les hommes d'équipage
Prennent des albatros, vastes oiseaux des mers,
Qui suivent, indolents[1] compagnons de voyage,
Le navire glissant sur les gouffres amers.

5 À peine les ont-ils déposés sur les planches,
Que ces rois de l'azur, maladroits et honteux,
Laissent piteusement leurs grandes ailes blanches
Comme des avirons traîner à côté d'eux.

Ce voyageur ailé, comme il est gauche et veule[2] !
10 Lui, naguère si beau, qu'il est comique et laid !
L'un agace son bec avec un brûle-gueule[3],
L'autre mime, en boitant, l'infirme qui volait !

Le Poète est semblable au prince des nuées
Qui hante la tempête et se rit de l'archer[4] ;
15 Exilé sur le sol au milieu des huées,
Ses ailes de géant l'empêchent de marcher.

CHARLES BAUDELAIRE, *Les Fleurs du mal*, 1857.

1. indolents : nonchalants, calmes.
2. veule : faible, mou.
3. brûle-gueule : petite pipe de marin.
4. archer : tireur à l'arc.

La poésie, de l'avant-garde au surréalisme

Au début du xxe siècle, les poètes expriment leur passion pour le monde moderne. Comme les peintres, ils bouleversent leur manière de représenter la réalité. Cette révolution trouve un aboutissement après la Première Guerre mondiale dans le mouvement surréaliste.

OBSERVATION

La trépidation du monde moderne

L'usage du vers libre

[   ] L'absence de ponctuation

Tous les artistes de l'avant-garde, les poètes comme Apollinaire, les peintres comme Picasso ou Delaunay, les musiciens comme Éric Satie ou Maurice Ravel, partagent la même vision d'un monde en mutation, bouleversé par le mouvement et la vitesse.

> J'ai passé mon enfance dans les jardins suspendus de Babylone[1]
> Et l'école buissonnière, dans les gares devant les trains en partance
> Maintenant, j'ai fait courir tous les trains derrière moi
> Bâle-Tombouctou
> 5   J'ai aussi joué aux courses à Auteuil et à Longchamp
> Paris-New York
> Maintenant, j'ai fait courir tous les trains le long de ma vie
> Madrid-Stockholm
> Et j'ai perdu tous mes paris
> 10   Il n'y a plus que la Patagonie[2], la Patagonie, qui convienne à mon
>   [immense tristesse, la Patagonie, et un voyage dans les mers du Sud
>   [Je suis en route
>   J'ai toujours été en route
>   Je suis en route avec la petite Jehanne de France
> 15   Le train fait un saut périlleux et retombe sur toutes ses roues
>   Le train retombe sur ses roues
>   Le train retombe toujours sur toutes ses roues]
>   « Blaise, dis, sommes-nous bien loin de Montmartre ? »

Blaise Cendrars, *Prose du Transsibérien*[3] *et de la petite Jehanne de France, Poésies complètes*, Éd. Denoël, 1960, 2001.

1. **jardins suspendus de Babylone** : jardins célèbres dans l'Antiquité.

2. **Patagonie** : Terre de Feu, à la pointe de l'Amérique du Sud.

3. **Transsibérien** : ligne de chemin de fer qui va de Moscou à Vladivostok, en Asie.

QUESTIONS

1. Quels sont les lieux géographiques évoqués dans le texte ? Montrez qu'ils contribuent, avec le champ lexical du mouvement, à créer une impression de tourbillon.

2. Analysez la présence du train dans le poème. Comment l'écriture en reproduit-elle le rythme ? Faites le compte des syllabes contenues dans les vers surlignés.

3. Selon vous, quel est l'effet recherché par l'absence de ponctuation ?

1 Les poètes de l'avant-garde

Au début du XXᵉ siècle, l'avant-garde invente un langage poétique apte à exprimer une perception nouvelle de l'univers.

1. La trépidation du monde moderne

Les poètes de l'avant-garde chantent l'animation des grandes villes, les nouveaux moyens de communication et la multiplication des machines. Ils manifestent leur passion pour ce monde coloré et fragmenté. Les sensations, les souvenirs et les objets se juxtaposent, provoquant des effets de surprise.

→ Le train, le cinéma, le télégraphe, la bicyclette, le métro, l'automobile, l'avion deviennent de nouveaux objets poétiques dans l'œuvre de Cendrars, d'Apollinaire ou de Larbaud.

2. Le renouveau des formes poétiques

L'avant-garde se définit à travers de nombreuses audaces stylistiques.

■ **L'usage du vers libre.** Le vers libre s'impose comme le principe essentiel du texte poétique. Il fait alterner des vers très courts et très longs. Cette alternance crée des effets nouveaux en harmonie avec le rythme du monde moderne.

■ **L'absence de ponctuation.** Cendrars puis Apollinaire suppriment presque toute ponctuation de leurs poèmes dès 1913. Seul le rythme du vers détermine le sens du poème et de la lecture.

■ **La poésie graphique.** Le poème devient un objet graphique dans une mise en page originale qui s'inspire du dessin, de l'affiche et de la publicité.

→ Les *Calligrammes* d'Apollinaire disposent les mots du poème sous forme de dessin, ils participent aux recherches graphiques menées par l'avant-garde.

2 La révolution surréaliste

En réaction aux atrocités de la Première Guerre mondiale, une génération de jeunes poètes explore un monde « surréel » où la raison et la logique n'ont plus de place.

1. L'univers surréaliste

■ **L'exploration de l'inconscient et des rêves.** Le rêve, dicté par l'inconscient, n'est contrôlé ni par la morale ni par la raison. Il offre aux surréalistes un domaine riche en découvertes poétiques. La poésie surréaliste, débarrassée des contraintes de la versification et de la logique, révèle la part mystérieuse et fascinante de l'inconscient.

→ Surréalisme, n. m. Dictée de la pensée, en l'absence de tout contrôle exercé par la raison, en dehors de toute préoccupation esthétique ou morale. (André Breton)

■ **La célébration de l'amour fou.** L'amour est la principale source d'inspiration des surréalistes. Il naît de rencontres inattendues et met la femme aimée d'une passion exclusive au cœur du poème.

2. Le jeu sur le langage

■ **Les images inattendues.** Les surréalistes considèrent la comparaison et la métaphore comme le moteur de la création poétique. Les images rapprochent deux réalités sans lien entre elles. La force du poème repose sur la fulgurance de l'image produite.

→ André Breton reprend à son compte la formule de Lautréamont : « Beau comme la rencontre fortuite d'un parapluie et d'une machine à coudre sur une table de dissection. »

■ **Les associations verbales.** L'écriture automatique consiste à écrire sous la dictée de l'inconscient des phrases que la raison n'aurait jamais produites. Le surréalisme multiplie les jeux sur les mots, leurs connotations et leurs sonorités.

Repère

Les jeux sur le signe linguistique

Le mot est un signe composé d'un signifiant (sa forme sonore et visible) et d'un signifié (la réalité à laquelle il renvoie). Le signifiant peut être motivé (les symboles) ou arbitraire (le mot « table », par exemple). Le poète joue à la fois sur les sens et les sons du signe linguistique pour renouveler le langage.

LA TRÉPIDATION DU MONDE MODERNE

EXERCICE 1 •

À travers quels termes la trépidation du monde moderne apparaît-elle dans les citations suivantes ?

* Je chante l'Europe, ses chemins de fer et ses théâtres Et ses constellations de cités (Larbaud)
* Nous déclarons que la splendeur du monde s'est enrichie d'une beauté nouvelle : la beauté de la vitesse (Marinetti)
* Toute vie n'est qu'un poème, un mouvement. (Cendrars)
* Des troupeaux d'autobus mugissant près de toi roulent. (Apollinaire)

EXERCICE 2 •

1. Quels thèmes de l'avant-garde ce tableau illustre-t-il ?
2. À travers quels procédés picturaux le peintre est-il en rupture avec la peinture classique ?

Jean Metzinger (1883-1956), *Paris-Roubaix, le vélodrome*, 1912.

EXERCICE 3 ••

1. À travers quels détails Blaise Cendrars souligne-t-il la présence du monde moderne dans cet extrait de carnet de voyage ?
2. À travers quels procédés de style le poème exprime-t-il le mouvement du voyageur ?

Il est quatorze heures nous sommes enfin à quai
J'ai découvert un paquet d'hommes à l'ombre ramassée d'une grue
Certificats médicaux passeports douane
5 Je débarque
Je ne suis pas assis dans l'auto qui m'emporte mais dans la chaleur molle épaisse rembourrée comme une carrosserie

Mes amis qui m'attendent depuis sept heures du matin
sur le quai ensoleillé ont encore tout juste la force de me
10 serrer la main
Toute la ville retentit de jeunes klaxons qui se saluent
De jeunes klaxons qui nous raniment

De jeunes klaxons qui nous mènent déjeuner sur la plage de Garujà
15 Dans un restaurant rempli d'appareils à sous à tirs électriques
oiseaux mécaniques appareils automatiques qui vous font les lignes de la main
gramophone qui vous disent la bonne aventure et où l'on
20 mange de la bonne vieille
cuisine brésilienne savoureuse épicée nègre indienne

BLAISE CENDRARS, *Du monde entier au cœur du monde, Poésie complète*, Éd. Denoël, 1947

LE RENOUVEAU DES FORMES POÉTIQUES

EXERCICE 4 ••

1. À quelle ambition correspond l'utilisation du vers libre ? Expliquez les deux derniers vers.
2. En quoi ce poème s'inscrit-il dans l'avant-garde poétique ? Relevez le lexique du bruit et du mouvement pour illustrer votre réponse.

Prête-moi ton grand bruit, ta grande allure si douce,
Ton glissement nocturne à travers l'Europe illuminée,
Ô train de luxe ! et l'angoissante musique
Qui bruit le long de tes couloirs de cuir doré,
5 Tandis que derrière les portes laquées, aux loquets de
[cuivre lourd,
Dorment les millionnaires.
Je parcours en chantonnant tes couloirs
Et je suis ta course vers Vienne et Budapest,
Mêlant ma voix à tes cent mille voix [...]
10 Prêtez-moi, ô Orient-Express[1], Sud-Brenner-Bahn[2],
[prêtez-moi
Vos miraculeux bruits sourds et
Vos vibrantes voix de chanterelle[3] ;
Prêtez-moi la respiration légère et facile
5 Des locomotives hautes et minces, aux mouvements
Si aisés, les locomotives des rapides,
Précédant sans effort quatre wagons jaunes à lettres d'or
Dans les solitudes montagnardes de la Serbie,
Et, plus loin, à travers la Bulgarie pleine de roses...
10 Ah ! il faut que ces bruits et que ce mouvement
Entrent dans mes poèmes.

VALERY LARBAUD, « Ode », *Poésies de A. O. Barnabooth*, Éd. Gallimard, 1913.

1. **Orient-Express** : train luxueux, traversant l'Europe, de Londres à Istanbul. 2. **Sud-Brenner-Bahn** : train célèbre traversant les Alpes, d'Autriche en Italie. 3. **chanterelle** : corde la plus aiguë d'un instrument à cordes.

EXERCICE 5 ••

1. En quoi la forme poétique du calligramme est-elle origi-nale ? Montrez comment elle renouvelle le thème du poème d'amour.
2. Confrontez le calligramme avec sa retranscription en vers libre. Laquelle de ces deux formes préférez-vous ? Justifiez votre réponse.

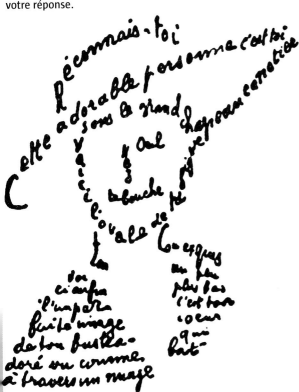

Reconnais-toi
Cette adorable personne c'est toi
Sous le grand chapeau canotier
Œil Nez La bouche
5 Voici l'ovale de ta figure
Ton cou exquis
Voici enfin l'imparfaite image de ton buste adoré vu comme à travers un nuage un peu plus bas c'est ton cœur qui bat

GUILLAUME APOLLINAIRE, *Poèmes à Lou*, 1915,
Éd. Gallimard (éd. Posthume, 1956).

EXERCICE 6 •••

1. Quel est l'effet produit par l'absence de ponctuation sur le rythme du poème ?
2. Quels sont les différents thèmes abordés par l'extrait ? En quoi constituent-ils des thèmes poétiques nouveaux ?
3. Entraînement au commentaire. Rédigez un paragraphe argumentatif illustré d'exemples précis de « Zone » dans lequel vous montrerez que ce poème, par son originalité et sa nouveauté, définit les principes de l'avant-garde poétique.

Zone

À la fin tu es las de ce monde ancien

Bergère ô tour Eiffel[1] le troupeau des ponts bêle ce matin

Tu en as assez de vivre dans l'antiquité grecque
[et romaine

Ici même les automobiles ont l'air d'être anciennes […]

5 Tu lis les prospectus les catalogues les affiches
[qui chantent tout haut

Voilà la poésie ce matin et pour la prose il y a
[les journaux

Il y a les livraisons à 25 centimes pleines d'aventures
[policières

Portraits des grands hommes et mille titres divers

J'ai vu ce matin une jolie rue dont j'ai oublié le nom

10 Neuve et propre du soleil elle était le clairon

Les directeurs les ouvriers et les belles sténo-
[dactylographes[2]

Du lundi matin au samedi soir quatre fois par jour
[y passent

Le matin par trois fois la sirène y gémit

Une cloche rageuse y aboie vers midi

15 Les inscriptions des enseignes et des murailles

Les plaques les avis à la façon des perroquets criaillent

J'aime la grâce de cette rue industrielle

Située à Paris entre la rue Aumont-Thieville et l'avenue
[des Ternes

GUILLAUME APOLLINAIRE, « Zone »,
Alcools, Éd. Gallimard, 1913.

1. **Tour Eiffel** : inaugurée en 1889, elle est le symbole du monde moderne pour les artistes de l'avant-garde.
2. **sténo-dactylographes** : secrétaires.

L'UNIVERS SURRÉALISTE

EXERCICE 7 ••

En étudiant le lexique du poème suivant, montrez comment Paul Eluard associe le thème de l'amour à celui du rêve.

L'Amoureuse

Elle est debout sur mes paupières
Et ses cheveux sont dans les miens,
Elle a la forme de mes mains,
Elle a la couleur de mes yeux,
5 Elle s'engloutit dans mon ombre
Comme une pierre sur le ciel.

Elle a toujours les yeux ouverts
Et ne me laisse pas dormir.
Ses rêves en pleine lumière
10 Font s'évaporer les soleils,
Me font rire, pleurer et rire,
Parler sans avoir rien à dire.

PAUL ELUARD, *Mourir de ne pas mourir*, Éd. Gallimard, 1924.

EXERCICE 8 ••

Expliquez, en vous appuyant sur le titre et les détails du tableau, comment le peintre surréaliste cherche à mettre en image l'expérience du rêve.

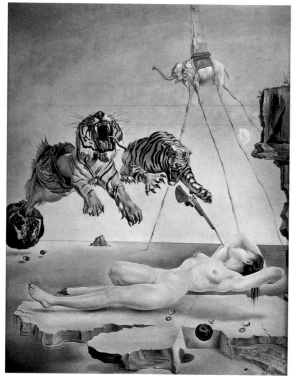

Salvador Dali (1904-1989), *Rêve causé par le vol d'une abeille autour d'une pomme-grenade une seconde avant l'éveil*, 1944.

LE JEU SUR LE LANGAGE

EXERCICE 9 ••

1. Comment le poème suivant est-il construit ?
2. Relevez et analysez les images utilisées.
3. **Entraînement à l'écrit d'invention.** Poursuivez le poème en utilisant les mêmes procédés d'écriture qu'André Breton.

Ma femme à la chevelure de feu de bois
Aux pensées d'éclairs de chaleur
À la taille de sablier
Ma femme à la taille de loutre entre les dents du tigre
5 Ma femme à la bouche de cocarde et de bouquet d'étoiles
[de dernière grandeur
Aux dents d'empreintes de souris blanche sur la terre
[blanche
À la langue d'ambre et de verre frottés
Ma femme à la langue d'hostie poignardée
À la langue de poupée qui ouvre et ferme les yeux […]

André Breton, « Union libre », *Clair de terre*,
Éd. Gallimard, 1931.

EXERCICE 10 •

Analysez les images contenues dans les vers suivants. Pourquoi peut-on les qualifier de surréalistes ?

- La terre est bleue comme une orange (Paul Eluard)
- L'heure qui s'échappait ne bat plus que d'une aile (Pierre Reverdy)
- L'aube se passe autour du cou
  Un collier de fenêtres (Paul Eluard)
- Sur le pont la rosée à tête de chat se berçait (André Breton)
- Pleurs du pétrole sur la route (Louis Aragon)

EXERCICE 11 ••

Observez les phrases suivantes. Indiquez pour chacune d'elles le procédé sur lequel repose sa construction : le jeu de mots, l'homonymie, l'anagramme, la contrepèterie.

- Ô mon crâne, étoile de nacre qui s'étiole.
- Rrose Sélavy se demande si la mort des saisons fait tomber un sort sur les maisons.
- Plus que poli pour être honnête
  Plus que poète pour être honni.
- Prométhée[1] moi l'amour !

Robert Desnos, « Rrose Sélavy »
Corps et Biens, Éd. Gallimard, 1930

1. Prométhée : personnage de la mythologie.

EXERCICE 12 ••

1. Montrez comment le dernier vers donne une clé de lecture pour l'ensemble du poème.
2. Sur quelle allitération principale se construit le poème ?
3. Relevez les comparaisons. Expliquez leur construction.

[…] Je t'appelle j'appuie
Ma langue à mon palais j'apprends
D'une profonde inspiration de l'air ton approche
Ton âpre empire ta présence déjà proche
Je pressens ta préséance obscure ta clarté
Ce pantèlement[1] des pétales je prends
Par avance ton poids dans ma main
Comme d'un vin pour le verre
Ta légèreté comme d'une vapeur dansante
Sur les doigts Comme le pas rythmé qui se pose à peine
d'une prose
Je respire ton nom je répète

La rose […]

Louis Aragon, *Elsa*, Éd. Gallimard, 1950.

1. pantèlement : battement de cœur.

QUESTIONS

ANALYSE ▶

1. Pourquoi peut-on dire que ce poème apparaît comme dicté par l'inconscient du poète surréaliste ?
2. Relevez trois exemples de rapprochements inattendus qui contribuent à créer un effet de surprise.
3. L'utilisation du vers libre, des répétitions et de l'allitération contribue au rythme original du poème. Analysez le rythme des vers 6 à 22.

ENTRAÎNEMENT ▶
AU COMMENTAIRE

Montrez comment l'écrivain surréaliste met en place un univers onirique, c'est-à-dire proche du rêve.

Je sublime

je t'aime à tour de bras
je t'aime comme un poêle rouge dans une caverne
Que ta robe de fil de fer barbelé
me déchire avec un grand bruit de vaisselle tombant dans l'escalier
5 je t'aime comme une oreille emportée par le vent
qui siffle Attends
Attends que le fer à repasser ait brûlé la chemise de rosée
pour y faire fleurir le reflet du cristal caché dans un tiroir
attends que la bulle de savon
10 après avoir crevé comme un tsar des taupes
qui ne couvriront jamais les épaules aimées
renaisse dans la poussière assassinée par le soleil devenu bleu
et que je guette par le trou de la serrure
velue
15 gelée
de la prison de lichens polaires
où tu m'as enfermé
attends fils du sel
attends vin de falaise qui vient d'écraser un patronage
20 attends viscère de phosphore qui ne songe qu'aux incendies de forêts
attends
J'attends.

BENJAMIN PÉRET, « Le carré de l'hypoténuse »,
Je sublime, 1936, Éd. José Corti, 1972.

SUJET VERS LE BAC

Le sujet comprend :

TEXTE A : Victor Hugo, « Hier au soir », *Les Contemplations*, 1856.

TEXTE B : Charles Baudelaire, « Les ténèbres », *Les Fleurs du mal*, 1857.

TEXTE C : Robert Desnos, « À la mystérieuse », *Corps et Biens*, 1930.

OBJET D'ÉTUDE : La poésie du XIXᵉ au XXᵉ siècle : du romantisme au surréalisme

---

TEXTE A

Victor Hugo,
Les Contemplations.

Hier au soir

Hier, le vent du soir, dont le souffle caresse,
Nous apportait l'odeur des fleurs qui s'ouvrent tard ;
La nuit tombait ; l'oiseau dormait dans l'ombre épaisse.
Le printemps embaumait, moins que votre jeunesse ;
5   Les astres rayonnaient, moins que votre regard.

Moi, je parlais tout bas. C'est l'heure solennelle
Où l'âme aime à chanter son hymne le plus doux.
Voyant la nuit si pure, et vous voyant si belle,
J'ai dit aux astres d'or : Versez le ciel sur elle !
10   Et j'ai dit à vos yeux : Versez l'amour sur nous !

VICTOR HUGO, « Hier au soir », *Les Contemplations*, 1856

TEXTE B

Charles Baudelaire,
Les Fleurs du mal.

Les ténèbres

Dans les caveaux d'insondable tristesse
Où le Destin m'a déjà relégué ;
Où jamais n'entre un rayon rose et gai ;
Où, seul avec la Nuit, maussade hôtesse,

5   Je suis comme un peintre qu'un Dieu moqueur
Condamne à peindre, hélas ! sur les ténèbres ;
Où, cuisinier aux appétits funèbres,
Je fais bouillir et je mange mon cœur.

Par instants brille, et s'allonge, et s'étale
10   Un spectre fait de grâce et de splendeur.
À sa rêveuse allure orientale,

Quand il atteint sa totale grandeur,
Je reconnais ma belle visiteuse :
C'est Elle ! noire et pourtant lumineuse.

CHARLES BAUDELAIRE, « Les ténèbres », *Les Fleurs du mal*, 1857.

TEXTE C

Robert Desnos,
Corps et biens.

J'ai tant rêvé de toi

J'ai tant rêvé de toi que tu perds ta réalité.
Est-il encore temps d'atteindre ce corps vivant
et de baiser sur cette bouche la naissance
de la voix qui m'est chère ?
5   J'ai tant rêvé de toi que mes bras habitués,
en étreignant ton ombre,
à se croiser sur ma poitrine ne se plieraient pas
au contour de ton corps, peut-être.
Et que, devant l'apparence réelle de ce qui me hante
10 et me gouverne depuis des jours et des années,
je deviendrais une ombre sans doute.
O balances sentimentales.

J'ai tant rêvé de toi qu'il n'est plus temps
sans doute que je m'éveille. Je dors debout, le corps exposé
15 à toutes les apparences de la vie
et de l'amour et toi, la seule
qui compte aujourd'hui pour moi,
je pourrais moins toucher ton front
et tes lèvres que les premières lèvres
20 et le premier front venus.

J'ai tant rêvé de toi, tant marché, parlé,
couché avec ton fantôme qu'il ne me reste plus peut-être,
et pourtant, qu'à être fantôme
parmi les fantômes et plus ombre
25 cent fois que l'ombre qui se promène
et se promènera allègrement
sur le cadran solaire de ta vie.

ROBERT DESNOS, « À la mystérieuse », *Corps et biens*, Éd. Gallimard, 1930.

ANALYSE ▶

1. Quel est le thème commun aux trois poèmes ? Justifiez votre réponse en vous appuyant sur des indices précis.

2. Comment le sentiment amoureux est-il associé à la présence de la nature dans le poème de Victor Hugo (texte A) ?

3. Confrontez les formes poétiques choisies par chacun des trois poètes. Quelles évolutions constatez-vous ?

ENTRAÎNEMENT ▶
À LA DISSERTATION

Du romantisme au surréalisme, l'histoire de la poésie est marquée par de profonds bouleversements. En vous aidant des textes étudiés, vous étayerez et illustrerez cette affirmation sous la forme de deux paragraphes entièrement rédigés.

L'écriture poétique et les jeux sur le langage

Au-delà des règles de la versification, la poésie met en jeu toutes les ressources du langage. Le poète joue avec les contraintes des formes poétiques. Il s'appuie sur la musicalité des répétitions. Créateur de sens, il jongle avec les mots et charme le lecteur par la puissance des images.

OBSERVATION

- Le jeu sur la forme
- La musicalité des répétitions
- La fantaisie verbale
- [ ] La puissance des images.

1. **railway** : voie de chemin de fer.

2. **Pinde** : montagne grecque dédiée à Apollon (dieu de la musique et de la poésie) et aux Muses.

3. **Archimède** : mathématicien grec du IIIe siècle av. J.-C.

4. **Pégase** : cheval ailé de la mythologie grecque, symbole de la poésie.

1 SONNET
AVEC LA MANIÈRE DE S'EN SERVIR

Réglons notre papier et formons bien nos lettres :

[Vers filés à la main] et [d'un pied uniforme],
[Emboîtant bien le pas, par quatre en peloton ;]
Qu'en marquant la césure, un des quatre s'endorme...
Ça peut [dormir debout comme soldats de plomb.]

5 Sur le *railway*[1] du Pinde[2] est la ligne, la forme ;
Aux fils du télégraphe ; – on en suit quatre, en long ;
[À chaque pieu, la rime] – exemple : chloroforme.
[– Chaque vers est un fil, et la rime un jalon.]

– Télégramme sacré – 20 mots. – Vite à mon aide...
10 (Sonnet – c'est un sonnet –) ô Muse d'Archimède[3] !
– La preuve d'un sonnet est par l'addition :

– Je pose 4 et 4 = 8 ! Alors je procède,
En posant 3 et 3 ! Tenons Pégase[4] raide :
« Ô lyre ! Ô délire : Ô... » – Sonnet – Attention !

TRISTAN CORBIÈRE, *Les Amours jaunes*, 1873.

QUESTIONS

1. Observez la disposition du poème sur la page. Respecte-t-il la forme du sonnet ?

2. Comment le titre du poème définit-il avec humour l'art du langage poétique ?

3. Retrouvez dans le poème son champ lexical dominant, celui de la poésie. Justifiez sa présence.

1 Le jeu sur les formes

Depuis le Moyen Âge, la forme d'un poème se reconnaît à travers sa mise en page.

■ **La maîtrise des règles.** Les formes poétiques imposent des contraintes auxquelles il faut se plier. La beauté du poème repose sur l'harmonie entre forme et contenu. Le poète fait preuve de maîtrise technique en respectant des règles rigoureuses.

→ L'épopée, la ballade, le rondeau, l'ode, le sonnet, le poème en prose, le vers libre ont été successivement les principales formes poétiques.

■ **Le dépassement des règles.** Les poètes se donnent une marge de liberté avec les formes issues de la tradition. Ils font preuve d'originalité en les renouvelant, en les adaptant à l'expression de leur univers personnel.

→ Le XIXe siècle joue avec la forme du sonnet, inventée à la Renaissance.

2 La musicalité des répétitions

Le poème est bâti sur des répétitions qui lui donnent une dimension musicale.

■ **Les effets rythmiques.** Le poème repose d'abord sur le retour du même rythme. Celui-ci est constitué par la mesure du vers, la succession des strophes, l'usage de figures de style comme le parallélisme ou l'accumulation.

→ L'orage est dans ma voix, l'éclair est sur ma bouche (Vigny)

■ **Les effets sonores.** La musique du poème s'appuie aussi sur le retour des mêmes sons : la rime, les répétitions de mots, les allitérations et les assonances, l'anaphore.

→ De blancs sanglots glissant sur l'azur des corolles (Mallarmé)

3 La fantaisie verbale

Le poète est avant tout celui qui joue avec les mots et se montre un véritable créateur.

■ **Les jeux de mots.** Le poète recourt à toutes les formes de jeux de mots : le calembour, fondé sur l'homonymie ; l'anagramme, qui inverse l'ordre des lettres d'un mot ; l'oxymore et l'antithèse, qui rapprochent des termes de sens opposés.

→ Marie, qui voudrait votre beau nom tourner,
Il trouverait Aimer : aimez-moi donc, Marie. (Ronsard)

■ **La création verbale.** Le poète peut mêler les niveaux de langage, créer des mots nouveaux à travers le néologisme, voire inventer un langage qui lui est propre.

4 La puissance des images

La comparaison et la métaphore donnent une intensité que le langage ordinaire ne peut produire.

FONCTIONS	EXPLICATIONS	EXEMPLES
La recherche du pittoresque	L'image met en valeur la forme, la taille, la couleur et le mouvement du comparé.	L'insecte vert qui rôde, Luit, vivante émeraude (Hugo)
La communication d'une émotion	L'image repose sur le rapprochement entre une émotion et une réalité concrète.	Mais le plaisir s'envole et passe comme une ombre (Voltaire)
L'expression d'une pensée	L'image exprime une idée qui rend compte d'une opinion ou d'une croyance.	La distance et le temps sont vaincus. La science/ Trace autour de la terre un chemin triste et droit. (Vigny)
La transfiguration du réel	L'image rapproche deux réalités très éloignées pour créer un univers nouveau.	Tu fais des bulles de silence dans le désert des bruits. (Eluard)

Repère

La succession des formes poétiques

Au Moyen Âge, chaque forme poétique est adaptée au sujet traité par le poète : l'épopée, l'ode, la ballade et le rondeau. La Renaissance invente le sonnet, tourné vers la surprise du dernier vers. Le XVIIe siècle, moraliste, voit dans la fable une forme idéale. Avec le XIXe siècle, toutes les traditions du passé sont revisitées mais de nouvelles formes apparaissent aussi : le poème en prose, puis le vers libre, qui domine la poésie du XXe siècle.

LE JEU SUR LES FORMES

EXERCICE 1 •

En vous aidant du lexique en fin de manuel, associez à chacune des définitions suivantes la forme poétique correspondante : sonnet, rondeau, ode, ballade, vers libres, poème en prose.

A. Trois strophes carrées suivies d'un envoi, le dernier vers constituant le refrain.

B. Deux quatrains suivis de deux tercets, le dernier vers constituant une chute.

C. Poème caractérisé par l'absence de versification, reposant sur la force des sonorités et des images.

D. Trois strophes de cinq, quatre et six vers ; le premier hémistiche est repris à la fin des deux dernières strophes.

E. Suite de strophes de longueur identique, traitant d'un sujet solennel ou lyrique.

F. Suite de vers de mesure irrégulière et dépourvus de rimes.

EXERCICE 2 ••

1. Relevez, dans le rondeau suivant, ce qui définit cette forme poétique. Comment l'auteur fait-il de ces règles un jeu ?

2. Quelle préoccupation essentielle du poète ce rondeau met-il en évidence ?

MA FOI, C'EST FAIT de moi, car Isabeau[1]
M'a conjuré de lui faire un rondeau :
Cela me met en une peine extrême.
Quoi ! treize vers, huit en EAU, cinq en ÊME !
5 Je lui ferai aussitôt un bateau.

En voilà cinq pourtant en un monceau.
Faisons-en sept en invoquant Brodeau[2],
Et puis mettons par quelque stratagème
        MA FOI, C'EST FAIT.

10 Si je pouvais encor de mon cerveau
Tirer cinq vers, l'ouvrage serait beau.
Mais cependant me voilà dans l'onzième,
Et si[3] je crois que je fais le douzième,
En voilà treize ajustés de niveau.
15   MA FOI, C'EST FAIT.

      VINCENT VOITURE, Œuvres, 1650.

1. Isabeau : Isabelle, amie de Voiture, inspiratrice du poète.
2. Brodeau : Victor Brodeau, poète du XVIᵉ siècle, disciple de Marot.
3. si : cependant.

EXERCICE 3 ••

Dans le poème suivant, Verlaine joue de la forme du sonnet en en effaçant les strophes après les avoir mélangées. Récrivez le poème en respectant les règles du sonnet.

Fardée et peinte comme au temps des bergeries,
Frêle parmi les nœuds énormes de rubans,

Elle passe, sous les ramures assombries,
Dans l'allée où verdit la mousse des vieux bancs,
5 Avec mille façons et mille afféteries
Qu'on garde d'ordinaire aux perruches chéries.
Sa longue robe à queue est bleue, et l'éventail
Qu'elle froisse en ses doigts fluets aux larges bagues
S'égaie en des sujets érotiques, si vagues
10 Qu'elle sourit, tout en rêvant, à maint détail.
– Blonde en somme. Le nez mignon avec la bouche
Incarnadine[1], grasse et divine d'orgueil
Inconscient. – D'ailleurs, plus fine que la mouche
Qui ravive l'éclat un peu niais de l'œil.

    PAUL VERLAINE, « L'allée », Fêtes galantes, 1869

1. incarnadine : couleur rose chair, plus pâle que l'incarnat.

LA MUSICALITÉ DES RÉPÉTITIONS

EXERCICE 4 •

Quelles sont les quatre formes de répétitions qui fondent la musique du poème ?

Que voulez-vous la porte était gardée
Que voulez-vous nous étions enfermés
Que voulez-vous la rue était barrée
Que voulez-vous la ville était matée
5 Que voulez-vous elle était affamée
Que voulez-vous nous étions désarmés
Que voulez-vous la nuit était tombée

Que voulez-vous nous nous sommes aimés.

    PAUL ELUARD, « Couvre-feu »,
    Au Rendez-vous allemand, Éd. de Minuit, 1945

EXERCICE 5 •

Repérez dans les quatre citations suivantes les assonances et les allitérations. Quel est l'effet recherché ?

Il pleut
Ni perle ni paroles ni paraphes d'épées
Ni poussière ni claques ni paniques d'eau
Ni passage de pétrels pétrole d'air
Désespoir de nuées (Aragon)

Le château de Maubec s'enfonçait dans l'argile
Bientôt s'effondrerait le roulis de sa lyre
La violence des plantes nous faisait vaciller

        (René Char)

Vous avez jusqu'ici
Contre leurs coups épouvantables
Résisté sans courber le dos (La Fontaine)

Sur l'onde calme et noire où dorment les étoiles
La blanche Ophélia flotte comme un grand lys,
Flotte très lentement, couchée en ses longs voiles...
– On entend dans les bois lointains des hallalis.

        (Rimbaud)

EXERCICE 6 ••

1. Retrouvez dans ce poème la structure du sonnet. En quoi favorise-t-elle la musicalité du poème ?
2. À travers quelles formes de répétitions le poète renforce-t-il la dimension musicale du poème ?

> Ni vu ni connu
> Je suis le parfum
> Vivant et défunt
> Dans le vent venu !
>
> 5 Ni vu ni connu,
> Hasard ou génie ?
> À peine venu
> La tâche est finie !
>
> Ni lu ni compris ?
> 10 Aux meilleurs esprits
> Que d'erreurs promises !
>
> Ni vu ni connu,
> Le temps d'un sein nu
> Entre deux chemises !
>
> **PAUL VALÉRY**, « Le sylphe », *Charmes*, Éd. Gallimard, 1922.

LA FANTAISIE VERBALE

EXERCICE 7 •

Identifiez chacun des jeux de mots contenus dans les vers suivants :

> Mon vers s'est brisé comme un éclat de rire
> (Apollinaire)
>
> Et sur les roches d'air du soir qui s'assombrit,
> Telle divinité s'accoude. Un ange nage (Valéry)
>
> Ma seule Étoile est morte, – et mon luth constellé
> Porte le soleil noir de la mélancolie (Nerval)
>
> Je vis, je meurs, je me brûle et me noie
> J'ai chaud extrême en endurant froidure
> (Louise Labé)

EXERCICE 8 ••

1. Repérez les répétitions présentes dans le poème. Quelle est leur fonction ?
2. Relevez l'ensemble des antithèses. Quelle image du poète donnent-elles ?
3. Montrez comment Reverdy exprime de manière personnelle le thème de la fuite du temps.

> Je suis dur
> Je suis tendre
>   Et j'ai perdu mon temps
>   À rêver sans dormir
>   À dormir en marchant
> 5 Partout où j'ai passé
> J'ai trouvé mon absence
> Je ne suis nulle part
> Excepté le néant
> 10 Mais je porte caché au plus haut des entrailles
> À la place où la foudre a frappé trop souvent
> Un cœur où chaque mot a laissé son entaille
> Et d'où ma vie s'égoutte au moindre mouvement
>
> **PIERRE REVERDY**, « Tard dans la nuit », *La Liberté des mers,
> Poèmes retrouvés*, Éd. Flammarion, 1959.

EXERCICE 9 ••

1. De quelles manières le poète exerce-t-il sa fantaisie verbale dans les deux extraits suivants ?
2. Observez les verbes du texte B. Pourquoi peut-on parler de création verbale ? À travers quels procédés l'auteur parvient-il à restituer la violence d'un « grand combat » ?
3. Entraînement à l'oral. Lisez ces poèmes à voix haute. Quelles difficultés et quels effets musicaux cette lecture révèle-t-elle ?

Texte A
> Dans la nuit
> Dans la nuit
> Je me suis uni à la nuit
> À la nuit sans limites
> 5 À la nuit.
> Mienne, belle, mienne
> Nuit
> Nuit de naissance
> Qui m'emplis de mon cri
> 10 De mes épis
> Toi qui m'envahis
> Qui fais houle houle
> Qui fais houle tout autour
> Et fumes, es fort dense
> 15 Et mugis
> Es la nuit. […]
>
> **HENRI MICHAUX**, « Dans la nuit », *Un certain Plume,
> L'Espace du dedans*, Éd. Gallimard, 1963.

Texte B
> Il l'emparouille et l'endosque contre terre ;
> Il le rague et le roupète jusqu'à son drâle ;
> Il le pratèle et le libucque et lui baroufle les ouillais ;
> Il le tocarde et le marmine,
> 5 Le manage rape à ri et ripe à ra.
> Enfin il l'écorcobalisse.
> L'autre hésite, s'espudrine, se défaise, se torse et se ruine.
> C'en sera bientôt fini de lui ;
> Il se reprise et s'emmargine... mais en vain
> 10 Le cerceau tombe qui a tant roulé.
> Abrah ! Abrah ! Abrah !
> Le pied a failli !
> Le bras a cassé !
> Le sang a coulé ! […]
>
> **HENRI MICHAUX**, « Le grand combat », *Qui je fus,
> L'Espace du dedans*, Éd. Gallimard, 1927.

LA PUISSANCE DES IMAGES POÉTIQUES

EXERCICE 10 •

Quelle est la fonction première de chacune des images poétiques suivantes ?

> Je tiens la rue comme un verre
> Plein de lumière enchantée (Eluard)

> Les nuages courant chassent les étoiles
> et la lune plonge au fond de la suie (Queneau)

> Nous sondons le réel, l'idéal, le possible,
> L'être, spectre toujours présent (Hugo)

> Ainsi l'amant sur un corps adoré
> Du souvenir cueille la fleur exquise (Baudelaire)

EXERCICE 11 •••

1. Analysez le système des comparaisons sur lequel se construit ce poème en prose.
2. Comment, à travers le mélange des niveaux de langage, le poète met-il en place un univers pittoresque et familier ?
3. **Entraînement à l'écrit d'invention.** Complétez le poème en poursuivant la rédaction des trois derniers paragraphes.

> Le pouce est ce gras cabaretier flamand, d'humeur goguenarde et grivoise, qui fume sur sa porte, à l'enseigne de la double bière de mars.
> L'index est sa femme, virago[1] sèche comme une merluche[2], qui, dès le matin, soufflette[3] sa servante dont elle est jalouse, et caresse la bouteille dont elle est amoureuse.
> Le doigt du milieu est leur fils, compagnon dégrossi à la hache, qui serait soldat s'il n'était brasseur, et qui serait cheval s'il n'était homme.
> Le doigt de l'anneau est ....
> Et le doigt de l'oreille est ....
> Les cinq doigts de la main sont ....

> **ALOYSIUS BERTRAND**, « Les doigts de la main »,
> *Gaspard de la nuit*, 1842.

1. **virago** : femme autoritaire. 2. **merluche** : poisson séché.
3. **soufflette** : gifle.

Jean-Auguste Dominique Ingres (1780-1867),
Études de mains, XIXᵉ siècle.

EXERCICE 12 ••

1. Identifiez, dans la strophe suivante, le comparé et le comparant.
2. Quels champs lexicaux les deux termes de la comparaison développent-ils ?
3. Quel est la fonction de cette image ?

> Le papillon, fleur sans tige,
>   Qui voltige,
> Que l'on cueille en un réseau ;
> Dans la nature infinie,
>   Harmonie
> Entre la plante et l'oiseau !...

> **GÉRARD DE NERVAL**, *Les Papillons*, 1853

LES MOTS DU BAC

L'écriture poétique et les jeux sur le langage

1. Quelle différence faites-vous entre :
   a. le rythme et la rime ?
   b. une coupe et une césure ?

2. Replacez chaque terme dans le contexte qui lui convient : rejet, contre-rejet.
   a. On appelle ... le fait de prolonger au vers suivant une phrase qui commence au vers précédent.
   b. On appelle ... le fait de rejeter au vers suivant un ou plusieurs mots unis par le sens à ceux du vers précédent.

3. Associez chaque type de rimes au schéma qui convient.
   a. rimes suivies (ou plates)
   b. rimes croisées
   c. rimes embrassées
   1. ABBA 2. ABAB 3. AABB.

4. Associez chaque procédé à sa définition.
anagramme – oxymore – calembour – néologisme
   a. rapprochement de termes de sens opposé.
   b. inversion de l'ordre des lettres d'un mot.
   c. création de mot nouveau.
   d. jeu sur l'homonymie.

5. Quelle est la fonction de l'image dans le vers ci-dessous ?
[Les chevaux migrateurs] apparaissent dans un galop de flacons brisés et d'armoires grinçantes (Desnos)
   a. la recherche du pittoresque
   b. la communication d'une émotion
   c. l'expression d'une pensée
   d. La transfiguration du réel

QUESTIONS

ANALYSE ▶

1. Relevez dans le texte suivant les caractéristiques du poème en prose.
2. Observez le titre du poème : quelle allitération développée dans le texte annonce-t-il ? En quoi cette répétition participe-t-elle à la musicalité du poème ?
3. Identifiez les jeux de mots présents dans le texte. Pourquoi peut-on parler de « fantaisie verbale » ?
4. Analysez les images présentes dans le poème. Montrez qu'elles ont pour fonction de rendre pittoresque et savoureux ce « plat de poissons frits ».

ENTRAÎNEMENT ▶
AU COMMENTAIRE

En vous aidant des réponses apportées aux questions, vous commenterez ce poème en développant les axes de lecture suivants :
– une fête du langage ;
– une fête des sens.

Plat de poissons frits

Goût, vue, ouïe, odorat... c'est instantané.

Lorsque le poisson de mer cuit à l'huile s'entr'ouvre, un jour de soleil sur la nappe, et que les grandes épées qu'il comporte sont prêtes à joncher le sol, que la peau se détache comme la pellicule impressionnable
5 parfois de la plaque exagérément révélée (mais tout ici est beaucoup plus savoureux), ou (comment pourrions-nous dire encore ?)... Non, c'est trop bon ! Ça fait comme une boulette élastique, un caramel de peau de poisson bien grillée au fond de la poêle...

Goût, vue, ouïes, odaurades : cet instant safrané...
10 C'est alors, au moment qu'on s'apprête à déguster les filets encore vierges, oui ! Sète alors que la haute fenêtre s'ouvre, que la voilure claque et que le pont du petit navire penche vertigineusement sur les flots.

Tandis qu'un petit phare de vin doré – qui se tient bien vertical sur
15 la nappe – luit à notre portée.

FRANCIS PONGE, « Plat de poissons frits », *Pièces*, Éd. Gallimard, 1961.

L'écriture poétique et l'exploration du monde

La poésie s'appuie sur un usage original du langage pour donner un sens au monde. Elle traverse les siècles et se renouvelle sans cesse à travers les différents mouvements esthétiques qui se succèdent. Le poème apparaît ainsi comme une manière d'explorer le monde et les sentiments humains.

OBSERVATION

■ La célébration de la nature

■ Le lyrisme mélancolique

■ Le culte de l'être aimé

Depuis le Moyen Âge, le poème permet de donner un sens à l'existence. Charles Cros, en mêlant l'évocation du printemps et celle de la femme qu'il aime, trouve une signification au changement des saisons comme à celui des sentiments.

Transition

Le vent, tiède éclaireur de l'assaut du printemps,
Soulève un brouillard vert de bourgeons dans les branches.
La pluie et le soleil, le calme et les autans[1],
Les bois noirs sur le ciel, la neige en bandes blanches,
5   Alternent. La nature a comme dix-sept ans,
Jeune fille énervée, oscillant sur ses hanches,
Riant, pleurant, selon ses caprices flottants.

Pas encor le printemps, mais ce n'est plus l'hiver.
Votre âme, ô ma charmante, a ces heures mêlées.
10 Les branches noires sont pleines d'un brouillard vert.
Les mots méchants et les paroles désolées,
Sur vos lèvres, bouton d'églantine entrouvert,
Cessent à mes baisers. Ainsi les giboulées[2]
Fondent, et le gazon s'émaille à découvert.

15 Votre moue est changée en rire à mes baisers,
Comme la neige fond, pâle retardataire,
Aux triomphants rayons du soleil. Apaisés,
Vos yeux, qui me jetaient des regards de panthère,
Sont bien doux maintenant. Chère, vous vous taisez
20 Comme le vent neigeux et froid vient de se taire.
Votre joue et le soir sont tièdes et rosés.

Charles Cros, *Le Coffret de santal*, 1879.

1. autans : vents violents.
2. giboulées : chutes brutales de pluie et de neige mêlées.

QUESTIONS

1. Quel est le thème dominant de la première strophe ? Comment le poète y prépare-t-il celui des deux strophes suivantes ?

2. De quelle manière les changements de la nature permettent-ils d'éclairer l'attitude de la jeune femme à l'égard du poète dans la deuxième strophe ?

3. Repérez le jeu des oppositions dans la troisième strophe. Quelle est leur fonction ? Expliquez le dernier vers.

1 La célébration de la nature

■ **Le retour du printemps.** Chaque saison possède une forte valeur symbolique que la poésie s'attache à explorer. Depuis le Moyen Âge, le printemps apparaît comme un moment essentiel dans le cycle des saisons. Il correspond à une renaissance de la nature, de la beauté, de la vie.

→ La froidure paresseuse
De l'hiver a fait son temps :
Voici la saison joyeuse
Du délicieux printemps (Baïf, xviᵉ siècle)

■ **La beauté du paysage.** Le poète fait partager son émerveillement devant le spectacle de la nature. Le poème se présente ainsi à la manière d'un tableau qui déclenche la rêverie. Il met en valeur la variété des paysages, l'intensité de leurs couleurs et des sensations qu'ils provoquent.

→ Par les soirs bleus d'été, j'irai dans les sentiers,
Picoté par les blés, fouler l'herbe menue (Rimbaud, xixᵉ siècle)

■ **Le sens de l'univers.** La nature est pour le poète source de méditation. Elle l'aide à comprendre quelle est sa place dans l'univers. La mer ou le ciel représentent l'infini, le retour des saisons illustre l'éternité du temps, la nuit symbolise le mystère, la rose incarne la beauté, de la Renaissance à aujourd'hui.

2 Le lyrisme mélancolique

■ **La mélancolie du temps qui passe.** L'écoulement du temps que rien ne peut arrêter inspire de nombreux poètes. Cette mélancolie peut avoir pour objet le regret des moments heureux du passé, l'accablement et l'ennui, le vieillissement et l'approche de la mort.

→ Passent les jours et passent les semaines
Ni temps passé
Ni les amours reviennent (Apollinaire, xxᵉ siècle)

■ **Le souvenir des êtres disparus.** Le poème garde la mémoire des êtres disparus pour la postérité. Il permet d'exprimer la douleur causée par leur mort, de leur rendre hommage, mais aussi de trouver dans la poésie une forme de consolation.

→ Ronsard rappelle le souvenir de Marie, la jeune Angevine qu'il a aimée ; Hugo, celui de sa fille Léopoldine ; Apollinaire, celui de ses camarades de combat dans les tranchées.

3 Le culte de l'être aimé

■ **Le blason féminin.** Le poète célèbre la beauté de celle qu'il aime en décrivant avec passion les charmes de son visage ou de son corps. Le portrait de l'aimée ajoute ainsi une dimension sensuelle et voluptueuse au texte poétique.

→ Les poètes de la Renaissance, Marot, Ronsard, Du Bellay, consacrent des poèmes à la célébration d'une partie du corps féminin : blason de l'œil, du front, des cheveux…

■ **La rencontre amoureuse.** En racontant les circonstances dans lesquelles il est tombé amoureux, le poète fait vivre au lecteur l'intensité d'un moment unique.

→ Elle a passé, la jeune fille
Vive et preste comme un oiseau (Nerval, xixᵉ siècle)

■ **La déclaration d'amour.** Le poème apparaît comme un message envoyé par le poète à la personne aimée. Il lui avoue l'intensité de l'amour qu'elle lui inspire. Le lecteur y retrouve ses propres sentiments : le poète devient son porte-parole.

Repère

Poésie et chanson

Au Moyen Âge, la poésie est indissociable de la musique. Les « jongleurs » puis les troubadours d'être sont poètes et musiciens, à qui on demande de composer de belles paroles et de jolies mélodies. Aux xviiiᵉ et xixᵉ siècles, la poésie retrouve cette dimension musicale : Hugo, Musset et Verlaine écrivent des chansons aux vers courts et entraînants. La chanson, dans son sens actuel, demeure aujourd'hui la forme poétique la plus populaire.

EXERCICES

LA CÉLÉBRATION DE LA NATURE

EXERCICE 1 •

1. Relevez et commentez la présence du champ lexical de la nature dans le poème suivant.
2. À quelle image l'auteur associe-t-il le changement des saisons ?

Le temps a laissé son manteau
De vent, de froidure et de pluie,
Et s'est vêtu de broderie,
De soleil luisant, clair et beau.

5 Il n'y a bête, ni oiseau
Qui en son jargon[1] ne chante ou crie :
Le temps a laissé son manteau
De vent, de froidure et de pluie.

Rivière, fontaine et ruisseau
10 Portent, en livrée[2] jolie,
Gouttes d'argent d'orfèvrerie,
Chacun s'habille de nouveau
Le temps a laissé son manteau.

CHARLES D'ORLÉANS, *Ballades et Rondeaux*, vers 1450,
orthographe modernisée.

1. jargon : langage.
2. livrée : habit.

EXERCICE 2 •

1. Quel élément de la nature est évoqué dans chacune des strophes suivantes ?
2. À quoi chacun de ces éléments est-il comparé ? Quel est le rôle joué par les images poétiques ?

Les mouettes volent et jouent ;
Et les blancs coursiers de la mer,
Cabrés sur les vagues, secouent
Leurs crins échevelés dans l'air. (Gautier)

5 Tout à coup l'orage accourt
avec ses grosses bottes mauves
il piétine les bégonias les blés les prés
il marche sur les chênes (Queneau)

Tout est malade ; dans la brume
10 L'air s'enroue et l'arbre s'enrhume ;
Le nuage est torrentiel.
L'ouragan tousse à l'aventure. (Hugo)

EXERCICE 3 ••

1. Quel est le thème dominant du poème ? Relevez les différents éléments du paysage qui lui sont associés.
2. À travers quelles images le poète souligne-t-il la beauté du spectacle ?
3. Comment la versification donne-t-elle une dimension solennelle à la description du paysage ?

Midi, Roi des étés, épandu sur la plaine,
Tombe en nappes d'argent des hauteurs du ciel bleu.

Tout se tait. L'air flamboie et brûle sans haleine ;
La Terre est assoupie en sa robe de feu.

5 L'étendue est immense, et les champs n'ont point
[d'ombre
Et la source est tarie où buvaient les troupeaux ;
La lointaine forêt, dont la lisière est sombre,
Dort là-bas, immobile, en un pesant repos.

LECONTE DE LISLE, « Midi », *Poèmes antiques*, 1852

LE LYRISME MÉLANCOLIQUE

EXERCICE 4 •

1. À quoi le poète compare-t-il les différents âges de la vie À quel moment de son existence se situe-t-il ?
2. Dans quels vers l'auteur exprime-t-il sa mélancolie ? Su quoi portent ses regrets ?

Plus ne suis ce que j'ai été,
Et ne le saurais jamais être ;
Mon beau printemps et mon été
Ont fait le saut par la fenêtre.
5 Amour, tu as été mon maître :
Je t'ai servi sur tous les dieux.
Ô si je pouvais deux fois naître,
Comme je te servirais mieux !

CLÉMENT MAROT, « De soi-même », *Épigrammes*, 1535

EXERCICE 5 •

1. Quels sont les termes qui, dans ce poème, expriment la mélancolie de l'auteur ?
2. Quelles hypothèses peut-on émettre sur l'origine de cette mélancolie ?

J'ai cueilli ce brin de bruyère
L'automne est morte souviens-t'en
Nous ne nous verrons plus sur terre
Odeur du temps brin de bruyère
Et souviens-toi que je t'attends

GUILLAUME APOLLINAIRE, « L'Adieu »,
Alcools, Éd. Gallimard, 1913.

EXERCICE 6 ••

1. Quel est le thème de cette strophe ? Repérez les images qui lui sont associées.
2. Quels motifs du poème romantique retrouve-t-on dans le tableau ? Expliquez comment la célébration de la nature devient une méditation sur l'homme

C'est une nuit d'été ; nuit dont les vastes ailes
Font jaillir dans l'azur des milliers d'étincelles ;
Qui, ravivant le ciel comme un miroir terni,
Permet à l'œil charmé d'en sonder l'infini ;
5 Nuit où le firmament, dépouillé de nuages,
De ce livre de feu rouvre toutes les pages !

Sur le dernier sommet des monts, d'où le regard
Dans un trouble horizon se répand au hasard,
Je m'assieds en silence, et laisse ma pensée
Flotter comme une mer où la lune est bercée.

ALPHONSE DE LAMARTINE, « Nuit d'été »,
Harmonies poétiques et religieuses, 1830.

Caspar David Friedrich (1774-1840),
Les Trois Âges de l'homme, 1834-1835.

EXERCICE 7 ●●●

1. Sur quel jeu de mots reposent les deux premiers vers ?
Expliquez comment il est développé ensuite.
2. Repérez les procédés du lyrisme : lexique des sentiments,
présence du « je », exclamations, répétitions.
3. **Entraînement au commentaire.** Rédigez un paragraphe
argumenté dans lequel vous montrerez de quelle manière
s'exprime le lyrisme mélancolique du poète.

Il pleure dans mon cœur
Comme il pleut sur la ville ;
Quelle est cette langueur
Qui pénètre mon cœur ?

5 Ô bruit doux de la pluie
Par terre et sur les toits !
Pour un cœur qui s'ennuie
Ô le chant de la pluie !

Il pleure sans raison
10 Dans ce cœur qui s'écœure.
Quoi ! nulle trahison ?...
Ce deuil est sans raison.

C'est bien la pire peine
De ne savoir pourquoi
15 Sans amour et sans haine
Mon cœur a tant de peine !

PAUL VERLAINE, *Romances sans paroles*, 1874.

EXERCICE 8 ●●●

1. Étudiez la progression thématique du poème.
2. Quelle image le poète donne-t-il de lui-même dans la
deuxième strophe ? Comment cette image souligne-t-elle
la mélancolie qui habite le poète ?
3. Quelle est la fonction de ce poème ? Expliquez les deux
derniers vers.

Demain, dès l'aube, à l'heure où blanchit la campagne,
Je partirai. Vois-tu, je sais que tu m'attends.
J'irai par la forêt, j'irai par la montagne.
Je ne puis demeurer loin de toi plus longtemps.

5 Je marcherai les yeux fixés sur mes pensées,
Sans rien voir au dehors, sans entendre aucun bruit,
Seul, inconnu, le dos courbé, les mains croisées,
Triste, et le jour pour moi sera comme la nuit.

Je ne regarderai ni l'or du soir qui tombe,
10 Ni les voiles au loin descendant vers Harfleur,
Et quand j'arriverai, je mettrai sur ta tombe[1]
Un bouquet de houx vert et de bruyère en fleur.

VICTOR HUGO, *Les Contemplations*, 1856.

1. ta tombe : la tombe de Léopoldine, la fille du poète, disparue
tragiquement.

LE CULTE DE L'ÊTRE AIMÉ

EXERCICE 9 ●●

1. Relevez, dans chaque poème, le champ lexical du corps
humain.
2. Pourquoi peut-on dire qu'il s'agit de blasons du corps
féminin ?
3. En vous appuyant sur l'étude des pronoms personnels,
montrez que les deux poèmes s'apparentent à une déclaration d'amour.

Texte A
À moi tes bras d'ivoire, à moi ta gorge blanche
À moi tes flancs polis avec ta belle hanche
À l'ondoyant contour,
À moi tes petits pieds, ta main douce et ta bouche,
Et ce premier baiser que ta pudeur farouche
Refusait à l'amour.

THÉOPHILE GAUTIER, *La Comédie de la mort*, 1838.

Texte B
Trois allumettes une à une allumées dans la nuit
La première pour voir ton visage tout entier
La seconde pour voir tes yeux
La dernière pour voir ta bouche
Et l'obscurité tout entière pour me rappeler tout cela
En te serrant dans mes bras.

JACQUES PRÉVERT, « Paris at night »,
Paroles, Éd. Gallimard, 1945.

EXERCICE 10 ••

1. Relevez les caractéristiques de la passante du poème. Qu'est-ce qui, en elle, séduit le poète ?
2. De quelle manière le poète souligne-t-il la brièveté de ce moment dans les deux tercets ?
3. Commentez le dernier vers.

La rue assourdissante autour de moi hurlait.
Longue, mince, en grand deuil, douleur majestueuse,
Une femme passa, d'une main fastueuse
Soulevant, balançant le feston et l'ourlet ;

5 Agile et noble, avec sa jambe de statue.
Moi, je buvais, crispé comme un extravagant,
Dans son œil, ciel livide où germe l'ouragan,
La douceur qui fascine et le plaisir qui tue.

Un éclair... puis la nuit ! – Fugitive beauté
10 Dont le regard m'a fait soudainement renaître,
Ne te verrai-je plus que dans l'éternité ?

Ailleurs, bien loin d'ici ! trop tard ! jamais peut-être !
Car j'ignore où tu fuis, tu ne sais où je vais,
Ô toi que j'eusse aimée, ô toi qui le savais !

CHARLES BAUDELAIRE, « À une passante »,
Les Fleurs du mal, 1857.

EXERCICE 11 ••

1. Relevez les éléments du décor qui participent à la magie de la rencontre amoureuse.
2. À travers quels termes et quelles images le poète souligne-t-il la passion amoureuse que déclenche la rencontre ?
3. Quelle dimension du sentiment amoureux est soulignée par le distique final ?

17 juin 1943

Ce fut par un matin semblable à tous les autres.
Le soleil agitait ses brins de mimosa,

Des peuplades d'argent descendaient la rivière.
Les enfants avaient mis des bouquets sur les toits.

5 Aussitôt que je vis tes yeux, je te voulus
Soumise à mes deux mains tremblantes, à mes lèvres,

Capable de reprendre à la nuit son butin
De fleurs noires et vénéneuses caresses.

Tout le jour je vis bleu et ne pensai qu'à toi.
10 Tu ruisselais déjà le long de ma poitrine.

Sans rien dire, je pris rendez-vous dans le ciel
Avec toi, pour des promenades éternelles.

RENÉ-GUY CADOU, « 17 juin 1943 »,
Hélène ou le règne végétal, Éd. Seghers, 1952.

EXERCICE 12 •••

1. À travers quels procédés le poème se présente-t-il comme une déclaration d'amour à la femme aimée ? Étudiez les marques de l'énonciation.
2. Quelle image le poète donne-t-il de lui-même et de la femme aimée ?

3. Montrez comment le rythme des vers contribue à la douceur générale du tableau.

Voici des fruits, des fleurs, des feuilles et des branches
Et puis voici mon cœur qui ne bat que pour vous.
Ne le déchirez pas avec vos deux mains blanches
Et qu'à vos yeux si beaux l'humble présent soit doux.

5 J'arrive tout couvert encore de rosée
Que le vent du matin vient glacer à mon front.
Souffrez que ma fatigue à vos pieds reposée
Rêve des chers instants qui la délasseront.

Sur votre jeune sein laissez rouler ma tête
10 Toute sonore encor de vos derniers baisers.
Laissez-la s'apaiser de la bonne tempête
Et que je dorme un peu puisque vous reposez.

PAUL VERLAINE, « Green », *Romances sans paroles*, 1874.

LES MOTS DU BAC

L'écriture poétique et l'exploration du monde

1. Quelle différence faites-vous entre :
   a. un distique et un dizain ?
   b. une allitération et une assonance ?
   c. une diérèse et une synérèse ?

2. Le mot « vers » vient d'un mot latin qui signifie « sillon ». On le retrouve dans les mots suivants : *versifié, versification, vers, vers-libriste*. Replacez ces mots dans le contexte qui leur convient.
   a. Le théâtre ... permet à la tragédie classique d'atteindre une forme de perfection.
   b. On oppose la prose au ... car elle est la forme ordinaire du langage.
   c. La poésie ... se débarrasse des contraintes de la ... à la fin du XIXᵉ siècle.

3. Comment appelle-t-on :
   a. un poème constitué de deux quatrains et de deux tercets ?
   b. un vers qui ne rime pas avec un autre vers du poème ?
   c. l'usage qui autorise le poète à écrire « encor » plutôt qu'« encore » ?

4. Associez la définition qui convient à chaque forme poétique : *épopée, épigramme, ode*.
   a. poème lyrique composé de plusieurs strophes identiques.
   b. long poème narratif retraçant des exploits guerriers.
   c. petit poème satirique se terminant par une attaque violente.

5. Quel est le procédé de style utilisé dans le vers suivant : « Cette obscure clarté qui tombe des étoiles » (Corneille) ?
   a. une anacoluthe   b. une antithèse   c. un oxymore
   d. un parallélisme

QUESTIONS

ANALYSE ▶

1. Dégagez le thème de chaque strophe. Quelle est la progression thématique du poème ?
2. Expliquez la comparaison de la femme et de la rose. Quelles qualités communes le poète leur attribue-t-il ?
3. Quelles émotions le poète cherche-t-il à faire naître chez la femme aimée ? Expliquez le rôle joué par les derniers vers.

**ENTRAÎNEMENT ▶
AU COMMENTAIRE**

Montrez comment, dans ce poème, Ronsard développe une entreprise de séduction à l'égard de la femme qu'il aime.

Mignonne, allons voir si la rose
Qui ce matin avait déclose[1]
Sa robe de pourpre[2] au Soleil,
À point perdu cette vêprée[3]
5 Les plis de sa robe pourprée,
Et son teint au vôtre pareil.

Las ! voyez comme en peu d'espace[4],
Mignonne, elle a dessus la place
10 Las ! las ses beautés laissé choir !
Ô vraiment marâtre[5] Nature,
Puisqu'une telle fleur ne dure
Que du matin jusques au soir !

15 Donc, si vous me croyez, mignonne,
Tandis que votre âge fleuronne
En sa plus verte nouveauté,
Cueillez, cueillez votre jeunesse :
Comme à cette fleur la vieillesse
20 Fera ternir votre beauté.

PIERRE DE RONSARD, *Odes*, 1555

1. avait déclose : s'était ouverte.
2. pourpre : rouge.
3. cette vêprée : ce soir.
4. en peu d'espace : en peu de temps.
5. marâtre : mauvaise mère.

L'inspiration poétique

Le poète occupe une place à part au sein de la société. Il apparaît comme un être inspiré, capable d'exprimer toute l'intensité des sentiments. Il est celui qui rappelle aux hommes les valeurs fondamentales qui doivent les guider.

OBSERVATION

Les sources
de l'inspiration

L'écho
des émotions
et des passions

L'exaltation
des valeurs

Peuples ! écoutez le poète !
Écoutez le rêveur sacré !
Dans votre nuit, sans lui complète,
Lui seul a le front éclairé.
5   Des temps futurs perçant les ombres,
Lui seul distingue en leurs flancs sombres
Le germe qui n'est pas éclos.
Homme, il est doux comme une femme.
Dieu parle à voix basse à son âme
10   Comme aux forêts et comme aux flots.

C'est lui qui, malgré les épines,
L'envie et la dérision,
Marche, courbé dans vos ruines,
Ramassant la tradition.
15   De la tradition féconde
Sort tout ce qui couvre le monde,
Tout ce que le ciel peut bénir.
Toute idée, humaine ou divine,
Qui prend le passé pour racine,
20   A pour feuillage l'avenir.

Il rayonne ! il jette sa flamme
Sur l'éternelle vérité !
Il la fait resplendir pour l'âme
D'une merveilleuse clarté.
25   Il inonde de sa lumière
Ville et désert, Louvre et chaumière[1],
Et les plaines et les hauteurs ;
À tous d'en haut il la dévoile ;
Car la poésie est l'étoile
30   Qui mène à Dieu rois et pasteurs !

Victor Hugo, « Fonctions du poète », *Les Rayons et les Ombres*, 1840.

QUESTIONS

1. À qui s'adresse le poème ? Quelle image la première strophe donne-t-elle du poète et de la poésie ?

2. Dans la deuxième strophe, quelle place le poète occupe-t-il entre « le passé » et « l'avenir » ? À quels obstacles se heurte-t-il ?

3. Expliquez la présence du champ lexical de la lumière dans la dernière strophe.

1 Les sources de l'inspiration

Le poète est depuis l'Antiquité défini comme un être d'exception. Il se représente souvent lui-même dans son œuvre comme un visionnaire et un guide.

■ **Le visionnaire.** Le mot « poète » est issu du grec *poïen* qui siginifie « créer, fabriquer ». « Prophète », « mage » ou « voyant », le poète communique aux hommes les images et les visions qui le traversent. Il apparaît comme celui qui transfigure la réalité et donne un sens au monde.

→ Il rayonne ! il jette sa flamme / Sur l'éternelle vérité ! (Hugo)

■ **L'incompris.** Inspiré par les dieux ou par les muses qui lui dictent son œuvre, le poète transmet aux hommes la vérité qu'il détient. Il se heurte aussi à l'hostilité et aux moqueries de ceux qui ne le comprennent pas, car il remet en cause les certitudes et les modes de pensée.

2 L'écho des émotions et des passions

La lyre est le symbole du poète : elle lui permet de faire entendre toutes les émotions humaines dans son œuvre.

ÉMOTIONS EXPRIMÉES	CARACTÉRISTIQUES	PROCÉDÉS
L'amour et le plaisir	Le poète traduit dans son œuvre toute la gamme des sentiments amoureux : l'attirance, la sensualité, la passion, l'adoration.	Le lexique du corps et des cinq sens, les pronoms de la 1re et de la 2e personnes, la phrase exclamative.
La tristesse et la mélancolie	Le poète exprime la nostalgie qu'il éprouve devant le temps qui passe, l'approche de la vieillesse, la solitude et l'ennui.	L'usage de la 1re personne, le jeu sur le rythme et les sonorités, les anaphores et les répétitions.
La souffrance et la pitié	Le poète expose le désespoir que provoquent la maladie, le deuil ou l'exil. Il fait partager sa pitié devant la misère et les humiliations.	Les procédés du registre pathétique : interjections et exclamations, apostrophe, gradation d'intensité, interrogation.
L'admiration et la répulsion	Le poète fait l'éloge ou le blâme d'une personne ou d'une institution afin de faire partager l'enthousiasme ou l'indignation qu'elle lui inspire.	Les procédés de la valorisation ou de la dévalorisation : vocabulaire mélioratif ou péjoratif, interpellation, hyperbole, satire, ironie.

3 L'exaltation des valeurs

Le poète apparaît comme la conscience morale de la société. Sa fonction est d'inciter à la révolte lorsque les valeurs fondamentales sont menacées.

■ **L'expression des valeurs philosophiques.** Détenteur d'un langage élevé et solennel, le poète aborde les sujets les plus graves : la religion, la philosophie ou la morale.

→ Pendant les guerres de religion de la Renaissance, Ronsard et Agrippa d'Aubigné prennent position dans le combat qui oppose catholiques et protestants.

■ **La défense des valeurs sociales.** Indigné par le spectacle de la misère et de l'injustice, le poète dénonce toutes les formes d'asservissement et d'oppression.

→ Au XIXe siècle, Victor Hugo se révolte dans son œuvre, mais aussi devant l'Assemblée nationale, contre les conditions de travail indignes des ouvriers et de leurs familles.

■ **L'engagement au nom des valeurs politiques.** Dans les moments de crise, lorsque la liberté est menacée, le poète fait entendre la voix du refus et de l'appel au combat.

→ Pendant la Seconde Guerre mondiale, de nombreux poètes s'engagent dans la Résistance, qu'ils soutiennent par leurs œuvres.

EXERCICES

LES SOURCES DE L'INSPIRATION

EXERCICE 1 •

1. Quel constat Ronsard fait-il sur la condition du poète ?
2. Comment s'explique le rejet dont il est la victime ?
3. Commentez le dernier vers.

Tu seras du vulgaire[1] appelé frénétique,
Insensé, furieux, farouche, fantastique,
Maussade, malplaisant, car le peuple médit
De celui qui de mœurs aux siennes contredit.
5 Mais courage, Ronsard ! les plus doctes Poètes,
Les Sibylles[2], Devins, Augures[3] et Prophètes,
Hués, sifflés, moqués des peuples ont été,
Et toutefois Ronsard, ils disaient vérité.

RONSARD, « Hymne de l'automne », *Hymnes*, 1555.

1. du vulgaire : du peuple.
2. Sibylles : prophétesses de l'Antiquité.
3. Augures : prêtres qui prédisent l'avenir.

EXERCICE 2 •

1. Quelle image Baudelaire donne-t-il du poète dans cet extrait ?
2. Quelles sont les caractéristiques de l'univers poétique créé par le poète ?

Je verrai les printemps, les étés, les automnes ;
Et quand viendra l'hiver aux neiges monotones,
Je fermerai partout portières et volets
Pour bâtir dans la nuit mes féeriques palais.
5 Alors je rêverai des horizons bleuâtres,
Des jardins, des jets d'eau pleurant dans les albâtres[1],
Des baisers, des oiseaux chantant soir et matin,
Et tout ce que l'Idylle[2] a de plus enfantin.

CHARLES BAUDELAIRE, « Paysage », *Les Fleurs du mal*, 1857.

1. les albâtres : les fontaines de marbre blanc.
2. l'Idylle : petit poème bucolique ou pastoral.

EXERCICE 3 ••

1. Pourquoi le jeune Arthur Rimbaud apparaît-il comme un être à part dans cette lettre adressée à son professeur de français ?
2. Quelle définition du poète propose-t-il ?

Charleville, mai 1871

Cher Monsieur !

Vous revoilà professeur. Je veux être poète, et je travaille à me rendre Voyant : vous ne comprendrez pas du tout, et je ne saurais presque vous expliquer. Il s'agit d'arriver
5 à l'inconnu par le dérèglement de tous les sens. Les souffrances sont énormes, mais il faut être fort, être né poète. Ce n'est pas du tout ma faute.

Ar. Rimbaud

Arthur Rimbaud, *Lettre à Georges Izambard du 13 mai 1871*.

EXERCICE 4 •••

1. Sur quel thème le poème repose-t-il ? Analysez le premier et les deux derniers vers du poème.
2. Repérez l'ensemble des termes qui renvoient à la figure du cercle dans le poème. Comment leur présence se justifie-t-elle ?
3. Comment le photographe explore-t-il le thème du regard ? Quels échos les deux œuvres entretiennent-elles ?

La courbe de tes yeux fait le tour de mon cœur,
Un rond de danse et de douceur,
Auréole du temps, berceau nocturne et sûr,
Et si je ne sais plus tout ce que j'ai vécu
5 C'est que tes yeux ne m'ont pas toujours vu.

Feuilles de jour et mousse de rosée,
Roseaux du vent, sourires parfumés,
Ailes couvrant le monde de lumière,
Bateaux chargés du ciel et de la mer,
10 Chasseurs des bruits et sources des couleurs,

Parfums éclos d'une couvée d'aurores
Qui gît toujours sur la paille des astres,
Comme le jour dépend de l'innocence
Le monde entier dépend de tes yeux purs
15 Et tout mon sang coule dans leurs regards.

PAUL ELUARD, *Capitale de la douleur*, Éd. Gallimard, 1926

Man Ray (1890-1976), *Les Larmes* (larmes de verre).

L'ÉCHO DES ÉMOTIONS ET DES PASSIONS

EXERCICE 5 •

1. Quel est le sentiment exprimé par le poète ?
2. Quels sont les procédés mis en œuvre pour exprimer l'intensité de ce sentiment ?

Si j'ai aimé de grand amour,
Triste ou joyeux,
Ce sont tes yeux ;
Si j'ai aimé de grand amour,

⁵ Ce fut ta bouche grave et douce,
Ce fut ta bouche ;
Si j'ai aimé de grand amour,
Ce furent ta chair tiède et tes mains fraîches,
Et c'est ton ombre que je cherche.

HENRI DE RÉGNIER, « Odelette »,
Les Jeux rustiques et divins, 1897.

EXERCICE 6 ••

1. Identifiez la source de la mélancolie présente dans chacun des extraits suivants : le temps qui passe, la solitude, la vieillesse, l'ennui.
2. Comment cette mélancolie s'exprime-t-elle ?

Je n'ai plus que les os, un squelette je semble,
Décharné, dénervé, démusclé, dépulpé,
Que le trait de la mort sans pardon a frappé ;
Je n'ose voir mes bras que de peur je ne tremble.

RONSARD, *Derniers Vers*, 1586.

Que lentement passent les heures
Comme passe un enterrement
Tu pleureras l'heure où tu pleures
Qui passera trop vitement
Comme passent toutes les heures

APOLLINAIRE, « À la santé », *Alcools*, Éd. Gallimard, 1913.

Rien n'égale en longueur les boiteuses journées,
Quand sous les lourds flocons des neigeuses années
L'ennui, fruit de la morne incuriosité,
Prend les proportions de l'immortalité.

BAUDELAIRE, « Spleen », *Les Fleurs du mal*, 1857.

Il doit être minuit. Minuit moins cinq. On dort.
Chacun cueille sa fleur au vert jardin des rêves,
Et moi, las de subir mes vieux remords sans trêves
Je tords mon cœur pour qu'il s'égoutte en rimes d'or.

JULES LAFORGUE, « Veillée d'avril », 1880.

EXERCICE 7 ••

1. Qui le poète fait-il parler dans cette strophe ? À qui ces personnages s'adressent-ils ?
2. Quel sentiment le poème exprime-t-il ? Identifiez et expliquez trois procédés du registre pathétique.

Frères humains, qui après nous vivez,
N'ayez les cœurs contre nous endurcis,
Car, si pitié de nous pauvres avez,
Dieu en aura plus tôt de vous merci[1].
⁵ Vous nous voyez ici pendus, cinq, six :
Quant à la chair, que trop avons nourrie,
Elle est à présent dévorée et pourrie,
Et nous, les os, devenons cendre et poudre[2].
Que de notre mal personne ne rie ;
¹⁰ Mais priez Dieu que tous nous veuille absoudre !

FRANÇOIS VILLON, « Ballade des pendus »,
vers 1462, orthographe modernisée.

1. merci : pitié. 2. poudre : poussière.

EXERCICE 8 ••

1. Quelles sont les différentes cibles de ce blâme ?
2. Quel est l'effet produit par les répétitions ? Montrez qu'elles mettent en place une vision satirique de la société.

La mère fait du tricot
Le fils fait la guerre
Elle trouve ça tout naturel la mère
Et le père qu'est-ce qu'il fait le père ?
⁵ Il fait des affaires
Sa femme fait du tricot
Son fils la guerre
Lui des affaires
Il trouve ça tout naturel le père
¹⁰ Et le fils et le fils
Qu'est-ce qu'il trouve le fils ?
Il ne trouve rien absolument rien le fils
Le fils sa mère fait du tricot son père fait des affaires
[lui la guerre

Quand il aura fini la guerre
¹⁵ Il fera des affaires avec son père
La guerre continue la mère continue elle tricote
Le père continue il fait des affaires
Le fils est tué il ne continue plus
Le père et la mère vont au cimetière
²⁰ Ils trouvent ça tout naturel le père et la mère
La vie continue la vie avec le tricot la guerre les affaires
Les affaires la guerre le tricot la guerre
Les affaires les affaires et les affaires
La vie avec le cimetière.

JACQUES PRÉVERT, « Familiale »,
Paroles, Éd. Gallimard, 1945.

L'EXALTATION DES VALEURS

EXERCICE 9 •

1. Quelle est l'idée défendue par Lamartine dans l'extrait suivant ?
2. Repérez un exemple pour chacun des procédés de l'éloquence solennelle : fausse question, exclamation, énumération, langage soutenu, mode impératif.

Et pourquoi nous haïr et mettre entre les races
Ces bornes ou ces eaux[1] qu'abhorre l'œil de Dieu ?
De frontières au ciel voyons-nous quelques traces ?
Sa voûte a-t-elle un mur, une borne, un milieu ?
⁵ Nations ! mot pompeux pour dire : Barbarie !
L'amour s'arrête-t-il où s'arrêtent vos pas ?
Déchirez ces drapeaux ; une autre voix vous crie :
« L'égoïsme et la haine ont seuls une patrie ;
La fraternité n'en a pas ! »

ALPHONSE DE LAMARTINE, *La Marseillaise de la paix*, 1841.

1. Ces bornes ou ces eaux : les frontières qui séparent les pays d'Europe.

EXERCICE 10 ••

1. Distinguez la morale du récit. De quelle manière le récit illustre-t-il la morale ?

2. Quelles sont les valeurs défendues par La Fontaine dans cette fable ? En quoi la fable est-elle une forme poétique privilégiée pour défendre des valeurs ?

> Travaillez, prenez de la peine :
> C'est le fonds[1] qui manque le moins.
> Un riche Laboureur, sentant sa mort prochaine,
> Fit venir ses enfants, leur parla sans témoins.
> 5 Gardez-vous, leur dit-il, de vendre l'héritage
> Que nous ont laissé nos parents.
> Un trésor est caché dedans.
> Je ne sais pas l'endroit ; mais un peu de courage
> Vous le fera trouver : vous en viendrez à bout.
> 10 Remuez votre champ dès qu'on aura fait l'août[2].
> Creusez, fouillez, bêchez, ne laissez nulle place
> Où la main ne passe et repasse.
> Le Père mort, les fils vous retournent le champ
> Deçà, delà, partout ; si bien qu'au bout de l'an
> 15   Il en rapporta davantage.
> D'argent, point de caché. Mais le Père fut sage
>   De leur montrer avant sa mort
>   Que le travail est un trésor.

Jean de La Fontaine, « Le Laboureur
et ses enfants », *Fables*, V, 9, 1669.

1. fonds : l'investissement. 2. l'août : la moisson.

EXERCICE 11 ••

1. Quelle est la thèse défendue par le poète dans l'extrait ?
2. Repérez les répétitions. Quel effet recherchent-elles ?
3. Commentez les deux derniers vers.

> Jamais jamais je ne pourrai dormir tranquille aussi
>   longtemps
> que d'autres n'auront pas le sommeil et l'abri
> ni jamais vivre de bon cœur tant qu'il faudra que d'autres
> 5 meurent qui ne savent pas pourquoi
> J'ai mal au cœur mal à la terre mal au présent
> Le poète n'est pas celui qui dit Je n'y suis pour
>   personne
> Le poète dit J'y suis pour tout le monde

Claude Roy, « Les circonstances »,
Poésies, Éd. Gallimard, 1970.

EXERCICE 12 •••

1. Contre quel fléau social le poète s'élève-t-il ?
2. Repérez dans le poème ce qui caractérise les enfants représentés. Quel est l'effet recherché par le poète ?
3. À travers quels procédés le poète clame-t-il son indignation ?
4. Entraînement au commentaire. En vous aidant des réponses apportées aux questions, vous rédigerez un paragraphe montrant comment Hugo défend des valeurs sociales dans cet extrait.

> Où vont tous ces enfants dont pas un seul ne rit ?
> Ces doux êtres pensifs que la fièvre maigrit ?
> Ces filles de huit ans qu'on voit cheminer seules ?
> Ils s'en vont travailler quinze heures sous des meules ;
> 5 Ils vont, de l'aube au soir, faire éternellement
> Dans la même prison le même mouvement.
> Accroupis sous les dents d'une machine sombre,
> Monstre hideux qui mâche on ne sait quoi dans
>   [l'ombre,
> Innocents dans un bagne, anges dans un enfer,
> 10 Ils travaillent. Tout est d'airain, tout est de fer.
> Jamais on ne s'arrête et jamais on ne joue.
> Aussi quelle pâleur ! la cendre est sur leur joue.
> Il fait à peine jour, ils sont déjà bien las.
> Ils ne comprennent rien à leur destin, hélas !
> 15 Ils semblent dire à Dieu : « Petits comme nous sommes,
> Notre père, voyez ce que nous font les hommes ! »

Victor Hugo, « Melancholia », *Les Contemplations*, 1856.

LES MOTS DU BAC

L'inpiration poétique

1. Complétez les phrases suivantes au moyen des termes qui conviennent.

trouvère, guide, visionnaire, troubadour, chantre
a. Depuis toujours, le poète est d'abord le ... de l'amour.
b. Le poète romantique se conçoit comme un ... et un ... .
c. Le ... et le ... incarnent la figure du poète au Moyen Âge.

2. Expliquez les termes suivants.
la muse – l'oracle – le spleen – la chimère

3. Lequel de ces termes ne renvoie pas à l'expression des sentiments ? Chassez l'intrus.
inclinaison – mélancolie – apitoiement – exacerbation – affliction.

4. De manière à former des couples de synonymes, associez deux termes de chaque liste composée de vocabulaire de l'écriture poétique.
a. frivolité b. inventivité c. pittoresque
d. doctrine e. sérieux.
1. théorie 2. légèreté 3. gravité 4. inspiration
5. originalité.

5. Le poète apparaît comme la conscience morale de la société. Pourquoi ?
a. Il fait entendre toutes les émotions humaines dans son œuvre.
b. Il transfigure la réalité et transmet ses visions personnelles.
c. Il appelle à la révolte lorsque les valeurs fondamentales sont menacées.

QUESTIONS

ANALYSE ▶

1. Relevez les caractéristiques des personnages décrits dans ce poème. Quels défauts Verlaine dénonce-t-il à travers eux ?

2. Comment l'image du poète apparaît-elle dans les tercets ? Comment cette image s'explique-t-elle ?

3. Derrière son ironie, quelles valeurs le poète défend-il selon vous ?

ENTRAÎNEMENT À ▶
LA DISSERTATION

La fonction du poète est d'interroger le monde et la société afin de leur donner du sens. Vous développerez cette affirmation, en vous appuyant sur le poème de Verlaine, mais aussi sur les poèmes proposés dans les exercices précédents.

Monsieur Prudhomme

Il est grave : il est maire et père de famille.
Son faux-col engloutit son oreille. Ses yeux
Dans un rêve sans fin flottent, insoucieux,
Et le printemps en fleurs sur ses pantoufles brille.

5 Que lui fait l'astre d'or, que lui fait la charmille
Où l'oiseau chante à l'ombre, et que lui font les cieux,
Et les prés verts et les gazons silencieux ?
Monsieur Prudhomme songe à marier sa fille

Avec Monsieur Machin, un jeune homme cossu.
10 Il est juste milieu, botaniste et pansu.
Quant aux faiseurs de vers[1], ces vauriens, ces maroufles[2],

Ces fainéants barbus mal peignés, il les a
Plus en horreur que son éternel coryza[3],
Et le printemps en fleurs brille sur ses pantoufles.

PAUL VERLAINE, « Monsieur Prudhomme », *Poèmes saturniens*, 1866.

1. faiseurs de vers :
expression péjorative
qui désigne les poètes.
2. maroufles : rustres.
3. coryza : rhume.

SUJET BAC
TOUTES SÉRIES

Le sujet comprend :

TEXTE A : Charles d'Orléans, « Hiver, vous n'êtes qu'un vilain ! », *Poésies*, 1450-1465.

TEXTE B : Théophile Gautier, « Ne sois pas marâtre, ô nature chérie », *La Comédie de la mort*, 1838.

TEXTE C : Aloysius Bertrand, « Encore un printemps », *Gaspard de la nuit*, 1842.

TEXTE D : Mohammed Dib, « Printemps », *Ombre gardienne*, 1960.

OBJET D'ÉTUDE : Écriture poétique et quête du sens du Moyen Âge à nos jours.

TEXTE A

Charles d'Orléans,
Poésies.

Hiver, vous n'êtes qu'un vilain !
Été est plaisant et gentil,
En témoin de Mai et d'Avril
Qui l'accompagnent soir et main[1].

5 Été revêt champs, bois et fleurs,
De sa livrée de verdure
Et de maintes autres couleurs,
Par l'ordonnance de Nature.

Mais vous, Hiver, trop êtes plein
10 De neige, vent, pluie et grésil[2] ;
On vous dût[3] bannir en exil.
Sans point flatter, je parle plein[4],
Hiver, vous n'êtes qu'un vilain !

CHARLES D'ORLÉANS, *Poésies*, 1450-1465.

1. **main** : matin
2. **grésil** : pluie et neige mêlées.
3. **dût** : devrait.
4. **plein** : franchement.

Giuseppe Arcimboldo
(1527-1593), *L'Hiver*, 1573.

Avril, pour m'y coucher, m'a fait un tapis d'herbe ;
Le lilas sur mon front s'épanouit en gerbe,
  Nous sommes au printemps.
Prenez-moi dans vos bras, doux rêves du poète,
5 Entre vos seins polis posez ma pauvre tête
  Et bercez-moi longtemps.

Loin de moi, cauchemars, spectres des nuits ! Les roses,
Les femmes, les chansons, toutes les belles choses
  Et tous les beaux amours,
10 Voilà ce qu'il me faut. Salut, ô muse antique[1],
Muse au frais laurier vert, à la blanche tunique,
  Plus jeune tous les jours !

1. muse antique : divinité
inspiratrice du poète.

THÉOPHILE GAUTIER, « Ne me sois pas marâtre, ô nature chérie »,
La Comédie de la mort, 1838.

 Encore un printemps, encore une goutte de rosée, qui se bercera un moment dans mon calice amer, et qui s'en échappera comme une larme !

 Ô ma jeunesse, tes joies ont été glacées par les baisers du temps,
5 mais tes douleurs ont survécu au temps qu'elles ont étouffé sur leur sein.

 Et vous qui avez parfilé[1] la soie de ma vie, ô femmes ! s'il y a eu dans mon roman d'amour quelqu'un de trompeur, ce n'est pas moi, quelqu'un de trompé, ce n'est pas vous !

10 Ô printemps ! petit oiseau de passage, notre hôte d'une saison qui chante mélancoliquement dans le cœur du poète et dans la ramée du chêne !

 Encore un printemps, encore un rayon du soleil de mai au front du jeune poète, parmi le monde, au front du vieux chêne, parmi les bois !

1. avez parfilé : vous avez
décousu.

ALOYSIUS BERTRAND, « Encore un printemps », *Gaspard de la nuit*, 1842.

SUJET BAC

TEXTE D

Mohammed Dib,
Ombre gardienne.

Il flotte sur les quais une haleine d'abîmes,
L'air sent la violette entre de lourds poisons,
Des odeurs de goudron, de varech[1], de poisson ;
Le printemps envahit les chantiers maritimes.

5 Ce jour de pluie oblique a doucement poncé
Les gréements[2] noirs et gris qui festonnent[3] le port ;
Eaux, docks et ciel unis par un subtil accord
Inscrivent dans l'espace une sourde pensée.

En cale sèche on voit des épaves ouvertes ;
10 En elles l'âme vit peut-être… Oiseau têtu,
Oiseau perdu, de l'aube au soir reviendras-tu
Rêver de haute mer, d'embruns et d'îles vertes ?

Je rôde aussi, le cœur vide et comme aux abois,
Un navire qui part hurle au loin sous la brume ;
15 Je tourne dans la ville où les usines fument,
Je cherche obstinément à me rappeler, quoi ?

Mohammed Dib, « Printemps », *Ombre gardienne*, Éd. La Différence, 1960.

1. **varech** : algues.

2. **les gréements** : les cordages des bateaux.

3. **qui festonnent** : qui décorent de guirlandes.

QUESTIONS

4 points ▶ I. Après avoir lu attentivement les textes du corpus, vous répondrez aux questions suivantes.

1. Ces textes cherchent-ils seulement à décrire la nature au printemps ou ont-ils une autre visée ? Votre réponse se fondra sur quelques exemples précis.

2. Comment, dans le tableau, l'hiver est-il personnifié ?

16 points ▶ II. Vous traiterez, au choix, l'un des sujets suivants.

1. COMMENTAIRE
Vous commenterez le texte de Mohammed Dib (texte D).

2. DISSERTATION
En quoi l'écriture poétique permet-elle de donner du sens au monde ?
Vous développerez votre argumentation en vous appuyant sur les textes du corpus, les œuvres que vous avez étudiées en classe et celles que vous avez lues.

3. INVENTION
Lors d'un débat télévisé, deux écrivains contemporains exposent leur conception de la poésie. L'un argumente en faveur d'une poésie libérée de toute contrainte, tandis que l'autre préfère une poésie qui s'appuie sur les règles héritées de la tradition. Écrivez leur dialogue.

Argumentation

Le discours argumentatif

L'argumentation repose sur la logique du discours. L'émetteur développe une idée qu'il veut faire partager au destinataire. Il cherche à le convaincre en s'appuyant sur un raisonnement rigoureux constitué d'arguments logiques et illustrés d'exemples concrets.

OBSERVATION

La réfutation de la thèse adverse

L'affirmation de la thèse défendue

[　] Les arguments

Les exemples

Les articulations entre les idées

Femme de lettres célèbre au Moyen Âge pour ses nombreux écrits, en vers et en prose, Christine de Pisan participe au mouvement humaniste européen. Elle se montre résolument moderne en défendant dans son œuvre le droit à l'éducation pour les jeunes filles.

À ceux qui disent qu'il n'est pas bon que les femmes étudient les lettres

Je m'étonne énormément de l'opinion de certains hommes qui ne veulent pas que leurs filles, leur femme ou leurs parentes étudient les sciences parce que leurs mœurs en deviendraient mauvaises. On peut voir par là que [les opinions de ces hommes ne sont pas fondées sur
5 la raison et qu'ils ont tort ; car on ne voit pas pourquoi étudier les sciences morales et celles qui enseignent les vertus devrait avoir pour conséquence d'empirer les mœurs.] Au contraire, il est évident que [celles-ci s'en trouveraient meilleures et plus nobles.] Comment donc peut-on imaginer que celui qui suit un bon enseignement pourrait s'en
10 trouver plus mauvais ? Cette thèse n'est ni à dire ni à soutenir. [Je ne dis pas qu'il serait bon que les femmes étudient la sorcellerie ou les autres matières interdites, car ce n'est pas pour rien que la sainte Église en a défendu l'usage.] Mais l'idée que les femmes empirent[1] à connaître le bien n'est pas acceptable. Quintus Hortensius qui était un grand rhétori-
15 cien romain et un célèbre orateur, n'était pas de cette opinion. Il avait en effet une fille nommée Hortense qu'il aimait beaucoup pour la subtilité de son esprit et à qui il fit apprendre les lettres et étudier la science de la rhétorique.

1. empirent : sont rendues mauvaises.

CHRISTINE DE PISAN, *La Cité des dames*, 1405 (trad. en français moderne).

QUESTIONS

1. Pourquoi peut-on dire qu'il s'agit d'un texte d'idées ? Relevez le champ lexical de l'argumentation dans le passage.

2. Observez la progression logique du texte. De quelle manière l'auteure cherche-t-elle à convaincre le lecteur ?

3. En quoi la thèse défendue par Christine de Pisan apparaît-elle comme moderne ?

1 L'affirmation de la thèse

La thèse est une idée, une opinion, un point de vue sur quelque chose dont l'émetteur s'attache à démontrer la véracité. L'affirmation de la thèse intervient le plus souvent au début de l'argumentation (raisonnement déductif), mais elle peut aussi venir conclure le discours (raisonnement inductif).

2 Le développement des arguments et des exemples

La défense de la thèse structure l'ensemble de l'argumentation.

■ **Les arguments.** Les arguments constituent l'ensemble des preuves qui se succèdent à l'appui de la thèse pour en démontrer la justesse. On peut distinguer plusieurs types d'arguments, selon l'intention de l'émetteur et la personnalité du destinataire.

TYPES D'ARGUMENTS	DÉFINITION	EXEMPLE
Le recours aux faits	Utilisation d'un fait avéré, d'une observation logique et indéniable pour éclairer la thèse.	Des statistiques irréfutables peuvent prouver l'efficacité d'une action en cours.
L'argument d'autorité	Référence à un ouvrage, un proverbe, une personnalité reconnus par tous.	Les révolutionnaires de 1789 s'appuient sur les Lumières pour défendre l'idée de République.
L'appui sur les valeurs	Recours à des valeurs partagées par l'ensemble des membres de la société.	La justice, la tolérance, la solidarité, etc., sont reconnues par tous.

■ **Les exemples.** Chacun des arguments peut être illustré au moyen d'exemples. Les exemples donnent un caractère concret à l'argumentation. Ils facilitent la compréhension du destinataire en faisant référence à un univers familier et proche de lui.

3 La réfutation de la thèse adverse

Pour mieux défendre sa thèse, l'émetteur doit tenir compte de l'existence de thèses adverses qu'il lui faut combattre. Pour cela, il apporte des contre-arguments qui montrent, point par point, le caractère erroné du raisonnement combattu. De même, l'émetteur peut opposer aux exemples développés par la thèse adverse des contre-exemples qui montrent leur faiblesse. À l'issue du raisonnement, la thèse adverse est réfutée, c'est-à-dire dénoncée comme fausse, et remplacée ainsi par la thèse défendue.

4 Les articulations entre les idées

Des termes d'articulation, ou connecteurs, soulignent l'enchaînement logique des arguments et des exemples. Différentes relations logiques relient les parties du discours.

■ **L'addition.** Elle ajoute une idée à une autre idée, un argument ou un exemple à un autre, en les mettant sur le même plan : « premièrement », « de plus », « en outre », etc.

■ **L'opposition.** Elle souligne une contradiction plus ou moins forte entre deux idées ou deux faits : « cependant », « toutefois », « mais », etc.

■ **La cause.** Elle indique l'origine d'un fait, d'une idée, d'une situation : « en effet », « ainsi », « parce que », etc.

■ **La conséquence.** Elle souligne l'aboutissement d'un fait ou le résultat d'un raisonnement : « c'est pourquoi », « de cette manière », « de sorte que », etc.

■ **La concession.** Elle reconnaît en partie la validité d'un argument avant de réfuter le raisonnement qu'il développe : « certes », « bien que », « il est vrai que… mais ».

L'AFFIRMATION DE LA THÈSE

EXERCICE 1 •

Parmi les énoncés suivants, lesquels affirment une thèse, c'est-à-dire une opinion qui peut être discutée ? Justifiez vos réponses.

- Il fait beau aujourd'hui.
- Ce film était génial.
- Jean de La Fontaine a écrit de nombreuses fables.
- L'abolition de la peine de mort est nécessaire dans toutes les sociétés.
- Le téléchargement de la musique devrait être autorisé sans restriction.

EXERCICE 2 •

Quelle est la thèse défendue par l'auteur du texte suivant ? Reformulez-la en une phrase.

Écologie et économie sont les deux faces d'une même médaille. Et pourtant elles sont souvent en contradiction. Nous devrions aujourd'hui contribuer à les rendre complémentaires. Or, nous nous comportons le plus souvent en « égocitoyens » égoïstes, pratiquant le chacun pour soi, plutôt qu'en « écocitoyens » solidaires, pratiquant le chacun pour tous.

JOËL DE ROSNAY, Préface à *Demain la Terre*, Éd. Mango jeunesse, 2003.

EXERCICE 3 ••

Quelle est la thèse défendue par l'image suivante ? Formulez-la en une phrase sous la forme d'un slogan.

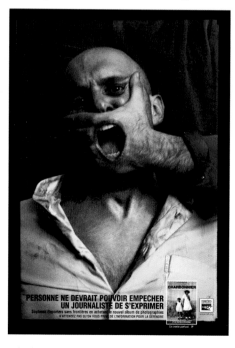

LES ARGUMENTS ET LES EXEMPLES

EXERCICE 4 •

Repérez la thèse et les arguments dans le texte qui suit.

Les jeux les plus susceptibles d'entraîner une dépendance chez les sujets fragiles ont leurs caractéristiques il s'agit des jeux en réseaux dans lesquels on peut incarner une figure héroïque. Ils n'ont pas de fin et sont en outre « chronophage », c'est-à-dire qu'ils exigent un temps de présence trop élevé.

MICHAEL STORA, *Les Écrans, ça rend accro...
ça reste à prouver*, Éd. Hachette, 2007

EXERCICE 5 •

1. Quelle est la thèse défendue ?
2. Repérez les trois arguments. À quels types d'arguments peut-on rattacher chacun d'eux ?

La liberté, loin d'exclure les limites, les impose au contraire. Pour la sécurité de tous, je dois respecter le Code de la route et le gendarme y veille, mais moi seul décide où je veux aller, quand, avec qui. Selon l'article 4 de la Déclaration de 1789, « la liberté consiste à pouvoir faire tout ce qui ne nuit pas à autrui ». Elle se révèle alors indissociable de l'égalité : c'est parce que les autres ont des droits égaux aux miens, que ma liberté est limitée par le respect de la leur et leur liberté limitée par le respect de la mienne.

GUY CARCASSONNE, *L'Idée républicaine aujourd'hui*, Éd. Delagrave, 2004.

EXERCICE 6 ••

1. Quelle est la thèse défendue dans le texte suivant ?
2. Quel est l'argument apporté par l'auteur ?
3. Donnez des exemples pour illustrer cet argument (titres de journaux, types de reportages, etc.).

L'information est passée des mains de défenseurs de la vérité à celles d'hommes d'affaires qui, loin de se soucier de la vérité, du sérieux ou de la qualité de l'information, n'ont à l'esprit que sa valeur attractive. Aujourd'hui, l'information doit être un produit bien emballé pour être mieux vendu. Le changement de critères selon lequel la vérité est remplacée par l'attractivité constitue une immense révolution culturelle dont nous sommes tous témoins, acteurs et en partie victimes. Le chef ne demande pas si c'est la vérité, mais si ça se vend, si c'est propice à la publicité, car il vit de ce commerce. Les grands médias détournent notre attention des problèmes essentiels et l'orientent vers des problèmes techniques. L'essentiel, c'est que ça aille vite, que ce soit coloré, que ce soit ou non virtuel, qu'on ait une relation satellite, directe ou une retransmission.

RICHARD KAPUSCINSKI, *Autoportrait d'un reporter*, Éd. Plon, 2008.

LA RÉFUTATION DE LA THÈSE ADVERSE

EXERCICE 7 ••

1. Quelle est la thèse réfutée par Victor Hugo ? Quelle est la thèse qu'il défend ?
2. Repérez les contre-arguments apportés.

Ceux qui jugent et qui condamnent disent la peine de mort nécessaire. D'abord, parce qu'il importe de retrancher de la communauté sociale un membre qui lui a déjà nui et qui pourrait lui nuire encore. S'il ne s'agissait que de cela, la prison perpétuelle suffirait. À quoi bon la mort ? Vous objectez qu'on peut s'échapper d'une prison ? Faites mieux votre ronde. Si vous ne croyez pas à la solidité des barreaux de fer, comment osez-vous avoir des ménageries ?

Pas de bourreau où le geôlier suffit.

Mais, reprend-on, il faut que la société se venge, que la société punisse. Ni l'un, ni l'autre. Se venger est de l'individu, punir est de Dieu.

Victor Hugo, Préface au *Dernier Jour d'un condamné*, 1832.

EXERCICE 8 •••

1. Repérez dans le texte suivant : la thèse défendue, les arguments et les illustrations apportés.
2. Rédigez une réponse à Sganarelle dans laquelle vous réfuterez point par point la thèse qu'il défend.

Sganarelle, *tenant une tabatière.* – Quoi que puisse dire Aristote et toute la Philosophie, il n'est rien d'égal au tabac : c'est la passion des honnêtes gens, et qui vit sans tabac n'est pas digne de vivre. Non seulement il réjouit et purge les cerveaux humains, mais encore il instruit les âmes à la vertu, et l'on apprend avec lui à devenir honnête homme. Ne voyez-vous pas bien, dès qu'on en prend, de quelle manière obligeante on en use avec tout le monde, et comme on est ravi d'en donner à droite et à gauche, partout on l'on se trouve ? On n'attend pas même qu'on en demande, et l'on court au-devant du souhait des gens : tant il est vrai que le tabac inspire des sentiments d'honneur et de vertu à tous ceux qui en prennent. Mais c'est assez de cette matière. Reprenons un peu notre discours.

Molière, *Dom Juan*, Acte I, scène 1, 1665.

EXERCICE 9 •

1. Repérez la thèse réfutée et la thèse défendue.
2. Repérez les arguments et les exemples. Comment sont-ils mis en valeur ?
3. Identifiez les termes d'articulation et indiquez quelles relations logiques ils mettent en place.

Ce que les frères Lumière[1] ont inventé en 1895 n'était pas un art mais une technique qui permettait de saisir, de montrer, de garder et d'archiver l'image visuelle d'une réalité non pas en un fragment de seconde mais dans son mouvement et dans sa durée. Sans cette découverte de la « photo en mouvement », le monde d'aujourd'hui ne serait pas ce qu'il est : la nouvelle technique est devenue, primo, *l'agent principal de l'abêtissement* (incomparablement plus puissant que la mauvaise littérature de jadis : spots publicitaires, séries télévisuelles) ; secundo, *l'agent de l'indiscrétion planétaire* (les caméras qui filment secrètement des adversaires politiques dans des situations compromettantes, immortalisent la douleur d'une femme à demi nue étendue sur une civière après un attentat).

Il est vrai qu'existe aussi le film en tant qu'art : mais son importance est beaucoup plus limitée que celle du film en tant que technique et son histoire, certainement, est la plus courte de toutes les histoires des arts.

Milan Kundera, *Une rencontre*, Éd. Gallimard, 2009.

1. les frères Lumière : inventeurs du cinéma, à la fin du xixe siècle.

EXERCICE 10 ••

1. Repérez l'ensemble des connecteurs logiques utilisés par le personnage dans cet extrait. Indiquez leur valeur.
2. En quoi ce procédé rend-il le discours plus convaincant ?

Candide et son ami Cacambo ont été faits prisonniers en Amérique par les Indiens Oreillons.

Messieurs, dit Cacambo, vous comptez donc manger aujourd'hui un jésuite[1] ? C'est très bien fait ; rien n'est plus juste que de traiter ainsi ses ennemis. En effet le droit naturel nous enseigne à tuer notre prochain, et c'est ainsi qu'on en agit dans toute la terre. Si nous n'usons pas du droit de le manger, c'est que nous avons d'ailleurs de quoi faire bonne chère ; mais vous n'avez pas les mêmes ressources que nous : certainement il vaut mieux manger ses ennemis que d'abandonner aux corbeaux et aux corneilles le fruit de sa victoire. Mais, messieurs, vous ne voudriez pas manger vos amis. Vous croyez aller mettre un jésuite en broche, et c'est votre défenseur, c'est l'ennemi de vos ennemis que vous allez rôtir. Pour moi, je suis né dans votre pays ; monsieur que vous voyez est mon maître, et bien loin d'être jésuite, il vient de tuer un jésuite, il en porte les dépouilles ; voilà le sujet de votre méprise.

Voltaire, *Candide*, 1759.

1. un jésuite : missionnaire de l'ordre des Jésuites, chargés de répandre la religion chrétienne dans le monde.

Les techniques de la persuasion

L'argumentation vise à persuader le destinataire lorsqu'elle veut le séduire en faisant appel à ses sentiments et à ses émotions. L'émetteur s'implique lui-même dans le discours, écrit ou oral, et interpelle celui à qui il s'adresse. Pour mieux persuader, il utilise toutes les techniques de l'éloquence.

OBSERVATION

■ **L'implication de l'émetteur**

■ **L'implication du destinataire**

■ **L'éloquence du discours**

La force du discours argumentatif ne repose pas uniquement sur la rigueur logique de. *arguments développés. Le moraliste du XVIIᵉ siècle Jean de La Bruyère définit ainsi le.* *principes et les procédés de l'éloquence, c'est-à-dire de l'art de persuader par le discours*

Le peuple appelle éloquence la facilité que quelques-uns ont de parler seuls et longtemps, jointe à l'emportement du geste, à l'éclat de la voix, et à la force des poumons. Les pédants[1] ne l'admettent aussi que dans le discours oratoire, et ne la distinguent pas de l'entassement
5 des figures, de l'usage des grands mots, et de la rondeur des périodes[2].

Il semble que la logique est l'art de convaincre de quelque vérité ; et l'éloquence un don de l'âme, lequel nous rend maîtres du cœur et de l'esprit des autres ; qui fait que nous leur inspirons ou que nous leur persuadons tout ce qui nous plaît. […]
10 Les jeunes gens sont éblouis de l'éclat de l'antithèse, et s'en servent. Les esprits justes, et qui aiment à faire des images qui soient précises, donnent naturellement dans la comparaison et la métaphore. Les esprits vifs, pleins de feu, et qu'une vaste imagination emporte hors des règles et de la justesse, ne peuvent s'assouvir de l'hyperbole. Pour le sublime[3],
15 il n'y a, même entre les grands génies, que les plus élevés qui en soient capables.

Jean de La Bruyère, *Les Caractères*, 1688.

1. **les pédants** : les professeurs de rhétorique qui s'expriment de manière prétentieuse.

2. **périodes** : longues phrases à la construction complexe.

3. **le sublime** : dans l'esthétique classique, le style, le ton propres aux sujets élevés.

QUESTIONS

1. Comment Jean de La Bruyère définit-il l'éloquence dans le deuxième paragraphe ? Quelles autres définitions oppose-t-il à la sienne ?

2. À travers quelles attitudes et quels procédés l'émetteur d'une argumentation peut-il se rendre « maître du cœur et de l'esprit des autres » ?

3. Quelle importance La Bruyère accorde-t-il aux figures de style ? Quelle est pour lui leur fonction ?

1 L'implication de l'émetteur

L'émetteur manifeste sa conviction en s'impliquant fortement dans le discours.

■ **Les indices personnels.** Les pronoms et adjectifs de la première personne du singulier (« je », « me », « moi », « mon ») impliquent fortement l'émetteur dans l'énoncé. La première personne du pluriel (« nous », « nos ») unit l'émetteur et le destinataire.

■ **Les modalisateurs de certitude.** Ils montrent le degré de conviction affiché par l'émetteur pour défendre, nuancer ou rejeter une opinion : adverbes (« incontestablement »), verbes (« prétendre »), mode conditionnel (« Il se pourrait que... »).

■ **Les marques de l'émotion et du jugement.** Le lexique affectif et évaluatif exprime les sentiments de l'émetteur (pitié, colère, indignation...) et ses jugements de valeurs (termes valorisants ou dévalorisants). La modalité exclamative souligne et renforce l'émotion ou le jugement personnel exprimés.

> *Repère*
>
> **L'indéfini « on »**
>
> Le pronom « on » réunit l'émetteur et le destinataire dans l'énoncé, mais il désigne parfois les partisans de la thèse adverse. Il s'oppose alors aux pronoms de la première personne.

2 L'implication du destinataire

En faisant appel au destinataire, l'émetteur l'implique dans le discours.

■ **Les indices personnels.** Les pronoms et adjectifs de la deuxième personne (« tu », « vous », « ton », « vos ») donnent au destinataire le sentiment d'être directement sollicité par l'émetteur.

■ **Les adresses au destinataire.** Un certain nombre de procédés oratoires renforcent l'implication de celui à qui on s'adresse.

PROCÉDÉS	DÉFINITIONS	EXEMPLES
La question oratoire	Elle apparaît comme une fausse question qui fournit implicitement la réponse attendue.	« Tu es venu ; nous sommes-nous jetés sur ta personne ? » (Denis Diderot)
L'apostrophe	Elle identifie ou caractérise précisément le destinataire en s'adressant à lui.	« Tenez, monsieur l'avocat général, je vous le dis sans amertume, vous ne défendez pas une bonne cause. » (Victor Hugo)
L'impératif	Il exprime un ordre, une défense, un conseil, une prière.	« Jeunesse, jeunesse ! sois toujours avec la justice. » (Émile Zola)

3 L'éloquence du discours

L'émetteur, s'il veut persuader, s'appuie aussi sur les procédés de l'éloquence, c'est-à-dire l'art d'émouvoir par le style.

■ **Le choix du terme juste.** L'émetteur adapte son niveau de langage et son vocabulaire au destinataire. Il utilise toute la richesse et la variété du lexique pour exprimer les nuances de sa pensée.

■ **La construction de la phrase.** La syntaxe fait alterner la phrase courte et la période, le rythme binaire et le rythme ternaire, et joue des effets de parallélisme et de répétitions à l'intérieur du discours.

■ **Les figures de style.** Elles mettent en valeur la thèse, les arguments ou les exemples. L'émetteur utilise ainsi les figures de l'amplification (hyperbole), de l'insistance (répétition, anaphore, gradation), de l'opposition (antithèse, chiasme) ou de l'analogie (comparaisons ou métaphores).

■ **La tonalité du texte.** À travers le choix d'un registre (pathétique, ironique, polémique...), l'émetteur donne à l'énoncé une tonalité particulière qui fait partager une émotion au destinataire.

L'IMPLICATION DE L'ÉMETTEUR

EXERCICE 1 •

Repérez et classez les marques de l'implication de l'émetteur dans les textes suivants : indices personnels, modalisateurs, marques de l'émotion et du jugement.

• Je déteste la campagne : toujours des arbres, de la terre, du gazon. Qu'est-ce que cela me fait ? C'est très pittoresque, d'accord, mais c'est ennuyeux à crever. (Gautier)

• Depuis quelque temps surtout, il me semble sentir vraiment une recrudescence de grossièreté. Nous y sommes d'ailleurs tellement accoutumés que nous n'y songeons plus guère. (Maupassant)

• Je forme une entreprise qui n'eut jamais d'exemple et dont l'exécution n'aura point d'imitateur. Je veux montrer à mes semblables un homme dans toute la vérité de la nature ; et cet homme ce sera moi. (Rousseau)

EXERCICE 2 •••

1. Repérez la thèse défendue, les arguments et les exemples.
2. À travers quels procédés l'émetteur s'implique-t-il ?

J'admire certes le grand peuple américain ; mais ce peuple, par bien des aspects de son génie, m'est plus étranger qu'aucun autre. Je ne l'ai jamais visité. À quoi bon ? Lui, il a fait beaucoup plus que nous visiter :
5 il nous a transformés. Le rythme de notre vie quotidienne est accordé au sien. Sa musique orchestre nos journées par des millions de disques. Des milliers de films, sur tous les écrans de Paris et de la province, nous imposent en toute matière son idée : un certain
10 type de femme stéréotypé, la star interchangeable […].

FRANÇOIS MAURIAC, *Dernier Bloc-Notes*, 1968-1970, Éd. Flammarion, 1971.

L'IMPLICATION DU DESTINATAIRE

EXERCICE 3 ••

1. À travers quel pronom le locuteur implique-t-il son destinataire ? Comment expliquer sa forte présence ?
2. Quelle est la fonction des exclamations ?
3. Repérez la question oratoire et justifiez son emploi.

Octave tente de persuader Marianne de répondre à l'amour que lui porte Coelio, son ami.

OCTAVE. – Si jamais homme au monde a été digne de vous comprendre, digne de vivre et de mourir pour vous, cet homme est Coelio. Je n'ai jamais valu grand-chose, et je me rends cette justice que la passion dont je fais l'éloge
5 trouve un misérable interprète. Ah ! si vous saviez sur quel autel sacré vous êtes adorée comme un dieu ! vous, si belle, si jeune, si pure encore, livrée à un vieillard qui n'a plus de sens et qui n'a jamais eu de cœur ! Si vous saviez quel trésor de bonheur, quelle mine féconde
10 repose en vous ! en lui ! dans cette fraîche aurore de jeunesse, dans cette rosée céleste de la vie, dans ce premier accord de deux âmes jumelles ! Je ne vous parle pas de sa souffrance, de cette douce et triste mélancolie qui ne s'est jamais lassée de vos rigueurs, et qui en mourra
15 sans se plaindre.

Oui, Marianne, il en mourra. Que puis-je vous dire ?

ALFRED DE MUSSET, *Les Caprices de Marianne* Acte II, scène 3, 1833

EXERCICE 4 •

Repérez l'interpellation du destinataire dans cette image. Quelles formes prend-elle ? Quel est l'objectif de ce procédé ?

Le Figaro, 18 mai 1895..

EXERCICE 5 •••

1. Relevez les marques de l'implication dans le discours. Quelle image donnent-elles de l'émetteur. ?
2. Quelles valeurs Lamartine cherche-t-il à faire partager ?

En 1848, les insurgés proclament la République. Lamartine s'adresse à la foule hostile…

Vous ne me ferez pas reculer, vous ne me ferez pas taire tant que j'aurai un souffle de vie sur les lèvres. J'aime l'ordre, j'y dévoue, comme vous voyez, ma vie ; j'exècre l'anarchie, parce qu'elle est le démembrement de
5 la société civilisée ; j'abhorre[1] la démagogie parce qu'elle est la honte du peuple et le scandale de la liberté ; mais quoique né dans une région sociale plus favorisée, plus

heureuse que vous, mes amis, que dis-je ? précisément parce que j'y suis né, parce j'ai moins travaillé, moins souffert que vous, parce qu'il m'est resté plus de loisir et de réflexion pour contempler vos détresses et pour y compatir de plus haut, ayez confiance dans mes conseils, repoussez ce drapeau de sang ! Abolissez la peine de mort et relevez le drapeau de l'ordre, de la victoire et de l'humanité.

Alphonse de Lamartine, *Contre le drapeau rouge*, 1848.

1. j'abhorre : je déteste au plus haut point.

L'ÉLOQUENCE DU DISCOURS

EXERCICE 6 ••

1. Relevez trois exemples de procédés syntaxiques qui contribuent à l'éloquence de l'argumentation (rythme ternaire, parallélisme, énumération).
2. Expliquez le choix du mot « éternité » dans la phrase : « Je marche entre deux éternités. »

Les idées que les ruines réveillent en moi sont grandes. Tout s'anéantit, tout périt, tout passe. Il n'y a que le monde qui reste. Il n'y a que le temps qui dure. Qu'il est vieux ce monde ! Je marche entre deux éternités. De quelque part que je jette les yeux, les objets qui m'entourent m'annoncent une fin et me résignent à celle qui m'attend. Qu'est-ce que mon existence éphémère, en comparaison de celle du rocher qui s'affaisse, de ce vallon qui se creuse, de cette forêt qui chancelle, de ces masses suspendues au-dessus de ma tête et qui s'ébranlent ? Je vois le marbre des tombeaux tomber en poussière, et je ne veux pas mourir.

Denis Diderot, *Essais sur la peinture*, 1766.

EXERCICE 7 ••

Pourquoi peut-on dire que la tonalité de ce texte est polémique ? Montrez comment l'auteur y exprime sa colère et son indignation.

Les hommes de guerre sont les fléaux du monde. Nous luttons contre la nature, contre l'ignorance, contre les obstacles de toutes sortes, pour rendre moins dure notre misérable vie. Des hommes, des bienfaiteurs, des savants usent leur existence à travailler, à chercher ce qui peut aider, ce qui peut secourir, ce qui peut soulager leurs frères. Ils vont, acharnés à leur besogne utile, entassant les découvertes, agrandissant l'esprit humain, élargissant la science, donnant chaque jour à l'intelligence une somme de savoir nouveau, donnant chaque jour à leur patrie du bien-être, de l'aisance, de la force...

La guerre arrive. En six mois, les généraux ont détruit vingt ans d'efforts, de patience, de travail et de génie.

Guy de Maupassant, « La Guerre »,
Gil Blas, 11 décembre 1883.

EXERCICE 8 •

1. Sur quels sens du mot « droit » l'affiche suivante appuie-t-elle son argumentation ? Pourquoi ?
2. À quoi l'image renvoie-t-elle ? Expliquez ce choix.

60 ANS DE LA CONVENTION EUROPÉENNE DES DROITS DE L'HOMME

DROIT À LA LIBERTÉ ET À LA SÛRETÉ

Toute personne a droit à la **liberté.**
Toute personne **arrêtée** a le **droit** de **savoir pourquoi.**
Elle doit être jugée rapidement ou être libérée en attendant son procès.

LA CONVENTION VOUS APPARTIENT !
www.echr.coe.int

COUNCIL OF EUROPE · CONSEIL DE L'EUROPE

EXERCICE 9 •••

1. Repérez tous les procédés qui permettent à l'orateur de s'impliquer et d'impliquer son destinataire dans le discours prononcé à l'Assemblée.
2. Pourquoi peut-on dire que le discours est éloquent ? Analysez les procédés utilisés par l'auteur.

Tenez, monsieur l'avocat général, je vous le dis sans amertume, vous ne défendez pas une bonne cause. Vous avez beau faire, vous engagez une lutte inégale avec l'esprit de civilisation, avec les mœurs adoucies, avec le progrès. Vous avez contre vous l'intime résistance du cœur de l'homme ; vous avez contre vous tous les principes à l'ombre desquels, depuis soixante ans, la France marche et fait marcher le monde : l'inviolabilité de la vie humaine, la fraternité pour les classes ignorantes, le dogme[1] de l'amélioration, qui remplace le dogme de la vengeance ! Vous avez contre vous tout ce qui éclaire, tout ce qui vibre dans les âmes, la philosophie comme la religion, d'un côté Voltaire, de l'autre Jésus-Christ ! Vous avez beau faire, cet effroyable service que l'échafaud a la prétention de rendre à la société, la société, au fond, en a horreur et n'en veut pas !

Victor Hugo, « La peine de mort »,
Actes et Paroles, 11 juin 1851.

1. dogme : opinion émise comme une vérité incontestable.

46 Les formes de l'argumentation au XVIIᵉ siècle

Les écrivains de l'âge classique débattent autour d'un idéal : celui de « l'honnête homme » ; ils définissent et défendent les critères du « bon goût » et exercent un regard critique sur la société et les mœurs.

OBSERVATION

Les débats
sur l'honnête
homme
La querelle
du goût
La critique
des mœurs

Texte A – Les *Pensées* de Pascal

L'homme n'est qu'un roseau, le plus faible de la nature ; mais c'est un roseau pensant. Il ne faut pas que l'univers entier s'arme pour l'écraser : une vapeur, une goutte d'eau suffit pour le tuer. Mais quand l'univers l'écraserait, l'homme serait encore plus noble que ce qui le tue ; parce qu'il sait qu'il meurt et l'avantage que l'univers a sur lui. L'univers n'en sait rien.

BLAISE PASCAL, *Pensées*, 1669 (posthume).

Texte B – L'art poétique selon Boileau

N'offrez rien au lecteur que ce qui peut lui plaire.
Ayez pour la cadence une oreille sévère :
Que toujours dans vos vers, le sens, coupant les mots,
Suspende l'hémistiche[1], en marque le repos. […]
Il est un heureux choix de mots harmonieux.
Fuyez des mauvais sons le concours odieux :
Le vers le mieux rempli, la plus noble pensée
Ne peut plaire à l'esprit, quand l'oreille est blessée.

NICOLAS BOILEAU, *Art poétique*, 1674.

1. hémistiche : moitié d'un vers (alexandrin) marqué par un repos.

Texte C – Les *Caractères* de La Bruyère

Champagne, au sortir d'un long dîner qui lui enfle l'estomac, et dans les douces fumées d'un vin d'Avenay ou de Sillery, signe un ordre qu'on lui présente, qui ôterait le pain à toute une province si l'on n'y remédiait. Il est excusable : quel moyen de comprendre, dans la première heure de la digestion, qu'on puisse quelque part mourir de faim ?

JEAN DE LA BRUYÈRE, *Les Caractères ou mœurs de ce siècle*, 1688.

QUESTIONS

1. Quel domaine de la connaissance chaque auteur s'attache-t-il à explorer ? Reformulez en une phrase la thèse défendue par chacun.

2. Justifiez l'emploi de l'impératif dans le texte B. Le présent utilisé dans les textes A et C a-t-il la même valeur d'emploi ?

3. Commentez le nom donné au personnage du texte C. Pourquoi peut-on dire qu'il s'agit d'un portrait satirique ?

1 Les débats sur l'honnête homme

De multiples genres argumentatifs abordent la question de ce que doit être un « honnête homme » dans la société du XVIIe siècle.

GENRES	EXPLICATION	EXEMPLES
Le traité, le discours et les pensées	Ils défendent la raison comme moyen de connaissance des lois de la nature. L'honnête homme doit s'interroger avec lucidité sur sa place dans l'univers.	Descartes, *Discours de la méthode* ; Pascal, *Pensées*.
L'oraison funèbre et le sermon	Ils visent à persuader de l'importance de la foi, comme une dimension essentielle de la vie. L'honnête homme doit faire preuve de vertu et de piété.	Bossuet, *Sermon sur la mort* ; *Oraison funèbre d'Henriette d'Angleterre*.
La maxime	Elle apporte une critique sous la forme d'une formule brève, souvent ironique, énonçant un jugement. L'honnête homme doit éviter les pièges de la vanité.	La Rochefoucauld, *Maximes et Sentences morales*.
La tirade	Elle expose sur scène, à travers le discours argumenté d'un personnage, un idéal de vie sociale et familiale. L'honnête homme a un devoir de probité, de respect et de mesure.	Les tirades des personnages de « raisonneurs » dans les comédies de Molière.

2 La querelle du goût

Les genres argumentatifs définissent ce que doit être le « bon goût ». Ils déterminent des principes qui permettent aux écrivains de « plaire et instruire ».

■ **La défense des règles.** La création de l'Académie française, en 1634, répond au désir d'établir des normes. L'esthétique classique se définit ainsi par la recherche de l'ordre, de l'équilibre et de la mesure.

■ **La revendication d'indépendance.** Au-delà du respect des règles, les écrivains classiques réclament une part d'indépendance dans la création. Ils manifestent leur génie à travers leur faculté à dépasser des règles trop strictes.

→ Corneille ou Molière revendiquent dans les préfaces de leurs pièces le droit de prendre des libertés avec la rigidité des règles.

■ **La querelle des anciens et des modernes.** L'imitation des modèles antiques est, depuis la Renaissance, un principe partagé. Il est remis en cause au cours de débats animés par ceux qui dénoncent les dangers d'une imitation sans originalité.

3 La critique des mœurs

L'écrivain au XVIIe siècle est un moraliste qui démasque les hypocrisies de son temps.

■ **La fable.** En alliant un récit vif et plaisant à une morale, la fable divertit le lecteur et lui apporte un enseignement. La Fontaine, dans ses recueils de fables, dresse le tableau critique de son époque et des rapports difficiles entre les hommes.

■ **La satire.** C'est un long poème qui attaque les vices et les folies des hommes de manière à les corriger. Dans ses *Satires*, Nicolas Boileau dénonce sur le ton comique les avares, les poètes fâcheux, les coquettes ou les tracas de la vie parisienne.

■ **Les caractères.** Le genre des caractères fait défiler une série de brefs portraits satiriques en prose qui décrivent les manies, les ridicules et les défauts. La Bruyère publie *Les Caractères ou mœurs de ce siècle* dans lesquels les lecteurs se reconnaissent.

EXERCICES

LES DÉBATS SUR L'HONNÊTE HOMME

EXERCICE 1 •

1. Sur quelle faculté humaine porte la réflexion de l'auteur ? Quelles expressions lui sont associées ?
2. Quelle est la thèse défendue ? Retrouvez les deux endroits où elle est énoncée.

> Le bon sens est la chose du monde la mieux parta-
> gée : car chacun pense en être si bien pourvu que même
> ceux qui sont les plus difficiles à contenter en toute
> autre chose n'ont point coutume d'en désirer plus qu'ils
> 5 n'en ont. En quoi il n'est pas vraisemblable que tous se
> trompent, mais cela témoigne plutôt que la puissance de
> bien juger, et de distinguer le vrai d'avec le faux, et qui
> est proprement ce qu'on nomme le bon sens et la raison,
> est naturellement égale en tous les hommes.
>
> **René Descartes**, *Discours de la méthode pour bien conduire
> sa raison et chercher la vérité dans les sciences*, 1637.

EXERCICE 2 ••

1. Sur quel thème chacune des pensées suivantes de Pascal porte-t-elle ?
2. Expliquez en une phrase pour chacune des *Pensées* quel peut être l'objectif poursuivi par l'argumentation.

- Le plus grand philosophe du monde sur une planche plus large qu'il ne faut, s'il y a au-dessous un précipice, quoique sa raison le convainque de sa sûreté, son imagination pré-vaudra. Plusieurs n'en sauraient soutenir la pensée sans pâlir et suer.
- La justice sans la force est impuissante ; la force sans la justice est tyrannique.
- La grandeur de l'homme est grande en ce qu'il se connaît misérable. Un arbre ne se connaît pas misérable. C'est donc être misérable que de se connaître misérable, mais c'est être grand que de connaître qu'on est misérable.

EXERCICE 3 ••

1. Quel est le défaut dénoncé par chacune des maximes suivantes ?
2. Quelle est l'ambition de La Rochefoucauld lorsqu'il écrit ces maximes ?

- Nous avons tous assez de force pour supporter les maux d'autrui.
- Le soleil ni la mort ne se peuvent regarder fixement.
- Le caprice de notre humeur est encore plus bizarre que celui de la fortune.
- Le refus des louanges est un désir d'être loué deux fois.
- Il est du véritable amour comme de l'apparition des esprits : tout le monde en parle, mais peu de gens en ont vu.
- On incommode souvent les autres quand on croit ne les pouvoir jamais incommoder.
- C'est une grande habileté que de savoir cacher son habileté.
- Il y a dans la jalousie plus d'amour-propre que d'amour.

Noël Hallé (1711-1781), *Saint Vincent de Paul prêchant*, 1761.

EXERCICE 4 ••

1. Définissez les circonstances dans lesquelles cette oraiso[n] funèbre a été prononcée : lieu, date, émetteur, destinataire[s]. Quelle est l'intention de ce type de discours ?
2. Repérez les procédés de l'éloquence présents dans cett[e] oraison : champ lexical du tragique, anaphore, question oratoire, énumération, exclamation, apostrophe, hyperbole[.]
3. Comment le tableau met-il l'orateur en valeur ? Quel[s] aspects de l'art oratoire souligne-t-il ?

> Nous devrions être assez convaincus de notre néant
> mais s'il faut des coups de surprise à nos cœurs enchan-
> tés de l'amour du monde, celui-ci est assez grand e[t]
> terrible.
> 5 Ô nuit désastreuse ! ô nuit effroyable, où retentit tou[t]
> à coup, comme un éclat de tonnerre, cette étonnant[e]
> nouvelle : Madame[1] se meurt ! Madame est morte ! Qu[i]
> de nous ne se sentit frappé à ce coup, comme si quelqu[e]
> tragique accident avait désolé sa famille ? Au premie[r]
> 10 bruit d'un mal si étrange, on accourut à Saint-Cloud d[e]
> toutes parts ; on trouve tout consterné, excepté le cœu[r]
> de cette princesse. Partout on entend des cris ; partou[t]
> on voit la douleur et le désespoir, et l'image de la mort[.]
> Le Roi, la Reine, Monsieur[2], toute la cour, tout le peuple[,]
> 15 tout est abattu, tout est désespéré.
>
> **Bossuet**, *Oraison funèbre d'Henriette
> d'Angleterre*, prononcée le 21 août 1670[.]

1. Madame : Henriette d'Angleterre, épouse du frère du roi Louis XIV[,] morte brutalement à vingt-six ans. 2. Monsieur : le frère du roi.

EXERCICE 5 ●●●

1. Résumez en une phrase l'opinion défendue par Orgon dans sa réplique. Quel synonyme pourrait-on donner à l'expression « gens de bien » ?

2. Quels arguments Cléante oppose-t-il à Orgon ?

3. À quel idéal du XVIIᵉ siècle le dernier vers de la tirade renvoie-t-il ? Justifiez votre réponse.

Orgon, dupé par Tartuffe qui a gagné sa confiance en prenant l'apparence d'un croyant sincère, découvre enfin son hypocrisie. Cléante, son beau-frère, tente de le raisonner.

ORGON

Quoi ! sous un beau semblant de ferveur si touchante
Cacher un cœur si double, une âme si méchante !
Et moi qui l'ai reçu gueusant[1] et n'ayant rien…
C'en est fait, je renonce à tous les gens de bien :
5 J'en aurai désormais une horreur effroyable
Et m'en vais devenir pour eux pire qu'un diable.

CLÉANTE

Hé bien ! ne voilà pas de vos emportements !
Vous ne gardez en rien les doux tempéraments ;
Dans la droite raison jamais n'entre la vôtre,
10 Et toujours d'un excès vous vous jetez dans l'autre.
Vous voyez votre erreur, et vous avez connu
Que par un zèle[2] feint vous étiez prévenu ;
Mais, pour vous corriger, quelle raison demande
Que vous alliez passer dans une erreur plus grande,
15 Et qu'avecque le cœur d'un perfide vaurien
Vous confondiez les cœurs de tous les gens de bien ?
Quoi ! parce qu'un fripon vous dupe avec audace
Sous le pompeux éclat d'une austère grimace,
Vous voulez que partout on soit fait comme lui,
20 Et qu'aucun vrai dévot[3] ne se trouve aujourd'hui ?
Laissez aux libertins ces sottes conséquences,
Démêlez la vertu d'avec ses apparences,
Ne hasardez jamais votre estime trop tôt,
Et soyez pour cela dans le milieu qu'il faut.

MOLIÈRE, *Tartuffe ou l'Imposteur*, Acte V, scène 1, 1664.

1. gueusant : ayant l'apparence d'un mendiant, d'un gueux.
2. zèle : ferveur, exaltation. 3. dévot : croyant sincère, fervent.

LA QUERELLE DU GOÛT

EXERCICE 6 ●

Associez à chaque auteur classique le modèle dont il s'est inspiré pour écrire ses œuvres.

Liste A	Liste B
• Aristophane	• Boileau
• Juvénal	• La Bruyère
• Sophocle	• La Fontaine
• Théophraste	• Molière
• Ésope	• Racine

EXERCICE 7 ●

1. Quelles sont les principales règles du théâtre classique rappelées par Boileau dans les vers suivants ?

2. Sur quel contre-exemple appuie-t-il son argumentation ? Dans quel but ?

Que le lieu de la scène y soit fixe et marqué.
Un rimeur, sans péril, delà les Pyrénées[1],
Sur la scène en un jour renferme des années.
Là, souvent, le héros d'un spectacle grossier,
5 Enfant au premier acte, est barbon[2] au dernier.
Mais nous, que la raison à ses règles engage,
Nous voulons qu'avec art l'action se ménage ;
Qu'en un lieu, qu'en un jour, un seul fait accompli
Tienne jusqu'à la fin le théâtre rempli.
10 Jamais au spectateur n'offrez rien d'incroyable
Le vrai peut quelquefois n'être pas vraisemblable.
Une merveille absurde est pour moi sans appas :
L'esprit n'est point ému de ce qu'il ne croit pas.
Ce qu'on ne doit point voir, qu'un récit nous l'expose :
15 Les yeux en le voyant saisiront mieux la chose ;
Mais il est des objets que l'art judicieux
Doit offrir à l'oreille et reculer des yeux.

NICOLAS BOILEAU, *Art poétique*, 1674.

1. delà les Pyrénées : en Espagne. 2. barbon : vieillard.

EXERCICE 8 ●●

1. Sur quelle règle du théâtre Corneille s'interroge-t-il dans le texte suivant ?

2. Quelles difficultés l'application de la règle soulève-t-elle ?

3. Sur quel argument d'autorité la justification de la règle repose-t-elle ? Quelle conclusion Corneille en tire-t-il ?

La règle de l'unité de jour a son fondement sur ce mot d'Aristote, que la tragédie doit renfermer la durée de son action dans un tour du soleil, ou tâcher de ne le passer pas de beaucoup. Ces paroles donnent lieu à cette dispute fameuse, si elles doivent être entendues d'un jour naturel de vingt-quatre heures, ou d'un jour artificiel de douze : ce sont deux opinions dont chacune a des partisans considérables ; et pour moi, je trouve qu'il y a des sujets si malaisés à renfermer en si peu de temps, que non seulement je leur accorderais les vingt-quatre heures entières, mais je me servirais même de la licence que donne ce philosophe de les excéder un peu, et les pousserais sans scrupule jusqu'à trente. […] Beaucoup déclament contre cette règle, qu'ils nomment tyrannique, et auraient raison, si elle n'était fondée que sur l'autorité d'Aristote ; mais ce qui la doit faire accepter, c'est la raison naturelle qui lui sert d'appui. Ainsi ne nous arrêtons point ni aux douze, ni aux vingt-quatre heures ; mais resserrons l'action du poème dans la moindre durée qu'il nous sera possible, afin que sa représentation ressemble mieux et soit plus parfaite.

PIERRE CORNEILLE, *Discours des trois unités d'action,*
de jour, et de lieu, 1660.

EXERCICES

EXERCICE 9 •••

1. Reformulez les deux thèses en présence.
2. Quels arguments Perrault apporte-t-il ? Quels arguments La Fontaine lui oppose-t-il ?
3. Entraînement au commentaire. Vous expliquerez, sous la forme d'un paragraphe rédigé, ce qui oppose au XVIIe siècle les partisans des « Anciens » à ceux qui vantent les mérites des « Modernes ». Vous illustrerez votre réponse au moyen de ces deux textes.

Texte A

La belle Antiquité fut toujours vénérable ;
Mais je ne crus jamais qu'elle fût adorable.
Je vois les Anciens sans plier les genoux,
Ils sont grands, il est vrai, mais hommes comme nous ;
5 Et l'on peut comparer sans craindre d'être injuste,
Le Siècle de Louis[1] au beau Siècle d'Auguste[2].

CHARLES PERRAULT, *Parallèle des anciens et des modernes en ce qui regarde les arts et les sciences*, 1688-1692.

1. Le siècle de Louis : le XVIIe siècle.
2. Auguste : empereur romain, au Ier siècle.

Texte B

Mon imitation n'est point un esclavage :
Je ne prends que l'idée, et les tours et les lois,
Que nos maîtres suivaient eux-mêmes autrefois.
Si d'ailleurs quelque endroit plein chez eux d'excellence,
5 Peut entrer dans mes vers sans nulle violence,
Je l'y transporte, et veux qu'il n'ait rien d'affecté,
Tâchant de rendre mien cet air d'antiquité.

JEAN DE LA FONTAINE, *Épître à Mgr de Soisson*, 1687.

LA CRITIQUE DES MŒURS

EXERCICE 10 •

1. Associez chacune des morales suivantes à la fable qui convient.
2. Quels défauts de ses contemporains La Fontaine prend-il pour cible ?

Morales
• Le monde est plein de gens qui ne sont pas plus sages :
Tout bourgeois veut bâtir comme les grands seigneurs,
Tout petit prince a des ambassadeurs,
Tout marquis veut avoir des pages.
• Il n'est, je le vois bien, si poltron sur la Terre,
Qui ne puisse trouver un plus poltron que soi.
• La raison du plus fort est toujours la meilleure.
• Chacun a son défaut où toujours il revient.
Honte ni peur n'y remédie.

Titres
• La Grenouille qui veut se faire aussi grosse que le Bœuf
• Le Lièvre et les Grenouilles
• L'ivrogne et sa femme
• Le Loup et l'Agneau

EXERCICE 11 ••

1. Quelle est la cible visée par le satiriste ?
2. Retrouvez les caractéristiques de la satire : défauts mi en évidence, versification, tonalité comique.

Tout conspire à la fois à troubler mon repos,
Et je me plains ici du moindre de mes maux :
Car à peine les coqs, commençant leur ramage[1],
Auront des cris aigus frappé le voisinage
5 Qu'un affreux serrurier, laborieux Vulcain[2],
Qu'éveillera bientôt l'ardente soif du gain,
Avec un fer maudit, qu'à grand bruit il apprête,
De cent coups de marteau me va fendre la tête.
J'entends déjà partout les charrettes courir,
10 Les maçons travailler, les boutiques s'ouvrir :
Tandis que dans les airs mille cloches émues
D'un funèbre concert font retentir les nues .

NICOLAS BOILEAU, *Satires*, 1666

1. ramage : chant des oiseaux.
2. Vulcain : dieu des Enfers dans l'Antiquité.

EXERCICE 12 •••

1. Relevez les différentes étapes du récit conté dans la fable
2. Quels défauts des hommes la morale met-elle en évidence ?
3. Entraînement à la dissertation. Rédigez un paragraphe dans lequel vous expliquerez quel est le rôle de la fable pour le moraliste.

Un homme qui s'aimait sans avoir de rivaux
Passait dans son esprit pour le plus beau du monde :
Il accusait toujours les miroirs d'être faux,
Vivant plus que content dans son erreur profonde.
5 Afin de le guérir, le sort officieux
        Présentait partout à ses yeux
Les conseillers muets dont se servent nos dames :
Miroirs dans les logis, miroirs chez les marchands,
        Miroirs aux poches des galants,
10   Miroirs aux ceintures des femmes.
Que fait notre Narcisse ? Il se va confiner
Aux lieux les plus cachés qu'il peut s'imaginer,
N'osant plus des miroirs éprouver l'aventure.
Mais un canal, formé par une source pure,
15   Se trouve en ces lieux écartés :
Il s'y voit, il se fâche, et ses yeux irrités
Pensent apercevoir une chimère vaine.
Il fait tout ce qu'il peut pour éviter cette eau ;
        Mais quoi, le canal est si beau
20   Qu'il ne le quitte qu'avec peine.

        On voit bien où je veux venir.
Je parle à tous ; et cette erreur extrême
Est un mal que chacun se plaît d'entretenir.
Notre âme, c'est cet homme amoureux de lui-même ;
25 Tant de miroirs, ce sont les sottises d'autrui,
Miroirs, de nos défauts les peintres légitimes ;
        Et quant au canal, c'est celui
        Que chacun sait, le livre des Maximes.

JEAN DE LA FONTAINE, « L'Homme et son image », I, 11, 1688.

QUESTIONS

ANALYSE ▶

1. Quel personnage type Théodecte représente-t-il dans ce caractère ? Est-il propre au XVIIᵉ siècle ou le portrait reste-t-il actuel ?

2. Quelles sont les caractéristiques de Théodecte ? Quelles conséquences son attitude a-t-elle sur son entourage ?

3. Comment le moraliste se met-il lui-même en scène dans le texte ? Analysez l'évolution de son attitude.

ENTRAÎNEMENT À L'ÉCRITURE D'INVENTION ▶

Sur le modèle de La Bruyère, vous écrirez le portrait d'un « caractère du XXIᵉ siècle » dont vous ferez la satire :
– vous lui attribuerez un nom fictif ;
– vous le placerez dans une situation représentative ;
– vous décrirez son comportement et les réactions qu'il provoque.

J'entends Théodecte de l'antichambre ; il grossit sa voix à mesure qu'il s'approche. Le voilà entré : il rit, il crie, il éclate[1] ; on bouche ses oreilles, c'est un tonnerre. Il n'est pas moins redoutable par les choses qu'il dit que par le ton dont il parle. Il ne s'apaise et ne revient de ce
5 grand fracas que pour bredouiller des vanités et des sottises. Il a si peu d'égard au temps, aux personnes, aux bienséances, que chacun a son fait sans qu'il ait eu l'intention de le lui donner ; il n'est pas encore assis qu'il a, à son insu, désobligé toute l'assemblée. A-t-on servi, il se met le premier à table et dans la première place ; les femmes sont
10 à sa droite et à sa gauche. Il mange, il boit, il conte, il plaisante, il interrompt tout à la fois. Il n'a nul discernement des personnes, ni du maître, ni des conviés ; il abuse de la folle déférence que l'on a pour lui. Est-ce lui, est-ce Euthydème qui donne le repas ? Il rappelle à soi toute l'autorité de la table, et il y a un moindre inconvénient à la lui
15 laisser entière qu'à la lui disputer. Le vin et les viandes n'ajoutent rien à son caractère. Si l'on joue, il gagne au jeu ; il veut railler[2] celui qui perd, et il l'offense ; les rieurs sont pour lui ; il n'y a sorte de fatuités qu'on ne lui passe[3]. Je cède enfin et je disparais, incapable de souffrir[4] plus longtemps Théodecte, et ceux qui le souffrent.

JEAN DE LA BRUYÈRE, *Les Caractères*, 1688.

1. il éclate : il parle très fort.

2. railler : se moquer gentiment.

3. de fatuités qu'on ne lui passe : de prétentions qu'on ne lui pardonne.

4. souffrir : supporter.

Les genres de l'argumentation au XVIIIe siècle

Au XVIIIe siècle, les écrivains renouvellent les genres et les formes de l'argumentation pour les mettre au service du combat des Lumières. Cette remise en cause conduit, en 1789, à la Révolution française.

OBSERVATION

- L'argumentation directe
- Les formes de l'argumentation indirecte
- Le discours politique

Texte A – L'article d'encyclopédie

AUTORITÉ POLITIQUE. Aucun homme n'a reçu de la nature le droit de commander aux autres. La liberté est un présent du ciel, et chaque individu de la même espèce a le droit d'en jouir aussitôt qu'il jouit de la raison. Si la nature a établi quelque *autorité*, c'est la puissance paternelle : mais la puissance paternelle a ses bornes ; et dans l'état de nature elle finirait aussitôt que les enfants seraient en état de se conduire. Toute autre *autorité* vient d'une autre origine que de la nature.

DENIS DIDEROT, article « Autorité politique », *Encyclopédie*, 1751

Texte B – Le conte philosophique

Ils traversèrent ainsi toute la Germanie[1] ; ils admirèrent les progrès que la raison et la philosophie faisaient dans le Nord : tous les princes y étaient instruits, tous autorisaient la liberté de penser ; leur éducation n'avait point été confiée à des hommes qui eussent intérêt de les tromper, ou qui fussent trompés eux-mêmes : on les avait élevés dans la connaissance de la morale universelle, et dans le mépris des superstitions.

VOLTAIRE, *La Princesse de Babylone*, 1768

Texte C – Le discours politique

Ô mes chers concitoyens ! Serions-nous donc avilis à ce point que de nous prosterner devant de telles divinités[2] ? Non, la liberté cette liberté descendue du ciel, ce n'est point une nymphe de l'Opéra[3] ce n'est point un bonnet rouge, une chemise sale ou des haillons. La liberté, c'est le bonheur, c'est la raison, c'est l'égalité, c'est la justice, c'est la déclaration des droits, c'est votre sublime constitution !

CAMILLE DESMOULINS, article paru dans *Le Vieux Cordelier* en décembre 1793

1. la Germanie : allusion aux principautés allemandes, que Voltaire trouve plus libérales que la France.

2. de telles divinités : Robespierre a imposé un « culte de la Raison » pour remplacer les religions qu'il a fait interdire.

3. nymphe de l'Opéra : cantatrice.

QUESTIONS

1. Analysez la situation d'argumentation des textes A, B et C.
2. Résumez en une phrase la thèse défendue dans chacun des textes. Quelle est la préoccupation commune aux trois auteurs ?
3. Les idéaux des Lumières se sont-ils finalement imposés ? Quels dangers le texte C souligne-t-il ?

1 Les formes de l'argumentation directe

Les écrivains explorent tous les genres argumentatifs qui leur permettent de remettre en cause le pouvoir royal et l'intolérance de l'Église.

GENRES ARGUMENTATIFS	EXPLICATION	EXEMPLES
L'essai	Il permet d'exposer une réflexion personnelle. La thèse défendue peut être développée sous de multiples formes : lettre ouverte, discours, traité, pensées, etc.	Montesquieu, *De l'esprit des lois* ; Diderot, *Lettre sur les aveugles* ; Rousseau, *Discours sur les sciences*.
L'article d'encyclopédie	Il détruit les erreurs et les préjugés en communiquant des connaissances et en proposant un point de vue critique sur l'ensemble des sujets.	L'*Encyclopédie* dirigée par Diderot et d'Alembert réunit plus de 150 auteurs.
Le pamphlet	Écrit bref, il attaque de manière violente une personne ou une institution. Son ton est polémique : l'auteur utilise la moquerie, l'ironie ou le sarcasme.	Les pamphlets de Voltaire contre les adversaires des Lumières.
Le plaidoyer	L'auteur reprend les principes du discours judiciaire pour prendre la défense d'un condamné dont il prouve l'innocence.	Voltaire prend la défense de victimes du fanatisme religieux comme Jean Calas ou le chevalier de La Barre.

2 Les formes de l'argumentation indirecte

Pour rallier à leurs idées un public toujours plus grand, les philosophes exploitent tous les genres littéraires.

■ **Le roman épistolaire.** En échangeant des lettres, les personnages échangent également des idées. Leur point de vue permet à l'auteur d'exercer un regard critique sur ses contemporains. Montesquieu, dans les *Lettres persanes*, passe par le regard de voyageurs persans pour remettre en cause les préjugés de la société française.

■ **Le conte philosophique.** C'est un récit plein d'aventures dans lequel le héros, au gré de ses voyages, découvre l'injustice et la cruauté des hommes. Zadig, Candide, Micromégas sont les porte-parole de Voltaire auprès du lecteur.

■ **Les dialogues.** L'auteur fait dialoguer des personnages qui exposent des points de vue différents sur des préoccupations politiques, esthétiques ou philosophiques. Le lecteur du dialogue devient le destinataire des thèses de l'auteur.

3 Le discours politique

Avec la Révolution française, en 1789, les députés confrontent leurs idées à la tribune des assemblées. Ces « tribuns » s'imposent à travers leur force de persuasion.

■ **Les objectifs du discours politique.** Le discours politique s'inspire des genres oratoires de l'Antiquité : il reprend les principes du discours judiciaire, en attaquant des adversaires ou en défendant des partisans ; il s'inspire aussi du discours délibératif, en exposant les arguments qui incitent à prendre une décision pour le bien général.

→ Robespierre, Mirabeau, Saint-Just ou Marat rallient leurs partisans à l'Assemblée, dans les journaux, ou en interpellant le peuple dans les jardins du Palais-Royal.

■ **La parole en action.** Le discours politique s'appuie aussi sur l'éloquence. Il s'inspire des règles de la rhétorique pour mettre en valeur les idées défendues à travers la personnalité de l'orateur et entraîner l'adhésion de l'auditoire.

LE COMBAT DES LUMIÈRES ET L'ARGUMENTATION

EXERCICE 1 •

Indiquez, pour chacune des formes d'argumentation suivantes, si elles sont directes ou indirectes.

lettre – dialogue théâtral – pamphlet – conte philosophique – réquisitoire – fable – essai – article de l'*Encyclopédie* – discours politique – dialogue romanesque – tribune de presse – roman épistolaire – plaidoyer – dialogue philosophique

EXERCICE 2 •

1. Quelle est la thèse défendue par Rousseau ? Sur quelle métaphore repose le discours ?
2. Quels arguments développe Rousseau pour évoquer le mouvement des Lumières ?
3. Commentez la dernière phrase de l'extrait.

C'est un grand et beau spectacle de voir l'homme sorti en quelque manière du néant par ses propres efforts dissiper, par les lumières de sa raison, les ténèbres dans lesquelles la nature l'avait enveloppé ; s'élever au-dessus de
5 soi-même ; s'élancer par l'esprit jusque dans les régions célestes ; parcourir à pas de géant ainsi que le Soleil la vaste étendue de l'Univers ; et, ce qui est plus grand et plus difficile, rentrer en soi pour y étudier l'homme et connaître sa nature, ses devoirs et sa fin[1]. Toutes ces mer-
10 veilles se sont renouvelées depuis peu de générations.

JEAN-JACQUES ROUSSEAU, *Discours sur les sciences et les arts*, 1750.

1. sa fin : son rôle sur la Terre.

EXERCICE 3 ••

1. Repérez la définition donnée de l'esprit philosophique. Dans quels domaines celui-ci s'applique-t-il ?
2. Par quelle mise en garde Jaucourt termine-t-il son article ?

PHILOSOPHIQUE, esprit (*Morale.*) L'esprit *philosophique* est un don de la nature perfectionné par le travail, par l'art, et par l'habitude, pour juger sainement de toutes choses. Quand on possède cet esprit supérieure-
5 ment, il produit une intelligence merveilleuse, la force du raisonnement, un goût sûr et réfléchi de ce qu'il y a de bon ou de mauvais dans le monde ; c'est la règle du vrai et du beau. Il n'y a rien d'estimable, dans les différents ouvrages qui sortent de la main des hommes, que ce qui
10 est animé de cet esprit. De lui dépend en particulier la gloire des belles-lettres. [...]

Qu'on bannisse les Arts et les Sciences, on bannira cet *esprit philosophique* qui les produit ; dès lors on ne verra plus personne capable d'enfanter l'excellence ; et
15 les lettres avilies[1] languiront dans l'obscurité.

LOUIS DE JAUCOURT, article « Esprit philosophique », *Encyclopédie*, 1751-1766.

1. avilies : salies, amoindries.

EXERCICE 4 ••

1. Quelle est la cible de Voltaire dans cet extrait de pamphlet ? Repérez son champ lexical.
2. Comment l'ironie de l'auteur s'exerce-t-elle ? Montrez que le raisonnement par l'absurde dénonce l'intolérance.

Pour l'édification des fidèles[1] et pour le bien de leur âmes, nous leur défendons de jamais lire aucun livre sous peine de damnation éternelle. Et, de peur que la
5 tentation diabolique ne leur prenne de s'instruire, nous défendons aux pères et aux mères d'enseigner à lire leurs enfants. Et, pour prévenir toute contravention à notre ordonnance, nous leur défendons expressément de penser, sous les mêmes peines.

VOLTAIRE, *De l'horrible danger de la lecture*, 1765.

1. fidèles : Voltaire fait parler un religieux.

EXERCICE 5 •••

1. À travers quels arguments le premier paragraphe dénonce-t-il l'injustice du jugement prononcé ?
2. Relevez ce qui attire la pitié du lecteur en inscrivant le plaidoyer dans une tonalité pathétique.
3. Quelle opposition Voltaire met-il en place dans le dernier paragraphe ?

Il était évident que, si le parricide avait pu être commis, tous les accusés étaient également coupables, parce qu'ils ne s'étaient pas quittés d'un moment ; il était évident qu'ils ne l'étaient pas ; il était évident que le père
5 seul ne pouvait l'être ; et cependant l'arrêt condamna ce père seul à expirer sur la roue[1]. [...]

On enleva les filles à la mère ; elles furent enfermées dans un couvent. Cette femme, presque arrosée du sang de son mari, ayant tenu son fils aîné mort entre ses bras,
10 voyant l'autre banni, privée de ses filles, dépouillée de tout son bien, était seule dans le monde, sans pain, sans espérance, et mourante de l'excès de son malheur. Quelques personnes, ayant examiné mûrement toutes les circonstances de cette aventure horrible, en furent
15 si frappées qu'elles firent presser la dame Calas, retirée dans une solitude, d'oser venir demander justice au pied du trône. Elle ne pouvait pas alors se soutenir, elle s'éteignait ; et d'ailleurs, étant née Anglaise, transplantée dans une province de France dès son jeune âge, le nom seul de
20 la ville de Paris l'effrayait. Elle s'imaginait que la capitale du royaume devait être encore plus barbare que celle du Languedoc. Enfin le devoir de venger la mémoire de son mari l'emporta sur sa faiblesse. Elle arriva à Paris prête d'expirer. Elle fut étonnée d'y trouver de l'accueil, des
25 secours, et des larmes.

La raison l'emporte à Paris sur le fanatisme, quelque grand qu'il puisse être, au lieu qu'en province le fanatisme l'emporte presque toujours sur la raison.

VOLTAIRE, *Traité sur la tolérance*, 1763.

1. expirer sur la roue : supplice où le condamné, attaché sur une roue, était frappé par le bourreau.

LES FORMES DE L'ARGUMENTATION INDIRECTE

EXERCICE 6 ••

1. Quelles caractéristiques du conte retrouve-t-on dans ces premières lignes de *Candide* ?
2. Repérez les différents personnages du récit. Quel défaut ou qualité chacun présente-t-il ?
3. Identifiez les personnages représentés sur l'illustration. Quels détails de l'image soulignent la fin de cette période de bonheur pour Candide ?

Il y avait en Westphalie, dans le château de M. le baron de Thunder-ten-tronckh, un jeune garçon à qui la nature avait donné les mœurs les plus douces. Sa physionomie annonçait son âme. Il avait le jugement assez droit, avec
5 l'esprit le plus simple ; c'est, je crois, pour cette raison qu'on le nommait Candide. […]

Monsieur le baron était un des plus puissants seigneurs de la Westphalie, car son château avait une porte et des fenêtres. Sa grande salle même était ornée d'une
10 tapisserie. Tous les chiens de ses basses-cours composaient une meute dans le besoin ; ses palefreniers étaient ses piqueurs ; le vicaire du village était son grand aumônier. Ils l'appelaient tous monseigneur, et ils riaient quand il faisait des contes.
15 Madame la baronne, qui pesait environ trois cent cinquante livres, s'attirait par là une très grande considération, et faisait les honneurs de la maison avec une dignité qui la rendait encore plus respectable. Sa fille Cunégonde, âgée de dix-sept ans, était haute en couleur,
20 fraîche, grasse, appétissante. Le fils du baron paraissait en tout digne de son père. Le précepteur Pangloss était l'oracle de la maison, et le petit Candide écoutait ses leçons avec toute la bonne foi de son âge et de son caractère.

VOLTAIRE, *Candide ou l'Optimisme*, 1759.

■ Candide est chassé du château de Thunder-ten-tronckh.

EXERCICE 7 ••

1. Repérez les marques de l'épistolaire dans ce texte.
2. Quels sont les sujets d'étonnement de Rica ? Quelles critiques apporte-t-il sur la vie parisienne ?
3. Derrière le Persan, qui apporte un regard amusé sur ses contemporains ? Quel est l'intérêt pour le lecteur du XVIIIᵉ siècle de ce regard étranger ?

Rica à Ibben, à Smyrne.

Nous sommes à Paris depuis un mois, et nous avons toujours été dans un mouvement continuel. Il faut bien des affaires avant qu'on soit logé, qu'on ait trouvé les gens à qui on est adressé, et qu'on se soit pourvu des
5 choses nécessaires, qui manquent toutes à la fois.

Paris est aussi grand qu'Ispahan[1]. Les maisons y sont si hautes qu'on jurerait qu'elles ne sont habitées que par des astrologues. Tu juges bien qu'une ville bâtie en l'air, qui a six ou sept maisons les unes sur les autres, est
10 extrêmement peuplée, et que, quand tout le monde est descendu dans la rue, il s'y fait un bel embarras.

Tu ne le croirais pas peut-être : depuis un mois que je suis ici, je n'y ai encore vu marcher personne. Il n'y a point de gens au monde qui tirent mieux parti de leur
15 machine[2] que les Français : ils courent ; ils volent. Les voitures lentes d'Asie, le pas réglé de nos chameaux, les feraient tomber en syncope. Pour moi, qui ne suis point fait à ce train, et qui vais souvent à pied sans changer d'allure, j'enrage quelquefois comme un chrétien : car encore
20 passe qu'on m'éclabousse depuis les pieds jusqu'à la tête ; mais je ne puis pardonner les coups de coude que je reçois régulièrement et périodiquement. Un homme qui vient après moi, et qui me passe, me fait faire un demi-tour, et un autre, qui me croise de l'autre côté, me remet soudain
25 où le premier m'avait pris ; et je n'ai pas fait cent pas, que je suis plus brisé que si j'avais fait dix lieues.

Ne crois pas que je puisse, quant à présent, te parler à fond des mœurs et des coutumes européennes : je n'en ai moi-même qu'une légère idée, et je n'ai eu à peine que
30 le temps de m'étonner.

Le roi de France est le plus puissant prince de l'Europe. Il n'a point de mines d'or comme le roi d'Espagne son voisin ; mais il a plus de richesses que lui, parce qu'il les tire de la vanité de ses sujets, plus inépuisable que
35 les mines. […]

Je continuerai à t'écrire, et je t'apprendrai des choses bien éloignées du caractère et du génie persan. C'est bien la même terre qui nous porte tous deux ; mais les hommes du pays où je vis, et ceux du pays où tu es, sont
40 des hommes bien différents.

De Paris, le 4 de la lune de Rebiab, 2, 1712.

MONTESQUIEU, *Lettres persanes*, 1721.

1. Ispahan : ville de Perse.
2. leur machine : leur corps.

L'ARGUMENTATION AU POUVOIR

EXERCICE 8 ●●

1. Quels idéaux des Lumières trouve-t-on représentés dans la scène historique saisie par le peintre et dans la chanson populaire ?
2. Comment le peintre met-il en valeur les deux orateurs ? À travers quels détails souligne-t-il l'importance de la scène ?
3. De quelle manière le chansonnier inscrit-il cette scène dans la mémoire collective ?

Joseph-Désiré Court (1796-1865), *Mirabeau et le marquis de Dreux-Brezé*, vers 1830.

Mirabeau, député du tiers état, lance au représentant du roi Louis XVI sa célèbre apostrophe : « Allez dire à votre maître que nous sommes ici par la volonté du peuple et n'en sortirons que par la force des baïonnettes. »

Ah ! ça ira

Ah ! ça ira, ça ira, ça ira !
Par les flambeaux de l'auguste
Assemblée,
Ah ! ça ira, ça ira, ça ira !
Le peuple armé toujours se
gardera.
Le vrai d'avec le faux l'on
connaîtra,
Le citoyen pour le bien soutiendra.
Ah ! ça ira, ça ira, ça ira !
Quand l'aristocrate
protestera,
Le bon citoyen au nez lui rira.

Ladré, « Ah ! ça ira », 1790.

EXERCICE 9 ●●●

1. Quel est le thème de ce discours ? Quelle est la thèse défendue ? Relevez les arguments apportés.
2. Pourquoi Robespierre peut-il être considéré dans ce discours comme un continuateur des Lumières ?
3. Pourquoi peut-on dire que l'orateur est éloquent ?

Messieurs,

Après la faculté de penser, celle de communiquer ses pensées à ses semblables, est l'attribut le plus frappant qui distingue l'homme de la brute. Elle est tout à la fois
5 le signe de la vocation immortelle de l'homme à l'état social, le lien, l'âme, l'instrument de la société, le moyen unique de la perfectionner, d'atteindre le degré de puissance, de lumières et de bonheur dont il est susceptible.

Qu'il les communique par la parole, par l'écriture
10 ou par l'usage de cet art heureux[1] qui a reculé si loin les bornes de son intelligence, et qui assure à chaque homme les moyens de s'entretenir avec le genre humain tout entier, le droit qu'il exerce est toujours le même, et la liberté de la presse ne peut être distinguée de la liberté
15 de la parole ; l'une et l'autre est sacrée comme la nature ; elle est nécessaire comme la société elle-même.

Par quelle fatalité les lois se sont-elles donc presque partout appliquées à la violer ? C'est que les lois étaient l'ouvrage des despotes, et que la liberté de la presse est
20 le plus redoutable fléau du despotisme. Comment expliquer en effet le prodige de plusieurs millions d'hommes opprimés par un seul, si ce n'est par la profonde ignorance et par la stupide léthargie[2] où ils sont plongés ? Mais que tout homme qui a conservé le sentiment de
25 dignité puisse dévoiler les vues perfides et la marche tortueuse de la tyrannie ; qu'il puisse opposer sans cesse les droits de l'humanité aux attentats qui les violent, la souveraineté des peuples à leur avilissement et à leur misère ; que l'innocence opprimée puisse faire entendre
30 impunément sa voix redoutable et touchante, et la vérité rallier tous les esprits et tous les cœurs, aux noms sacrés de liberté et de patrie ; alors l'ambition trouve partout des obstacles, et le despotisme est contraint de reculer à chaque pas ou de venir se briser contre la force invin-
35 cible de l'opinion publique et de la volonté générale.

Aussi voyez-vous avec quelle artificieuse politique les despotes se sont ligués contre la liberté de parler et d'écrire ; voyez le farouche inquisiteur la poursuivre au nom du ciel, et les princes au nom des lois qu'ils ont
40 faites eux-mêmes pour protéger leurs crimes. Secouons le joug des préjugés auxquels ils nous ont asservis, et apprenons d'eux à connaître tout le prix de la liberté de la presse.

Maximilien de Robespierre, *Discours sur la liberté de la presse*, 1791.

1. cet art heureux : l'imprimerie.
2. léthargie : sommeil.

QUESTIONS

ANALYSE ▶
1. Quelles caractéristiques du conte retrouve-t-on dans ce début de *Zadig* ?
2. Quels défauts des hommes les qualités du héros soulignent-elles par contraste ?
3. Quel portrait du philosophe des Lumières Voltaire propose-t-il au lecteur à travers le personnage de Zadig ?

ENTRAÎNEMENT À ▶
LA DISSERTATION
On a souvent qualifié l'*Encyclopédie* de Diderot de « machine de guerre » au service des Lumières. Montrez comment l'ensemble des genres argumentatifs est mis au service de ce combat au XVIIIe siècle.
Vous répondrez sous la forme de deux paragraphes argumentés. Vous illustrerez votre réponse au moyen des extraits proposés dans le chapitre ainsi que de vos connaissances personnelles.

Du temps du roi Moabdar il y avait à Babylone un jeune homme nommé Zadig, né avec un beau naturel fortifié par l'éducation. Quoique riche et jeune, il savait modérer ses passions ; il n'affectait rien[1] ; il ne voulait point toujours avoir raison, et savait respecter la
5 faiblesse des hommes. On était étonné de voir qu'avec beaucoup d'esprit il n'insultât jamais par des railleries[2] à ces propos si vagues, si rompus, si tumultueux, à ces médisances téméraires, à ces décisions ignorantes, à ces turlupinades grossières, à ce vain bruit de paroles, qu'on appelait conversation dans Babylone. Il avait appris, dans le
10 premier livre de Zoroastre, que l'amour-propre est un ballon gonflé de vent, dont il sort des tempêtes quand on lui a fait une piqûre. Zadig surtout ne se vantait pas de mépriser les femmes et de les subjuguer. Il était généreux ; il ne craignait point d'obliger[3] des ingrats, suivant ce grand précepte de Zoroastre, *Quand tu manges, donne à manger aux*
15 *chiens, dussent-ils te mordre.* Il était aussi sage qu'on peut l'être ; car il cherchait à vivre avec des sages. Instruit dans les sciences des anciens Chaldéens, il n'ignorait pas les principes physiques de la nature, tels qu'on les connaissait alors, et savait de la métaphysique ce qu'on en a su dans tous les âges, c'est-à-dire fort peu de chose. Il était fermement
20 persuadé que l'année était de trois cent soixante et cinq jours et un quart, malgré la nouvelle philosophie de son temps, et que le soleil était au centre du monde ; et quand les principaux mages lui disaient, avec une hauteur insultante, qu'il avait de mauvais sentiments, et que c'était être ennemi de l'État que de croire que le soleil tournait sur
25 lui-même, et que l'année avait douze mois, il se taisait sans colère et sans dédain.

VOLTAIRE, *Zadig*, 1748.

1. n'affectait : ne cachait.
2. railleries : moqueries.
3. d'obliger : de rendre service.

SUJET VERS LE BAC

Le sujet comprend :

TEXTE A : Jean de La Fontaine, « Le Lion malade et le Renard », *Fables*, 1668.

TEXTE B : Georges Danton, *Discours au procès de Louis XVI*, janvier 1793.

TEXTE C : Louis de Jaucourt, article « Égalité naturelle », *Encyclopédie*, 1766.

DOCUMENT ICONOGRAPHIQUE : *Marie-Antoinette* de Sofia Coppola, 2006.

OBJET D'ÉTUDE : Genres et formes de l'argumentation : XVIIᵉ et XVIIIᵉ siècles.

TEXTE A

Jean de La Fontaine, « Le Lion malade et le Renard ».

De par le Roi des Animaux,
Qui dans son antre était malade,
Fut fait savoir à ses vassaux[1]
Que chaque espèce en ambassade
5   Envoyât gens le visiter,
Sous promesse de bien traiter
Les Députés, eux et leur suite,
Foi de Lion très bien écrite.
Bon passeport contre la dent ;
10   Contre la griffe tout autant.
L'Édit du Prince[2] s'exécute.
De chaque espèce on lui député.
Les Renards gardant la maison,
Un d'eux en dit cette raison :
15   « Les pas empreints sur la poussière
Par ceux qui s'en vont faire au malade leur cour,
Tous, sans exception, regardent sa tanière ;
Pas un ne marque de retour.
Cela nous met en méfiance.
20   Que Sa Majesté nous dispense.
Grand merci de son passeport.
Je le crois bon ; mais dans cet antre
Je vois fort bien comme l'on entre,
Et ne vois pas comme on en sort. »

JEAN DE LA FONTAINE, « Le Lion malade et le Renard », 14, VI, *Fables*, 1668.

1. vassaux : les seigneurs dépendant du roi.

2. l'Édit du Prince : le commandement royal.

TEXTE B

Georges Danton, *Discours au procès de Louis XVI*.

Je ne suis point de cette foule d'hommes d'État qui ignorent qu'on ne compose point avec les tyrans, qui ignorent qu'on ne frappe les rois qu'à la tête, qui ignorent qu'on ne doit rien attendre de ceux de l'Europe que par la force de nos armes. Je vote pour la mort du tyran.

GEORGES DANTON, *Discours au procès de Louis XVI*, janvier 1793.

TEXTE C

Louis de Jaucourt, article « Égalité naturelle ».

ÉGALITÉ NATURELLE, (*Droit nat.*) est celle qui est entre tous les hommes par la constitution de leur nature seulement. Cette égalité est le principe et le fondement de la liberté.

L'égalité naturelle ou morale est donc fondée sur la constitution de la nature humaine commune à tous les hommes ; qui naissent, croissent, subsistent, et meurent de la même manière.

Puisque la nature humaine se trouve la même dans tous les hommes, il est clair que selon le droit naturel, chacun doit estimer et traiter les autres comme autant d'êtres qui lui sont naturellement égaux, c'est-à-dire qui sont hommes aussi bien que lui. […]

Je remarquerai seulement que c'est la violation de ce principe, qui a établi l'esclavage politique et civil. Il est arrivé de-là que, dans les pays soumis au pouvoir arbitraire, les princes, les courtisans, les premiers ministres, ceux qui manient les finances, possèdent toutes les richesses de la nation, pendant que le reste des citoyens n'a que le nécessaire, et que la plus grande partie du peuple gémit dans la pauvreté.

Louis de Jaucourt, article « Égalité naturelle », *Encyclopédie*, 1766.

DOCUMENT ICONOGRAPHIQUE

Marie-Antoinette, film de Sofia Coppola.

Kirsten Dunst incarnant Marie-Antoinette, l'épouse du roi Louis XVI dans *Marie-Antoinette* de Sofia Coppola, 2006.

QUESTIONS

ANALYSE ▶

1. Quelle est la cible commune aux trois textes ? Lequel présente une forme d'argumentation indirecte ? Justifiez votre réponse.

2. Quelle est la thèse défendue par Jaucourt (texte C) ? Quels arguments l'auteur apporte-t-il ? Quelle conclusion l'auteur invite-t-il implicitement à tirer de son argumentation ?

3. Au service de quelle thèse l'éloquence de l'orateur est-elle mise (texte B) ? À travers quel procédé oratoire ?

4. Quelle vision de la monarchie l'image du film apporte-t-elle ? Expliquez comment elle illustre, à sa manière, les débats du siècle des Lumières.

ENTRAÎNEMENT AU COMMENTAIRE ▶

Vous ferez le commentaire du texte A sous la forme de trois paragraphes en vous appuyant sur les pistes de lecture suivantes :
– un récit inquiétant ;
– le miroir de la société des hommes ;
– une morale implicite.

L'argumentation et la question de l'Homme du XVIᵉ au XVIIIᵉ siècle

De l'humanisme au siècle des Lumières, la question de l'Homme est au cœur des genres de l'argumentation. Les écrivains participent à la vie de leur temps en aidant leurs contemporains à réfléchir sur leur propre condition.

OBSERVATION

La passion de la connaissance

L'argumentation au service de la morale

La conquête de la liberté

Texte A

Notre vie, disait Pythagore, ressemble à la grande et populeuse assemblée des Jeux olympiques. Les uns s'y exercent le corps pour en acquérir la gloire des jeux ; d'autres y portent des marchandises à vendre pour le gain. Il en est, et qui ne sont pas les pires, qui ne cherchent d'autre fruit que de regarder comment et pourquoi chaque chose se fait et d'être spectateurs de la vie des autres hommes pour en juger et régler la leur.

MICHEL DE MONTAIGNE, *Essais*, 1580.

Texte B

Le devoir de la comédie étant de corriger les hommes en les divertissant, j'ai cru que, dans l'emploi où je me trouve, je n'avais rien de mieux à faire que d'attaquer par des peintures ridicules les vices de mon siècle.

MOLIÈRE, Premier placet au roi sur la comédie du *Tartuffe*, 1664.

Texte C

Le but d'une encyclopédie est de rassembler les connaissances éparses sur la surface de la Terre, d'en exposer le système général aux hommes avec qui nous vivons, et de le transmettre aux hommes qui viendront après nous ; afin que les travaux des siècles passés n'aient pas été des travaux inutiles pour les siècles qui succéderont ; que nos neveux[1], devenant plus instruits, deviennent en même temps plus vertueux et plus heureux, et que nous ne mourions pas sans avoir bien mérité du genre humain.

DENIS DIDEROT, *Encyclopédie*, 1759.

1. nos neveux : nos descendants.

QUESTIONS

1. Quelles sont les trois catégories d'hommes distinguées par Montaigne (texte A) ? À quelle catégorie se rattache l'humaniste ?

2. Quelle définition Molière donne-t-il de la comédie (texte B) ? Quels sont les deux types d'hommes qu'il oppose dans ce texte ?

3. Résumez en une phrase ce que doit être une encyclopédie pour Diderot. En quoi peut-elle favoriser la conquête de la liberté entreprise par les Lumières ?

1   XVIe siècle : la passion de la connaissance

Au XVIe siècle, les écrivains de la Renaissance mettent à profit les découvertes scientifiques pour placer l'Homme au centre de leurs préoccupations.

■ **La connaissance du monde.** Les humanistes sont passionnés par les grandes découvertes de leur temps : les voyages, l'imprimerie, l'astronomie, l'anatomie, l'architecture. Ils ont ainsi le sentiment de sortir des « ténèbres » du Moyen Âge et de vivre une période de renaissance qu'ils défendent dans leurs écrits :

> → On peut maintenant à volonté faire bombance de lecture, et se rassasier de ces sortes de banquets où, autrefois, pour repaître mon esprit plein d'avidité, j'étais contraint, moi, de ramasser les miettes. (Guillaume Budé)

■ **La connaissance de l'Homme.** Les humanistes trouvent dans la lecture des auteurs de l'Antiquité une leçon de sagesse. En réfléchissant sur eux-mêmes, ils prennent position sur tous les problèmes qui touchent à la formation et à l'épanouissement des individus, comme l'éducation, la religion ou la politique.

2   XVIIe siècle : l'argumentation au service de la morale

Face à l'absolutisme du pouvoir royal, les écrivains s'interrogent sur l'organisation de la société et les rapports qu'y entretiennent les hommes.

■ **Le procès des mœurs.** La figure du roi est au centre de la société. Les écrivains dénoncent les ridicules et les vices des courtisans. Ils critiquent l'ambition des puissants et des militaires, l'hypocrisie des faux dévots, ou l'indifférence des riches à l'égard des plus pauvres :

> → Vos peuples, que vous devriez aimer comme vos enfants, et qui ont été jusqu'ici si passionnés pour vous, meurent de faim. (lettre de Fénelon à Louis XIV)

■ **Un idéal moral.** Les écrivains cherchent à établir des règles de conduite à l'égard de ce qui leur semble juste. Les débats débordent le cadre de l'écrit : conversations animées des salons précieux, sermons éloquents de Bossuet et Fénelon prononcés à l'église, répliques et tirades argumentatives de Corneille et de Molière sur la scène des théâtres. Tous dessinent ainsi la figure idéale de l'honnête homme.

3   XVIIIe siècle : les Lumières et la conquête de la liberté

Au XVIIIe siècle, l'écrivain se présente comme un philosophe qui exerce librement son esprit critique au service de tous les hommes.

■ **Le combat contre l'ignorance.** Les philosophes des Lumières ont pour objectif de transmettre le savoir au plus grand nombre, car il est pour eux la condition d'une vraie liberté. Ils combattent ainsi les préjugés, les superstitions et le fanatisme.

> → Denis Diderot conçoit le projet de l'*Encyclopédie* comme un moyen d'éclairer les hommes en les sortant des ténèbres de l'ignorance.

■ **Le combat contre les injustices.** Les philosophes des Lumières s'attaquent à toutes les injustices de leur temps : ils remettent en cause l'absolutisme du pouvoir, l'esclavage, les inégalités sociales, la censure, la torture, les conséquences de la guerre

■ **Le combat pour la République.** Avec la Révolution française, le contrat social des philosophes des Lumières trouve un aboutissement. Le discours argumentatif, intense et polémique, permet l'affrontement des idées autour des notions d'égalité et de liberté. Le citoyen est désormais au cœur des préoccupations.

EXERCICES

HUMANISME ET PASSION DE LA CONNAISSANCE

EXERCICE 1 •

Parmi ces auteurs, lesquels appartiennent au mouvement humaniste ?

Pythagore – Rabelais – Montaigne – Zola – Diderot – Aristote – Voltaire – Erasme – Platon – Ronsard – Budé – Racine

EXERCICE 2 •

1. Quels sont les domaines de la connaissance explorés par les personnages ? En quoi sont-ils complémentaires ?
2. Comment Rabelais conçoit-il l'éducation humaniste ?

Dans Gargantua, Rabelais expose la façon originale avec laquelle un précepteur humaniste donne le goût de l'étude au jeune héros.

Au commencement du repas était lue une histoire plaisante tirée des anciens romans de chevalerie jusqu'à ce qu'il eût pris son vin. Alors, si cela leur semblait bon, ils continuaient la lecture ou commençaient à deviser
5 joyeusement ensemble, en parlant, pendant les premiers mois, des vertus, des propriétés, des effets et de la nature de tout ce qui leur était servi à table : du pain, du vin, de l'eau, du sel, des viandes, poissons, fruits, herbes, racines, et de leur préparation. Ce que faisant, il apprit
10 en peu de temps tout ce qu'ont dit sur ces matières Pline, Athénée, Dioscoride, Julius Pollux, Galien, Porphyre, Oppien, Polybe, Héliodore, Aristote, Aelien et d'autres. Et tout en parlant, ils se faisaient souvent apporter les livres à table pour s'assurer des citations.

RABELAIS, *Gargantua*, 1534 (traduction moderne).

EXERCICE 3 • •

1. Quelle est la thèse défendue par l'auteur ? À quelle thèse admise jusque-là s'oppose-t-elle ?
2. Relevez les marques de l'énonciation. Comment l'auteur s'implique-t-il dans son argumentation ?
3. En quoi cette découverte de l'auteur peut-elle changer l'image de l'homme à la Renaissance ?

Nous n'avons pas honte de soutenir que tout ce qui est au-dessous de la Lune, avec le centre de la Terre, décrit parmi les autres planètes une grande orbite autour du Soleil, qui est le centre du monde ; et que ce qui paraît
5 être un mouvement du Soleil est en réalité un mouvement de la Terre ; mais que la dimension du monde est si grande, que la distance du Soleil à la Terre, bien qu'appréciable en comparaison des orbites des autres planètes, est comme un rien lorsqu'on la compare à la
10 sphère des étoiles fixes. Et je prétends qu'il est plus facile d'admettre ceci que de laisser l'esprit être effaré par une multitude presque infinie de cercles, ce que sont obligés de faire ceux qui retiennent la Terre au centre du monde. La sagesse de la nature est telle qu'elle ne produit rien
15 de superflu ou d'inutile, mais elle produit souvent des effets multiples à partir d'une seule cause. Si tout ceci est difficile et presque incompréhensible ou contraire à l'opinion de bien des gens, nous le rendrons, s'il plaît à Dieu, plus clair que le Soleil, au moins pour ceux qui ont
20 quelque connaissance des mathématiques.

NICOLAS COPERNIC, *Des révolutions des sphères célestes*, 1543 (traduit du latin par A. Koyré).

EXERCICE 4 • • •

1. Que déplore Montaigne dans l'attitude de ses contemporains ? Quelle attitude propose-t-il au contraire ?
2. **Entraînement à l'écriture d'invention.** Imaginez le dialogue argumentatif qui s'engage entre Montaigne et un de ses compatriotes rencontrés en Hongrie.

Quand j'ai été ailleurs qu'en France et que, pour me faire courtoisie, on m'a demandé si je voulais être servi à la française, je m'en suis moqué et me suis toujours jeté aux tables les plus remplies d'étrangers.
5 J'ai honte de voir nos hommes enivrés de cette sotte humeur de s'effaroucher des formes[1] contraires aux leurs : il leur semble être hors de leur élément quand ils sont hors de leur village. Où qu'ils aillent, ils s'en tiennent à leurs habitudes, et abominent les étrangères.
10 Retrouvent-ils un compatriote en Hongrie, ils fêtent cette aventure : les voilà à se rallier et à se recoudre ensemble, à condamner tant de mœurs barbares qu'ils voient.

MICHEL DE MONTAIGNE, *Essais*, 1588.

1. des formes : des habitudes, des comportements.

L'ARGUMENTATION AU SERVICE DE LA MORALE

EXERCICE 5 •

Parmi tous ces auteurs, lesquels sont des moralistes du XVIIe siècle ?

Voltaire – Blaise Pascal – Jean de La Bruyère – Alphonse de Lamartine – François Rabelais – François de La Rochefoucauld – Jean de La Fontaine – Honoré de Balzac – Molière

EXERCICE 6 • •

1. Quel est le thème du débat qui oppose les personnages ? Quelle fonction le théâtre assume-t-il à travers cet extrait ?
2. Quelle est la thèse défendue par Angélique ? À quelles pratiques s'oppose-t-elle ?

ANGÉLIQUE. – Si mon père ne veut pas me donner un mari qui me plaise, je le conjurerai au moins de ne me point forcer à en épouser un que je ne puisse pas aimer.
ARGAN. – Messieurs, je vous demande pardon de tout ceci.
ANGÉLIQUE. – Chacun a son but en se mariant. Pour moi, qui ne veux un mari que pour l'aimer véritablement, et

qui prétends en faire tout l'attachement de ma vie, je vous avoue que j'y cherche quelque précaution. Il y en a d'autres qui prennent des maris seulement pour se tirer de la contrainte de leurs parents et se mettre en état de faire tout ce qu'elles voudront. Il y en a d'autres, madame, qui font du mariage un commerce de pur intérêt ; qui ne se marient que pour gagner des douaires[1], que pour s'enrichir par la mort de ceux qu'elles épousent, et courent sans scrupules de mari en mari, pour s'approprier leurs dépouilles. Ces personnes-là, à la vérité, n'y cherchent pas tant de façons, et regardent peu à la personne.

BÉLINE. – Je vous trouve aujourd'hui bien raisonnante.

MOLIÈRE, *Le Malade imaginaire*, Acte II, scène 6, 1673.

1. douaire : biens donnés par le mari à sa veuve.

EXERCICE 7 ••

1. Que dénonce le moraliste dans sa maxime ?
2. Quels éléments du tableau retrouve-t-on dans les propos de La Bruyère ? Montrez comment le peintre saisit à sa manière les « caractères » de ses contemporains.

Tout notre mal vient de ne pouvoir être seuls : de là le jeu, le luxe, la dissipation, le vin, les femmes, l'ignorance, la médisance, l'envie, l'oubli de soi-même et de Dieu ?

JEAN DE LA BRUYÈRE, *Les Caractères*, 1688.

Georges de La Tour (1593-1652), *Le Tricheur à l'as de carreau*, 1635.

EXERCICE 8 •••

1. Relevez l'ensemble des critiques formulées à l'encontre du roi de France Louis XIV.
2. Montrez que Fénelon passe en revue toutes les composantes de la société. Sur quelle mise en garde le texte débouche-t-il ?
3. Quel serait, selon l'auteur, un exercice juste du pouvoir ?

Vos peuples, que vous devriez aimer comme vos enfants, et qui ont été jusqu'ici si passionnés pour vous, meurent de faim. La culture des terres est presque abandonnée, les villes et les campagnes se dépeuplent ; tous les métiers languissent et ne nourrissent plus les ouvriers. Tout commerce est anéanti. Par conséquent vous avez détruit la moitié des forces réelles du dedans de votre État, pour faire et pour défendre de vaines conquêtes au-dehors. Au lieu de tirer de l'argent de ce pauvre peuple, il faudrait lui faire l'aumône et le nourrir. La France entière n'est plus qu'un grand hôpital désolé et sans provisions. Les magistrats sont avilis et épuisés. La noblesse, dont tout le bien est en décret, ne vit que de lettres d'État. Vous êtes importuné de la foule des gens qui demandent et qui murmurent. C'est vous-même, Sire, qui vous êtes attiré tous ces embarras ; car, tout le royaume ayant été ruiné, vous avez tout entre vos mains, et personne ne peut plus vivre que de vos dons. Voilà ce grand royaume si florissant sous un roi qu'on nous dépeint tous les jours comme les délices du peuple, et qui le serait en effet si les conseils flatteurs ne l'avaient point empoisonné.

Le peuple même (il faut tout dire), qui vous a tant aimé, qui a eu tant de confiance en vous, commence à perdre l'amitié, la confiance, et même le respect.

FÉNELON, *Lettre au roi de France*, 1694.

LES LUMIÈRES ET LA CONQUÊTE DE LA LIBERTÉ

EXERCICE 9 •

Parmi ces auteurs, lesquels appartiennent au mouvement des Lumières ?

Voltaire – Émile Zola – Jean-Paul Sartre – Denis Diderot – Jean-Jacques Rousseau – Albert Camus – Montesquieu – Pierre Corneille.

EXERCICE 10 ••

1. Quels dangers le tyran voit-il dans la diffusion de l'imprimerie ? Que menace-t-elle à ses yeux ?
2. Quelles idées des philosophes des Lumières sont implicitement défendues par Voltaire ?
3. Expliquez en quoi ce texte est ironique.

Dans ce pamphlet, Voltaire imagine un despote oriental qui expose les raisons qui le conduisent à interdire « l'infernale invention de l'imprimerie ».

1. Cette facilité de communiquer ses pensées tend évidemment à dissiper l'ignorance, qui est la gardienne et la sauvegarde des États bien policés.

2. Il est à craindre que, parmi les livres apportés d'Occident, il ne s'en trouve quelques-uns sur l'agriculture et sur les moyens de perfectionner les arts mécaniques, lesquels ouvrages pourraient à la longue, ce qu'à Dieu ne plaise, réveiller le génie de nos cultivateurs et de nos manufacturiers, exciter leur industrie, augmenter leurs richesses, et leur inspirer un jour quelque élévation d'âme, quelque amour du bien public, sentiments absolument opposés à la saine doctrine.

3. Il arriverait à la fin que nous aurions des livres d'histoire dégagés du merveilleux qui entretient la nation

dans une heureuse stupidité. On aurait dans ces livres l'imprudence de rendre justice aux bonnes et aux mauvaises actions, et de recommander l'équité et l'amour de la patrie, ce qui est visiblement contraire aux droits de notre place.

Voltaire, *De l'horrible danger de la lecture*, 1765.

EXERCICE 11 ••

1. Quel est le thème commun aux documents ? En quoi est-il fondamental dans la réflexion sur l'homme ?
2. Quelle est la situation d'énonciation de chaque texte ? Quelles sont les valeurs invoquées ?
3. Confrontez les procédés de la persuasion utilisés.

Document iconographique

Auguste François Biard (1798-1882), *L'Abolition de l'esclavage dans les colonies françaises en 1848* (1849).

Texte A

Mais, dit-on, dans toutes les régions ou dans tous les siècles, l'esclavage s'est plus ou moins généralement établi. Je le veux : mais qu'importe ce que les autres peuples ont fait dans les autres âges. Est-ce aux usages du temps ou à sa conscience qu'il faut en appeler ? Est-ce l'intérêt, l'aveuglement, la barbarie ou la raison et la justice qu'il faut écouter ?

Denis Diderot, *Contribution à l'Histoire des deux Indes de l'abbé Raynal*, 1780.

Texte B

Traite des nègres[1] (Commerce d'Afrique). C'est l'achat des nègres que font les Européens sur les côtes d'Afrique, pour employer ces malheureux dans leurs colonies en qualité d'esclaves. Cet achat de nègres, pour les réduire en esclavage, est un négoce qui viole la religion, la morale, les lois naturelles, et tous les droits de la nature humaine.

Louis de Jaucourt, article « Traite des nègres », *Encyclopédie*, 1766.

1. nègres : manière usuelle, au xviiie siècle, de désigner les Africains, sans nuance péjorative.

Texte C

Nous l'avons vu, comme un vaste cancer, couvrant le globe entier de ses ramifications venimeuses, empoi-

sonnant tantôt l'un, tantôt l'autre hémisphère, quitta[nt] une contrée totalement ravagée, pour porter la désola[tion] dans une autre, puis revenir à la première après s[a] repopulation ; nous l'avons vu étendant sur le mond[e] antique, les crêpes de la mort : mais aujourd'hui le tocsin de la justice éternelle a sonné, les paroles sacramentelle[s] ont été prononcées par l'organe d'un Peuple puissant e[t] bon : l'esclavage est aboli.

Pierre-Gaspard Chaumette, *Discours prononcé à la fêt[e] célébrant l'abolition de l'esclavage*, 18 février 179[4]

LES MOTS DU BAC

L'argumentation et la question de l'Homme du xvie au xviiie siècle

1. Quel adjectif correspond à chacune des philosophies suivantes ? Lequel est formé à partir d'un nom propre ?
   a. rationalisme
   b. scepticisme
   c. optimisme
   d. cartésianisme

2. Replacez ces mots dans le contexte qui lui convient.
politesse – rectitude – affabilité – zèle – bienséance – abnégation
   a. L'honnête homme, au xviie siècle, respecte scrupuleusement les règles de la … .
   b. Les philosophes défendent avec … les valeurs des Lumières.
   c. Bossuet souligne dans ses sermons les vertus de l'… et de la … morale.
   d. La société des Salons cultive la … et l'… .

3. Complétez les phrases suivantes avec le mot qui convient.
   a. funèbre/funeste
   Il a connu un destin … . On a prononcé son éloge … .
   b. allocution/élocution
   L'orateur a terminé son … . Il a montré une … hésitante.

4. Quelle est l'origine des mots suivants ? Expliquez leur formation.
   humaniste – courtisan – bourgeois – philosophe

5. Trouvez un synonyme pour chacun des mots suivants.
   abhorrer – griefs – commisération – suspicion

QUESTIONS

ANALYSE ▶

1. Quelles sont les formes de l'argumentation énumérées par Condorcet ?
   À quoi fait-il allusion lorsqu'il évoque « la compilation la plus savante et la plus
   vaste » (l. 5)?
2. Repérez chacun des participes présents utilisés dans cette longue phrase (ex :
   « employant », l. 2) et le complément qu'ils introduisent.
3. Commentez la dernière proposition du texte. Montrez qu'elle fait appel aux
   valeurs des Lumières.

ENTRAÎNEMENT ▶
AU COMMENTAIRE

Vous ferez, sous la forme de deux paragraphes argumentés, le commentaire de
ce texte. Vous appuierez votre travail sur les deux pistes suivantes :
– un bilan éloquent du combat des Lumières ;
– la question de l'homme au cœur de l'argumentation.

Bayle, Fontenelle, Voltaire, Montesquieu et les écoles formées par
ces hommes célèbres, combattirent en faveur de la vérité, employant
tour à tour toutes les armes que l'érudition, la philosophie, l'esprit,
le talent d'écrire peuvent fournir à la raison ; prenant tous les tons,
⁵ employant toutes les formes, depuis la plaisanterie jusqu'au pathétique, depuis la compilation la plus savante et la plus vaste, jusqu'au
roman, ou au pamphlet du jour ; […] tantôt apprenant aux amis de
la liberté que la superstition, qui couvre le despotisme d'un bouclier
impénétrable, est la première victime qu'ils doivent immoler, la pre-
¹⁰ mière chaîne qu'ils doivent briser ; tantôt, au contraire, la dénonçant aux despotes comme la véritable ennemie de leur pouvoir, et
les effrayant du tableau de ses hypocrites complots et de ses fureurs
sanguinaires ; mais ne se lassant jamais de réclamer l'indépendance de
la raison, la liberté d'écrire comme le droit, comme le salut du genre
¹⁵ humain ; s'élevant, avec une infatigable énergie, contre tous les crimes
du fanatisme et de la tyrannie ; poursuivant dans la religion, dans
l'administration, dans les mœurs, dans les lois, tout ce qui portait le
caractère de l'oppression, de la dureté, de la barbarie ; ordonnant, au
nom de la nature, aux rois, aux guerriers, aux magistrats, aux prêtres,
²⁰ de respecter le sang des hommes ; leur reprochant, avec une éner-
gique sévérité, celui que leur politique ou leur indifférence prodiguait
encore dans les combats ou dans les supplices ; prenant enfin, pour cri
de guerre, raison, tolérance, humanité.

ANTOINE DE CONDORCET, *Esquisse d'un tableau historique
des progrès de l'esprit humain*, 1795.

49

L'argumentation et la question de l'Homme du XIXᵉ siècle à nos jours

Si l'écrivain demeure une figure centrale de la société, il est de plus en plus concurrencé par des intellectuels issus de disciplines nouvelles. L'essor des médias inscrit désormais l'argumentation dans la réalité quotidienne.

OBSERVATION

La réflexion
sur le progrès

L'interrogation
sur la condition
humaine

L'homme
face à la
mondialisation

Texte A

Je suis convaincu que les progrès de la mécanique, de la chimie seront la rédemption[1] de l'ouvrier ; que le travail matériel de l'humanité ira toujours en diminuant et en devenant moins pénible ; que de la sorte l'humanité deviendra plus libre de vaquer à une vie heureuse, morale intellectuelle. Aimez la science. Respectez-la, croyez-le, c'est la meilleure amie du peuple, la plus sûre garantie de ses progrès.

ERNEST RENAN, *Conférences*, 1890

Texte B

Le XVIIᵉ siècle a été le siècle des mathématiques, le XVIIIᵉ celui des sciences physiques, et le XIXᵉ celui de la biologie. Notre XXᵉ siècle est le siècle de la peur. On me dira que ce n'est pas là une science. Mais d'abord la science y est pour quelque chose, puisque ses derniers progrès théoriques l'ont amenée à se nier elle-même et puisque ses perfectionnements pratiques menacent la Terre entière de destruction.

ALBERT CAMUS, « Le siècle de la peur », publié dans le journal *Combat*, 1948, Éd. Gallimard.

1. rédemption : fait de se racheter.

Texte C

À travers le vocabulaire emprunté par le français à d'autres langues, on entrevoit des habitudes (alimentaires, vestimentaires, domestiques…), des techniques et des activités (commerciales, artistiques, ludiques…), mais aussi, et cela est plus troublant, des comportements (sociaux, politiques ou amoureux), des croyances et des coutumes… autres. Ces mots venus d'ailleurs nous mettent en présence d'humains différents, nous confrontent à d'autres cultures. Ces mots étrangers que nous avons fait nôtres constituent la trace vivante, émouvante, des relations qui […] ne manquent pas de s'établir entre les civilisations.

MARIE TREPS, *Les Mots voyageurs : petite histoire du français venu d'ailleurs*, 2003.

QUESTIONS

1. Quelles visions de l'homme et de la société les trois documents présentent-ils ?

2. Reformulez les thèses des textes A et B. Comment s'explique cette opposition ?

1 XIXᵉ siècle : la réflexion sur le progrès

Les progrès techniques et scientifiques bouleversent la société. Ils conduisent à s'interroger sur leurs conséquences dans la vie des hommes.

■ **La dénonciation des injustices.** Les écrivains font partager leurs préoccupations devant les injustices sociales. Ils soulignent l'oppression des peuples, la misère, le pouvoir de l'argent, les difficultés de la démocratie.

→ Hugo dénonce la misère du peuple, dans son œuvre comme dans ses discours à l'Assemblée ; Zola mène une campagne pour défendre le capitaine Dreyfus injustement condamné.

■ **La foi dans la science.** Les écrivains, les philosophes, les historiens s'appuient sur les découvertes scientifiques pour expliquer le monde et l'homme. Ils se passionnent pour le progrès, qui transforme profondément les modes de vie et de pensée. Ils manifestent leur foi dans un avenir meilleur, fondé sur les certitudes de la science.

→ Le positivisme de Comte fonde sur le progrès une vision optimiste du futur. Michelet, Renan et Taine font de l'histoire une science qui explique le présent. Constant et Proudhon analysent l'organisation politique et économique de la société.

2 XXᵉ siècle : l'interrogation sur la condition humaine

Face aux graves crises qui se succèdent, les intellectuels sont conduits à prendre parti. Ils modifient la vision que l'homme a de lui-même.

■ **Les écrivains face aux crises.** L'idéal de civilisation fondé par la Révolution française est remis en cause par les guerres et les affrontements idéologiques. Les écrivains sont conduits à combattre ou à prendre position dans des débats passionnés.

→ Les écrivains comme Albert Camus évoquent les conséquences de la bombe atomique ; d'autres, comme Aimé Césaire, affirment l'identité des peuples colonisés.

■ **Un nouveau regard sur l'homme.** Face à la complexité nouvelle du monde, la réflexion sur l'homme se spécialise à travers l'émergence des sciences humaines : la sociologie, la psychanalyse, l'ethnologie, etc. explorent de manière scientifique tous les aspects de l'individu et de la société.

→ En étudiant les sociétés primitives, l'ethnologue Claude Lévi-Strauss permet de mieux comprendre l'organisation des sociétés modernes.

3 XXIᵉ siècle : l'homme face à la mondialisation

Dans un monde sans frontière, la sophistication des moyens de communication offre de nouvelles tribunes au débat argumentatif.

■ **L'affrontement et le partage des cultures.** La disparition des frontières provoque chez certains la crainte de perdre leur identité culturelle et linguistique. Mais elle représente pour d'autres l'occasion d'une richesse nouvelle fondée sur l'échange.

→ De nombreux essais, comme *Les Mots voyageurs* de Marie Treps ou *Temps des crises* du philosophe Michel Serres, analysent les conséquences du métissage culturel.

■ **Les médias au cœur de l'existence.** L'omniprésence des médias dans la vie quotidienne, à travers la mise en réseau des individus, modifie les formes traditionnelles de l'argumentation. L'échange d'opinions est immédiat entre tous les citoyens.

→ Internet permet aux intellectuels, aux artistes, aux hommes politiques, mais aussi à chaque individu porteur d'une idée, de l'exposer et de la défendre, sans restriction ni censure.

■ **L'argumentation menacée ?** Les nouvelles technologies suscitent de multiples craintes sur les dérives qu'elles permettent : la diffusion des rumeurs et toutes les formes de manipulations. Ainsi, les formes classiques de l'argumentation laissent parfois place à un débat dans lequel la réflexion est remplacée par le foisonnement d'opinions fondées sur la crainte ou les émotions.

XIXe SIÈCLE : LA RÉFLEXION SUR LE PROGRÈS

EXERCICE 1 •

Quels thèmes de réflexion mettent en évidence les titres d'œuvres suivants : l'esprit scientifique, l'organisation de la société, les problèmes sociaux ?

- Taine, *De l'intelligence*.
- Hugo, *Les Misérables*.
- Proudhon, *La Philosophie de la misère*.
- Zola, *L'Argent*.
- Fourier, *Le Nouveau Monde industriel*.
- Verne, *L'Île à hélice*.
- Renan, *L'Avenir de la science*.
- Michelet, *Le Peuple*.

EXERCICE 2 •

1. Quel constat l'historien fait-il ? Résumez en une phrase les transformations vécues par le monde du travail.
2. À travers quels termes l'auteur émet-il un jugement ? Relevez les termes évaluatifs et affectifs.

Aujourd'hui, de nouveaux métiers se sont créés, qui ne demandent guère d'apprentissage et reçoivent un homme quelconque. Le véritable ouvrier, dans ces métiers, c'est la machine ; l'homme n'a pas besoin de beaucoup de force,
5 ni d'adresse ; il est là seulement pour surveiller, aider cet ouvrier de fer.

Cette malheureuse population asservie aux machines comprend 400 000 âmes, ou un peu plus. C'est environ la quinzième partie de nos ouvriers. Tout ce qui ne sait
10 rien faire vient s'offrir aux manufactures pour servir les machines. Plus il en vient, plus le salaire baisse, plus ils sont misérables.

Jules Michelet, *Le Peuple*, 1846.

EXERCICE 3 ••

1. Que dénonce Victor Hugo dans ce discours ?
2. Quelle thèse défend-il dans le second paragraphe ? Relevez les valeurs sur lesquelles repose son argumentation.
3. Montrez comment l'implication de l'émetteur participe à la force de persuasion du discours.

Il y a dans Paris, dans ces faubourgs de Paris que le vent de l'émeute soulevait naguère si aisément, il y a des rues, des maisons, des cloaques, où des familles, des familles entières, vivent pêle-mêle, hommes, femmes,
5 jeunes filles, enfants, n'ayant pour lits, n'ayant pour couvertures, j'ai presque dit pour vêtements, que des monceaux infects de chiffons en fermentation, ramassés dans la fange du coin des bornes, espèce de fumier des villes, où des créatures humaines s'enfouissent toutes vivantes
10 pour échapper au froid de l'hiver […].

Eh bien, messieurs, je dis que ce sont là des choses qui ne doivent pas être ; je dis que la société doit dépenser

toute sa force, toute sa sollicitude, toute son intelligenc[e]
toute sa volonté, pour que de telles choses ne soient pas[...]
15 je dis que de tels faits, dans un pays civilisé, engagent l[a]
conscience de la société tout entière ; que je m'en sen[s]
moi qui parle, complice et solidaire, et que de tels fai[ts]
ne sont pas seulement des torts envers l'homme, que c[e]
sont des crimes envers Dieu !

Victor Hugo, *Discours sur la misèr[e]*
à l'Assemblée nationale, 9 juillet 184[9]

EXERCICE 4 ••

1. Comment l'auteur définit-il le « genre humain » ?
2. Qu'est-ce qui permet l'idée de progrès à ses yeux ?

Bien que l'homme ressemble sur plusieurs point[s]
aux animaux, un trait n'est particulier qu'à lui seul : i[l]
se perfectionne, et eux ne se perfectionnent point. L'es[-]
pèce humaine n'a pu manquer de découvrir dès l'origin[e]
5 cette différence. L'idée de la perfectibilité est donc auss[i]
ancienne que le monde ; l'égalité ne l'a point fait naître
mais elle lui donne un caractère nouveau. […]

À mesure que les castes[1] disparaissent, que les classe[s]
se rapprochent, que les hommes, se mêlant tumultueu-
10 sement, les usages, les coutumes, les lois varient, qu'i[l]
survient des faits nouveaux, que des vérités nouvelle[s]
sont mises en lumière, que d'anciennes opinions disparaissent et que d'autres prennent leur place, l'image
d'une perfection idéale et toujours fugitive se présente
15 à l'esprit humain.

Alexis de Tocqueville, *De la démocratie en Amérique*, 1840.

1. les castes : les groupes sociaux.

EXERCICE 5 •••

1. Dans le premier paragraphe, quel regard Zola porte-t-il sur son siècle ? Comment expliquer l'expression « l'écœurement de l'heure présente » ?
2. Quelle est la thèse réfutée dans le deuxième paragraphe ? Quelle thèse Zola lui oppose-t-il ?
3. Entraînement au commentaire. Expliquez, sous la forme d'un paragraphe argumenté, le bilan établi sur la question de l'homme au XIXe siècle dans ce texte.

Depuis cent ans, nos catastrophes politiques viennent des tâtonnements à régler le fonctionnement normal des sociétés nouvelles. De là, notre malaise, nos querelles, le gâchis auquel nous assistons, et qui parfois, dans l'écœu-
5 rement de l'heure présente, nous fait oublier le grand travail du siècle.

Je ne parle pas même en républicain, je parle en homme. Pourquoi ne pas avoir foi dans la vie, dans l'humanité ? Un travail sourd la secoue et la pousse : eh
10 bien ! ce travail ne peut être qu'un élargissement de l'être, qu'une prise de possession plus vaste du monde. Il n'y a aucune raison pour croire au mal final ; au contraire, lorsque la somme des efforts est faite, on constate tou- jours dans l'histoire un pas de plus en avant, malgré les

erreurs de route. Marchons donc, mettons notre certitude dans l'avenir. Quand même, demain aura raison.
[...] La science est la seule certitude. Mettez-la sous
la politique comme sous la littérature, si vous avez le
besoin de croire. Aussitôt vous redevenez fort. Vous êtes
debout sur un roc qui ne bougera pas.

Émile Zola, « La démocratie », article paru
dans *Le Figaro*, 5 septembre 1881.

XXe SIÈCLE : LA CONDITION HUMAINE

EXERCICE 6 •

1. Dans quel contexte historique ce texte a-t-il été écrit ?
2. Quelles certitudes du passé Paul Valéry remet-il en cause ? Expliquez ce qui, à ses yeux, fonde une civilisation. À quelle conclusion parvient-il ?
3. Comment le peintre représente-t-il l'effroyable bilan de la guerre ?

Nous autres, civilisations, nous savons maintenant
que nous sommes mortelles.

Nous avions entendu parler de mondes disparus tout
entiers, d'empires coulés à pic avec tous leurs hommes
et tous leurs engins ; descendus au fond inexplorable
des siècles avec leurs dieux et leurs lois, leur acadé-
mies et leurs sciences pures et appliquées, avec leurs
grammaires, leurs dictionnaires, leurs classiques, leurs
romantiques et leurs symbolistes, leurs critiques et les
critiques de leurs critiques. Nous savions bien que toute
la terre apparente est faite de cendres, que la cendre
signifie quelque chose. [...]

Et nous voyons maintenant que l'abîme de l'histoire
est assez grand pour tout le monde. Nous sentons qu'une
civilisation a la même fragilité qu'une vie.

Paul Valéry, *La Crise de l'esprit*, Éd. Gallimard, 1919.

John Nash (1893-1977), *Le Bois d'Oppy*, 1917.

EXERCICE 7 ••

1. Dans quel contexte historique le poème suivant a-t-il été écrit ? Quelle description fait-il de la France ?
2. Étudiez la dernière strophe en montrant comment le poète se représente lui-même.
3. Pourquoi peut-on dire qu'Aragon apparaît ici comme un écrivain engagé ?

J'écris dans un pays dévasté par la peste
Qui semble un cauchemar attardé de Goya[1],
Où les chiens n'ont d'espoir que la manne céleste,
Et des squelettes blancs cultivent le soya…

Un pays en tous sens parcouru d'escogriffes[2],
À coup de fouet chassant le bétail devant eux…
Un pays disputé par l'ongle et par la griffe,
Sous le ciel sans pitié des jours calamiteux !

Un pays pantelant sous le pied des fantoches,
Labouré jusqu'au cœur par l'ornière des roues,
Mis en coupe réglée au nom du Roi Pétoche…
Un pays de frayeur en proie aux loups-garous. […]

J'écris dans ce décor tragique, où les acteurs
Ont perdu leur chemin, leur sommeil et leur rang,
Dans ce théâtre vide où les usurpateurs
Annoncent de grands mots pour les seuls ignorants…

J'écris dans la chiourme[3] énorme qui murmure
J'écris dans l'oubliette, au soir, qui retentit
Des messages frappés du poing contre les murs,
Infligeant aux geôliers d'étranges démentis

Louis Aragon, *Le Musée Grévin*, Éd. Le Temps des Cerises.

1. Goya : peintre espagnol (1746-1828), célèbre pour la série des *Désastres de la guerre*.
2. d'escogriffes : de brutes.
3. la chiourme : le bagne.

EXERCICE 8 ••

1. Quelle est la thèse défendue par l'auteur ?
2. À travers quelle démarche l'auteur cherche-t-il à expliquer le fonctionnement des sociétés ?
3. En quoi cette démarche peut-elle éclairer les comportements humains ?

Aucune société n'est parfaite. Toutes comportent
par nature une impureté incompatible avec les normes
qu'elles proclament, et qui se traduit concrètement par
une certaine dose d'injustice, d'insensibilité, de cruauté.
Comment évaluer cette dose ? L'enquête ethnographique
y parvient. Car, s'il est vrai que la comparaison d'un petit
nombre de sociétés les fait apparaître très différentes
entre elles, ces différences s'atténuent quand le champ
d'investigation s'élargit. On découvre alors qu'aucune
société n'est foncièrement bonne ; mais aucune n'est
absolument mauvaise.

Claude Lévi-Strauss, *Tristes Tropiques*, Éd. Plon, 1955.

EXERCICE 9 ••

1. À quoi l'auteur compare-t-il la société moderne ? Qu'est-ce qui justifie cette comparaison ?
2. Comment l'auteur juge-t-il les conséquences de cette organisation sociale ? Appuyez votre réponse sur l'étude du lexique évaluatif et appréciatif.

Aujourd'hui, plus que jamais, la civilisation est urbaine. Elle l'est jusqu'à l'asphyxie. Dans les fourmilières où se pressent, se gênent, s'écrasent des multitudes accrues, l'homme finit par être privé de l'espace et de l'indépendance nécessaires à la moindre joie. Les aménagements qui rendent la vie plus sûre, plus commode et plus agréable deviennent de plus en plus nombreux et complexes, c'est-à-dire moins sûrs, moins commodes et plus impérieux[1]. Une panne d'ascenseur rend un gratte-ciel inutilisable. Une centrale électrique est-elle accidentée, c'est la catastrophe pour une métropole entière : paralysie, obscurité et affolement.

ROGER CAILLOIS, *Cases d'un échiquier*, Éd. Gallimard, 1970.

1. impérieux : créateurs d'obligations.

XXIᵉ SIÈCLE : L'HOMME ET LA MONDIALISATION

EXERCICE 10 •

1. Quelles craintes et quels espoirs la disparition des frontières provoque-t-elle ?
2. Expliquez quelles sont les deux visions de l'homme exposées dans le texte.

La notion même d'identité a longtemps servi de muraille : faire le compte de ce qui est à soi, le distinguer de ce qui tient de l'Autre, qu'on érige alors en menace illisible, empreinte de barbarie. Le mur identitaire a donné
5 les éternelles confrontations de peuples, les empires, les expansions coloniales, la Traite des nègres, les atrocités de l'esclavage américain et tous les génocides. Le côté mur de l'identité a existé, existe encore, dans toutes les cultures, tous les peuples [...].
10 Les cultures, les civilisations et les peuples se sont quand même rencontrés, fracassés, mutuellement embellis et fécondés, souvent sans le savoir. La moindre invention, la moindre trouvaille, s'est toujours répandue dans tous les peuples à une vitesse étonnante. De la roue
15 à la culture sédentaire. Le progrès humain ne peut pas se comprendre sans admettre qu'il existe un côté dynamique de l'identité, et qui est celui de la relation.

PATRICK CHAMOISEAU et EDOUARD GLISSANT, *Les Murs*,
© Institut du Tout-monde. Revue *Les Périphériques*, 2007.

EXERCICE 11 ••

1. Quels aspects les technologies du futur auront-elles, selon l'auteur ?
2. Expliquez l'expression « ubiquité nomade ».

3. En quoi cette situation peut-elle, selon vous, bouleverser les formes traditionnelles d'échange entre les hommes ?

Avant 2030, chacun, sauf les plus pauvres, sera connecté en tous lieux à tous les réseaux d'information par des infrastructures à haut débit, mobiles (HSDPA, WiBro, WiFi, WiMax) et fixes (fibre optique). Chacun
5 sera ainsi en situation d'ubiquité nomade. [...]
Les objets nomades deviendront plus légers, plus simples ; le téléphone mobile et l'ordinateur portable fusionneront et seront réduits à la taille d'une montre bracelet, d'une bague, d'une paire de lunettes ou d'une
10 carte à mémoire, intégrés à des vêtements mieux adaptés aux exigences de mouvement. Un objet nomade universel servira à la fois de téléphone, d'agenda, d'ordinateur, de lecteur de musique, de téléviseur, de chéquier, de carte d'identité, de trousseau de clés. Des ordinateurs
15 à très bas coût, utilisant des technologies ouvertes, tel Linux, permettront d'accéder à ces réseaux pour un prix infime. Les moteurs de recherche personnalisés se développeront de plus en plus avec les sites coopératifs, les sites d'échanges gratuits de contenus, les sites de conseil,
20 les radio et télévision nomades.

JACQUES ATTALI, *Une brève histoire de l'avenir*, Éd. Fayard, 2006.

LES MOTS DU BAC

L'argumentation et la question de l'Homme du XIXᵉ siècle à nos jours

1. Quel courant de pensée le positivisme représente-t-il au XIXᵉ siècle ?
  a. la foi dans la science
  b. la confiance dans l'Homme
  c. la croyance en Dieu

2. Quelle philosophie se présente comme un nouvel humanisme au XXᵉ siècle ?
  a. l'essentialisme b. l'idéalisme c. l'existentialisme

3. Replacez chaque nom dans le contexte qui convient.
conjecture – méditation – perspective – plaidoyer
  a. Son discours a tracé les grandes ... que nous pouvons attendre de l'avenir.
  b. Il a proposé une série de ... réalistes sur le devenir de l'homme.
  c. La séance s'est achevée par un ... éloquent pour la sauvegarde du patrimoine naturel.
  d. Ces problèmes nous promettent bien des heures de ... .

4. Associez à chaque terme la définition qui convient.
diatribe – panégyrique – controverse
  a. Critique très violente, parfois injurieuse.
  b. Discussion qui oppose des opinions divergentes.
  c. Éloge sans réserve et excessif.

5. Chassez l'intrus.
  une allégation – une opinion – un préjugé – une démonstration – une supputation

QUESTIONS

ANALYSE ▶

1. Quelles sont, d'après l'auteur, les trois conditions nécessaires à la communication entre les hommes ? Reformulez ses propos.

2. Quelles sont les « deux conceptions antagonistes » de la communication ? Quels arguments l'auteur apporte-t-il à la conception qu'il défend ?

3. Expliquez l'expression « idéologie technicienne » (l. 26).

**ENTRAÎNEMENT À ▶
LA DISSERTATION**

De l'apparition de l'imprimerie au XVIe siècle jusqu'au développement actuel des technologies de la communication, le rôle des sciences et des techniques a fait l'objet de débats passionnés.

Vous vous demanderez, en vous appuyant sur les textes étudiés dans ce chapitre, si les progrès des sciences et des techniques favorisent les relations entre les hommes.

La question de la communication ne peut émerger comme question scientifique et politique qu'à trois conditions : 1) La liberté et l'égalité des partenaires, sinon c'est une communication à sens unique ou hiérarchie (ce qui a prévalu pendant des siècles) ; 2) Le pluralisme de l'in
5   formation et un espace public où les opinions contradictoires peuvent cohabiter ; 3) Une existence suffisante de supports techniques nécessaires pour échanger. C'est la grande révolution technologique depuis près d'un siècle : avec le téléphone (1880), la radio (1910), la télévision (1930), l'ordinateur (1940) et Internet (1980). Aujourd'hui, il y a six
10   milliards d'individus, 4,5 milliards de postes de radio, 3,5 milliards de télévisions, plus de 2,5 milliards de téléphones portables et 1,5 milliard d'ordinateurs. C'est dire si dans notre monde contemporain, il n'y a pas de communication sans techniques de communication.

Deux conceptions antagonistes de la communication existent. La
15   première – majoritaire – considère que le progrès technique est la condition nécessaire et suffisante de la communication humaine ; approche évidemment favorable à une extension de toutes les industries de communication ; la seconde – minoritaire, à laquelle je me rattache – rappelle que dans la communication, le plus simple c'est
20   la technique, le plus compliqué les êtres humains et les sociétés. Par conséquent la communication est d'abord une question humaine et politique avant d'être technique.

Communiquer, la plupart du temps, c'est négocier avec ceux avec qui l'on n'est pas d'accord. S'il suffisait que le progrès technique amé
25   liore la communication humaine, cela se saurait depuis un siècle, depuis que le progrès technique est considérable sans pour autant, hélas, rapprocher les points de vue et accroître la tolérance mutuelle. On se tue aujourd'hui comme hier, malgré l'omniprésence des téléphones, des radios, des caméras et d'Internet. L'idéologie technicienne
30   est dangereuse car elle confond le progrès des techniques avec le progrès de la communication humaine.

DOMINIQUE WOLTON, interview à la revue *Défense*,
n° 141, septembre-octobre 2009.

Le sujet comprend :

TEXTE A : Sophocle, *Antigone*, 442 av. J.-C.

TEXTE B : Marivaux, *L'Île des esclaves*, 1725.

TEXTE C : Voltaire, *Traité sur la tolérance*, 1763.

DOCUMENT D : Une du journal *L'Aurore* du 13 janvier 1898.

TEXTE E : Albert Camus, *L'Homme révolté*, 1951.

OBJET D'ÉTUDE : La question de l'Homme dans les genres de l'argumentation du XVIᵉ siècle à nos jours

---

TEXTE A

Sophocle, *Antigone*.

Créon, qui règne sur Thèbes, a interdit, sous peine de mort, de donner une sépulture à Polynice, qui a combattu contre sa patrie. Mais Antigone refuse que le cadavre de son frère soit abandonné et désobéit aux ordres du roi.

CRÉON. — Et toi, maintenant, réponds-moi, sans phrases, d'un mot. Connaissais-tu la défense que j'avais fait proclamer ?

ANTIGONE. — Oui, je la connaissais : pouvais-je l'ignorer ? Elle était de plus claires.

5 CRÉON. — Ainsi tu as osé passer outre à ma loi ?

ANTIGONE. — Oui, car ce n'est pas Zeus qui l'avait proclamée ! ce n'est pas la Justice, assise aux côtés des dieux infernaux ; non, ce ne sont pas là les lois qu'ils ont jamais fixées aux hommes, et je ne pensais pas que tes défenses à toi fussent assez puissantes pour permettre à un mortel

10 de passer outre à d'autres lois, aux lois non écrites, inébranlables, des dieux ! Elles ne datent, celles-là, ni d'aujourd'hui ni d'hier, et nul ne sait le jour où elles ont paru.

SOPHOCLE, *Antigone*, 442 avant J.-C., trad. par P. Mazon, Éd. Les Belles Lettres

---

TEXTE B

Marivaux,
L'Île des esclaves.

Dans L'Île des esclaves, Marivaux imagine une île dans laquelle d'anciens esclaves ont pris le pouvoir sur leurs maîtres. Iphicrate et son valet Arlequin, échoués sur l'île, voient leur situation bouleversée.

IPHICRATE. — Méconnais-tu ton maître, et n'es-tu plus mon esclave ?

ARLEQUIN, *se reculant d'un air sérieux.* — Je l'ai été, je le confesse à ta honte, mais va, je te le pardonne ; les hommes ne valent rien. Dans le pays d'Athènes, j'étais ton esclave ; tu me traitais comme un pauvre

5 animal, et tu disais que cela était juste, parce que tu étais le plus fort. Eh bien ! Iphicrate, tu vas trouver ici plus fort que toi ; on va te faire esclave à ton tour ; on te dira aussi que cela est juste, et nous verrons ce que tu penseras de cette justice-là ; tu m'en diras ton sentiment, je t'attends là. Quand tu auras souffert, tu seras plus raisonnable ; tu sauras

10 mieux ce qu'il est permis de faire souffrir aux autres. Tout en irait mieux dans le monde, si ceux qui te ressemblent recevaient la même leçon que toi. Adieu, mon ami ; je vais trouver mes camarades et tes maîtres. *(Il s'éloigne.)*

MARIVAUX, *L'Île des esclaves*, 1725.

TEXTE C

Voltaire,
Traité sur la tolérance.

Après l'exécution de Jean Calas, injustement condamné pour le meurtre de son fils, Voltaire s'engage pour obtenir sa réhabilitation. Il dénonce l'injustice et le fanatisme religieux qui ont conduit un innocent à la torture et à la mort.

Le meurtre de Calas, commis dans Toulouse avec le glaive de la justice, le 9 mars 1762, est un des plus singuliers événements qui méritent l'attention de notre âge et de la postérité. On oublie bientôt cette foule de morts qui a péri dans des batailles sans nombre, non
5 seulement parce que c'est la fatalité inévitable de la guerre, mais parce que ceux qui meurent par le sort des armes pouvaient aussi donner la mort à leurs ennemis, et n'ont point péri sans se défendre. Là où le danger et l'avantage sont égaux, l'étonnement cesse, et la pitié même s'affaiblit ; mais si un père de famille innocent est livré aux mains de
10 l'erreur, ou de la passion, ou du fanatisme ; si l'accusé n'a de défense que sa vertu ; si les arbitres de sa vie n'ont à risquer en l'égorgeant que de se tromper ; s'ils peuvent tuer impunément par un arrêt, alors le cri public s'élève, chacun craint pour soi-même, on voit que personne n'est en sûreté de sa vie devant un tribunal érigé pour veiller sur la vie des
15 citoyens, et toutes les voix se réunissent pour demander vengeance.

VOLTAIRE, *Traité sur la tolérance à l'occasion de la mort de Jean Calas*, 1763.

DOCUMENT D

Émile Zola,
« J'accuse… ! »

Devant l'évidence de l'erreur judiciaire qui a condamné au bagne pour espionnage le capitaine Dreyfus, Émile Zola entreprend une campagne de presse destinée à provoquer la révision du procès.

Une du journal *L'Aurore* du 13 janvier 1898.

SUJET BAC

TEXTE E

Albert Camus,
L'homme révolté.

Écrivain engagé, Albert Camus place la révolte au cœur de sa philosophie. Pour lu[i]
la révolte est le moyen d'exprimer une liberté fondamentale à toute existence humaine[.]

Qu'est-ce qu'un homme révolté ? Un homme qui dit non. Mais s'[il]
refuse, il ne renonce pas : c'est aussi un homme qui dit oui, dès so[n]
premier mouvement. Un esclave, qui a reçu des ordres toute sa vie, jug[e]
soudain inacceptable un nouveau commandement. Quel est le conten[u]
5 de ce « non » ?

Il signifie, par exemple, « les choses ont trop duré », « jusque-là oui[,]
au-delà non », « vous allez trop loin », et encore « il y a une limite qu[e]
vous ne dépasserez pas ». En somme, ce non affirme l'existence d'un[e]
frontière. On retrouve la même idée de la limite dans ce sentiment d[u]
10 révolté que l'autre « exagère », qu'il étend son droit au-delà de la fron[-]
tière à partir de laquelle un autre droit lui fait face et le limite. Ainsi, l[e]
mouvement de révolte s'appuie, en même temps, sur le refus catégo[-]
rique d'une intrusion jugée intolérable et sur la certitude confuse d'u[n]
bon droit, plus exactement l'impression, chez le révolté, qu'il est « e[n]
15 droit de ». La révolte ne va pas sans le sentiment d'avoir soi-même, e[n]
quelque façon, et quelque part, raison.

ALBERT CAMUS, *L'Homme révolté*, Éd. Gallimard, 1951

QUESTIONS

4 points ▶ **I.** Après avoir lu attentivement les textes du corpus, vous répondrez aux questions suivantes.

1. L'argumentation présente dans les textes et le document est-elle directe ou indirecte ? Justifiez votre réponse.

2. Comment Albert Camus définit-il l'homme révolté (texte E) ? Comment cette révolte s'exprime-t-elle dans les autres textes et dans le document D ?

16 points ▶ **II.** Vous traiterez, au choix, l'un des sujets suivants.

1. COMMENTAIRE
Vous commenterez le texte de Voltaire (texte C).

2. DISSERTATION
« Les lois sont toujours utiles à ceux qui possèdent et nuisibles à ceux qui n'ont rien », affirme Jean-Jacques Rousseau. Vous montrerez comment les genres et les formes de l'argumentation ont permis aux écrivains de lutter contre les injustices.

3. ÉCRIT D'INVENTION
Vous poursuivrez le dialogue engagé entre Iphicrate et Arlequin (texte B). Les deux personnages reprennent leur dialogue en défendant leurs points de vue respectifs de manière argumentée. Vous respecterez les contraintes du texte théâtral.

Objets d'étude 1re L

La Renaissance et l'humanisme en Europe

Dès la fin du XVe siècle, un puissant mouvement intellectuel, mené par des savants passionnés, se répand à travers toute l'Europe. L'humanisme place l'homme au centre des préoccupations politiques et morales et affirme sa confiance dans l'épanouissement d'une culture européenne.

OBSERVATION

- La soif du savoir
- La foi dans l'homme
- Une culture européenne commune

Pantagruel raconte les aventures du fils de Gargantua, parti étudier à Paris. Gargantu envoie à Pantagruel une lettre dans laquelle il expose sa conception de l'éducation.

« La lumière et la dignité ont été de mon temps rendues aux lettre et j'y vois un tel progrès qu'à présent je serais difficilement reçu e première année de classe élémentaire, moi qui, dans la force de l'âge étais (non à tort) réputé comme le plus savant de mon siècle. […]

5 Maintenant toutes les sciences sont rétablies, l'étude des langue anciennes est instaurée : le grec, sans lequel personne ne peut se dir savant sans honte, l'hébreu, le chaldéen, le latin. L'édition des livres es aujourd'hui tellement élégante et conforme, grâce à l'imprimerie qui a été inventée à mon époque par l'inspiration divine, comme à l'opposé
10 l'artillerie l'a été par celle du diable. Le monde entier est si plein de gen savants, de précepteurs[1] très doctes, de bibliothèques très vastes, qu'a mon avis, ni au temps de Platon, ni à celui de Cicéron, ni à celui d Papinien[2], il n'y avait autant de commodité pour étudier. […]

Sois serviable à tous tes prochains et aime-les comme toi-même
15 Révère tes précepteurs ; fuis la compagnie des gens auxquels tu n veux point ressembler, et, les dons que Dieu t'a donnés, utilise-le pleinement. Et, quand tu sentiras que tu auras acquis là-bas toutes le connaissances, reviens vers moi, pour que je te voie et te donne m bénédiction avant ma mort. Mon fils, que la paix et la grâce de Notre
20 Seigneur soient avec toi. Amen.

D'Utopie[3], ce dix-septième jour du mois de mars.

Ton père,

GARGANTUA »

FRANÇOIS RABELAIS, *Pantagruel* (français modernisé), 1532

1. précepteurs : professeurs.

2. Platon, Cicéron, Papinien : auteurs de l'Antiquité.

3. Utopie : titre d'une œuvre de l'humaniste anglais Thomas More, qui désigne une société imaginaire idéale.

QUESTIONS

1. Quelles sont les deux époques opposées par Gargantua dans l'évocation des changements qu'il a vécus ?

2. Pourquoi peut-on parler d'une « renaissance » ? À quels bouleversements assiste-t-on selon Gargantua ?

3. Pourquoi peut-on dire, d'après cette lettre, que l'humanisme donne une vision optimiste de l'homme ?

1 La soif du savoir

La relecture des textes antiques, associée à la soif de savoir qui caractérise le mouvement humaniste, marquent la fin du Moyen Âge et le début de la Renaissance.

■ **La redécouverte de l'Antiquité.** Les écrivains, les juristes, les savants s'appuient sur l'étude du grec et du latin pour redécouvrir les grands auteurs de l'Antiquité, dont l'Eglise avait donné une fausse image. L'étude scientifique des textes de l'Antiquité, ou « humanités », devient ainsi le fondement de l'humanisme.

→ Montaigne admire dans les dialogues de Platon la recherche vivante et philosophique de la vérité.

■ **La connaissance de l'univers.** La découverte de l'imprimerie permet de rendre la Bible accessible à tous, mais aussi de diffuser les connaissances nouvelles, regroupées au sein de grandes bibliothèques. L'essor des mathématiques et de l'astronomie, les progrès de la médecine, les découvertes des grands voyageurs renouvellent la perception de l'univers et contribuent au changement des mentalités.

→ Les grands voyageurs, comme le Portugais Magellan ou le Génois Christophe Colomb, ouvrent la voie à de multiples expéditions qui permettent de dessiner la carte du monde.

2 La foi dans l'homme

L'humanisme place l'homme au centre de toutes ses préoccupations. En développant ses qualités physiques et intellectuelles, l'homme peut s'épanouir.

■ **L'éducation et la sagesse.** Les humanistes créent une forme nouvelle d'éducation qui allie le goût de l'étude et celui de la curiosité. À leurs yeux, l'éducation rend l'individu meilleur et lui permet d'accéder à une forme de sagesse qui doit guider les puissants vers un idéal de paix et de prospérité.

→ « Les hommes ne valent pas par leur naissance mais par leur formation », écrit l'humaniste hollandais Érasme pour souligner l'importance de l'éducation.

■ **L'appétit de la vie.** À l'angoisse de la mort, présente à travers les épidémies, les guerres et les famines, les humanistes opposent une vision optimiste de l'existence. Ils célèbrent la satisfaction des sens : les vertus morales sont inséparables des plaisirs physiques.

→ Les personnages de Rabelais incarnent ce goût insatiable de la vie.

3 Une culture européenne commune

L'humanisme est d'abord un mouvement européen. Il se développe à travers l'échange et la circulation des hommes et des idées.

■ **L'échange des idées.** Les écrivains et les savants correspondent à travers toute l'Europe en latin, langue commune héritée de l'Antiquité. De grandes villes européennes deviennent des centres de l'humanisme, dans lesquels se rencontrent écrivains, artistes et mécènes de la Renaissance.

→ Rome, Venise et Florence en Italie ; Bâle en Suisse ; Mayence et Cologne en Allemagne ; Lyon et Paris en France ; Londres, Oxford et Cambridge en Angleterre rayonnent sur toute l'Europe.

■ **Le culte du beau.** Principal foyer de la renaissance des arts, l'Italie est le berceau d'une esthétique nouvelle. La peinture, la sculpture, l'architecture, la poésie développent un idéal d'élégance et d'harmonie. En France, les poètes de la Pléiade créent une littérature nationale, influencée par l'Antiquité et la Renaissance italienne.

→ En 1516, François Ier devient le protecteur de Léonard de Vinci, qu'il fait en venir en France afin d'y devenir le « premier peintre, premier ingénieur et premier architecte du roi ».

LA REDÉCOUVERTE DE L'ANTIQUITÉ

EXERCICE 1 •

Classez les auteurs suivants selon qu'ils appartiennent à l'époque de la Renaissance (XVe-XVIe siècles) ou à celle de l'Antiquité (de 500 av. J.-C. à 500 après).

Aristote – Léonard de Vinci – Raphaël – Platon – Ménandre – Socrate – Rabelais – Ronsard – Cicéron – Tacite – Homère – Montaigne – Du Bellay – Virgile – Sénèque – Agrippa d'Aubigné – Sophocle.

EXERCICE 2 ••

1. À quoi la vie est-elle comparée au début du texte ? Que réclame l'auteur antique pour l'être humain ?
2. Quelle leçon de sagesse les humanistes de la Renaissance peuvent-ils tirer de ce texte de l'Antiquité ?

Pauvres esprits humains ! cœurs aveugles ! Dans quelles ténèbres, dans quels périls on passe ce peu de temps qu'est la vie ! Faut-il donc ne pas voir que les cris de la nature ne réclament que ceci : pas de douleurs
5 pour le corps, et pour l'âme, des impressions agréables, sans soucis et sans craintes. Or le corps a besoin de fort peu de choses pour être débarrassé de douleur, et même pour trouver sous ses pas de nombreuses jouissances. La nature n'exige par elle-même rien de bien raffiné […],
10 surtout quand le temps est souriant, et que la belle saison parsème de fleurs les prairies verdoyantes.

LUCRÈCE, *De la nature*, vers 55 av. J.-C, trad. R. Pichon (1907).

EXERCICE 3 ••

1. Que déplore Érasme dans la pratique religieuse de son temps ? Que propose-t-il ?
2. En quoi, selon vous, l'imprimerie va-t-elle permettre de répondre au vœu formulé par Érasme ?

Pourquoi paraît-il inconvenant que quelqu'un prononce l'Évangile dans la langue où il est né et qu'il comprend : le Français en français, le Breton[1] en breton, le Germain[2] en germanique, l'Indien[3] en indien ? Ce qui me
5 paraît bien plus inconvenant, ou même ridicule, c'est que des gens sans instruction et des femmes marmottent leurs Psaumes[4] et leur Oraison dominicale en latin ainsi que des perroquets, alors qu'ils ne comprennent pas ce qu'ils prononcent. Pour moi, […] je considérerais le résultat
10 comme tout à fait magnifique et triomphal, si toutes les langues, toutes les races célébraient la gloire de la Croix, si le laboureur, au manche de la charrue, chantait en sa langue quelques couplets des Psaumes mystiques, si le tisserand devant son métier modulait quelque passage de
15 l'Évangile, soulageant ainsi son travail.

ÉRASME, *Paraphrasis in Evangelium* (trad. moderne), 1522.

1. **le Breton, le Germain, l'Indien** : l'Anglais, l'Allemand, les habitants des Indes. 2. **leurs Psaumes** : leurs chants religieux. 3. **leur Oraison dominicale** : leur prière du dimanche.

LA CONNAISSANCE DE L'UNIVERS

EXERCICE 4 •

1. Quelle est la situation de communication mise en plac[e] par cette lettre ? Repérez l'émetteur, le destinataire, l'obje[t] de la lettre.
2. Quels arguments Christophe Colomb apporte-t-il à l'appu[i] de sa demande ?
3. Repérez et justifiez l'emploi du champ lexical de la scienc[e] dans le texte.
4. À quels obstacles les savants de la Renaissance sont-il[s] confrontés d'après le texte et le tableau ?

« Sérénissime Prince,
Je navigue depuis ma jeunesse. Il y a près de quarant[e] ans que je cours les mers. J'en ai visité tous les parage[s] connus, et j'ai discuté avec un grand nombre d'homme[s]
5 savants, avec des ecclésiastiques, des séculiers[1], de[s] Latins, des Grecs, des Maures, et des personnes de toute sortes de religions. J'ai acquis quelque connaissance dan[s] la navigation, dans l'astronomie et la géométrie. Je sui[s] assez expert pour dessiner la carte du monde, et place[r]
10 les villes, les rivières et les montagnes aux lieux où elle[s] sont situées. Je me suis appliqué aux livres de cosmogra[-] phie, d'histoire et de philosophie. Je me sens présente[-] ment porté à entreprendre la découverte des Indes ; et j[e] viens à Votre Altesse pour la supplier de favoriser mon[n]
15 entreprise. Je ne doute pas que ceux qui l'apprendront ne s'en moquent; mais si Votre Altesse me veut donner les moyens de l'exécuter, quelques obstacles qu'on y trouve[,] j'espère la faire réussir. »

Lettre de Christophe Colomb au roi Ferdinand II d'Espagne, citée par son fils dans *La Vie de l'Amiral*, 1571

1. **des séculiers** : des laïcs, des gens n'appartenant pas à l'Église.

Joseph-Nicolas Robert-Fleury (1797-1890),
Galilée devant le Saint-Office au Vatican (détail), 1847.

L'ÉDUCATION ET LA SAGESSE

XERCICE 5 •

1. Quelles méthodes d'éducation Montaigne dénonce-t-il dans cet extrait ?
2. Quelle idéal humaniste d'éducation défend-il ?

Pour toutes ces raisons, je ne veux pas qu'on emprisonne ce garçon. Je ne veux pas qu'on l'abandonne à l'humeur mélancolique d'un furieux maître d'école. Je ne veux pas corrompre son esprit en le livrant aux Enfers
5 et à la torture, comme c'est la mode, quatorze ou quinze heures par jour, comme un portefaix[1]. Je ne trouverais pas bon non plus que, le voyant entraîné trop fortement à l'étude des livres par une disposition à la solitude et à la mélancolie, on l'encourage dans cette voie. Cela rend les
10 élèves ineptes à la conversation sociale et les détourne de meilleures occupations. Combien ai-je vu d'hommes de mon temps abrutis par une dangereuse avidité de savoir !

Michel de Montaigne, *Essais*, 1580-1595.

1. portefaix : homme dont le métier est de porter de lourdes charges.

EXERCICE 7 ••

1. Quel conseil Ronsard donne-t-il au jeune roi dans la première strophe ?
2. Quelles sont, dans la suite de l'extrait, les caractéristiques principales attribuées aux rois vertueux ?
3. En quoi ce discours en vers fait-il de Ronsard un poète humaniste ?

Sire[1], ce n'est pas tout que d'être roi de France,
Il faut que la vertu honore votre enfance :
Car un roi sans vertu porte le sceptre en vain,
Et lui sert de fardeau qui lui charge la main. [...]

5 Il ne doit seulement savoir l'art de la guerre,
De garder les cités, ou les ruer par terre,
De piquer les chevaux, ou contre son harnois
Recevoir mille coups de lance aux tournois. [...]

Quand les Muses qui sont filles de Jupiter
10 (Dont les rois sont issus) les rois daignent hanter,
Elles les font marcher en toute révérence,
Loin de leur majesté bannissent l'ignorance :
Et tous remplis de grâce et de divinité,
Les font parmi le peuple ordonner équité[2].

15 Ils deviennent appris en la mathématique,
En l'art de bien parler, en histoire, et musique,
En physionomie, afin de mieux savoir
Juger de leurs sujets seulement à les voir.

Pierre de Ronsard, *Discours*, 1562.

1. Sire : ce discours en vers est adressé au jeune roi Charles IX, qui accède au trône en 1550, à l'âge de dix ans.
2. équité : justice, égalité entre les hommes.

L'APPÉTIT DE LA VIE

EXERCICE 8 •••

1. Repérez les références à l'Antiquité. Quelle est leur fonction argumentative ?
2. À quoi le livre est-il comparé ? Sur quels points communs la comparaison repose-t-elle ?
3. Entraînement à la dissertation. En vous appuyant sur le texte étudié, vous rédigerez un paragraphe argumentatif d'une dizaine de lignes dans lequel vous développerez la thèse suivante : « La soif de savoir et l'appétit pour la vie caractérisent l'humanisme, comme le montre le prologue de *Gargantua*. »

N'avez-vous jamais vu un chien rencontrant quelque os à moelle ? C'est, comme dit Platon au livre II de *La République*, la bête la plus philosophe du monde. Si vous l'avez vu, vous avez pu noter avec quelle dévotion
5 il guette son os, avec quel soin il le garde, avec quelle ferveur il le tient, avec quelle prudence il l'entame, avec quelle passion il le brise, avec quel zèle il le suce. Qui le pousse à faire cela ? Quel est l'espoir de sa recherche ? Quel bien en attend-il ? Rien de plus qu'un peu de
10 moelle. Il est vrai que ce peu est plus délicieux que beaucoup d'autres produits, parce que la moelle est un aliment élaboré selon ce que la nature a de plus parfait, comme le dit Galien au livre III des *Facultés naturelles* et IIe de *L'Usage des parties du corps*.
15 À son exemple, il vous faut être sages pour humer, sentir et estimer ces beaux livres de haute graisse, légers à la poursuite et hardis à l'attaque. Puis, par une lecture attentive et une méditation assidue, rompre l'os et sucer la substantifique moelle, c'est-à-dire – ce que je signifie
20 par ces symboles pythagoriciens – avec l'espoir assuré de devenir avisés et vaillants à cette lecture. Car vous y trouverez une bien autre saveur et une doctrine plus profonde, qui vous révèlera de très hauts sacrements et mystères horrifiques, tant sur notre religion que sur l'état
25 de la cité et la gestion des affaires.

François Rabelais, Prologue de *Gargantua*
(français modernisé), 1534.

L'ÉCHANGE DES IDÉES

EXERCICE 9 ••

1. Dans quels domaines l'action de Laurent de Médicis s'exerce-t-elle ?
2. Comment l'organisation de la ville de Florence peut-elle faciliter l'échange des idées ?
3. Pourquoi peut-on dire de Laurent de Médicis qu'il incarne un idéal de l'homme de la Renaissance ?

Laurent de Médicis[1] songea ensuite à rendre sa cité plus grande et plus belle. Comme elle renfermait beau-

coup d'espaces dépourvus d'habitations, il fit tracer sur ces terrains de nouvelles rues pour y construire des bâti-
5 ments, ce qui la rendit plus belle et plus grande. Grâce à lui, la ville, chaque fois qu'elle n'était pas en guerre, était perpétuellement en fête, assistant à des tournois, à des cortèges où l'on représentait les événements et les hauts faits de l'Antiquité. Son but était de maintenir l'abon-
10 dance dans la patrie, l'union parmi le peuple et de voir la noblesse honorée. Il chérissait et s'attachait tous ceux qui excellaient dans les arts ; il protégeait les gens de lettres [...]. Pic de la Mirandole² homme presque divin, attiré par la munificence³ de Laurent de Médicis, préféra
15 le séjour de Florence, où il se fixa, à toutes les autres parties de l'Europe qu'il avait parcourues. Laurent faisait surtout ses délices de la musique, de l'architecture, de la poésie. Il existe de lui, dans ce dernier genre, plusieurs morceaux qu'il a non seulement composés, mais encore
20 enrichis de commentaires. Afin que la jeunesse de Flo-
rence pût se livrer à l'étude des belles-lettres, il fonda l'université de Pise où il appela les hommes les plus instruits qui fussent alors en Italie.

Nicolas Machiavel, *Histoires florentines*, 1520.

1. Laurent de Médicis : dirigeant de la république florentine (1469-1492) durant la Renaissance italienne. 2. Pic de la Mirandole : humaniste italien. 3. munificence : générosité, largesse.

EXERCICE 11 ●●●

1. Étudiez la forme du poème. Quel est l'effet produit par s
construction syntaxique ?
2. Quels sont les accidents successifs rencontrés par Rome
Commentez l'utilisation de l'anaphore.
3. D'après ce poème, pourquoi Rome apparaît-elle comm
un modèle aux yeux des écrivains de la Renaissance ?

Ni la fureur de la flamme enragée,
Ni le tranchant du fer victorieux,
Ni le dégât du soldat furieux,
Qui tant de fois, Rome, t'a saccagée,

5 Ni coup sur coup ta fortune changée,
Ni le ronger des siècles envieux,
Ni le dépit des hommes et des dieux,
Ni contre toi ta puissance rangée,

Ni l'ébranler des vents impétueux,
10 Ni le débord de ce dieu tortueux
Qui tant de fois t'a couvert de son onde,

Ont tellement ton orgueil abaissé,
Que la grandeur du rien qu'ils t'ont laissé
Ne fasse encore émerveiller le monde.

Joachim Du Bellay, *Les Antiquités de Rome*, 1558

LE CULTE DU BEAU

EXERCICE 10 ●●

1. Quelle est cette « langue maternelle » à laquelle fait référence le poète dans le premier vers ? À quelle langue alors utilisée par les savants s'oppose-t-elle ?
2. Relevez les termes qui renvoient aux écrivains de l'Anti-
quité. Quel jugement l'auteur porte-t-il sur eux ?
3. Quelle doit être désormais l'ambition des écrivains français ? Pourquoi peut-on parler à ce sujet de renaissance ?

J'écris en langue maternelle,
Et tâche à la mettre en valeur,
Afin de la rendre éternelle
Comme les vieux ont fait la leur,
5 Et soutiens que c'est grand malheur
Que son propre bien mépriser
Pour l'autrui tant favoriser.
Si les Grecs sont si fort fameux,
Si les Latins sont aussi tels,
10 Pourquoi ne faisons-nous comme eux,
Pour être comme eux immortels ?

Jacques Peletier du Mans, « À un poète qui n'écrivait qu'en latin », 1547

LES MOTS DU BAC

Vers un espace culturel européen
Renaissance et humanisme

1. Quelle branche de l'enseignement est constituée par « les humanités » durant la Renaissance ?
a. l'anatomie   b. le grec et le latin   c. la peinture

2. Quelle invention permet de répandre l'humanisme à travers toute l'Europe ?

3. Le terme « humaniste » désigne des lettrés passionnés de :
   a. textes sacrés (les « lettres divines »)
   b. textes profanes (les « lettres humaines »)
   c. textes poétiques

4. Quelle différence faites-vous entre :
   a. la Réforme et les réformes ?
   b. un protestant et un protestataire ?
   c. un hérétique et un athée ?
   d. l'astronomie et l'astrologie ?

5. Formez des couples d'opposés en associant à chaque adjectif de la liste A un adjectif de la liste B.
   Liste A : enthousiaste ; docte ; novateur ; idéaliste ; opti-
miste.
   Liste B : blasé ; réaliste ; pessimiste ; passéiste ; ignorant.

QUESTIONS

ANALYSE ▶

1. Quelle opposition lexicale apparaît dans la première phrase ? Comment se développe-t-elle dans la suite de l'extrait ?

2. La vie des occupants de l'abbaye est-elle en accord avec les principes de l'humanisme ? Justifiez votre réponse.

3. Pourquoi peut-on dire que cet extrait relève du genre de l'utopie, c'est-à-dire de l'invention d'une société idéale ?

ENTRAÎNEMENT ▶
AU COMMENTAIRE

Vous commenterez cet extrait en vous appuyant sur les axes de lecture suivants :
– un idéal d'éducation humaniste ;
– une confiance utopique en l'homme.

Dans Gargantua, Rabelais imagine un lieu utopique, l'abbaye de Thélème, dans lequel il met en place une communauté libre et vertueuse dont les membres se gouvernent eux-mêmes.

Toute leur vie était réglée non par des lois, des statuts ou des règles, mais selon leur volonté et leur libre arbitre. Ils sortaient du lit quand bon leur semblait, buvaient, mangeaient, travaillaient, dormaient quand le désir leur en venait. Nul ne les réveillait, nul ne les obligeait à boire ni à manger, ni à faire quoi que ce soit.
5 Ainsi en avait décidé Gargantua. Et toute leur règle tenait en cette clause :

FAIS CE QUE VOUDRAS

Parce que les gens libres, bien nés, bien éduqués, vivant en bonne société, ont naturellement un instinct, un aiguillon qu'ils appellent honneur et qui les pousse toujours à agir vertueusement et les éloigne du vice. Quand ils sont affaiblis et
10 asservis par une vile soumission ou une contrainte, ils utilisent ce noble penchant, par lequel ils aspiraient librement à la vertu, pour se défaire du joug de la servitude et pour lui échapper, car nous entreprenons toujours ce qui est défendu et convoitons ce qu'on nous refuse.
Grâce à cette liberté, ils rivalisèrent d'efforts pour tous faire ce qu'ils voyaient
15 plaire à un seul. Si l'un ou l'une d'entre eux disait : « buvons », tous buvaient ; si on disait « jouons », tous jouaient ; si on disait « allons nous ébattre aux champs », tous y allaient. Si c'était pour chasser au col ou à courre, les dames montées sur de belles haquenées[1], avec leur fier palefroi[2], portaient chacune sur leur poing joliment ganté un épervier, un lanier, un émerillon[3] ; les hommes
20 portaient les autres oiseaux.
Ils étaient si bien éduqués qu'il n'y avait aucun ou aucune d'entre eux qui ne sût lire, écrire, chanter, jouer d'instruments de musique, parler cinq ou six langues et s'en servir pour composer en vers aussi bien qu'en prose. Jamais on ne vit des chevaliers si preux, si nobles, si habiles à pied comme à cheval, si vigoureux, si
25 vifs et maniant si bien toutes les armes, que ceux qui se trouvaient là. Jamais on ne vit des dames si élégantes, si mignonnes, moins désagréables, plus habiles de leurs doigts à tirer l'aiguille et à s'adonner à toute activité convenant à une femme noble et libre, que celles qui étaient là.

FRANÇOIS RABELAIS, *Gargantua* (français modernisé), 1535.

1. haquenées : juments.

2. palefroi : cheval de parade.

3. un lanier, un émerillon :
espèces de faucons.

Les réécritures

51

Les formes de la réécriture sont très diverses. Un écrivain peut reprendre le texte d'un autre auteur, proposer une variation autour d'un personnage mythique, ou adapter une œuvre à un nouveau public. À travers le jeu des sources, la littérature se nourrit ainsi d'effets d'échos entre les œuvres.

OBSERVATION

Les personnages

La situation

La morale

Texte A – Le modèle antique

Pendant l'hiver, leur blé étant humide, les fourmis le faisaient séche[r]. La cigale, mourant de faim, leur demandait de la nourriture. Les fourmi[s] lui répondirent : « Pourquoi en été n'amassais-tu pas de quoi manger [?] – Je n'étais pas inactive, dit celle-ci, mais je chantais mélodieusement. »
5 Les fourmis se mirent à rire. « Eh bien, si en été tu chantais, mainte[-]nant que c'est l'hiver, danse. » Cette fable montre qu'il ne faut pas êtr[e] négligent en quoi que ce soit, si l'on veut éviter le chagrin et les dangers[.]

Ésope, « La cigale et les Fourmis », *Fables*, VIIᵉ- VIᵉ siècles avant J.-C[.]

Texte B – La reprise de la fable par La Fontaine

La Cigale ayant chanté
    Tout l'été,
Se trouva fort dépourvue
Quand la bise fut venue.
5 Pas un seul petit morceau
De mouche ou de vermisseau.
Elle alla crier famine
Chez la Fourmi sa voisine,
La priant de lui prêter
10 Quelque grain pour subsister
Jusqu'à la saison nouvelle.

Je vous paierai, lui dit-elle,
Avant l'août, foi d'animal,
Intérêt et principal.
15 La Fourmi n'est pas prêteuse ;
C'est là son moindre défaut.
– Que faisiez-vous au temps chaud[?]
Dit-elle à cette emprunteuse.
Nuit et jour à tout venant
20 Je chantais, ne vous en déplaise.
– Vous chantiez ? J'en suis fort aise[.]
Et bien ! dansez maintenant.

Jean de La Fontaine, *Fables*, 166[8]

QUESTIONS

1. Quels points communs apparaissent entre les deux textes (personnages, situation et morale) ? Quelles variations la réécriture montre-t-elle ?

2. En quoi La Fontaine se démarque-t-il de son prédécesseur de l'Antiquité ? Montrez qu'il ne se contente pas d'une simple imitation.

3. Quel sens différent la fable prend-elle en fonction du contexte de son écriture ?

1 La citation

Au XVIe siècle, les écrivains de la Renaissance redécouvrent et admirent les auteurs de l'Antiquité. Depuis cette époque, de nombreux écrivains font référence dans leurs œuvres à un texte célèbre, auquel ils rendent ainsi hommage. La citation d'une œuvre, d'un auteur, d'un personnage, ou d'une phrase connus de tous introduit un dialogue, parfois avec humour, entre les époques et les œuvres.

→ « Quant à mon jardin, nous continuâmes à le cultiver » : Dans *Pierrot mon ami*, Raymond Queneau fait allusion à *Candide* de Voltaire, en un clin d'œil complice au lecteur.

2 L'imitation

La tradition engage les auteurs à prendre pour modèle les grandes œuvres et les grands auteurs du passé. Ils peuvent les imiter de manière à poursuivre la tradition, mais ils peuvent aussi s'en moquer dans une intention de jeu avec le lecteur.

■ **La reprise d'un texte.** L'écrivain reprend de manière consciente un texte antérieur qu'il s'approprie, afin de l'adapter à son époque et à son public.

→ Au XVIIe siècle, les pièces de Corneille ou de Racine s'inspirent des œuvres antiques pour imposer le renouveau de la tragédie. La Fontaine s'inspire directement des textes en prose d'Ésope pour les transformer en fables versifiées.

■ **Le détournement d'un texte.** Le pastiche et la parodie correspondent à une tradition littéraire qui vise à transformer un texte pour mettre en évidence ses défauts ou le tourner en dérision. Le pastiche imite le style d'un écrivain en amplifiant les procédés qu'il utilise, dans une intention de jeu et de complicité. La parodie consiste à reprendre une œuvre célèbre en changeant son genre, son registre ou son niveau de langage dans le but de faire rire.

→ De nombreux auteurs s'inspirent de textes célèbres pour en écrire la parodie : Scarron écrit un *Virgile travesti* (1653) ; Marivaux, *L'Homère travesti ou l'Iliade en vers burlesques* (1717) ; Proust pastiche les grands romanciers du XIXe siècle dans *Pastiches et mélanges* (1909).

3 La variation

L'auteur d'un texte partage avec d'autres écrivains l'exploitation d'un même thème, d'une même situation, d'un personnage mythique qui s'inscrit dans la mémoire collective du lecteur. Il peut alors prendre la plus grande liberté avec les œuvres auxquelles il fait écho.

→ Dom Juan, le personnage popularisé par Molière, est repris par Mozart pour l'opéra, par Baudelaire en poésie, ou encore par Montherlant dans le roman. De même, en donnant une nouvelle vie à Robinson Crusoé, le héros du roman de Daniel Defoe, Michel Tournier utilise un personnage devenu légendaire.

4 La transposition

Un texte peut être adapté pour rencontrer un public différent : un roman peut être réécrit pour le théâtre ou pour le cinéma ; une œuvre peut être réécrite de manière à être comprise par des enfants ; un texte antique ou classique peut être adapté au lecteur ou au spectateur contemporain à travers la modernisation du langage et des situations.

→ Émile Zola adapte pour la scène plusieurs de ses romans. C'est ainsi que *Germinal* est réécrit sous la forme d'une pièce de théâtre en 1885, l'année même de sa parution. De la même façon, de nombreux romans sont transposés sous forme de scénarios pour le cinéma.

EXERCICES

LA CITATION

EXERCICE 1 •

1. Repérez la citation présente dans l'extrait. Pourquoi plaît-elle tant à l'avare Harpagon ?

2. Comment Valère donne-t-il du poids à sa citation, bien qu'il en ignore l'auteur ? Montrez qu'elle prend valeur d'argument d'autorité.

3. Quelle est l'intention de Molière lorsqu'il cite Socrate sur scène ?

> VALÈRE. – Apprenez, Maître Jacques, vous, et vos pareils, que c'est un coupe-gorge, qu'une table remplie de trop de viandes ; que pour se bien montrer ami de ceux que l'on invite, il faut que la frugalité[1] règne dans les repas qu'on
> 5 donne ; et que suivant le dire d'un ancien[2], il faut manger pour vivre, et non pas vivre pour manger[3].
>
> HARPAGON. – Ah que cela est bien dit ! Approche, que je t'embrasse pour ce mot. Voilà la plus belle sentence que j'aie entendue de ma vie. Il faut vivre pour manger, et
> 10 non pas manger pour vi... Non, ce n'est pas cela. Comment est-ce que tu dis ?
>
> VALÈRE. – Qu'il faut manger pour vivre, et non pas vivre pour manger.
>
> HARPAGON. – Oui. Entends-tu ? Qui est le grand homme
> 15 qui a dit cela ?
>
> VALÈRE. – Je ne me souviens pas maintenant de son nom.
>
> HARPAGON. – Souviens-toi de m'écrire ces mots. Je les veux faire graver en lettres d'or sur la cheminée de ma salle.
>
> **MOLIÈRE**, *L'Avare*, 1668.

1. frugalité : simplicité, sobriété. 2. un ancien : un auteur de l'Antiquité. 3. formule attribuée à Socrate.

EXERCICE 2 ••

1. Quelle est l'œuvre citée par l'extrait suivant ? Quelle est la fonction de cette citation ?

2. Quelles caractéristiques du roman cité Lamartine met-il en évidence ?

> Nous essayâmes alors, un soir, de leur lire *Paul et Virginie*.[1] [...] À peine cette lecture eut-elle commencé que les physionomies de notre petit auditoire changèrent et prirent une expression d'attention et de recueillement, indice certain de l'émotion du cœur. Nous avions rencontré la note qui vibre à l'unisson[2] dans l'âme de tous les hommes, de tous les âges et de toutes les conditions, la note sensible, la note universelle, celle qui renferme dans un seul son l'éternelle vérité de l'art : la nature, l'amour et Dieu.
>
> **ALPHONSE DE LAMARTINE**, *Graziella*, 1851.

1. *Paul et Virginie* : roman de Bernardin de Saint-Pierre, publié en 1788, qui connut, dès sa parution, un énorme succès.
2. à l'unisson : en totale harmonie.

L'IMITATION

EXERCICE 3 ••

1. Quel est le mythe commun abordé par les trois texte suivants ? Quel est le destin d'Œdipe ?

2. Pourquoi peut-on dire que Corneille imite Sophocle Dans quelle intention le fait-il ?

3. Quelles différences constatez-vous entre les textes 2 et 3

Texte 1

> Œdipe, devenu grand, consulta l'oracle sur sa dest née, et reçut cette réponse : « Œdipe sera le meurtrier d son père et l'époux de sa mère : il mettra au jour une rac détestable. » Frappé de cette horrible prédiction, et pou
> 5 éviter de l'accomplir, il s'exila de Corinthe, et, réglan son voyage sur les astres, prit la route de la Phocide.
>
> S'étant trouvé dans un chemin étroit qui menait Delphes, il rencontra Laïus monté sur un char et escort seulement de cinq personnes, qui ordonna d'un ton d
> 10 hauteur à Œdipe de lui laisser le passage libre ; ils e vinrent aux mains sans se connaître, et Laïus fut tué.
>
> **PIERRE COMMELIN**, *Mythologie grecque et romaine*, 1960

Texte 2

> LE CORINTHIEN. – Et d'où vient la peur qu'elle t'inspire ?
>
> ŒDIPE. – D'un oracle des dieux effroyable, étranger.
>
> LE CORINTHIEN. – Peux-tu le dire ? ou bien doit-il reste secret ?
>
> 5 ŒDIPE. – Nullement. Loxias m'a déclaré jadis que j devais entrer dans le lit de ma mère et verser de me mains le sang de mon père. C'est pourquoi, depuis long temps, je m'étais fixé bien loin de Corinthe – pour mor bonheur, sans doute, bien qu'il soit doux de voir les yeu
> 10 de ses parents.
>
> **SOPHOCLE**, *Œdipe Roi*, trad. P. Mazon Éd. des Belles Lettres, 1958

Texte 3

> ŒDIPE
>
> Aux crimes malgré moi l'ordre du ciel m'attache ;
> Pour m'y faire tomber à moi-même il me cache ;
> Il offre, en m'aveuglant sur ce qu'il a prédit,
> Mon père à mon épée, et ma mère à mon lit.
> 5 Hélas ! qu'il est bien vrai qu'en vain on s'imagine
> Dérober notre vie à ce qu'il nous destine !
> Les soins de l'éviter font courir au-devant,
> Et l'adresse à le fuir y plonge plus avant.
> Mais si les dieux m'ont fait la vie abominable,
> 10 Ils m'en font par pitié la sortie honorable,
> Puisque enfin leur faveur mêlée à leur courroux[1]
> Me condamne à mourir pour le salut de tous.
>
> **PIERRE CORNEILLE**, *Œdipe*, Acte V, scène 5, 1659.

1. leur courroux : leur colère.

EXERCICE 4 •

Sur quels procédés repose le détournement de l'image suivante ? Quelle est l'intention de son auteur ?

Fernand léger
(1881-1955),
*La Joconde
aux clés*, 1930.

EXERCICE 5 ••

1. Repérez dans le texte la présence du texte source dont l'auteur fait la parodie.
2. Dans quel genre et dans quel registre cette parodie du conte s'inscrit-elle ?
3. Quels sont les procédés qui contribuent à provoquer le rire du lecteur ?

PREMIER ACTE
Coïncidences tragiques.

La scène représente l'intérieur d'une maison.

LE PÈRE DU PETIT CHAPERON VERT. – Nous habitons la maison où logeait autrefois le célèbre Petit Chaperon rouge, qui fut mangé par le loup.
LA MÈRE DU PETIT CHAPERON VERT. – Étrange coïncidence :
5 notre ravissante petite fille porte avec tant de grâce un petit chapeau vert qu'on l'appelle partout : le Petit Chaperon vert.
LE PÈRE DU PETIT CHAPERON VERT. – Coïncidence plus extraordinaire encore : la mère-grand de notre petite fille
10 demeure au village voisin, comme jadis ceux du Petit Chaperon rouge, et pour aller chez elle, il faut traverser la forêt prochaine.
LA MÈRE DU PETIT CHAPERON VERT. – Ne dit-on pas aussi que le fameux loup qui dévora le Petit Chaperon rouge et sa
15 grand-mère rôde toujours dans la forêt ?
LE PÈRE DU PETIT CHAPERON VERT. – Oui, toutes ces coïncidences sont particulièrement troublantes.
LA MÈRE DU PETIT CHAPERON VERT. – D'autant plus troublantes qu'aujourd'hui même j'ai fait cuire des galettes
20 et…
LE PÈRE DU PETIT CHAPERON VERT, *pâlissant.* – Des galettes ! C'est affreux ! Ah ! Je devine la suite !

CAMI, « Le Petit Chaperon vert », *L'Homme à la tête
d'épingle*, 1914, Éd. Flammarion, 1972.

EXERCICE 6 •••

1. Quels éléments du poème renvoient au mythe de Troie ? Repérez-les.
2. Quelle est l'intention de l'auteur de ce sonnet ? Étudiez les procédés de la parodie utilisés.

Iphigénie

Les vents sont morts ; partout le calme et la torpeur
Et les vaisseaux des Grecs dorment sur leur carène
Qui cinglaient vers l'Asie au pourchas[1] de la Reine
Hélène que ravit Pâris, l'hôte trompeur.

5 Ivre d'une fureur qu'Ulysse en vain réfrène,
Agamemnon, le roi des rois, l'homme sans peur
Déplore en maudissant la mer toujours sereine
Qu'on n'ait pas inventé les bateaux à vapeur.

Mais sa fille à ses pieds, la douce Iphigénie
10 Fermant ses yeux dolents de douceur infinie
S'endort comme les flots dans le soir étouffant…

Lors, ayant dégainé son grand sabre, le maître
Des peuples et des rois jugule son enfant
Et braille : « Ça fera baisser le baromètre ! »

GEORGES FOUREST, *La Négresse blonde*, 1909.

1. au pourchas : à la poursuite, à la recherche.

LA VARIATION

EXERCICE 7 •

1. À quel genre appartiennent les œuvres suivantes ?
2. Comment s'explique le nombre d'œuvres prenant le personnage de Don Juan pour héros ?

• *Dom Juan ou le Festin de pierre* (Molière)
• *Don Giovanni* (Mozart et Da Ponte)
• *Dom Juan aux enfers* (Baudelaire)
• *La dernière nuit de Dom Juan* (Rostand)
• *Don Juan 73, ou Si Don Juan était une femme* (Vadim)

EXERCICE 8 •••

1. Sur quel mythe les deux textes suivants proposent-ils une variation ?
2. Confrontez les textes de manière à en mettre en évidence les points communs et les différences.
3. Entraînement à l'écriture d'invention. Rédigez la page du journal intime de Godfrey correspondant au texte 1.

Texte 1

Pourquoi ne pas en convenir ? Godfrey était en train de devenir un nouvel homme dans cette situation nouvelle pour lui, si frivole, si léger, si peu réfléchi, alors qu'il n'avait qu'à se laisser vivre. En effet, jamais le souci
5 du lendemain n'avait été pour inquiéter son repos. Dans le trop opulent[1] hôtel de Montgomery-Street, où il dormait ses dix heures sans désemparer, le pli d'une feuille de rose n'avait pas encore troublé son sommeil.

Mais il n'en allait plus être ainsi. Sur cette île inconnue,
10 il se voyait bel et bien séparé du reste du monde, livré à
ses seules ressources, obligé de faire face aux nécessités
de la vie, dans des conditions où un homme, même beaucoup plus pratique, eût été fort empêché. Sans doute, en
ne voyant plus reparaître le *Dream*, on se mettrait à sa
15 recherche. Mais qu'étaient-ils tous deux[2] ? Moins mille
fois qu'une épingle dans une botte de foin, qu'un grain de
sable au fond de la mer ! L'incalculable fortune de l'oncle
Kolderup n'était pas une réponse à tout !

Jules Verne, *L'École des Robinsons*, 1882.

1. opulent : riche. 2. tous deux : Godfrey et un autre naufragé.

Texte 2

La solitude n'est pas une situation immuable où je me
trouverais plongé depuis le naufrage de la *Virginie*. C'est
un milieu corrosif[1] qui agit sur moi lentement, mais sans
relâche et dans un sens purement destructif. Le premier
5 jour, je transitais entre deux sociétés humaines également imaginaires : l'équipage disparu et les habitants de
l'île, car je la croyais peuplée. J'étais encore tout chaud
de mes contacts avec mes compagnons de bord. Je pour-
suivais imaginairement le dialogue interrompu par la
10 catastrophe. Et puis elle s'est révélée déserte. J'avançai
dans un paysage sans âme qui vive.

Michel Tournier, *Vendredi ou les Limbes
du Pacifique*, Éd. Gallimard, 1972.

1. corrosif : qui ronge.

LA TRANSPOSITION

EXERCICE 9 ●●

1. Quel caractère et quel comportement La Bruyère tourne-
t-il en ridicule chez ses contemporains à travers ce personnage ?
2. Montrez que le second texte est la transposition à
l'époque moderne du texte de La Bruyère.
3. Quelle est, en définitive, l'intention commune aux deux
auteurs ?

Texte 1

Hermippe est l'esclave de ce qu'il appelle ses petites
commodités ; il leur sacrifie l'usage reçu, la coutume, les
modes, la bienséance.

Imaginez, s'il est possible, quelques outils qu'il n'ait
5 pas, et les meilleurs et plus commodes à son gré que
ceux mêmes dont les ouvriers se servent : il y en a de
nouveaux et d'inconnus, qui n'ont point de nom, productions de son esprit, et dont il a presque oublié l'usage.
Nul ne peut se comparer à lui pour faire en peu de temps
et sans peine un travail fort inutile. Il faisait dix pas pour
10 aller de son lit dans sa garde-robe, il n'en fait plus que
neuf par la manière dont il a su tourner sa chambre :
combien de pas épargnés dans le cours d'une vie !

La Bruyère, *Les Caractères*, 1688.

Texte 2

Dans tous les domaines, Alex met un point d'ho-
neur à acquérir ce qui existe de plus perfectionné.
fut l'un des premiers Français à posséder un télépho
portable. Le sien, aujourd'hui, a le format d'un paqu
5 de cigarettes. Il se moque de ses amis qui notent enco
leurs adresses et leurs rendez-vous dans de jolis carne
rechargeables à couverture de cuir. Lui sert d'un min
PC qu'il relie à son ordinateur de table pour transforme
ou mettre à jour informations et agenda.

10 Chez lui, tout est automatique, électronique, info
matique. Le paillasson camoufle une alarme à ultra
sons qui déclenche les aboiements furieux d'un fau
pit-bull à l'intérieur de l'appartement. Sa cuisine est u
haut lieu de technicité. La cafetière parlante donne le
15 nouvelles du monde en trois idiomes[1] différents. Le fe
à repasser, un modèle japonais haut de gamme, recoll
instantanément et sans fil les boutons de chemise
moitié décousus.

Sophie Chevalier, « Alex-le-gadget », *Les Ridicule
du XXIe siècle*, Arnaud Franel Éditions, 1999

1. idiomes : langages.

LES MOTS DU BAC

Les réécritures

1. Quelle différence faites-vous entre une parodie et un
pastiche ?

2. Classez les termes suivants selon le degré d'éloignement
qu'ils marquent avec le texte imité.
parodie – plagiat – reprise – pastiche

3. Qu'est-ce qu'un archétype ?
a. un modèle idéal
b. une mauvaise copie
c. le commencement d'une histoire

4. Expliquez le sens des expressions suivantes à partir de
leur origine.
le complexe d'Œdipe – une fantastique odyssée – un véritable dédale – un chantier titanesque – un personnage
médusé.

5. Quels sont les verbes synonymes de « imiter » et
« inventer » ?
*créer – travestir – caricaturer – parodier – imaginer –
enfanter – pasticher – copier – mimer – concevoir.*

QUESTIONS

ANALYSE ▶
1. Retrouvez dans le texte théâtral les similitudes avec l'extrait de roman.
2. Quelles différences les deux textes présentent-ils ? Justifiez leur présence.
3. Quelles contraintes la transposition d'un roman au théâtre entraîne-t-elle d'après cet extrait ?

ENTRAÎNEMENT À ▶
L'ÉCRITURE
D'INVENTION

Poursuivez chacun des textes sur une vingtaine de lignes.

Texte 1

Dans l'un de ses premiers romans, Zola raconte la sombre histoire de Thérèse Raquin et de son amant Laurent, qui assassinent Camille, le mari de Thérèse, au cours d'une promenade en barque.

Laurent choisit une mince barque, dont la légèreté effraya Camille.

« Diable, dit-il, il ne va pas falloir remuer là-dedans. On ferait un fameux plongeon. »

La vérité était que le commis avait une peur horrible de l'eau. À Vernon, son
5 état maladif ne lui permettait pas, lorsqu'il était enfant, d'aller barboter dans la Seine ; tandis que ses camarades d'école couraient se jeter en pleine rivière, il se couchait entre deux couvertures chaudes. Laurent était devenu un nageur intrépide, un rameur infatigable ; Camille avait gardé cette épouvante que les enfants et les femmes ont des eaux profondes. Il tâta du pied le bout du canot, comme
10 pour s'assurer de sa solidité.

« Allons, entre donc, lui cria Laurent en riant… Tu trembles toujours. »

Camille enjamba le bord et alla, en chancelant, s'asseoir à l'arrière. Quand il sentit les planches sous lui, il prit ses aises, il plaisanta, pour faire acte de courage.

Thérèse était demeurée sur la rive, grave et immobile, à côté de son amant qui
15 tenait l'amarre. Il se baissa, et, rapidement, à voix basse :

« Prends garde, murmura-t-il, je vais le jeter à l'eau… Obéis-moi… Je réponds de tout. »

ÉMILE **ZOLA**, *Thérèse Raquin*, 1868.

Texte 2

Dans l'adaptation théâtrale de son roman, Zola reprend la même situation en obéissant aux contraintes du texte théâtral : les trois personnages évoquent la promenade sur les bords de Seine qu'ils doivent faire lors d'une prochaine sortie.

THÉRÈSE. – Si vous croyez que Camille se hasardera sur l'eau… Il a bien trop peur.
CAMILLE. – Moi, j'ai peur !
LAURENT. – C'est vrai, j'oubliais que tu avais peur de l'eau. À Vernon, quand nous barbotions, en pleine Seine, tu restais sur le bord, frissonnant… Allons, nous
5 supprimons le canot.
CAMILLE. – Mais ce n'est pas vrai ! mais je n'ai pas peur !... Nous irons en canot. Que diable ! vous finirez par me faire passer pour un imbécile. Nous verrons qui sera le moins crâne de nous trois… C'est Thérèse qui a peur.
THÉRÈSE. – Eh ! mon pauvre ami, tu es déjà tout blême.
10 CAMILLE. – Moque-toi de moi… Nous verrons, nous verrons.

ÉMILE **ZOLA**, *Thérèse Raquin, drame en quatre actes*, 1873.

Les épreuves du Bac

Les épreuves

Les questions sur le corpus

Le sujet d'examen porte sur un ensemble de textes appelé corpus, éventuellement illustré par un document iconographique. Ce corpus peut parfois consister en une œuvre intégrale brève ou en un seul texte long. Il est représentatif d'un objet d'étude du programme de Première.

Une question notée sur quatre points (séries générales) ou deux questions notées sur six points (séries technologiques) permettent de vérifier l'aptitude du candidat à lire et à analyser les textes pour en dégager les significations ; elles conduisent également à mettre les textes en relation, par l'analyse de leurs points communs et de leurs différences.

Exemple de question sur le corpus

SUJET DU BAC

OBJET D'ÉTUDE

Le personnage de roman, du XVIIe siècle à nos jours

TEXTES

TEXTE A : Madame de Lafayette, *La Princesse de Clèves*, 1689.

TEXTE B : Marivaux, *Le Paysan parvenu*, 1734.

TEXTE C : Honoré de Balzac, *Le Chef-d'œuvre inconnu*, 1831.

TEXTE D : Marguerite Duras, *L'Amant*, 1984.

→ QUESTION D'ANALYSE DU CORPUS

Ces quatre portraits présentent des personnages différents. Quels aspects de chacun des personnages sont mis en valeur par le romancier ? Vous rédigerez votre réponse en faisant référence à des éléments précis des textes étudiés. La réponse à cette question doit être rédigée mais brève, de l'ordre d'une demi-page ou d'une page, au maximum.

TEXTE A

Il parut alors une beauté à la cour, qui attira les yeux de tout le monde, et l'on doit croire que c'était une beauté parfaite, puisqu'elle donna de l'admiration dans un lieu où l'on était si accoutumé à voir de belles personnes. Elle était de la même maison que le vidame de Chartres, et une des plus grandes héritières de France. Son père était mort jeune, et l'avait laissée sous la conduite de Mme de Chartres, sa femme, dont le bien, la vertu et le mérite étaient extraordinaires. Après avoir perdu son mari, elle avait passé plusieurs années sans revenir à la cour. Pendant cette absence, elle avait donné ses soins à l'éducation de sa fille ; mais elle ne travailla pas seulement à cultiver son esprit et sa beauté ; elle songea aussi à lui donner de la vertu et à la lui rendre aimable. La plupart des mères s'imaginent qu'il suffit de ne parler jamais de galanterie devant les jeunes personnes pour les en éloigner. Mme de Chartres avait une opinion opposée ; elle faisait souvent à sa fille des peintures de l'amour ; elle lui montrait ce qu'il a d'agréable pour la persuader plus aisément sur ce qu'elle lui en apprenait de dangereux ; elle lui contait le peu de sincérité des hommes, leurs tromperies et leur infidélité, les malheurs domestiques où plongent les engagements ; et elle lui faisait voir, d'un autre côté, quelle tranquillité suivait la vie d'une honnête femme, et combien la vertu donnait d'éclat et d'élévation à une personne qui avait de la beauté et de la naissance.

MADAME DE LAFAYETTE, *La Princesse de Clèves*, 1689.

TEXTE B

Je suis né dans un village de la Champagne, et soit dit en passant, c'est au vin de mon pays que je dois le commencement de ma fortune.

Mon père était le fermier de son seigneur, homme extrêmement riche (je parle de ce seigneur), et à qui il ne manquait que d'être noble pour être gentilhomme.

Il avait gagné son bien dans les affaires ; s'était allié à d'illustres maisons par le mariage de deux de ses fils, dont l'un avait pris le parti de la robe[1], et l'autre de l'épée[2].

Le père et les fils vivaient magnifiquement; ils avaient pris des noms de terres ; et du véritable, je crois qu'ils ne s'en souvenaient plus eux-mêmes.

Leur origine était comme ensevelie sous d'immenses richesses. On la connaissait bien, mais on n'en parlait plus. La noblesse de leurs alliances avait achevé d'étourdir l'imagination des autres sur leur compte ; de sorte qu'ils étaient confondus avec tout ce qu'il y avait de meilleur à la cour et à la ville. L'orgueil des hommes, dans le fond, est d'assez bonne composition sur certains préjugés ; il semble que lui-même il en sente le frivole.

C'était là leur situation, quand je vins au monde. La terre seigneuriale, dont mon père était le fermier, et qu'ils avaient acquise, n'était considérable que par le vin qu'elle produisait en assez grande quantité.

Ce vin était le plus exquis du pays, et c'était mon frère aîné qui le conduisait à Paris, chez notre maître, car nous étions trois enfants, deux garçons et une fille, et j'étais le cadet de tous.

MARIVAUX, *Le Paysan parvenu*, 1734.

1. la robe : le clergé.
2. l'épée : l'armée.

TEXTE C

Vers la fin de l'année 1612, par une froide matinée de décembre, un jeune homme dont le vêtement était de très mince apparence, se promenait devant la porte d'une maison située rue des Grands-Augustins, à Paris. Après avoir assez longtemps marché dans cette rue avec l'irrésolution d'un amant qui n'ose se présenter chez sa première maîtresse, quelque facile qu'elle soit, il finit par franchir le seuil de cette porte, et demanda si maître François PORBUS était en son logis. Sur la réponse affirmative que lui fit une vieille femme occupée à balayer une salle basse, le jeune homme monta lentement les degrés[1], et s'arrêta de marche en marche, comme quelque courtisan de fraîche date, inquiet de l'accueil que le roi va lui faire. Quand il parvint en haut de la vis[2], il demeura pendant un moment sur le palier, incertain s'il prendrait le heurtoir grotesque qui ornait la porte de l'atelier où travaillait sans doute le peintre de Henri IV délaissé pour Rubens par Marie de Médicis. Le jeune homme éprouvait cette sensation profonde qui a dû faire vibrer le cœur des grands artistes quand, au fort de la jeunesse et de leur amour pour l'art, ils ont abordé un homme de génie ou quelque chef-d'œuvre.

HONORÉ DE BALZAC, *Le Chef-d'œuvre inconnu*, 1831.

1. degrés : les étages.
2. la vis : l'escalier.

TEXTE D

Un jour, j'étais âgée déjà, dans le hall d'un lieu public, un homme est ven[u] vers moi. Il s'est fait connaître et il m'a dit : « Je vous connais depuis toujours. Tout le monde dit que vous étiez belle lorsque vous étiez jeune, je suis venu pour vous dire que pour moi je vous trouve plus belle maintenant que lorsque vou[s] étiez jeune, j'aimais moins votre visage de jeune femme que celui que vous ave[z] maintenant, dévasté. »

Je pense souvent à cette image que je suis seule à voir encore et dont j[e] n'ai jamais parlé. Elle est toujours là dans le même silence, émerveillante. C'es[t] entre toutes celle qui me plaît de moi-même, celle où je me reconnais, où j[e] m'enchante.

Très vite dans ma vie il a été trop tard. À dix-huit ans il était déjà trop tard. Entre dix-huit et vingt-cinq ans mon visage est parti dans une direction impré[vue.] vue. À dix-huit ans j'ai vieilli. Je ne sais pas si c'est tout le monde, je n'ai jama[is] demandé. Il me semble qu'on m'a parlé de cette poussée du temps qui vous frapp[e] quelquefois alors qu'on traverse les âges les plus jeunes, les plus célébrés de l[a] vie. Ce vieillissement a été brutal. Je l'ai vu gagner un à un mes traits, change[r] le rapport qu'il y avait entre eux, faire les yeux plus grands, le regard plus triste[,] la bouche plus définitive, marquer le front de cassures profondes. Au contrair[e] d'en être effrayée j'ai vu s'opérer ce vieillissement de mon visage avec l'intérêt qu[e] j'aurais pris par exemple au déroulement d'une lecture.

Marguerite Duras, *L'Amant*, Les Éditions de Minuit, 1984.

Réponse rédigée

Le premier paragraphe présente en une phrase les textes du corpus.

Le corpus rassemble quatre extraits de roman d'époques diverses. Le premier est extrait du roman psychologique de Madame de Lafayette, La Princesse de Clèves (1689). Le deuxième fait le portrait du narrateur du Paysan parvenu de Marivaux (1734). Le troisième pose le cadre du Chef-d'œuvre inconnu de Balzac (1831). Enfin, le dernier extrait est issu d'un roman contemporain, L'Amant, dans lequel Marguerite Duras semble faire son propre portrait.

Le deuxième paragraphe éclaire la problématique de la question.

Chaque texte met en valeur le héros du récit, en l'inscrivant dans un contexte historique et culturel. C'est ainsi que l'héroïne de La Princesse de Clèves appartient au monde aristocratique de la cour. Le « paysan parvenu » de Marivaux est au contraire issu du monde de la campagne au XVIIIe siècle, fils de fermier travaillant pour un « homme extrêmement riche ». Le héros de Balzac apparaît dans un roman historique dont l'action se déroule à Paris « vers la fin de l'année 1612, par une froide matinée de décembre ». La narratrice de L'Amant confronte son visage actuel avec celui qu'elle avait à dix-huit ans.

Tantôt, c'est le récit à la troisième personne (textes A et C) qui met en valeur les caractéristiques des personnages, tantôt c'est la première personne (textes B et D) qui permet au lecteur de faire connaissance avec le héros. Les quatre personnages sont très différents, même si l'auteur apporte à chaque fois des indications portant sur leur physique et leur caractère. Les deux héroïnes sont mises en valeur à travers leur beauté : « c'était une beauté parfaite », écrit Mme de Lafayette ; « Tout le monde sait que vous étiez belle… », écrit Marguerite Duras. Cependant, la princesse de Clèves est confrontée aux dangers de l'amour et la narratrice de l'Amant à la vieillesse. Chez Marivaux et Balzac, les héros issus de milieux modestes sont jeunes et font l'apprentissage de la vie. Le personnage de Marivaux, « cadet de tous », admire la richesse du seigneur et sent qu'il devra faire ses preuves. Celui de Balzac apparaît au moment crucial où il va rencontrer un homme qu'il admire. Dans tous les cas, ces quatre portraits présentent des personnages très différents qui illustrent la diversité des univers du roman.

Le troisième paragraphe met en évidence les points communs et les différences entre les textes.

Répondre aux questions sur le corpus

Le corpus proposé à l'examen comprend un ou plusieurs extraits d'œuvres littéraires. Il s'agit de découvrir et de comprendre ce qui fonde l'unité du corpus avant de répondre aux questions posées.

SUJET DU BAC

OBJET D'ÉTUDE
La question de l'Homme dans les genres de l'argumentation

TEXTES
Jean de La Fontaine, « La Grenouille et le Bœuf », *Fables*, I, 3, 1668.
Voltaire, *Candide ou l'Optimisme*, 1759.

→ QUESTION D'ANALYSE DU CORPUS
Quelle est la situation d'argumentation mise en place dans chaque texte ? Reformulez l'enseignement délivré au lecteur dans chacun des textes du corpus.

Réponse rédigée

Présentation du corpus

Les deux textes du corpus présentent des genres argumentatifs différents : le premier est une fable de La Fontaine, « La Grenouille et le Bœuf », publié dans la seconde moitié du XVIIe siècle. Le second est extrait d'un conte philosophique de Voltaire, publié un siècle plus tard, Candide. Les deux textes prennent pour cible la vanité et la cruauté des hommes.

Problématique de la question

Jean de La Fontaine et Voltaire développent une situation d'argumentation originale qui leur permet de tirer un enseignement. Le premier a recours à la fable : le récit en vers met une scène une grenouille et un bœuf qui représentent l'univers des hommes. Le second a recours au conte dans lequel le héros, Candide, est victime et témoin de la cruauté et de l'aveuglement du pouvoir politique. Les deux écrivains invitent le lecteur à réfléchir de manière indirecte. En effet, c'est par l'intermédiaire d'un récit que, dans la fable comme dans le conte, l'auteur délivre une morale au lecteur.

Points communs des deux textes illustrés par des citations entre guillemets

Chaque texte donne une leçon de vie que le lecteur est invité à méditer ou à mettre en pratique. La Fontaine met en garde contre la vanité des hommes dont les conséquences peuvent être néfastes. En affirmant que « Le monde est plein de gens qui ne sont pas plus sages » que la grenouille de la fable, il souligne un défaut omniprésent dans la société du XVIIe siècle, mais qui est toujours d'actualité. De son côté, Voltaire affirme par l'intermédiaire du vieillard qu'il vaut mieux « cultiver son jardin » que se mêler des « affaires publiques » lorsqu'elle ne concernent que les rivalités des grands. Il dénonce ainsi une société dans laquelle le pouvoir est despotique et indifférent à l'intérêt des citoyens.

1 Étudier les documents du corpus

Le corpus comporte le plus souvent deux à cinq textes et documents, y compris iconographiques. Il peut aussi ne comporter qu'un seul texte, d'une longueur maximale de trois pages. En s'aidant des informations du paratexte (introduction, références, notes) et des connaissances acquises en classe, une première lecture repère les caractéristiques essentielles de chaque document.

LA NATURE DES DOCUMENTS	LES AUTEURS	L'INTENTION DOMINANTE
• Les textes sont-ils littéraires ou non littéraires ? Quelles caractéristiques de l'objet d'étude présentent-ils ? • Le document iconographique est-il un tableau, un dessin, une photographie, une publicité, une caricature ?	• Qui sont-ils : un écrivain, un journaliste ou un essayiste ? • À quelles époques les œuvres ont-elles été réalisées ? • De quelles connaissances sur la biographie de l'auteur dispose-t-on ?	• Quelle est l'intention de chaque auteur ? décrire, raconter, convaincre ? • Les documents veulent-ils exprimer une émotion, argumenter une prise de position ou séduire par leurs qualités esthétiques ?

2 Analyser la question posée

La question posée est transversale. Elle conduit à comparer les textes, c'est-à-dire à mettre en évidence leurs caractéristiques communes mais aussi à en repérer les différences. Pour cela, il faut d'abord souligner dans le libellé de la question les termes-clés qui orientent l'analyse à effectuer : thème développé, thèses défendues ou rejetées, procédés littéraires utilisés, etc.

→ Quelle est la situation d'argumentation mise en place dans chaque texte ? Reformulez l'enseignement délivré au lecteur.

3 Rechercher les éléments de réponse

La deuxième lecture des textes du corpus est orientée par la question. Il faut repérer dans chaque extrait les éléments qui apportent une réponse à la question posée, en veillant à se concentrer sur les termes-clés de la question.

→ Les deux écrivains invitent le lecteur à réfléchir de manière indirecte. [...] c'est par l'intermédiaire d'un récit que [les auteurs] délivrent une morale au lecteur.

4 Rédiger la réponse

Pour être claire, la réponse doit s'attacher à suivre une démarche rigoureuse.

■ **Le premier paragraphe** présente en une phrase chacun des textes du corpus en les situant dans leur contexte historique et littéraire.

■ **Le deuxième paragraphe** éclaire la problématique de la question par rapport à l'objet d'étude du sujet, en utilisant le vocabulaire de l'analyse littéraire.

■ **Le troisième paragraphe** met clairement en évidence les points communs ou les différences qui relient les textes sous forme argumentée et illustrée d'exemples.

Remarque : pour les séries technologiques, le paragraphe de présentation des textes du corpus ne concerne que la première des deux questions posées.

Critères de réussite

Vérifier la construction de la réponse

• **La forme.** La réponse se présente sous la forme de trois courts paragraphes structurés.

• **Les textes à analyser.** Ils sont abordés de manière précise et ordonnée.

• **L'idée directrice.** Elle est affirmée de façon claire au début du 2e paragraphe.

• **Les citations.** Elles illustrent les caractéristiques repérées et analysées.

• **Les termes de liaison.** Ils soulignent les différentes étapes de l'analyse.

ÉTUDIER LES TEXTES DU CORPUS

EXERCICE 1 •

Présentez le corpus suivant sous la forme d'un paragraphe rédigé de manière à identifier avec précision l'objet d'étude et les textes à étudier.

Objet d'étude : La question de l'Homme dans les genres de l'argumentation, du XVIe siècle à nos jours.

Texte A : Jean de la Fontaine, « Le Loup et le Chien », *Fables*, Livre I, 3, 1668.

Texte B : Voltaire, *Candide ou l'Optimisme*, 1759.

Texte C : Albert Camus, *L'Homme révolté*, 1951.

EXERCICE 2 ••

1. Étudiez les caractéristiques des textes du corpus en complétant le tableau ci-dessous après l'avoir recopié.
2. Présentez le corpus en un paragraphe rédigé.

Objet d'étude : Écriture poétique et quête du sens, du Moyen Âge à nos jours.

	Texte A	Texte B	Texte C
Auteur/Date			
Thème dominant			
Caractéristiques d'écriture (mode de narration, énonciation, versification, etc.)			
Informations données par le paratexte			
Connaissances sur le contexte, les mouvements, etc.			

Texte A

Séjournant à Rome, Du Bellay exprime dans ses sonnets sa mélancolie du pays natal.

Vu le soin ménager[1] dont travaillé je suis,
Vu l'importun souci qui sans fin me tourmente,
Et vu tant de regrets desquels je me lamente,
Tu t'ébahis souvent comment chanter je puis.

5 Je ne chante, Magny[2], je pleure mes ennuis,
Ou, pour le dire mieux, en pleurant je les chante ;
Si bien qu'en les chantant, souvent je les enchante :
Voilà pourquoi, Magny, je chante jours et nuits.

Ainsi chante l'ouvrier en faisant son ouvrage,
10 Ainsi le laboureur faisant son labourage,
Ainsi le pèlerin regrettant sa maison,

Ainsi l'aventurier en songeant à sa dame,
Ainsi le marinier en tirant à la rame,
Ainsi le prisonnier maudissant sa prison.

Joachim Du Bellay, Les Regrets, sonnet XII, 155

1. soin ménager : soucis de la vie quotidienne.
2. Magny : nom de l'ami auquel le poète s'adresse.

Texte B

Le couchant dardait ses rayons suprêmes
Et le vent berçait les nénuphars blêmes ;
Les grands nénuphars entre les roseaux
Tristement luisaient sur les calmes eaux.
5 Moi, j'errais tout seul, promenant ma plaie
Au long de l'étang, parmi la saulaie[1]
Où la brume vague évoquait un grand
Fantôme laiteux se désespérant
Et pleurant avec la voix des sarcelles
10 Qui se rappelaient en battant des ailes
Parmi la saulaie où j'errais tout seul
Promenant ma plaie ; et l'épais linceul
Des ténèbres vint noyer les suprêmes
Rayons du couchant dans ces ondes blêmes
15 Et les nénuphars, parmi les roseaux,
Les grands nénuphars sur les calmes eaux.

Paul Verlaine, « Promenade sentimentale »
Poèmes saturniens, 1866

1. la saulaie : lieu planté de saules.

Texte C

En 1911, Apollinaire est incarcéré pendant quelques jour à la prison de la Santé, à Paris.

J'écoute les bruits de la ville
Et prisonnier sans horizon
Je ne vois rien qu'un ciel hostile
Et les murs de ma prison

5 Le jour s'en va voici que brûle
Une lampe dans la prison
Nous sommes seuls dans ma cellule
Belle clarté Chère raison

Septembre 1911.

Guillaume Apollinaire, « À la Santé », VI
Alcools, Éd. Gallimard, 1913

CONSEIL BAC

Pour confronter les textes du corpus

• La confrontation des textes du corpus conduit à retrouver leurs points communs et leurs différences.
• On peut tracer au brouillon un tableau récapitulatif des observations effectuées : chaque colonne correspond à un texte ; chaque ligne correspond à un type d'observation : genre, contexte, énonciation, procédés de style, etc.
• Le tableau rempli donne une vision synthétique du corpus qui permet d'en dégager toutes les significations.
➔ La question transversale permet d'analyser le corpus de textes en fonction de l'objet d'étude concerné.

ANALYSER LA QUESTION POSÉE

EXERCICE 3 •

Relevez, dans les questions suivantes, les termes-clés qui orientent l'analyse à effectuer.

A. À qui s'adressent les personnages dans les différents monologues du corpus ?

B. Quels rapprochements peut-on faire entre ces quatre extraits de romans ?

C. Les trois textes sont des débuts de romans policiers. Analysez comment les auteurs mettent en place une atmosphère spécifique.

D. Quelle est la conception de la liberté qui s'exprime dans chacun de ces cinq poèmes ?

E. Dans les textes A, B et C, quel type de violence dénonce chaque auteur ?

F. Montrez en quoi les poèmes A, B et C développent une série d'oppositions.

EXERCICE 4 ••

Quelle réponse à la question posée vous semble la meilleure ? Justifiez votre jugement.

Question : Cet extrait est un début de roman. En quoi vous paraît-il efficace pour lancer l'action romanesque ?

Réponse A

L'incipit d'un roman est un moment particulièrement important pour lancer l'action romanesque. L'auteur doit à la fois installer le cadre du récit et mettre en place des personnages. C'est ainsi que Balzac multiplie les indications précises relatives à l'époque et au lieu, comme dans tout récit réaliste : « 18 octobre 1826 », « derrière l'église de la Madeleine ». Mais, dès les premières lignes, il fait aussi le portrait d'un personnage dont l'attitude attire immédiatement l'attention du lecteur. « Inquiet », « le front soucieux », « pâle et comme malade », le héros apparaît déjà comme engagé dans une aventure dont le lecteur est impatient de connaître les ressorts. Quelle est la cause de cette inquiétude ? Que va-t-il se passer ? L'action du roman est lancée.

Réponse B

Cet extrait est un début de roman de Balzac qui se passe au XIXᵉ siècle. On ne connaît pas le nom du personnage qui se promène dans Paris. Le vocabulaire utilisé est le vocabulaire du roman : dégingandé, Madeleine. On peut le voir aux références sous le texte. L'action romanesque a du mal à démarrer. On se demande ce que le personnage fait là et pourquoi il est si inquiet. Il est sûrement malade, comme le dit l'auteur. La description des rues de Paris est longue et difficile à suivre. On ne sait pas comment le roman va évoluer.

RECHERCHER LES ÉLÉMENTS DE RÉPONSE

EXERCICE 5 ••

Recherchez dans le texte suivant les éléments de réponse à la question posée.

Objet d'étude : La question de l'Homme dans les genres de l'argumentation, du XVIᵉ siècle à nos jours.

Question : Le texte d'Antoine de Saint-Exupéry développe-t-il une argumentation directe ou indirecte ?

Texte

Il me semble qu'ils confondent but et moyen ceux qui s'effraient par trop de nos progrès techniques. Quiconque lutte dans l'unique espoir de biens matériels, en effet, ne récolte rien qui vaille de vivre. Mais la
5 machine n'est pas un but. L'avion n'est pas un but : c'est un outil, un outil comme la charrue.

Si nous croyons que la machine abîme l'homme c'est que, peut-être, nous manquons un peu de recul pour juger les effets de transformations aussi rapides que
10 celles que nous avons subies. Que sont les cent années de l'histoire de la machine en regard des deux cent mille années de l'histoire de l'homme ? C'est à peine si nous nous installons dans ce paysage de mines et de centrales électriques. C'est à peine si nous commençons d'habi-
15 ter cette maison nouvelle, que nous n'avons même pas achevé de bâtir. Tout a changé si vite autour de nous : rapports humains, conditions de travail, coutumes.

ANTOINE DE SAINT-EXUPÉRY, *Terre des hommes*, Éd. Gallimard, 1939.

EXERCICE 6 ••

Après avoir analysé les questions, relevez dans les poèmes les éléments qui vous permettront d'y répondre.

Questions

1. Expliquez comment la mélancolie s'exprime dans chacun des poèmes du corpus.

2. Analysez la situation d'énonciation mise en place dans les poèmes.

Objet d'étude : Écriture poétique et quête du sens, du Moyen Âge à nos jours.

Texte A

Les roses étaient toutes rouges
Et les lierres étaient tout noirs.

Chère, pour peu que tu ne bouges,
Renaissent tous mes désespoirs.

Le ciel était trop bleu, trop tendre,
La mer trop verte et l'air trop doux.

Je crains toujours, – ce qu'est d'attendre !
Quelque fuite atroce de vous.

PAUL VERLAINE, *Romances sans paroles*, 1874.

Texte B

Aimez-vous le passé
Et rêver d'histoires
Évocatoires
Aux contours effacés ?

5   Les vieilles chambres
Veuves de pas
Qui sentent tout bas
L'iris et l'ambre ;

La pâleur des portraits,
10 Les reliques usées
Que des morts ont baisées,
Chère, je voudrais

Qu'elles vous soient chères,
Et vous parlent un peu
15 D'un cœur poussiéreux
Et plein de mystère.

Paul-Jean Toulet, *Les Contrerimes*, 1920.

RÉDIGER LA RÉPONSE

EXERCICE 7 ••

Le texte suivant est la réponse à la question 2 de l'exercice 6. Complétez chaque paragraphe en vous appuyant sur les éléments de réponse que vous avez relevés.

Le corpus réunit deux poèmes à la tonalité mélancolique. Le premier est extrait du recueil Romances sans paroles de Paul Verlaine (1874) ; le second ■

Chacun des poèmes met en place une situation d'énonciation que l'on retrouve souvent dans l'écriture poétique. Paul Verlaine confie au lecteur le désarroi dans lequel l'a plongé sa rupture avec celle qu'il aime. Paul-Jean Toulet ■

C'est ainsi que les marques de l'énonciation sont identiques dans les deux poèmes. Les personnes qui dominent dans le poème de Verlaine sont le « je » et le « tu », qu'on retrouve ■. Le poème entame ainsi un dialogue avec ■. De la même manière, étant donné que Paul-Jean Toulet interpelle directement celle à qui il s'adresse, il utilise la deuxième personne du pluriel et la forme interrogative (« Aimez-vous le passé… »). Mais il utilise aussi l'apostrophe : « ■ ». À travers ces deux situations d'énonciation semblables, ■.

EXERCICE 8 •••

1. Après avoir analysé la question posée, retrouvez dans le corpus les éléments qui vous permettent d'y répondre.
2. Rédigez votre réponse sous la forme de trois paragraphes.

Objet d'étude : Le texte théâtral et sa représentation, du XVIIᵉ siècle à nos jours.

Question : Étudiez comment le comique théâtral perme■ chaque époque de renouveler la critique des mœurs.

Texte A

*Sganarelle, dont la fille est amoureuse, refuse de la mar■
Celle-ci tombe malade de chagrin…*

Lisette. – Que voulez-vous donc faire, Monsieur, quatre médecins ? N'est-ce pas assez d'un pour tu■ une personne ?

Sganarelle. – Taisez-vous. Quatre conseils valent mie■
5 qu'un.

Lisette. – Est-ce que votre fille ne peut pas bien mou■ sans le secours de ces messieurs-là ?

Sganarelle. – Est-ce que les médecins font mourir ?

Lisette. – Sans doute : et j'ai connu un homme q■
10 prouvait, par bonnes raisons, qu'il ne faut jamais dir■ « Une telle personne est morte d'une fièvre et d'u■ fluxion sur la poitrine » : mais « Elle est morte ■ quatre médecins, et de deux apothicaires. »

Sganarelle. – Chut, n'offensez pas ces messieurs-là.

Molière, *L'Amour médecin*, II, 1, 166■

Texte B

*Le docteur Knock, peu scrupuleux, donne des consultatio■
gratuites dans la ville où il vient de s'installer.*

Knock. – Vous aviez déjà consulté le docteur Parpalaid■

La dame. – Non, jamais.

Knock. – Pourquoi ?

La dame. – Il ne donnait pas de consultations gratuite■
5 *Un silence.*

Knock, *la fait asseoir.* – Vous vous rendez compte d■ votre état ?

La dame. – Non.

Knock, *il s'assied en face d'elle.* – Tant mieux. Vous ave■
10 envie de guérir, ou vous n'avez pas envie ?

La dame. – J'ai envie.

Knock. – J'aime mieux vous prévenir tout de suite qu■ ce sera très long et très coûteux.

La dame. – Ah ! mon Dieu ! Et pourquoi ça ?

15 Knock. – Parce qu'on ne guérit pas en cinq minutes u■ mal qu'on traîne depuis quarante ans.

La dame. – Depuis quarante ans ?

Knock. – Oui, depuis que vous êtes tombée de votr■ échelle.

20 La dame. – Et combien que ça me coûterait ?

Knock. – Qu'est-ce que valent les veaux, actuellement■

La dame. – Ça dépend des marchés et de la grosseu■ Mais on ne peut guère en avoir de propres à moins d■ quatre ou cinq cents francs.

25 Knock. – Et les cochons gras ?

La dame. – Il y en a qui font plus de mille.

Knock. – Eh bien ! ça vous coûtera à peu près deu■ cochons et deux veaux.

Jules Romains, *Knock ou le Triomph■
de la médecine*, Éd. Gallimard, 1923■

QUESTIONS

PRÉPARATION ▶ 1. Observez et relevez les caractéristiques des textes du corpus.
2. Analysez les questions ci-dessous en repérant leurs termes-clés.

RÉDACTION ▶ 3. Quel problème commun posent ces deux textes ? Vous rédigerez votre réponse en vous appuyant sur des exemples précis.
4. Quelle stratégie argumentative chaque auteur met-il en place pour convaincre le lecteur ? Vous confronterez les démarches mises en œuvre.

OBJET D'ÉTUDE
La question de l'Homme dans les genres de l'argumentation du XVIᵉ siècle à nos jours.

Texte A

Tout est bien sortant des mains de l'Auteur des choses, tout dégénère entre les mains de l'homme. Il force une terre à nourrir les productions d'une autre, un arbre à porter les fruits d'un autre ; il mêle et confond les climats, les éléments, les saisons ; il mutile son chien, son cheval, son esclave ; il bouleverse tout, il
5 défigure tout, il aime la difformité, les monstres ; il ne veut rien tel que l'a fait la nature, pas même l'homme ; il le faut dresser pour lui, comme un cheval de manège ; il le faut contourner à sa mode, comme un arbre de son jardin.

Jean-Jacques Rousseau, *Émile ou De l'éducation*, 1762.

Texte B

— Papa, on a montré l'autre jour à la télévision une brebis qui a été fabriquée en deux exemplaires !
— Tu veux parler de ce qu'on appelle le clonage, le fait de reproduire une chose en autant d'exemplaires qu'on veut. Cela est possible avec les objets. Ils
5 sont fabriqués par des machines qui reproduisent le même objet de manière identique. Mais on ne doit pas le faire avec les animaux et encore moins avec les humains.
— Tu as raison, je n'aimerais pas avoir deux Céline dans ma classe. Une seule suffit
10 — Tu te rends compte, si on pouvait reproduire les humains comme on fait des photocopies, on contrôlerait le monde, on déciderait de multiplier certains ou d'en éliminer d'autres. C'est horrible.
— Ça me fait peur .... Même ma meilleure amie, je n'aimerais pas l'avoir en double !
15 — Et puis, si on autorisait le clonage, des hommes dangereux pourraient s'en servir à leur profit, par exemple prendre le pouvoir et écraser les faibles. Heureusement, l'être humain est unique et ne se reproduit pas à l'identique. Parce que je ne suis pas identique à mon voisin ni à mon frère jumeau, parce que nous sommes tous différents les uns des autres, on peut dire et constater que « la
20 richesse est dans la différence ».

Tahar Ben Jelloun, *Le Racisme expliqué à ma fille*, Éd. du Seuil, 1998.

Le commentaire

Le commentaire est un des exercices d'écriture proposés au baccalauréat. Il s'agit de commenter un texte littéraire ou, parfois, de comparer deux textes du corpus. Dans les séries générales, le candidat construit son devoir en expliquant ce qu'il retient du texte, comment il le comprend et de quelle façon il l'apprécie. Dans les séries technologiques, le commentaire est orienté par les deux ou trois questions auxquelles le candidat doit répondre.

Quelle que soit la série, le candidat doit montrer qu'il est capable d'organiser des remarques cohérentes à partir de l'analyse précise d'un texte littéraire. Comme dans tout exercice d'écriture, il doit accorder un soin particulier à la clarté et à la précision de la rédaction.

Exemple de commentaire

SUJET DU BAC

OBJET D'ÉTUDE
Le texte théâtral et sa représentation : du XVIIe siècle à nos jours

TEXTE
Marivaux, *L'École des mères*, scène 5, 1732.

→ **COMMENTAIRE (toutes séries)**
Vous ferez le commentaire du texte de Marivaux.

Madame Argante a choisi pour sa fille Angélique un mari beaucoup plus âgé qu'ell
mais jouissant d'une belle fortune. Or, Angélique aime un jeune homme de son âge.

MADAME ARGANTE. – Allons, répondez, ma fille.

ANGÉLIQUE. – Vous me l'ordonnez donc ?

MADAME ARGANTE. – Oui, sans doute. Voyez, n'êtes-vous pas satisfaite de votre sort ?

5 ANGÉLIQUE. – Mais…

MADAME ARGANTE. – Quoi ! mais ! je veux qu'on me réponde raisonnablement je m'attends à votre reconnaissance, et non pas à des *mais*…

ANGÉLIQUE. – Je n'en dirai plus, ma mère.

MADAME ARGANTE. – Je vous dispense des révérences ; dites-moi ce que vous 10 pensez.

ANGÉLIQUE. – Ce que je pense ?

MADAME ARGANTE. – Oui ; comment regardez-vous le mariage en question ?

ANGÉLIQUE. – Mais…

MADAME ARGANTE. –Toujours des *mais* !

15 ANGÉLIQUE. – Je vous demande pardon ; je n'y songeais pas, ma mère.

MADAME ARGANTE. – Eh bien, songez-y donc, et souvenez-vous qu'ils me déplaisent. Je vous demande quelles sont les dispositions de votre cœur dans cette conjoncture ? Ce n'est pas que je doute que vous soyez contente ; mais je voudrais vous l'entendre dire vous-même.

20 ANGÉLIQUE. – Les dispositions de mon cœur ? Je tremble de ne pas répondre à votre fantaisie.[1]

MADAME ARGANTE. – Eh ! pourquoi ne répondriez-vous pas à ma fantaisie ?

ANGÉLIQUE. – C'est que ce que je vous dirais vous fâcherait peut-être.

MADAME ARGANTE. – Parlez bien, et je ne me fâcherai point. Est-ce que vous n'êtes 25 point de mon sentiment ? Êtes-vous plus sage que moi ?

ANGÉLIQUE. – C'est que je n'ai point de dispositions dans le cœur.

MADAME ARGANTE. – Et qu'y avez-vous donc, mademoiselle ?

ANGÉLIQUE. – Rien du tout.

MADAME ARGANTE. – Rien ! qu'est-ce que rien ? Ce mariage ne vous plaît donc pas ?

1. fantaisie :
à votre idée.

2. entendre :
comprendre.

30 ANGÉLIQUE. – Non.

MADAME ARGANTE. – Comment ? Il vous déplaît ?

ANGÉLIQUE. – Non, ma mère.

MADAME ARGANTE. – Eh ! parlez donc ; car je commence à vous entendre[2] ; c'est-à-dire, ma fille, que vous n'avez point de volonté.

35 ANGÉLIQUE. – J'en aurai pourtant une, si vous le voulez.

MADAME ARGANTE. – Il n'est pas nécessaire ; vous faites encore mieux d'être comme vous êtes, de vous laisser conduire et de vous en fier entièrement à moi.

MARIVAUX, *L'École des mères*, Scène 5, 1732.

Commentaire rédigé

Alors que la tragédie présente des héros illustres dans des situations extraordinaires, la comédie met en scène des personnages familiers dans des difficultés que chacun a pu rencontrer. Le titre de l'œuvre de Marivaux, L'École des mères appartient au monde de la comédie. La scène 5 montre une mère, Madame Argante, qui interroge sa fille Angélique à propos de son futur mariage avec un mari, un peu âgé mais tellement riche ! De quelle façon cette scène de comédie éclaire-t-elle les relations entre les parents et les enfants ? On étudiera comment la scène, tout entière fondée sur le dialogue entre la mère et la fille, fait sentir l'impossibilité de ce dialogue. Mais à travers cette difficulté, ce dialogue fait vivre deux personnages : une mère trop péremptoire face à une fille trop timide. Une telle confrontation, tout en faisant sourire, n'invite-t-elle pas à réfléchir à ce que pourrait être un vrai dialogue ?

C'est par le dialogue que Marivaux fait sentir la difficulté du dialogue. Le spectateur se demande si la mère saura ce que pense sa fille, si la fille dira ce qu'elle pense à sa mère. L'impératif qui lance le dialogue, « Allons, répondez », peut être pour la mère une manière d'encourager sa fille à s'exprimer et la réplique de la jeune fille, « Vous me l'ordonnez donc ? », est une façon de s'assurer le droit de parler librement. Cependant à peine Angélique a-t-elle esquissé un « mais » que la mère l'interrompt. Le premier temps de la scène, marqué par l'escarmouche autour du « mais », s'achève par la victoire de la mère. La bataille roule sur la formule « dispositions du cœur » et Angélique réussit à esquiver le choc par le redoublement du « non ». Enfin, la timide évocation d'une volonté d'Angélique est aussitôt récupérée par la mère qui peut croire qu'elle a gagné.

Angélique, en effet, aura eu bien du mal à résister au feu roulant des impératives, des déclaratives péremptoires et des interro-négatives dont la mère bombarde la fille. Par la modalité impérative, « répondez », « dites-moi », « songez-y », « souvenez-vous », « parlez », la mère transforme ce qui aurait pu être invitation à l'échange en un ordre auquel on doit obéir.

L'introduction

Elle comprend trois temps :
• l'amorce qui introduit le nom de l'auteur et le titre de l'œuvre ;
• la présentation du passage qui conduit à la problématique ;
• l'annonce du plan souvent en trois phrases.

La première partie

Elle commence par l'idée directrice. Elle comprend, ici, deux ou trois paragraphes. Elle se termine par le rappel de l'idée directrice.

Les déclaratives maternelles, « je veux qu'on me réponde », « je m'attends à… », « je vous dispense », « je vous demande » sont des ordres à peine déguisés. Les réponses d'Angélique se limitent à quelques phrases brèves, incomplètes, ou à des monosyllabes comme « mais », « rien du tout », « non ». Madame Argante manie enfin l'interro-négative comme une arme pour étouffer les réparties : « n'êtes-vous pas satisfaite de votre sort ? », « et pourquoi ne répondriez-vous pas à ma fantaisie ? », « est-ce que vous n'êtes point de mon sentiment ? », « Ce mariage ne vous plaît donc pas ? ». L'interro-négative appelle une simple confirmation : bien sûr qu'Angélique est satisfaite, qu'elle est de son sentiment ! Marivaux nous amuse en montrant comment le dialogue tourne à vide.

*C*et impossible dialogue, mené tambour battant, donne cependant vie aux deux personnages. Incarnation de la mère autoritaire, Madame Argante formule explicitement son but : « Ce n'est pas que je doute que vous soyez contente mais je voudrais vous l'entendre dire vous-même. » Non seulement Angélique doit obéir, mais elle doit être heureuse de le faire. Pour la mère, il va de soi que la jeune fille est « satisfaite de son sort », qu'elle est « contente », qu'elle est en accord avec « la fantaisie », le « sentiment » de sa mère. Et lorsque Angélique annonce timidement une volonté, « J'en aurai pourtant une », sa mère la rejette : « Il n'est pas nécessaire » ! Un rythme ternaire exalte le rêve maternel : « vous faites encore mieux d'être comme vous êtes, de vous laisser conduire et de vous en fier entiè- rement à moi ». Que la fille cède la place à ce « moi » si maternel ! Quoi de plus légitime que cette tyrannie ? En demandant à sa fille de répondre « raisonnablement », de parler « bien », elle place son projet sous le signe de la raison, du bien et de la sagesse : « Êtes vous plus sage que moi ? ». À l'autorité de la mère répond la timidité de la jeune fille.

Face à cette mère si sûre d'elle, Angélique a du mal en effet à faire entendre sa voix. Elle sait d'emblée que tout dialogue avec sa mère relève du rapport de force. Avant de risquer la moindre réponse, elle s'assure de la bonne volonté maternelle en reposant des questions : « Vous me l'ordon- nez donc ? », « Ce que je pense ? », « Les dispositions de mon cœur ? ». Ces reprises éliminent toute spontanéité. Dès que sa mère réagit au timide « mais », Angélique rentre dans le rang : en faisant la révérence, elle reprend le masque de la fille soumise. À la formule de la mère, « je veux qu'on me réponde », s'oppose celle de la jeune fille : « je tremble de ne pas répondre ». La seule issue qu'elle trouve pour échapper à la pression maternelle est de nier ses sentiments, « je n'ai point de dispositions », « rien du tout » et de se contredire par un « non » qui refuse et accepte le mariage. Et quand elle ose enfin suggérer la possibilité d'un désir personnel, elle se place aussitôt d'elle-même sous l'autorité de la mère : « si vous le voulez ». En donnant vie à ses personnages, Marivaux éclaire les impasses d'une relation tyrannique.

La deuxième partie

Elle commence par une transition : la formule « impossible dialogue » rappelle l'idée de la première partie tandis que « donne vie aux deux personnages » annonce l'idée directrice de la partie suivante. La deuxième partie comprend deux paragraphes et se termine par une phrase de transition. Celle-ci « en donnant vie à ses personnages » rappelle l'idée de la partie qui s'achève, tandis que « impasses d'une relation tyrannique » annonce la troisième partie.

Cette façon de faire parler les personnages est à la fois amusante et instructive. Marivaux en effet dans ce passage joue avec les procédés de la comédie. Ainsi le retour du « mais » dans la bouche d'Angélique relève du comique de répétition : comique révélateur puisqu'il montre la persistance de l'objection et la mauvaise foi de la mère qui ne veut pas l'entendre. Il est amusant de voir revenir ce « mais » dans le discours de Mme Argante : « ce n'est pas que… mais je voudrais… ». Le « mais » suggère que, contrairement à ce qu'elle vient de dire, elle doute du contentement de sa fille. Comme dans toute comédie, Marivaux met en lumière les contradictions des personnages. Ainsi les formules de Madame Argante « qu'on me réponde raisonnablement » ou « parlez bien » font éclater le double discours d'une mère qui veut que sa fille lui réponde librement, mais qui empêche toute réponse libre. Il éclaire de même la jeune fille saisie entre le désir de parler vraiment et la peur de désobéir. Marivaux ne fait pas seulement rire des personnages, il éclaire une situation : c'est en cela que cette scène de comédie est instructive.

La scène montre les dangers d'une relation tyrannique. En donnant la parole à des personnages qui cherchent à se parler sans y parvenir, Marivaux met en lumière l'échec d'une relation qui, entre deux personnages si proches, aurait dû être heureuse. On y voit comment la mère, sûre de ce qu'elle croit son bon droit et le bien de sa fille, refuse à sa fille toute autonomie, toute indépendance, toute volonté. En voulant protéger sa fille, en lui demandant « de (se) laisser conduire et de (se) fier entièrement à (elle) », elle l'étouffe. De voir alors Angélique éperdue, qui s'abîme dans une révérence au moindre mot, qui « tremble » de ne pas être du même avis que sa mère, qui bredouille des « non » contradictoires, fait éclater les effets d'une éducation dévoyée qui affaiblit l'enfant qu'elle devrait libérer. En nous faisant rire de cet impossible dialogue, Marivaux donne la nostalgie d'autres relations et fait souffler sur le théâtre comme un désir de liberté.

Si cette scène est amusante et instructive, c'est qu'elle met à jour les mécanismes du dialogue. Marivaux montre comme on se sert des mots pour se faire reconnaître, pour s'imposer ou s'esquiver. Par cette représentation d'un dialogue courant, il fait respirer les personnages, montre leurs abus, leurs contradictions, leurs faiblesses. La scène intéresse d'autant plus qu'on reconnaît les personnages. Les Angélique certes se font rares de nos jours et les mariages sont autrement organisés mais Madame Argante est loin d'avoir disparu. Et qui n'a éprouvé la violence de la parole, la difficulté d'un échange sincère ? C'est par sa façon de nous faire voir cette émotion, de la faire partager en la mettant à distance, que le théâtre, comique ou tragique, reste irremplaçable.

La troisième partie

La formulation de l'idée directrice annonce les deux paragraphes de la partie. Le mot « amusante » concerne le paragraphe 1, alors que « instructive » évoque le paragraphe 2. Cette partie, comme la précédente, se termine par le rappel de l'idée directrice.

La conclusion

Elle commence par le rappel des remarques développées dans le commentaire. Elle continue en montrant l'actualité du passage et se termine en reprenant la remarque initiale du commentaire.

Préparer le commentaire

L'exercice de commentaire, défini comme la lecture sensible et intelligente d'un texte littéraire, s'appuie nécessairement sur une analyse précise du texte à commenter. C'est cette étude méthodique qui permet de construire le plan du commentaire.

Sujet de commentaire

Vous commenterez le poème « Je suis gong ».

OBJET D'ÉTUDE
Écriture poétique et quête du sens, du Moyen Âge à nos jours.

Je suis gong

Dans le chant de ma colère il y a un œuf,
Et dans cet œuf il y a ma mère, mon père et mes enfants,
Et dans ce tout il y a joie et tristesse mêlées et vie.
Grosses tempêtes qui m'avez secouru,
Beau soleil qui m'as contrecarré,
Il y a haine en moi, forte et de date ancienne,
Et pour la beauté on verra plus tard.
Je ne suis, en effet, devenu dur que par lamelles ;
Si l'on savait comme je suis resté moelleux au fond.
Je suis gong et ouate et chant neigeux,
Je le dis et j'en suis sûr.

HENRI MICHAUX (1899-1984), *Mes propriétés*, Éd. Gallimard, 1929.

La construction du plan

Plan suivi

1. Le chant de la colère (v. 1-3)
Expliquer comment se lient le thème de la colère, l'image de l'œuf et la mise en valeur du mot « vie ».
2. L'invocation (v. 4-7)
Double apostrophe solennelle. De la colère à la haine. La beauté rejetée ou repoussée (v. 7) ?
3. Le chant neigeux ((v. 8-11). L'aveu de la douceur secrète. Passage du chant de la colère au chant neigeux. L'image du gong.

Plan thématique

1. Le jeu des images
a. Image du gong : ouate, chant, neigeux.
b. Image de l'œuf qui lie la douceur et la haine.
2. Une histoire douloureuse
a. Les temps des verbes. Le devenir.
b. L'éloge de la lutte et le rejet de la beauté.
3. La force de la poésie.
a. Force des affirmations (« je le dis et j'en suis sûr »)
b. La douceur perdue et retrouvée.

1 Étudier le texte

Pour construire et rédiger le commentaire, il faut mobiliser tout ce qui a été étudié dans la classe de français.

1. Tenir compte des indications du sujet

À quelle époque le texte a-t-il été publié ? Y a-t-il un mouvement littéraire dominant ? De quelle œuvre est-il tiré ? Parfois ces questions fournissent peu d'indications : on s'appuie alors sur l'objet d'étude dont relève le texte.

2. Tenir compte de l'objet d'étude

L'objet d'étude	Le personnage de roman	Le texte théâtral et sa représentation	Écriture poétique et quête du sens	La question de l'Homme dans l'argumentation
Points à repérer en priorité	• Narrateur • Point de vue • Personnage • Action • Dialogue • Description	• Didascalies • Distribution de la parole • Action • Personnages	• Versification • Effets rythmiques et sonores • Images	• Arguments • Exemples • Procédés de persuasion : apostrophe, images

3. Explorer les caractéristiques du texte

Quel que soit le type de commentaire demandé, une analyse précise du texte permet de justifier les remarques et d'éviter la paraphrase. Il convient d'être attentif aux procédés mis en œuvre :
– les phrases : types et longueur des phrases ;
– les réseaux lexicaux et sémantiques : synonymes, antonymes ;
– l'énonciation et la modalisation : adverbes, pronoms, temps des verbes ;
– les figures dominantes : images, anaphores, hyperboles, procédés de mise en relief.

2 Construire le commentaire

Une fois les repérages effectués, il faut les organiser pour construire le commentaire.

1. Dégager la problématique

On appelle problématique la question qui va orienter le commentaire. Il s'agit de préciser ce qui fait l'intérêt du texte. Comment le poète renouvelle-t-il le thème de la fuite du temps ? Quelle image le dramaturge donne-t-il du libertinage ? Comment le romancier rend-il fantastique une description méticuleuse ?

2. Organiser le plan

Le commentaire s'organise à partir de deux ou trois idées directrices.

■ **Le plan suivi.** Si le texte le permet, le commentaire peut suivre le déroulement du texte : chaque partie du commentaire analyse un mouvement du texte. En évitant les remarques dispersées, on dégage les caractéristiques essentielles de chaque passage.

■ **Le plan thématique.** On regroupe les remarques à partir de deux ou trois thèmes de recherche : comment le texte est-il composé ? Quels sont les personnages ou le thèmes évoqués ? Quelle intention a guidé l'auteur ?

3. Mettre au point le brouillon

■ **Formuler les idées directrices.** Formulez les idées directrices de chaque partie sous forme de phrases simples. Consacrez une feuille de brouillon à chaque partie.

■ **Préparer les paragraphes.** Pour chaque idée directrice, notez les arguments que vous expliquerez.

■ **Classer les citations.** Notez les citations que vous utiliserez dans chaque paragraphe. Certaines citations peuvent être utilisées dans deux paragraphes différents.

Critères de réussite

Évaluer sa préparation

• **L'analyse du texte.** Le texte a-t-il été précisément exploré : composition, thèmes, figures de style ?

• **La construction du plan.** Le plan adopté est-il articulé à partir d'idées directrices clairement formulées ?

• **Les citations.** Les explications s'appuient-elles sur des citations brèves et clairement analysées ?

ÉTUDIER LE TEXTE

EXERCICE 1 •

1. À partir des dates toujours données dans le sujet, indiquez le mouvement littéraire dominant à l'époque de la publication de l'œuvre.

2. Connaissez-vous des auteurs proches et d'autres œuvres de l'auteur à commenter ?

- Nicolas Boileau (1636-1711), *Satires*, 1657.
- Condorcet (1743-1794), *Réflexions sur l'esclavage des nègres*, 1781.
- Gérard de Nerval (1808-1855), *Les Chimères*, 1854.
- Paul Eluard (1895-1952), *Capitale de la douleur*, 1929.
- Claude Simon (1913-2005), *Histoire*, 1967.

EXERCICE 2 •

1. Dans ces textes qui relèvent de l'objet d'étude « Écriture poétique et quête du sens, du Moyen Âge à nos jours », identifiez le type de vers utilisé et les effets produits par la versification.

2. Dans chacun de ces extraits, relevez une image poétique et analysez sa composition.

La nuit. La pluie. Un ciel blafard que déchiquette
De flèches et de tours à jour la silhouette
D'une ville gothique éteinte au lointain gris. (Verlaine)

Les souvenirs sont cors de chasse
5 Dont meurt le bruit parmi le vent. (Apollinaire)

Bleus
La mer est comme un ciel bleu bleu bleu
Par au-dessus le ciel est comme le lac Léman
Bleu-tendre. (Cendrars)

EXERCICE 3 •

1. À partir de ces deux textes qui relèvent de l'objet d'étude « Le texte théâtral et sa représentation : du XVIIe siècle à nos jours », distinguez la tirade du monologue.

2. Montrez que les deux textes (A et B) représentent deux personnages différents.

Texte A

FANTASIO. – J'ai envie de prendre pour maîtresse une fille d'opéra.

SPARK. – Cela t'ennuiera à périr.

FANTASIO. – Pas du tout ; mon imagination se remplira
5 de pirouettes et de souliers de satin blanc ; il y aura un gant à moi sur la banquette du balcon depuis le premier janvier jusqu'à la Saint-Sylvestre, et je fredonnerai des solos de clarinette dans mes rêves, en attendant que je meure d'une indigestion de fraises dans les bras de
10 ma bien-aimée. Remarques-tu une chose, Spark ? c'est que nous n'avons point d'état ; nous n'exerçons aucune profession.

SPARK. – C'est là ce qui t'attriste ?

ALFRED DE MUSSET, *Fantasio*, Acte 1, scène 2, 1834.

Texte B

Le théâtre représente un salon d'un appartement de garçon coquettement meublé.

BOURRICARD, *seul.* – Aïe !... le temps va changer... mes
cors me font mal... c'est comme une rage de dents qui
5 vous tomberait dans les pieds... (*S'asseyant sur la chaise près du guéridon.*) Ce qu'il y a encore de mieux, c'est le repos... et l'absence de chaussures... Sur le coup de quatre heures, je prendrai un bain de pieds...

EUGÈNE LABICHE, *Le Papa du prix d'honneur*, 1868.

EXERCICE 4 ••

1. Dans ces passages romanesques, comparez les points de vue adoptés par le narrateur : dans quel passage le narrateur intervient-il ?

2. De quelle façon les personnages sont-il présentés ?

Texte A

Charles, élégant parisien, découvre la maison provinciale de son oncle.

Quand Charles vit les murs jaunâtres et enfumés de la cage où l'escalier à rampe vermoulue tremblait sous le pas pesant de son oncle, son dégrisement *alla rinforzando*. Il se croyait dans un juchoir à poules. Sa tante et
5 sa cousine, vers lesquelles il se retourna pour interroger leurs figures, étaient si bien façonnées à cet escalier, que, ne devinant pas la cause de son étonnement, elles le prirent pour une expression amicale, et y répondirent par un sourire agréable qui le désespéra.

HONORÉ DE BALZAC, *Eugénie Grandet*, 1833.

Texte B

L'huissier amena Cochepaille. Cet autre condamné à perpétuité, venu du bagne et vêtu de rouge comme Chenildieu, était un paysan de Lourdes et un demi-ours des Pyrénées. Il avait gardé des troupeaux dans
5 la montagne, et de pâtre il avait glissé brigand. Cochepaille n'était pas moins sauvage et paraissait plus stupide encore que l'accusé. C'était un de ces malheureux hommes que la nature a ébauchés en bêtes fauves et que la société termine en galériens.

VICTOR HUGO, *Les Misérables*, 1862.

EXERCICE 5 •••

1. Dans ces textes qui relèvent de l'objet d'étude « La question de l'Homme dans les genres de l'argumentation du XVIe siècle à nos jours », quel est le thème abordé et quelle est la thèse soutenue ?

2. De quelle façon, la thèse proposée est-elle justifiée ?

Texte A

La paresse, l'indolence et l'oisiveté, vices si naturels aux enfants, disparaissent dans leurs jeux, où ils sont vifs, appliqués, exacts, amoureux des règles et de la symétrie, où ils ne se pardonnent nulle faute les uns
5 aux autres, et recommencent eux-mêmes plusieurs fois

une seule chose qu'ils ont manquée : présages certains qu'ils pourront un jour négliger leurs devoirs, mais qu'ils n'oublieront rien pour leurs plaisirs.

La Bruyère, *Les Caractères*, 1668-1694.

Texte B

Le fanatisme n'est pas une erreur, mais une fureur aveugle et stupide que la raison ne retient jamais. L'unique secret pour l'empêcher de naître est de contenir ceux qui l'excitent. Vous avez beau démontrer à
5 des fous que leurs chefs les trompent, ils n'en sont pas moins ardents à les suivre. Que si le fanatisme existe une fois, je ne vois encor qu'un seul moyen d'arrêter son progrès : c'est d'employer contre lui ses propres armes. Il ne s'agit ni de raisonner ni de convaincre, il
10 faut laisser là la philosophie, fermer les livres, prendre le glaive et punir les fourbes.

Jean-Jacques Rousseau, *Lettre à d'Alembert*, 1758

DÉGAGER LA PROBLÉMATIQUE

EXERCICE 6 •

Pour orienter le commentaire de cette scène de comédie, quelle problématique paraît la plus pertinente ?
a. Comment le personnage du jeune amoureux est-il rendu ridicule ?
b. Comment la déclaration d'amour est-elle représentée ?
c. On étudiera de quelle façon les procédés comiques contribuent au dialogue amoureux.

Le jeune comte Sernin de Chamarande est venu voir Suzette dont il est amoureux.

Sernin, *entrant, très effaré.* – Ah ! Mademoiselle ! mademoiselle ! Quel bonheur de vous rencontrer ! Parce
5 que si vous n'y aviez pas été, voyez-vous, ç'aurait été effrayant, je vous assure, effrayant.

Suzette. – Mais puisque je suis là, monsieur Sernin.

Sernin. – Oui, c'est vrai, vous êtes là, c'est vrai. Alors, tout ce que je viens de dire n'existe pas... Ça n'existe
10 pas. Quel bonheur de vous rencontrer !

Suzette, *riant.* – C'est vrai ? Alors, vous m'aimez toujours, monsieur Sernin ?

Sernin. – Si je vous aime, mademoiselle Suzette ! Mais, voyons, si je ne vous aimais pas, je serais le plus
15 malheureux des hommes, je ne vivrais plus, je ferais des choses folles, des choses terribles ! Je me tuerais, je voyagerais, je lirais ! Ah ! si je ne vous aimais pas !

Suzette. – Mais puisque vous m'aimez !

Sernin. – Oui, c'est vrai, je vous aime. Alors tout ce que
20 je viens de vous dire, ça n'existe pas, ça n'existe pas.

Suzette. – Quel type vous faites !

Sernin. – Mais il ne vous déplaît pas, ce type-là ?

Suzette. – Mais non.

Sernin. – Sérieusement ?
25 Suzette. – Mais oui.

Sernin. – Alors, Suzette, c'est vrai, vous voulez bien être ma femme ?

Flers et Caillavet, *Le Roi*, Acte I, scène 6, 1908, Éd. Julliard, 1964.

EXERCICE 7 •

Pour organiser le commentaire du poème de Robert Desnos, quelle problématique semblerait pertinente ?
a. Comment Robert Desnos renouvelle-t-il dans ce poème le thème de la nature ?
b. Comment l'humour renforce la déclaration d'amour ?
c. Dans quelle mesure retrouve-t-on dans ce poème le thème surréaliste de l'amour fou ?

Pas vu ça

Pas vu la comète
Pas vu la belle étoile
Pas vu tout ça

5 Pas vu la mer en flacon
Pas vu la montagne à l'envers
Pas vu tant que ça

Mais vu deux beaux yeux
Vu une belle bouche éclatante
10 Vu bien mieux que ça

Robert Desnos, « Youki », *Poésie*, Éd. Gallimard, 1930.

EXERCICE 8 •

Pour construire le commentaire du texte de l'exercice 6, selon quelles idées directrices pourrait-on regrouper les arguments suivants ?
a. Le comique de répétition relance le dialogue (« mais puisque/ ça n'existe pas »).
b. Le jeune homme est à la fois exalté et intimidé.
c. La vivacité des répliques (« mais oui/mais non »), la dernière réplique contribuent au comique de l'échange.
d. Le personnage de Suzette montre gaieté (« riant ») et indulgence (« quel type ! »).

EXERCICE 9 ••

Pour orienter le commentaire du texte de Patrick Modiano, quelle problématique vous semble la plus pertinente ?
a. De quelle façon le questionnaire sur la jeunesse éclaire-t-il le lecteur sur le personnage ?
b. Comment cette page remet-elle en cause ce qui définit habituellement un personnage de roman ?
c. De quelle façon la mise en place du souvenir donne-t-elle une tonalité nostalgique à cet autoportrait romanesque ?
d. Pourquoi et comment le romancier se moque-t-il des enquêtes sur la jeunesse ?

Très tôt, peut-être même avant la période de l'adolescence, j'avais eu le sentiment que je n'étais issu de rien. Je me souvenais d'un prospectus qu'un type en gabardine

grise et collier de barbe distribuait un après-midi de pluie
5   au Quartier latin. Il s'agissait d'un questionnaire pour
une enquête sur la jeunesse. Les questions m'avaient
semblé étranges : Quelle structure familiale avez-vous
connue ? J'avais répondu : aucune. Gardez-vous une
image forte de votre père et de votre mère ? J'avais
10 répondu : nébuleuse. Vous jugez-vous comme un bon
fils (ou fille) ? Je n'ai jamais été un fils. Dans les études
que vous avez entreprises, cherchez-vous à conserver
l'estime de vos parents et à vous conformer à votre milieu
social ? Pas d'études. Pas de parents. Pas de milieu social.
15 Préférez-vous faire la révolution ou contempler un beau
paysage ? Contempler un beau paysage. Que préférez-
vous ? La profondeur du tourment ou la légèreté du
bonheur ? La légèreté du bonheur. Voulez-vous changer
la vie ou bien retrouver une harmonie perdue ? Retrou-
20 ver une harmonie perdue.

Patrick Modiano, *Accident nocturne*, Éd. Gallimard, 2003.

ORGANISER LE PLAN

EXERCICE 10 •

Parmi les plans proposés, quel est celui qui convient le mieux
au commentaire du poème de Robert Desnos (exercice 7) ?

Plan A

1. La technique de l'énumération
2. L'art de l'antithèse

Plan B

1. L'opposition entre le paysage et la femme
2. L'humour et le poète

Plan C

1. Le mouvement du regard
2. L'éloge de la femme

EXERCICE 11 ••

1. Comparez les plans proposés et choisissez celui qui
conviendrait.
2. Détaillez le plan que vous avez adopté en classant les
notations proposées sans vous y limiter.

La soupe et les nuages

Ma petite folle bien aimée me donnait à dîner, et par
la fenêtre ouverte de la salle à manger je contemplais les
mouvantes architectures que Dieu fait avec les vapeurs,
les merveilleuses constructions de l'impalpable ; – et je
5   me disais à travers ma contemplation : « – Toutes ces
fantasmagories sont presque aussi belles que les vastes
yeux de ma bien-aimée, la petite folle aux yeux verts. »
Et tout à coup je reçus un violent coup de poing dans
le dos, et j'entendis une voix rauque et charmante, une
10 voix hystérique et comme enrouée par l'eau-de-vie, la

voix de ma chère petite bien aimée, qui disait : « Allez-
vous bientôt manger votre soupe, sacré bougre d[e]
marchand de nuages ! »

Charles Baudelaire, *Le Spleen de Paris*, 1869

Plan A

1. La contemplation des nuages (premier paragraphe)
2. Le retour au réel (second paragraphe)

Plan B

1. Un récit surprenant ou une scène de la vie moderne
2. Les malheurs du poète

Plan C

1. L'art des contrastes
2. Humour et poésie

Notation

• Spleen : mélancolie, Romantisme ? Poème en prose
Le titre surprenant
• Expressions désignant le personnage féminin
« petite folle / chère petite bien aimée / yeux verts /
voix rauque et charmante / hystérique / enrouée /
vastes yeux / yeux verts ».
• Contemplation : « mouvantes / merveilleuses architectures / constructions vapeurs / impalpables ».
• Énonciation : le poète « je » style direct : deux
phrases en fin de paragraphe à comparer.
• Temps : imparfait « donnait / contemplais / disais /
disait ». Passé simple « reçus, entendis ».
• Ton du texte : humour ? désenchantement ?

EXERCICE 12 ••

1. Pour organiser le plan du commentaire du texte de Patrick
Modiano (exercice 9), quelle organisation choisir : un plan
suivi ou un plan thématique ? Justifiez votre réponse.
2. Regroupez les remarques suggérées selon deux ou trois
idées directrices.

• Réponses négatives : je n'étais « issu de rien » ;
• Mise en place du questionnaire : souvenir – le
prospectus – sentiment d'étrangeté ;
• Angoisse du narrateur : le rien – l'absence de liens –
l'idéal utopique de rêve : est-ce l'existence même qui
est perçue comme « nébuleuse » (mot à commenter) ;
• Construction du texte : alternance questions-
réponses ;
• Des « questions étranges » à un personnage qui
reste étranger à ce monde (Camus ?) solitude ? ;
• Développement du questionnaire : sur quoi portent
les questions : « structure familiale » « études »
« milieu social » + trois dernières questions ;
• Humour du narrateur : se moque des questions
posées, remise en cause des critères de
classification, d'identification.

PRÉPARATION ▶

1. Quel est le thème abordé par ce texte ? Quelle est la thèse qu'il soutient ?
2. Quelles sont les deux notions qu'il faut distinguer ?
3. Comment l'identité est-elle définie ?

RÉDACTION ▶

Rédigez la première partie du commentaire suivant.
Vous rédigerez le commentaire du texte de Michel Serres en vous aidant du parcours de lecture suivant :
– en analysant le développement de l'argumentation, vous expliquerez quelle distinction est opérée et quelle confusion est dénoncée ;
– ensuite vous étudierez comment sont montrées la gravité de la confusion et la possibilité d'un progrès.

OBJET D'ÉTUDE
La question de l'Homme dans les genres de l'argumentation du XVIᵉ siècle à nos jours.

Serres est marqué sur ma carte d'identité. Voilà un nom de montagne, comme Sierra en espagnol ou Serra en portugais ; mille personnes s'appellent ainsi, au moins dans trois pays. Quant à Michel, une population plus nombreuse porte ce prénom. Je connais pas mal de
5 Michel Serres : j'appartiens à ce groupe, comme à celui des gens qui sont nés en Lot-et-Garonne. Bref, sur ma carte d'identité, rien ne dit mon identité, mais plusieurs appartenances. Deux autres y figurent : les gens qui mesurent 1,80 m et ceux de la nation française. Confondre l'identité et l'appartenance est une faute logique,
10 réglée par les mathématiciens. Ou vous dites *a* est *a*, je suis je, et voilà l'identité ; ou vous dites *a* appartient à telle collection, et voilà l'appartenance. Cette erreur expose à dire n'importe quoi. Mais elle se double d'un crime politique : le racisme. Dire, en effet, de tel ou tel qu'il est noir ou juif ou femme est une phrase raciste parce
15 qu'elle confond l'appartenance et l'identité. Je ne suis pas français ou gascon, mais j'appartiens aux groupes de ceux qui portent dans leur poche une carte rédigée dans la même langue que la mienne et de ceux qui, parfois, rêvent en occitan. Réduire quelqu'un à une seule de ses appartenances peut le condamner à la persécution. Or cette
20 erreur, or cette injure nous les commettons quand nous disons identité religieuse, culturelle, nationale… Non, il s'agit d'appartenances. Qui suis-je alors ? je suis je, voilà tout ; je suis aussi la somme de mes appartenances que je ne connaîtrai qu'à ma mort, car tout progrès consiste à entrer dans un nouveau groupe : ceux qui parlent turc, si
25 j'apprends cette langue, ceux qui savent réparer une mobylette ou cuire les œufs durs, etc. Identité nationale : erreur et délit.

MICHEL SERRES, « Faute », *Libération*, jeudi 19 novembre 2009.

54 Rédiger le commentaire

Une fois que le plan du commentaire a été précisément élaboré sur les feuilles de brouillon, il faut rédiger le commentaire. Un brouillon clair et précis doit permettre de rédiger directement sur la copie. La présentation rend visible la construction du devoir : un blanc sépare introduction, conclusion et chaque partie du devoir ; un alinéa signale le début de chaque paragraphe.

question : Effets dramatique

Commentaire rédigé (extrait)

Bonne exemple

on apprend que c'est un poème

Souvent le texte poétique se présente comme une sorte d'énigme qui laisse le lecteur désorienté. On reconnaît les mots de tous les jours, mais le sens se dérobe, et l'on a l'impression d'être mis à l'écart. N'est-ce pas ce qui se produit à la lecture du poème d'Henri Michaux intitulé « *Je suis gong* » ? Le titre intrigue ; le poème lui-même semble multiplier les formules déroutantes. Pourtant le texte n'est ni insensé ni insignifiant. N'est-ce pas par le détour de ces énigmes qu'il nous dit quelque chose d'inédit, qui n'aurait pu être dit autrement ? Ces formules énigmatiques s'éclairent en effet par la façon dont elles sont orchestrées. Et dans cet enchaînement, on dirait que se dessine un portrait, s'esquisse une histoire. Ainsi s'affirmerait le pouvoir de la poésie dont le poème donne l'exemple.

Le poème se développe à partir d'une série d'images qui s'éclairent les unes par les autres. Mais quel rapport entre le poète qui dit « je » et l'instrument de percussion dont on tire des sons retentissants ? Or, cette métaphore énigmatique est éclairée par les autres métaphores auxquelles elle est associée : « ouate », « chant neigeux ». Le mot « gong » entre dans une série qui lui donne la douce tiédeur de l'ouate. La série a été introduite par le mot « moelleux » qui désigne ce qui est doux, agréable à toucher, à entendre, à goûter. Ainsi le mot « gong » se charge de toutes les nuances que suggèrent ces mots : vibration singulière du mot qui glisse d'un sens à l'autre sans jamais se figer dans un seul.

Mais une autre image surprend : celle de l'œuf. L'œuf est associé à la colère et à la haine, sentiment dont la violence est soulignée par les précisions détachées en fin de vers : « forte et de date ancienne ». Cette série de mots est dominée par la dureté : « Je ne suis devenu dur que par lamelles. » Ainsi la série ouverte par « moelleux » s'oppose à la série terminée par « dur », comme la coquille de l'œuf s'oppose au moelleux du jaune qui se trouve au « fond » de l'œuf. La composition renforce ainsi la cohérence des images. Le poème fait passer d'une colère essentielle, ouvertement revendiquée à une douceur restée secrète voire étouffée. N'est-ce pas que le poème raconte une histoire, révèle ce qui était caché ?

Thèmes de base, jugement personnel, votre rxn au texte.

Explique, pas juste identifier poss. question pre éléments nouvelle, avoir éléments

Conclusion → répond le prob d'une manière affirmatif, on a raisons prouver qu'on élargissement

L'introduction

Le plan du commentaire est annoncé après la présentation du texte.

La première partie

La première phrase formule l'idée directrice de la partie.

Le plan du commentaire (p. 318)

1. Le jeu des images
a. Image du gong
b. Image de l'œuf

2. Une histoire ancienne
a. Le jeu des temps
b. L'éloge de la lutte

3. La force de la poésie
a. Le poids de la parole
b. La douceur

1 Rédiger l'introduction

L'introduction est un paragraphe qui comprend trois temps.

1. La remarque initiale

Elle peut évoquer l'auteur, son œuvre, le mouvement littéraire auquel il peut être lié. Si on ne dispose pas de ces informations, on peut s'appuyer sur l'objet d'étude étudié pendant l'année. Elle introduit le nom de l'auteur et de l'œuvre.

2. La présentation du texte.

Elle doit présenter les principaux caractères du texte – est-ce une description, un dialogue ? combien de personnages sont évoqués ? – et introduire le problème qui orientera le commentaire : la problématique.

3. L'annonce du plan.

Le lecteur doit comprendre clairement comment le commentaire est organisé. On a souvent intérêt à consacrer une phrase à chaque partie. Cette phrase peut être présentée comme une question. Elle peut être liée à la présentation du texte.

2 Rédiger la conclusion

La conclusion, qui peut déjà être esquissée après la rédaction de l'introduction, est un paragraphe qui comprend deux temps.

1. Le bilan du développement

On rappelle de façon claire et précise les réponses données aux questions posées dans l'introduction. Ce qui avait été présenté comme un problème apparaît comme éclairci.

2. L'élargissement

Il correspond à la remarque initiale de l'introduction. Il peut replacer le texte commenté dans l'œuvre de l'auteur, dans un mouvement littéraire, ou dans le genre abordé dans l'objet d'étude. Il peut être l'occasion d'un jugement personnel : il ne s'agit pas de juger le texte, mais d'exprimer comment on a réagi à sa lecture.

3 Rédiger le développement

1. Les parties du commentaire

Chaque partie commence par la formulation de l'idée directrice de la partie. Chaque partie se termine par le rappel de l'idée directrice. On essaie de varier les formules pour éviter la lourdeur des répétitions.

2. Les paragraphes

Chaque partie comporte un ou plusieurs paragraphes. Chaque paragraphe justifie un aspect de l'idée directrice en se fondant sur l'analyse précise du texte.

■ **Le lexique.** On peut recourir aux termes techniques les plus courants de l'analyse littéraire, ils ne sont pas si nombreux mais on ne doit pas s'y limiter : il faut chercher à expliquer le texte de la façon, la plus précise, la plus claire, la plus vivante possible. Si on a oublié le mot « anaphore », le mot « répétition » fera très bien l'affaire : l'essentiel est de bien expliquer l'effet produit par cette répétition.

■ **Les citations.** Judicieusement circonscrites car il ne s'agit pas de recopier plusieurs lignes, elles sont insérées dans le cours du développement par la mise en apposition, la complémentation ou annoncées par les deux points.

Critères de réussite

Évaluer la rédaction du commentaire

• **Le plan.** Est-il clairement annoncé ? Est-il respecté dans le cours du devoir ?

• **Le développement.** Les explications sont-elles fondées sur une analyse précise du texte ?

• **La présentation.** Le plan du commentaire est-il visible quand on survole la copie ?

RÉDIGER L'INTRODUCTION

EXERCICE 1 •

1. Comparez les trois propositions d'introduction, quelle est celle qui remplit les fonctions de l'introduction ?

2. Proposez les modifications nécessaires pour corriger les deux autres introductions.

Objet d'étude : Le personnage de roman du XVIIe siècle à nos jours.

Marceau, dit Jason l'Entier, se lève. C'est encore nuit noire. La fenêtre est à peine un peu plus claire que le mur. Il marche d'un gros pas d'ours, pieds nus ; les poutres du plancher crient les unes après les autres.
5 Aussitôt l'écurie qui est juste en dessous se tait. Le gémissement du plancher suit le pas. Qu'est-ce qu'on commence à voir dehors ? Ses énormes épaules bouchent la fenêtre, il reste juste un petit clair au-dessus de sa tête, dans ses cheveux de sanglier gris. Sa joue gratte
10 la vitre. Il a dû pleuvoir cette nuit ; en bas devant, la route est noire ; de l'eau luit dans les ornières. Le ciel n'est pas beau. La tête rentre dans les énormes épaules ; l'œil s'approche de la vitre et regarde en l'air à ras des gros sourcils. Le ciel est laid. Le corps pesant respire ;
15 le plancher craque en même temps ; le petit œil marron regarde le ciel.

JEAN GIONO, *Deux cavaliers de l'orage*, Éd. Gallimard, 1965.

Introduction A

Dans ce texte, on voit un homme qui se lève. Il regarde par la fenêtre le temps qu'il fait. Il ne dit rien, ne réagit pas : il regarde. Pourtant on sent une présence, une force. Comment Jean Giono a-t-il fait sentir la force de ce personnage de roman ? Pour répondre à cette problématique, on étudiera la mise en place du regard et puis la façon dont le personnage est décrit.

Introduction B

Le cinéma, devenu de plus en plus populaire au cours du siècle passé, a influencé les autres arts et en particulier l'art du roman. On le sent bien dans la façon dont il décrit le personnage de Marceau dans le roman *Deux cavaliers de l'orage*. Dans une sorte de long plan muet, le romancier fait voir ce que pourrait saisir la caméra. N'est-ce pas ce qui rend ce passage si vivant ?

Introduction C

Contrairement au dramaturge, le romancier ne peut compter sur les acteurs pour donner vie à ses personnages. Tout repose sur sa façon d'écrire. Dans une page du roman *Deux cavaliers de l'orage*, publié en 1965, le narrateur semble adopter le point de vue de son personnage. C'est l'acuité de ce regard qui frappe d'abord quand on découvre le passage. Mais le romancier donne aussi à ce personnage silencieux une présence singulière. C'est finalement tout un univers qui surgit de ce regard.

EXERCICE 2 ••

1. Quelle remarque (a, b ou c) semble le mieux convenir pour introduire le commentaire du texte de Pascal ?

2. Quelle proposition (a, b ou c) préférez-vous pour annoncer le plan ? Justifiez votre choix.

3. Rédigez l'introduction du commentaire.

Objet d'étude : la question de l'Homme dans les genres de l'argumentation du XVIe siècle à nos jours.

Tel homme passe sa vie sans ennui en jouant tous les jours peu de chose. Donnez-lui tous les matins l'argent qu'il peut gagner chaque jour, à la charge[1] qu'il ne joue point, vous le rendez malheureux. On dira peut-être
5 que c'est qu'il recherche l'amusement du jeu et non pas le gain. Faites-le donc jouer pour rien, il ne s'y échauffera pas et s'y ennuiera. Ce n'est donc pas l'amusement seul qu'il recherche, un amusement languissant et sans passion l'ennuiera, il faut qu'il s'y échauffe et qu'il se
10 pipe[2] lui-même en s'imaginant qu'il serait heureux de gagner ce qu'il ne voudrait pas qu'on lui donnât à condition de ne point jouer, afin qu'il se forme un sujet de passion et qu'il excite sur cela son désir, sa colère, sa crainte pour l'objet qu'il s'est formé, comme les enfants
15 qui s'effraient du visage qu'ils ont barbouillé.

BLAISE PASCAL, *Pensées*, « Divertissement »
Éd. Sellier 168, 1658

1. à la charge : à condition. 2. se pipe : se trompe.

A. Pour amorcer l'introduction

a. À l'époque de Pascal, le jeu est à la mode : à la cour même, l'on s'y passionne et on l'on s'y ruine.

b. Blaise Pascal, savant précoce, s'est aussi intéressé à l'art de l'argumentation. Pour convaincre son interlocuteur, il ne suffit pas de démontrer, il faut le prendre au jeu.

c. De tous les genres littéraires, les genres de l'argumentation sont les plus austères. À force de sérieux, ils risquent d'être ennuyeux.

B. Pour annoncer le plan

a. Comment Pascal est-il parvenu à intéresser son lecteur à un tel problème ? Mais n'est-ce pas la rigueur de la démonstration qui la rend convaincante ? La force du fragment ne vient-elle pas aussi de ce qu'elle éclaire la question de l'Homme ?

b. On cherchera dans ce commentaire à montrer en quoi cette argumentation est vivante, rigoureuse et implacable.

c. On étudiera la mise en œuvre de l'argumentation puis on se penchera sur la valeur des arguments avant de s'interroger sur les conséquences que l'écrivain en tire.

RÉDIGER LA CONCLUSION

XERCICE 3 •

1. Observez ces trois propositions de conclusion pour le commentaire du texte de Jean Giono (exercice 1), retrouve-t-on les deux temps attendus dans une conclusion ?
2. Complétez et modifiez la proposition qui vous semble la moins convaincante.

A. En suivant le regard de son personnage, le romancier en a fait sentir la force. Il fait du bruit quand il se déplace : il ne bronche pas quand il voit quel sale temps il fait. Mais si le romancier a réussi ce portrait, il a aussi donné envie de lire la suite : pourquoi Marceau regarde-t-il ainsi par la fenêtre ? Qu'attend-il de cette journée ? Que va-t-il se passer ? On a envie de tourner la page, de lire la suite : c'est ça, le plaisir du roman !

B. En quelques lignes, Giono a donné une sorte d'épaisseur mystérieuse à son personnage. On voit sa masse, ses petits yeux : on l'entend bouger, on entend son silence. Est-ce une brute ? Est-ce un héros ? Sera-t-il à la hauteur de son surnom : Jason l'Entier ? Voilà un personnage de roman qui pourrait tenter bien des acteurs de cinéma !

C. Ainsi le regard que porte Marceau sur le monde qu'il entrevoit par la fenêtre a donné vie au personnage. En se concentrant sur le corps du personnage, en le saisissant comme à contre-jour, le romancier lui a donné une présence plus forte que s'il l'avait plus précisément décrite. Mais aussi, il l'a lié au paysage qui l'entoure, au bois qui craque, au ciel qui pèse. Le personnage de roman n'est-il pas, plus encore que le personnage de théâtre, celui qui nous fait partager une façon de voir, une façon de vivre ?

EXERCICE 4 ••

En vous appuyant sur le plan proposé, rédigez l'introduction et la conclusion du commentaire du poème de Jean Tardieu.

Objet d'étude : Écriture poétique et quête du sens du Moyen Âge à nos jours.

Les fleurs du papier

Je t'avais dit tu m'avais dit
je t'avais dit je t'avais dit tu m'avais dit
je t'avais dit tu m'avais dit je t'avais dit tu m'avais dit
je t'avais dit

5 – Oh comme les maisons étaient hautes !
Oh comme le vieil appartement sentait la poussière !
Oh comme il était impossible à retrouver
le temps du soleil le temps du futur, des fleurs du papier !

Je t'avais dit tu m'avais dit
10 je t'avais dit je t'avais dit tu m'avais dit.

Jean Tardieu, *Histoires obscures*, Éd. Gallimard, 1961.

Plan du commentaire

1. Un étrange dialogue

a. Le contraste entre les strophes crée une sorte de double chant.
b. Les modalités et les effets de rythme marquent l'étonnement dont la cause n'est pas formulée : on reste au bord des mots.

2. Le passage du temps

a. Les temps, imparfait, plus-que-parfait plongent dans le passé, font affleurer les souvenirs.
b. Le décor suggère l'impossible retour vers le temps perdu et les paroles humaines ne sont plus que vains bruissements – emploi absolu de « dire ».

RÉDIGER LE DÉVELOPPEMENT

EXERCICE 5 ••

Vous rédigerez le début et la fin de chaque partie du commentaire du texte qui suit. Vous pourrez vous aider du plan esquissé..

Objet d'étude : le personnage de roman du XVIIe siècle à nos jours.

La jeune Madame Bovary est invitée au bal chez un marquis du voisinage.

Le cœur d'Emma lui battit un peu lorsque, son cavalier la tenant par le bout des doigts, elle vint se mettre en ligne et attendit le coup d'archet pour partir. Mais bientôt l'émotion disparut ; et, se balançant au rythme
5 de l'orchestre, elle glissait en avant, avec des mouvements légers du cou. Un sourire lui montait aux lèvres à certaines délicatesses du violon, qui jouait seul, quelquefois, quand les autres instruments se taisaient ; on entendait le bruit clair des louis d'or qui se versaient à côté, sur
10 le tapis des tables ; puis tout reprenait à la fois, le cornet à piston lançant un éclat sonore. Les pieds retombaient en mesure, les jupes se bouffaient et se frôlaient, les mains se donnaient, se quittaient ; les mêmes yeux s'abaissant devant vous, revenaient se fixer sur les vôtres.

Gustave Flaubert, *Madame Bovary*, 1857.

PLAN DU COMMENTAIRE

1. Comment le romancier a-t-il décrit la danse ?
• Point de vue du narrateur ; impersonnel ?
• Sensations essentiellement auditives ; musique + louis d'or.
• Mouvement d'ensemble ; pronominaux synecdoques.

2. Comment le romancier a-t-il suggéré l'émotion de son personnage ?
• Point de vue du narrateur ; celui du personnage ?
• L'émotion initiale, vite disparue ; son aisance.
• Son bonheur ; fusion, secrète extase.

EXERCICE 6 ● ●

En vous aidant des notations qui suivent, rédigez le paragraphe 2 de la première partie du commentaire du texte de Flaubert (exercice 5).

- La narration ; importance de la musique ; c'est ce qu'entend Emma.
- La musique organise le paragraphe : coup d'archet ; orchestre ; solo du violon ; le cornet.
- Précision des indications : « certaines délicatesses » ; « éclat sonore » ; le bruit des louis d'or ; fait sentir le silence de l'orchestre + nuance de luxe ; effet produit par ses notations + lien avec le paragraphe suivant.

EXERCICE 7 ● ● ●

En vous aidant des indications qui suivent, rédigez le premier paragraphe de la seconde partie du commentaire de « Je suis gong » (p. 318 et 324).

Notes pour rédiger le paragraphe
Le temps : évocation d'une histoire.

- Opposition temps du présent (action en train de se produire) : « il y a » – « suis » – et du passé composé (action accomplie) : « avez secouru », « as contrecarrées »
- Opposition « je suis resté » : « je suis devenu »
- Indication du passé « de date ancienne » et attitude face au futur : « on verra plus tard »
- Liaison, passage de « ma mère, mon père » (passé ?) à « mes enfants » (futur ?)

Conclusion
Une histoire de famille ? l'histoire d'un combat ?

EXERCICE 8 ●

1. Parmi les propositions de commentaire, laquelle semble la plus pertinente ?
2. Quelles erreurs comporte celle que vous éliminez ?
2. Rédigez votre propre version de ce commentaire.

> Le soir nous les regardons traire les vaches dans l'écurie : Marinette, la blonde, son corps vigoureux serré dans le corsage et le tablier bien lessivé, tire les pis bouseux au-dessus du seau. Quand le seau est plein,
> 5 des éclaboussures de lait brillent dans la pénombre sur sa gorge et sa figure pleine d'éclats de rire, avec le couchant rouge dedans.
>
> **PIERRE GUYOTAT**, Formation, 2007.

A. L'auteur souligne la difficulté de la traite des vaches : il dit que les pis sont « bouseux », ce qui est péjoratif et il parle des « éclaboussures de lait » qui salissent le « tablier bien lessivé ». En plus, il dramatise le tableau en insistant sur le mot « rouge » qui fait penser au sang et à la violence.

B. Dans ce tableau qui évoque la campagne d'autrefois, on est frappé par la force qui émane de gestes quotidiens. L'intensité des couleurs, la force des gestes, le portrait de la fermière font éclater une formidable joie de vivre

EXERCICE 9 ● ●

Lisez le paragraphe suivant, dernier paragraphe du commentaire du texte de Pascal (exercice 2). Insérez les citations qui vous semblent nécessaires.

Selon Pascal en effet, pour être heureux, l'homme est obligé de se fabriquer lui-même de fausses raisons l'accumulation des verbes pronominaux, …, …, …, …, souligne que c'est l'être humain lui-même qui invente les mensonges auxquels il fait semblant de croire. À deux reprises, le verbe …, suggère qu'on doit faire un effort sur soi pour se prendre au jeu : les effets de cette ardeur, « …, …, …. » apparaissent comme fabriqués. Pour tromper l'ennui, l'être humain ne peut que se tromper lui-même : …. La comparaison qui termine le texte est d'une ironie cinglante : le joueur est comparé aux « … […] … ». Et le pire sans doute : ces mensonges nous permettent vraiment de vivre ! mais est-ce vivre vraiment ?

EXERCICE 10 ● ●

En vous aidant de l'exemple proposé, corrigez les paraphrases (remarques qui se contentent de répéter le texte).

Le texte à commenter

> Ingrate que j'aimais, je te hais, je t'abhorre…
> Mais quel bruit à sa porte. Ah ! dois-je attendre encore ?
> J'entends crier les gonds… On ouvre, c'est pour moi !…
> Oh ! ma Camille m'aime et me garde sa foi…
> 5 Je l'adore toujours… Ah ! dieux ! ce n'est pas elle !
> Le vent seul a poussé cette porte cruelle.
>
> **ANDRÉ CHÉNIER** (1762-1794), Fragments d'élégies.

L'exemple
La paraphrase :
Le poète dit que la femme qu'il aimait est ingrate.
La correction :
Le mot « ingrate » appartient au lexique galant : il désigne une femme qui a refusé l'amour qu'on lui proposait. Mis en valeur par l'apostrophe, il fait sentir la déception du poète.

Paraphrases à corriger
a. Il se demande s'il doit attendre.
b. Il croit que c'est à lui qu'on ouvre la porte.
c. Mais c'est le vent : il regrette d'avoir été trompé.

PRÉPARATION ▶

1. À quel mouvement littéraire du début du xxᵉ siècle Robert Desnos a-t-il participé ?
2. Quelle modalité de phrase domine dans le poème ?
3. Quel effet produit l'usage du pluriel ?

RÉDACTION ▶

Vous rédigerez un commentaire du poème de Robert Desnos, en vous aidant du parcours suivant :
– vous analyserez quelle image le poète donne de la femme ;
– vous vous demanderez dans quelle mesure il renouvelle le thème de l'amour.

OBJET D'ÉTUDE
Écriture poétique et quête du sens, du Moyen Âge à nos jours.

Nuits

Femmes de grand air
Femmes de plein vent
Est-ce que la nuit est douce pour vous

Femmes de plein vent
5 Rôdeuses rencontrées à l'aube
Est-ce que la nuit ne vous déchire pas

Femmes de grand air
Laboureuses perdues dans les plaines
Est-ce que la nuit est une moisson pour vous

10 Femmes de plein vent
Marchandes de poissons aux mains crevassées
Est-ce que la nuit coule vite pour vous

Femmes réveillées au petit jour
Femmes traînant au travail les pieds meurtris
15 Est-ce que la nuit est sans écho pour vous

La nuit est-elle douce ?
La nuit vous déchire-t-elle ?
Moissonnez-vous la nuit ?
La nuit coule-t-elle pour vous ?

20 Femmes de grand air
Femmes de plein vent
Femmes de la nuit de l'aube et du jour

Rôdeuses laboureuses poissonnières
Aimez-vous le plein air
25 Aimez-vous le plein vent ?

Robert Desnos, « Youki », *Poésie*, 1930, Éd. Gallimard.

La dissertation

La dissertation demande de rédiger un développement argumenté à partir d'une citation ou d'une question. Il est donc nécessaire d'analyser précisément le sujet afin d'en dégager la problématique. La recherche d'idées, d'arguments et d'exemples peut ensuite commencer. Elle prend appui sur les textes du corpus, les objets d'étude de la classe de Première et les connaissances du candidat. On élabore alors le plan qui permet de développer son argumentation.

Lorsque le plan détaillé de la dissertation est clairement élaboré, le candidat rédige au brouillon l'introduction de son argumentation, puis son développement.

Le candidat rédige ensuite la conclusion de la dissertation, de manière à répondre définitivement à la problématique du sujet.

Exemple de dissertation

SUJET DU BAC

OBJET D'ÉTUDE
*La question de l'Homme dans les genres de l'argumentation,
du XVIᵉ siècle à nos jours*

TEXTES

TEXTE A : François Rabelais (vers 1483-1553), *Pantagruel*, 1532.
TEXTE B : Pascal (1623-1662), *Pensées*, 1669 (posthume).
TEXTE C : Victor Hugo (1802-1885), *Discours d'ouverture du congrès de la paix*, 21 août 1849.
TEXTE D : Bernard-Henri Lévy (né en 1948), *La Barbarie à visage humain*, 1977.

→ DISSERTATION (toutes séries)

Du roman, dans lequel le personnage expose un point de vue, ou des genres proprement argumentatifs, comme le discours, les pensées ou l'essai, quel est selon vous le plus efficace pour faire partager des idées sur l'Homme et la société ?

En vous appuyant sur le corpus proposé, les œuvres que vous avez étudiées ou lues, vous répondrez à cette question.

La construction du plan

PROBLÉMATIQUE GÉNÉRALE

Les genres argumentatifs sont-ils les plus propres à faire partager des idées a lecteur ?

I. Les genres de l'argumentation, conçus pour convaincre et persuader

1. L'argumentation directe, **arme** traditionnelle de la défense des idées.
(→ Pascal, Hugo, Lévy dans la tradition de l'orateur).

2. L'implication directe et immédiate du destinataire, poussé à agir. (→ faire change les comportements pour Pascal (texte B), faire partager une opinion politique pou Hugo et Lévy.) (voir textes C et D)

3. Les genres de l'argumentation indirecte au service de la persuasion. Ils permettent de toucher d'autres publics (exemples : la fable, le dialogue et le cont philosophique).

II. Le personnage de roman, porte-parole de l'auteur

1. La fiction au service des idées : le roman est le miroir de l'Homme et de la société (→ le Pantagruel de Rabelais à l'image de la Renaissance ; les réalistes au XIXᵉ siècle.

2. L'identification aux personnages et à leurs idées. (→ les personnages romantiques au XIXᵉ siècle ; le roman engagé au XXᵉ siècle → Malraux, Saint-Exupéry…).

3. Les autres genres littéraires au service des idées : le théâtre et la poésie ont aussi une dimension argumentative (Molière ou Beaumarchais et le combat contre les défauts de la société, Hugo et le travail des enfants).

Élargissement. La littérature est essentiellement argumentative : chaque écrivain veut faire partager sa vision de l'Homme et du monde à travers ses œuvres, directement argumentatives ou non.

issertation rédigée

Depuis toujours, la littérature est divisée en quatre grands genres téraires : la poésie, le roman, le théâtre sont considérés comme des oyens de divertir lecteurs et spectateurs, tandis que les genres de rgumentation, plus « sérieux », visent quant à eux, à convaincre et à ersuader. On peut ainsi se demander si l'argumentation directe est la us efficace pour réfléchir sur ce qui fait la grandeur de l'Homme, ou au ontraire sa « misère », comme l'écrit Pascal. C'est pourquoi nous examine- ns dans une première partie l'importance des genres argumentatifs pour ousser le destinataire à agir ou à prendre position sur la société. Mais ous verrons aussi, dans une deuxième partie, que de nombreux écrivains e sont servis des autres genres littéraires pour faire partager efficace- ent leurs idées.

Dès l'Antiquité grecque, les orateurs ont cherché à perfectionner art du discours pour convaincre les citoyens des idées qu'ils voulaient ur faire partager. On retrouve cette dimension dans tous les genres de argumentation, du XVIe siècle à nos jours. C'est ainsi que Pascal choisit la orme des « pensées » pour concentrer dans une forme brève ses réflexions ur la grandeur et la misère : « L'homme n'est qu'un roseau, le plus faible de a nature ; mais c'est un roseau pensant. » (texte B). Il engage une analyse adicale de la condition humaine que poursuit à sa manière Victor Hugo lans son Discours d'ouverture du congrès de la paix. Celui-ci dénonce es guerres, les querelles, les violences qui opposent depuis toujours les ations européennes entre elles. De même, le philosophe contemporain Bernard-Henri Lévy s'appuie sur la forme de l'essai pour alerter l'opinion ublique sur les dangers des totalitarismes qui abaissent l'humanité et éduisent la société à « un monde sans âme » (texte D).

Si les genres de l'argumentation paraissent si efficaces, c'est parce qu'ils visent à modifier directement et immédiatement l'opinion de leurs estinataires. Celui qui écoute, celui qui lit est ainsi poussé à agir. Pascal crit ses Pensées pour conduire ses contemporains à retrouver dans la foi n sens à leur existence. Victor Hugo quant à lui aura une influence considé- able sur son siècle en prenant la parole à la tribune de l'Assemblée, comme n de nombreuses occasions solennelles. C'est ainsi qu'il sera le défenseur

L'introduction situe le sujet dans son contexte, explique la problématique et annonce le plan.

Chaque paragraphe du développement développe un argument, et s'appuie sur des exemples et des citations.

acharné de l'abolition de la peine de mort. L'apostrophe, l'adresse directe à la deuxième personne, l'interpellation du destinataire sont autant d'armes qui contribuent à persuader : « Vous France, vous Russie, vous Italie, vous Angleterre, vous Allemagne, vous toutes, nations du continent… » Enfin, Bernard-Henri Lévy propose au lecteur de ses essais une réflexion sur l'horreur des conflits idéologiques qui ont marqué le XXᵉ siècle pour faire en sorte qu'ils ne se reproduisent plus.

Cependant, l'argumentation n'est pas toujours directe. D'autres genres permettent eux aussi aux auteurs d'exprimer des idées tout aussi fortes et de les faire partager au plus grand nombre. On pense bien sûr à Jean de La Fontaine et à ses fables qui ont enchanté des millions d'enfants, puis d'adultes sur tous les défauts des hommes : « Le Loup et l'Agneau », « Les Animaux malades de la peste », « Le Coche et la Mouche » ont permis à chacun d'entre nous de réfléchir mais aussi de sourire des comportements humains. De même, au XVIIIᵉ, les écrivains philosophes des Lumières ont utilisé, à côté des formes directes de l'argumentation, d'autres formes, plus accessibles au lecteur : les dialogues philosophiques de Diderot, les contes philosophiques de Voltaire constituent une part importante de leur œuvre, au point qu'elles ont contribué à éclairer les esprits tout autant que l'Encyclopédie ou le Dictionnaire philosophique.

L'ensemble des genres de l'argumentation participe ainsi à une même volonté de convaincre et de persuader. Néanmoins, on ne peut ignorer la dimension argumentative des autres genres littéraires, qui mettent à profit le récit, la scène ou la versification pour faire partager, de manière ludique ou esthétique, les idées essentielles de leurs auteurs.

La transition marque le passage d'une partie à l'autre.

Tous les grands romanciers se sont toujours attachés à représenter la société de leur temps pour en souligner les qualités et les défauts. Les œuvres de Rabelais possèdent elles aussi cette dimension argumentative. L'écrivain y fait partager au lecteur sa défense des valeurs de la Renaissance et de l'humanisme contre les préjugés et l'obscurantisme. À sa suite, de nombreux écrivains ont fait du roman un miroir critique de l'Homme et de la société. Stendhal, Balzac, Flaubert, Zola et Maupassant, au XIXᵉ siècle, ont ainsi dénoncé avec réalisme la « comédie humaine » d'un monde en mutation. L'apparition du monde ouvrier, l'obsession de l'argent, les injustices sociales se retrouvent dans l'univers romanesque, placés sous les yeux du lecteur qui est dès lors obligé de réfléchir sur le monde qui l'entoure.

De plus, le personnage est souvent le porte-parole privilégié du romancier. En suivant ses aventures, en participant aux épreuves et aux succès qu'il rencontre, le lecteur s'identifie forcément à lui et à ses idées. L'enthousiasme de Pantagruel pour la liberté et la culture est ainsi commu-

La deuxième grande partie nuance les idées développées dans la première.

catif. L'identification est le moyen dynamique qui permet de faire partager des idées : « La lumière et la dignité ont été de mon vivant rendues aux
lettres. » (texte A). C'est cette exaltation du personnage qu'on retrouve
sous les traits de René, le personnage épris de liberté de Chateaubriand,
auquel le lecteur ne peut que s'identifier. Plus près de nous, au XXe siècle,
les écrivains engagés, comme Malraux, Sartre ou Camus, représentent des
personnages pleins de doutes et d'interrogations devant les choix qu'ils
doivent faire. Le lecteur grandit avec eux, en réfléchissant sur la nécessité
pour chaque individu de s'engager.

    Par ailleurs, il ne faut pas oublier qu'à côté du roman, le théâtre et la
poésie possèdent également une dimension argumentative forte. La scène
est ainsi le lieu d'affrontement des idées et des points de vue sur l'homme
et le monde. Molière, Marivaux, Beaumarchais, Hugo, Jarry, Ionesco font rire
le lecteur de lui-même, le poussant de cette manière, à travers la comédie,
à changer ses propres mœurs. De même, la tragédie, avec Corneille, Racine,
Giraudoux, Anouilh ou Koltès, met en scène les conflits qui déchirent
chacun d'entre nous. D'une façon différente, la poésie peut elle aussi entraîner et émouvoir le lecteur. Le lyrisme des vers de Victor Hugo attaquant le
travail des enfants touche le lecteur en même temps qu'il le convainc de la
justesse de la cause défendue. Prévert, à travers la simplicité revendiquée
de sa poésie, défend le cancre, le sans-abri, le soldat solitaire, dénonçant
avec efficacité toutes les injustices sociales.

    En définitive, il est évident que les genres de l'argumentation possè-
dent une efficacité indéniable pour faire partager des idées sur les hommes
et la société. Ils s'adressent, directement ou non, à l'esprit du lecteur et à
son sens critique. Cependant, les autres genres littéraires ont eux aussi
une importance capitale, en s'adressant peut-être à des lecteurs que les
discours purement argumentatifs ne toucheraient pas. En s'appuyant
d'abord sur le rêve et l'imagination, le roman, le théâtre et la poésie possèdent une force de persuasion particulière. La même réponse peut d'ailleurs s'appliquer à d'autres formes d'arts que la littérature. La peinture, la
musique, le cinéma possèdent eux aussi cette dimension argumentative qui
pousse ce roseau pensant qu'est l'homme à toujours tenter de s'améliorer.

La conclusion fait le bilan de
la démarche avant d'élargir la
problématique sur un autre
point de vue.

Préparer la dissertation

Le sujet prend la forme d'une citation ou d'un point de vue qu'il s'agit d'analyser. Une première lecture du sujet doit permettre de définir précisément la problématique liée à l'objet d'étude du corpus. C'est cette problématique qui va guider la construction du plan de la dissertation.

Sujet de dissertation

Pour de nombreux critiques, les personnages sont le moteur principal de l'illusion romanesque. Vous discuterez cette affirmation en fondant votre réflexion sur les textes du corpus et sur vos lectures personnelles.

OBJET D'ÉTUDE
Le personnage de roman, du XVIIᵉ siècle à nos jours

TEXTES
TEXTE A – Marivaux (1688-1763), *La Vie de Marianne*, 1742.
TEXTE B – Honoré de Balzac (1799-1850), *Eugénie Grandet*, 1833.
TEXTE C – Marcel Proust (1871-1922), *Le Temps retrouvé*, 1927.
TEXTE D – Alain Robbe-Grillet (1922-2008), *Les Gommes*, 1953.

Plan de la dissertation

I. Le personnage, vecteur de la fiction romanesque

1. Pas de roman sans intrigue, pas d'intrigue sans personnages
→ cf. La Vie de Marianne (texte A) ; les vingt romans des Rougon-Macquart de Zola racontent l'histoire d'une même famille et de leurs multiples destins (Gervaise, Saccard, Eugène Rougon, etc.).

2. Le roman réaliste est la consécration du personnage comme fondement de la fiction → Les titres de romans, qui sont des noms de personnages (Eugénie Grandet (texte B), ou encore Lucien Leuwen ou Madame Bovary).

3. L'identification du lecteur au héros est essentielle au plaisir du roman à toutes les époques → La Princesse de Clèves, Paul et Virginie, Les Trois Mousquetaires, Le Hussard sur le toit (personnages qui attirent la sympathie du lecteur).

• Cependant, l'illusion romanesque ne repose pas uniquement sur les personnages : l'auteur met en place un cadre pris en charge par un narrateur.

II. La narration, essentielle au récit

1. Le cadre spatio-temporel de l'intrigue (une époque, un lieu, un univers) → Les débuts de roman (textes A et B) ; l'importance de la description dans Madame Bovary (cf. la casquette de Charles).

2) La voix du narrateur conducteur du récit. → Dans Le Temps retrouvé (texte C), ce sont moins les personnages qui comptent que la voix qui raconte.

3) Le roman moderne et la « fin du personnage » ? → Les Gommes et le Nouveau Roman (texte D) montrent une crise du personnage, considéré comme secondaire.

1 Analyser le sujet

■ **La problématique.** Pour analyser le sujet, il faut chercher et souligner les mots-clés qui permettent d'engager la réflexion. Le sujet exprime un point de vue sur l'objet d'étude représenté dans le corpus au moyen d'une question ou d'une citation. C'est cette problématique que le candidat doit identifier.

→ Pensez-vous, comme l'affirme Antonin Artaud, que « sans un élément de cruauté, le théâtre n'est pas possible » ? Vous répondrez en vous appuyant sur les textes qui vous sont proposés, ceux que vous avez étudiés en classe, vos lectures personnelles ou les spectacles auxquels vous avez pu assister.

■ **Le genre littéraire.** Le sujet définit le genre littéraire sur lequel porte la réflexion (« le théâtre »), orientée par l'objet d'étude (« le texte théâtral et sa représentation ») et la thèse de l'auteur (necessité d'un « élément de cruauté »).

2 Rechercher des idées

Après avoir identifié la problématique du sujet, le candidat doit recourir au travail mené pendant l'année afin de mobiliser les savoirs acquis sur l'objet d'étude

■ **Mobiliser ses connaissances.** Il faut d'abord noter au brouillon les références littéraires (textes, œuvres, auteurs, mouvements culturels...), les idées ou les exemples issus des textes étudiés en classe, qui permettent de nourrir la réflexion sur le sujet.

■ **Exploiter le corpus.** Il s'agit ensuite de relire les différents textes du corpus en fonction de la problématique. Le candidat souligne dans les textes les mots, les expressions et les phrases qui indiquent des pistes de réflexion et peuvent servir de citation ; il résume dans les marges d'une phrase ou d'un mot l'idée générale défendue par l'auteur ou l'impression produite par le texte.

3 Construire le plan

Le plan de la dissertation consiste à classer les différentes idées, les arguments et les exemples recueillis, de manière à confronter différents points de vue qui rendent compte de tous les aspects de la problématique.

■ **Le plan en deux parties.** Chaque partie présente un point de vue différent et développe les arguments et exemples qui viennent étayer ce point de vue. On commence généralement par étayer le point de vue proposé par le sujet pour ensuite en montrer les limites.

→ I. La cruauté, nécessaire au théâtre (dans la tragédie, dans la comédie, dans le vaudeville) ; II. La cruauté, vaincue par le spectacle théâtral (par la mise en scène, par le jeu des acteurs, par le rire du spectateur).

■ **Le plan en trois parties.** La première partie explique et développe l'opinion ou le point de vue exprimé par le sujet. La deuxième partie nuance ou conteste ce point de vue en en montrant les limites. La troisième partie propose une opinion personnelle qui concilie les points de vue opposés ou permet de poser autrement le problème.

→ I. Toute intrigue théâtrale suppose une part de cruauté (dans la tragédie, dans la comédie, dans le vaudeville). II. Le spectacle théâtral fait souvent oublier la cruauté (par la mise en scène, par le jeu des acteurs, par le rire du spectateur). III. Le théâtre, reflet de l'Homme et du monde (dans ses qualités, dans ses défauts, dans son humanité).

Critères de réussite

Vérifier la construction du plan

• **L'équilibre des parties.**
Chacune des deux ou trois grandes parties apparaît équilibrée, à travers un nombre identique de paragraphes.

• **Les transitions.**
La fin de chaque grande partie fait d'une phrase le bilan du point de vue défendu ; elle peut annoncer au moyen d'une question la partie qui suivra.

• **Les liens logiques.**
Des termes d'articulation soulignent le développement logique des idées, leur complémentarité ou leur opposition.

ANALYSER LE SUJET

EXERCICE 1

Repérez dans les sujets de dissertations suivants les mots-clés qui permettent d'engager la réflexion.

Sujet 1 : À partir du corpus, de vos lectures et de votre expérience de spectateur, vous vous demanderez en quoi la mise en scène d'une œuvre théâtrale en constitue à sa manière, une interprétation.

Sujet 2 : Préférez-vous les romans dont le héros est un personnage hors du commun ? Vous répondrez à cette question en prenant appui sur les textes du corpus, ceux que vous avez étudiés en classe et vos lectures personnelles.

Sujet 3 : Les genres de l'argumentation peuvent-ils contribuer efficacement à l'amélioration de la nature humaine ? Vous appuierez votre réflexion sur les textes du corpus, ainsi que sur vos connaissances littéraires et vos lectures personnelles.

EXERCICE 2 ••

Laquelle des deux problématiques proposées à partir du sujet est celle qui convient ? Justifiez votre réponse.

Sujet : À partir du corpus, de vos lectures et de votre expérience de spectateur, vous vous demanderez en quoi la mise en scène d'une œuvre théâtrale en constitue, à sa manière, une interprétation.

Problématique A : Les lectures des spectateurs modifient-elles leur vision d'une représentation théâtrale ?

Problématique B : La mise en scène d'une œuvre théâtrale exprime-t-elle le point de vue personnel du metteur en scène qui adapte le texte à sa propre lecture et à ses propres préoccupations ?

CONSEIL BAC

Pour dégager la problématique d'une citation

• Pour analyser une citation, on commence par reformuler l'opinion émise afin de vérifier qu'elle a été bien comprise.

• Il faut ensuite se demander dans quel contexte elle a été formulée : par qui, à qui, à quelle époque, dans quelle intention ?

• Si la citation est une affirmation sans nuance, on peut lui opposer un jugement contraire afin de voir si on doit l'accepter, la rejeter ou la nuancer. Si la citation oppose elle-même deux affirmations, on doit réunir les idées qui permettent d'étayer ou de réfuter les deux opinions en présence.

→ La problématique repose sur la confrontation des points de vue opposés qu'il s'agit de mettre en évidence, avant d'exprimer un jugement personnel.

EXERCICE 3 ••

1. Quel est le point de vue exprimé dans les sujets suivants
2. Reformulez en une question la problématique du sujet

Sujet 1 : On emploie parfois l'expression « créer un person nage » au sujet d'un acteur qui endosse le rôle pour l première fois. Selon vous, peut-on dire que c'est seulemen l'acteur qui crée le personnage ? Vous répondrez en faisan référence aux textes du corpus, aux œuvres que vous ave vues ou lues, ainsi qu'à celles étudiées en classe.

Sujet 2 : Dans quelle mesure les personnages de roman du XVIIe siècle à nos jours, révèlent-ils la vision qu'a l'écr vain de l'homme et du monde ? Vous répondrez dans u développement organisé, en vous appuyant sur les texte du corpus, les romans étudiés en classe et vos lecture personnelles.

Sujet 3 : « La poésie [...] n'a pas d'autre but qu'Elle-même » écrit Baudelaire. En prenant appui sur les textes du corpus sur les poèmes que vous avez lus et étudiés et sur votr culture personnelle, vous vous interrogerez sur ce point d vue qui semble placer le sens du poème au second plan.

RECHERCHER DES IDÉES

EXERCICE 4 •

Pour répondre au sujet suivant, quels personnages de roman pourriez-vous citer en exemple ? Indiquez, à chaque fois, l siècle dont ils sont issus.

Sujet : Du XVIIe siècle à nos jours, le roman invente toujours de nouveaux héros exemplaires pour le lecteur. Vous déve lopperez cette affirmation au moyen des textes du corpus et de vos connaissances personnelles.

EXERCICE 5 •

1. Parmi les idées proposées à la suite du sujet, lesquelles permettent de répondre à la problématique ? Lesquelles sont hors sujet ?
2. Classez les idées utiles selon qu'elles étayent ou réfutent le point de vue exprimé dans le sujet.

Sujet : On dit souvent que la poésie est seulement l'expres sion de sentiments personnels. Vous discuterez ce point de vue en vous appuyant sur les poèmes du corpus, sur ceux que vous avez vus en cours et sur tous ceux que vous connaissez.

Idées proposées

• Depuis son apparition, la poésie exprime l'amour (Ex : Ronsard, Lamartine, Eluard)

• La poésie permet de mettre en évidence les quali-tés et les défauts des hommes (Ex : La Fontaine, Boileau, Prévert)

• Le sonnet est la forme poétique la plus répandue depuis la Renaissance (Ex : Baudelaire, Valéry)

• Le poème recueille le souvenir des êtres disparus (Ex : « Le Lac » de Lamartine ; « Demain dès l'aube », de Victor Hugo)
• Les grands poètes ont souvent inspiré les chanteurs contemporains ; la poésie est éternelle (Brassens chantant Villon)
• Le lyrisme s'exprime surtout en poésie (l'amour, la mélancolie, le regret, le temps qui passe sont des thèmes qui traversent les siècles)
• Le vers libre ne respecte plus les règles de la versification (abandon de la rime et de la mesure du vers)
• Le langage poétique est une interrogation des problèmes du monde (Ex : les poètes engagés)

EXERCICE 6 ••

1. Retrouvez dans vos connaissances des auteurs, des œuvres poétiques, des citations qui permettent de répondre au sujet.
2. Classez vos idées en deux colonnes, selon qu'elles étayent ou réfutent la thèse défendue par Verlaine.

Sujet : « De la musique avant toute chose », affirme Verlaine dans son *Art poétique* (1881). Que pensez-vous de cette définition de l'écriture poétique ? Appuyez-vous sur les textes du corpus et vos propres lectures pour discuter cette définition de la poésie.

Textes du corpus

Texte A : Joachim Du Bellay, « Las où est maintenant… », *Les Regrets*, 1558.
Texte B : Tristan Corbière, « Un sonnet avec la manière de s'en servir », *Les Amours jaunes*, 1873.
Texte C : Paul Verlaine, « Art poétique », *Jadis et Naguère*, 1881.

Extrait du corpus

De la musique avant toute chose,
Et pour cela préfère l'Impair
Plus vague et plus soluble dans l'air,
Sans rien en lui qui pèse ou qui pose.

5 Il faut aussi que tu n'ailles point
Choisir tes mots sans quelque méprise :
Rien de plus cher que la chanson grise
Où l'Indécis au Précis se joint.

Paul Verlaine, « Art poétique », *Jadis et Naguère*, 1881.

EXERCICE 7 ••

1. Reformulez sous la forme d'une question la problématique posée par le sujet suivant.
2. Utilisez vos connaissances personnelles pour enrichir votre argumentation. Recherchez des éléments de réponse parmi les auteurs étudiés en classe, les œuvres intégrales analysées, les mouvements littéraires.

Sujet : En vous appuyant de façon précise sur les textes du corpus, sur les ouvrages étudiés en cours d'année et sur votre culture personnelle, vous vous demanderez comment on peut expliquer l'identification des lecteurs aux personnages de romans depuis son développement au XVIIe siècle.

Textes du corpus

Texte A : Stendhal, *Le Rouge et le Noir*, 1830.
Texte B : Alexandre Dumas, *Les Trois Mousquetaires*, 1844.
Texte C : Victor Hugo, *Les Misérables*, 1862.

EXERCICE 8 •••

1. Reformulez sous la forme d'une question la problématique posée par le sujet suivant.
2. Utilisez vos connaissances personnelles pour enrichir votre argumentation. Recherchez des éléments de réponse parmi chacun des types de lectures suivants : les extraits analysés en classe, les œuvres intégrales étudiées, vos lectures personnelles.

Sujet : Pensez-vous que le théâtre est « le lieu de la plus grande liberté, de l'imagination la plus folle », comme l'écrit Eugène Ionesco ? Vous répondrez à cette question en faisant référence à des exemples précis tirés des textes du corpus, aux œuvres étudiés en classe et à votre expérience personnelle de spectateur.

Textes du corpus

Texte A : Jean Racine, *Britannicus*, 1669.
Texte B : Alfred Jarry, *Ubu Roi*,1844.
Texte C : Albert Camus, *Caligula*, 1944.
Texte D : Eugène Ionesco, *Notes et contre-notes*, 1960.

Extrait du corpus

Il faut aller au théâtre comme on va à un match de football, de boxe, de tennis. Le match nous donne en effet l'idée la plus exacte de ce qu'est le théâtre à l'état pur : antagonismes en présence, oppositions dynamiques,
5 heurts sans raison de volontés contraires.

Thèse abstraite contre antithèse abstraite, sans synthèses : l'un des adversaires a complètement détruit l'autre, l'une des forces a chassé l'autre ou bien elles coexistent sans se réunir.

Eugène Ionesco, *Notes sur le théâtre*, Éd. Gallimard, 1960.

CONSTRUIRE LE PLAN

EXERCICE 9 •

Lequel des deux plans suivants choisiriez-vous pour répondre à ce sujet de dissertation ? Justifiez votre réponse.

Sujet : L'essai, la fable, le conte philosophique, la lettre ouverte sont autant de formes que peut prendre l'argumentation. Laquelle vous paraîtrait la plus appropriée si vous deviez défendre les droits de l'homme aujourd'hui ? Vous répondrez à cette question en vous appuyant sur les textes du corpus et les œuvres étudiées en classe.

Plan 1

I. À l'âge classique, la fable et l'essai sont les genres argumentatifs dominants

1. Les Essais de Montaigne donnent une définition personnelle de l'homme.

2. Les fables de La Fontaine défendent les droits de l'homme (→ Le Loup et l'Agneau).

3. Mais il y a aussi d'autres genres argumentatifs : la satire, les pamphlets, les sermons, les oraisons funèbres…

II. Au siècle des Lumières, de nouvelles formes apparaissent

1. Le conte philosophique et la dénonciation de l'esclavage (→ Voltaire, Montesquieu).

III. La lettre ouverte au xxᵉ en appelle à l'opinion

1. L'apparition des intellectuels :
(→ Zola et l'Affaire Dreyfus).

2. Boris Vian refuse la guerre d'Algérie dans sa lettre ouverte au président de la République (« Le Déserteur »).

Plan 2

I. Chaque siècle privilégie un genre argumentatif pour défendre les droits de l'homme

1. Le contexte de l'écriture et de la publication :
(→ la censure, la monarchie).

2. Les goûts du lecteur :
(→ le plaisir des fables au xviiᵉ siècle).

3. Le renouvellement des genres et des formes :
(→ l'invention du conte philosophique au xviiiᵉ siècle).

• Les genres argumentatifs ne cessent d'évoluer en gardant le même objectif.

II. Les genres argumentatifs doivent s'adapter à notre époque

1. De nombreuses formes ont vieilli et sont moins « lisibles » (→ la fable et le conte philosophique).

2. D'autres restent actuelles :
(→ la lettre ouverte et l'essai).

3. L'évolution des médias et des moyens de communiquer ses idées oblige à inventer de nouvelles formes (Ex : la discussion sur Internet, les réseaux sociaux, etc.).

EXERCICE 10**

Le plan suivant répond au sujet de l'exercice 5. Complète les parties manquantes.

Plan

I. La poésie, instrument privilégié du lyrisme

1. L'origine de la poésie :
(→ le poète Orphée et sa lyre).

2. ....

....

3. La poésie et le lyrisme mélancolique :
(→ Du Bellay, Baudelaire).

• La poésie favorise bien l'expression des sentiments. Mais ce n'est pas sa seule fonction.

II. Les autres fonctions de la poésie

1. La défense des valeurs de la société :
(→ la poésie épique, la poésie engagée).

2. L'exploration du rêve et de l'imagination :
(→ Lautréamont et Les Chants de Maldoror).

3. ....

....

• La poésie a de nombreuses fonctions au-delà de l'expression lyrique. Mais l'affrontement des deux visions suffit-il à définir le genre poétique ?

III. La poésie, lieu privilégié de l'invention verbale

1. Le jeu sur les formes : du sonnet au poème ouvert :
(→ les sonnets de Ronsard, les poèmes en prose de Rimbaud, la poésie contemporaine).

2. ....

....

3. Le jeu sur le rythme et les sonorités :
(→ Verlaine : « De la musique avant toute chose. »).

• La poésie met en jeu toutes les ressources du langage.

ANALYSE ▶
1. Analysez le sujet de dissertation suivant.
2. Déterminez la problématique du sujet. Quelles grandes parties du plan détermine-t-elle ?
3. Notez vos idées au brouillon, en vous aidant du texte et en faisant appel à vos connaissances personnelles. Classez-les dans vos deux ou trois grandes parties.

RÉDACTION ▶
Rédigez le plan détaillé de la dissertation.

SUJET

Dans le *Dictionnaire égoïste de la littérature française*, Charles Dantzig affirme : « La poésie ne se trouve pas que dans les vers. » Vous discuterez son point de vue dans un développement argumenté.

OBJET D'ÉTUDE
Écriture poétique et quête du sens du Moyen Âge à nos jours.

POÉSIE : [...] La poésie n'existe pas à l'état naturel. Loin d'être un fait qui préexisterait à l'homme et que celui-ci découvrirait, elle est sa création et son triomphe. Quand Balzac parle de poésie du commerce, ce n'est pas qu'elle s'y trouve, c'est qu'il l'y met. Sa sensi-
5   bilité lui fait transfigurer certains éléments du commerce que les autres ne regarderaient même pas. La poésie est la forme supérieure de l'imagination. C'est pour cela qu'on la croit apparentée à la divination. Or, elle n'a rien à voir avec la Pythie, les mystères d'Eleusis, Dr Imbéné Ravalavanavano amour argent examens[1]. La poésie, c'est
10   du travail. Il en résulte un chant faisant croire qu'elle se passe dans le ciel. Le poète marche sur une corde. Elle est posée par terre. La poésie ne se trouve pas que dans les vers. Elle est là où le talent la met. La poésie est le résultat de toute bonne littérature. Mallarmé[2] : « Mais, en vérité, il n'y a pas de prose » (réponse à l'Enquête de Jules
15   Huret[3]). Le poème est l'objet ; la poésie, éventuellement, le résultat. La poésie est même le résultat de tout art réussi : un tableau est de la poésie, un beau vêtement bien porté est de la poésie, etc. Est poésie le résultat de toute activité humaine menée à bien. Un geste gracieux est de la poésie, un mouvement de troupe bien accompli est de la
20   poésie.

CHARLES DANTZIG, *Dictionnaire égoïste de littérature française*,
Éd. Grasset, 2005.

1. Tous les noms cités dans cette phrase sont ceux de devins ou de mages censés prédire l'avenir.
2. Mallarmé : poète symboliste.
3. Jules Huret : journaliste à *L'Écho de Paris* qui fait paraître, en 1891, une enquête sur la littérature.

Rédiger la dissertation

Une fois le plan de la dissertation mis au point, il faut passer à l'étape de la rédaction en respectant les règles de construction et de mise en forme de l'introduction, du développement et de la conclusion.

Le sujet de dissertation

OBJET D'ÉTUDE

Le personnage de roman, du XVIIᵉ siècle à nos jours.

SUJET

Pour de nombreux critiques, les personnages sont le moteur principal de l'illusion romanesque. Vous discuterez cette affirmation en fondant votre réflexion sur les textes du corpus, sur ceux que vous avez étudiés en classe et sur vos lectures personnelles.

Le plan de la dissertation figure page 336.

La dissertation rédigée (extraits)

L'introduction

Quand on pense à un roman, quand on en discute avec un ami, le personnage est la première chose dont on se souvient et dont on parle. Il constitue une partie essentielle du plaisir qu'on prend à la lecture et reste inscrit dans la mémoire, comme s'il était vivant. Du XVIIᵉ siècle à nos jours, il joue un rôle essentiel. On comprend ainsi les critiques qui considèrent que « les personnages sont le moteur principal de l'illusion romanesque ». Cependant, le personnage n'est pas le seul élément de la fiction romanesque et le plaisir du lecteur repose également sur d'autres aspects du roman. Dans quelle mesure le personnage s'impose-t-il comme un vecteur essentiel du récit ? Quels sont les autres éléments de la narration qui sont essentiels au récit, et donc à l'illusion romanesque ?

Le paragraphe correspondant au I. 2 du plan

D'ailleurs, rien ne démontre mieux l'importance du personnage que les titres de romans eux-mêmes. Le nom du personnage qui apparaît sur la couverture annonce déjà un statut social, un caractère, un métier, c'est-à-dire une identité forte sur laquelle repose la fiction. D'emblée, le lecteur a l'impression de découvrir l'existence d'un être réel et vivant. Par exemple, le titre du roman réaliste de Balzac, Eugénie Grandet (texte B) renvoie au personnage qui apparaît dans l'extrait proposé : « Ce jour était l'anniversaire de la naissance de mademoiselle Eugénie » (l. 16). Ce réalisme romanesque marque la consécration du personnage : Lucien Leuwen de Stendhal, Emma Bovary de Flaubert s'inscrivent dans la mémoire. Le personnage et le roman se confondent pour ne faire plus qu'un.

1 Rédiger l'introduction

L'introduction, présentée sous la forme d'un seul paragraphe, comporte trois phases.

■ **La mise en contexte du sujet.** Il s'agit d'ouvrir le devoir en situant le sujet par rapport à l'objet d'étude concerné, au thème abordé ou au contexte culturel.

■ **La mise en valeur de la problématique.** Il s'agit de souligner l'intérêt de la réflexion à mener. Pour cela, la phrase ou la citation à discuter doit être reproduite et explicitée clairement.

■ **L'annonce du plan.** Il s'agit d'indiquer les idées directrices des parties du développement de la dissertation, sous forme d'affirmations ou de questions successives.

2 Rédiger le développement

Le développement se présente sous la forme de deux ou trois grandes parties, constituées de deux ou trois paragraphes et reliées logiquement entre elles au moyen de transitions.

1. L'organisation des paragraphes

■ **L'argument.** Chaque paragraphe développe un argument clairement affirmé dès la première phrase qui valide l'idée directrice de la grande partie.

■ **Les explications.** L'argument est complété par des explications qui reposent sur le travail effectué en classe et les connaissances sur l'objet d'étude.

■ **Les exemples et les citations.** Les explications sont illustrées d'exemples ou de citations qui les rendent plus concrètes. Les exemples renvoient à un auteur, une œuvre ou un mouvement. Les citations, entre guillemets, sont puisées dans les textes du corpus ou dans les connaissances personnelles.

→ « Par exemple, le titre du roman réaliste de Balzac, *Eugénie Grandet*, renvoie au personnage qui apparaît dans l'extrait proposé. »

2. L'enchaînement des paragraphes

■ **Les liens logiques entre les paragraphes.** Les paragraphes sont reliés logiquement au moyen de termes d'articulation qui mettent en valeur l'enchaînement des idées et des arguments.

→ « *D'ailleurs*, rien ne démontre mieux… »

■ **Les transitions entre les grandes parties.** La fin de chaque grande partie résume en quelques mots l'idée qui vient d'être défendue. Elle annonce ensuite l'idée à venir dans la partie suivante.

3 Rédiger la conclusion

La conclusion fait le bilan de l'argumentation et propose un élargissement de la problématique posée par le sujet.

■ **Le bilan de l'argumentation.** Le début de la conclusion revient sur la problématique annoncée dans l'introduction en résumant les éléments de réponses apportées dans le développement.

■ **L'élargissement de la problématique.** La fin de la conclusion affirme un point de vue personnel du candidat. Elle propose une nouvelle orientation à la réflexion en soulignant la difficulté de la question traitée, ou relie le sujet à une autre problématique qui relance le débat.

Critères de réussite

Vérifier la rédaction de la dissertation

• **La présentation de la copie.**
On distingue clairement l'introduction, le développement et ses grandes parties, la conclusion, à travers les alinéas et les blancs qui séparent les grandes étapes de la dissertation.

• **Les citations.**
Elles sont mises entre guillemets.

• **Les liens logiques.**
Une transition qui annonce la partie suivante ; des termes d'articulation logique marquent clairement l'enchaînement des paragraphes.

RÉDIGER L'INTRODUCTION

EXERCICE 1 •

Repérez les trois étapes de l'introduction correspondant au sujet suivant : la mise en contexte du sujet, la mise en valeur de la problématique, l'annonce du plan.

Sujet : En vous appuyant sur le corpus, vos lectures et votre expérience de spectateur, vous vous demanderez de quelles ressources spécifiques dispose le théâtre pour représenter les conflits qui existent dans les rapports humains.

Introduction : Lorsqu'on pense au théâtre, on pense immédiatement à l'importance du texte, à l'époque, aux lieux et aux personnages de l'action, aux situations que développe l'intrigue. Le texte théâtral, par sa construction particulière, apparaît en effet comme un moyen privilégié pour représenter les conflits entre les hommes et les tensions qui traversent la société à chaque époque. Mais au-delà du texte lui-même existent d'autres ressources spécifiques dont dispose le théâtre. Nous verrons dans un premier temps sur quoi repose l'originalité du texte théâtral pour mettre en valeur les conflits. Nous verrons ensuite comment la mise en scène du texte pour sa représentation lui offre des moyens supplémentaires afin de représenter la nature humaine dans toute sa complexité.

EXERCICE 2 ••

1. Repérez les trois étapes de l'introduction suivante.
2. Reformulez le sujet de la dissertation qu'elle introduit.

Dans son ensemble, le XVIIIe siècle a défendu l'usage de la raison et de l'esprit critique. Les écrivains philosophes ont fait confiance à la science pour faire triompher leurs idées. L'essai, le dialogue argumentatif, le dictionnaire encyclopédique, le pamphlet, le conte philosophique, l'ensemble des genres de l'argumentation servaient à la défense de nouvelles valeurs. Aussi la poésie a-t-elle fini par être reléguée au rang de jeu de société. Ainsi peut s'expliquer la réflexion attribuée à D'Alembert : « La poésie… Qu'est-ce que cela prouve ? » La formule est polémique : la poésie est-elle inutile parce qu'elle échappe au raisonnement et aux preuves ? Ne permet-elle pas pourtant d'accéder à une autre forme de quête du sens ?

EXERCICE 3 ••

En vous aidant des éléments de réponse apportés, rédigez l'introduction au sujet suivant.

Sujet : Dans un roman, l'évocation des lieux ne sert-elle qu'à apporter des informations sur le monde où évoluent les personnages ? Vous répondrez à cette question en vous appuyant sur les textes mis à votre disposition et sur les œuvres que vous avez lues ou étudiées.

Éléments de réponse

• **la mise en contexte :** diversité des univers romanesques, roman reflet de la société d'une époque, importance capitale des personnages, ancrés dans un temps et un lieu.

• **la problématique :** rôle de la description ? uniquement informative ou autres rôles ?

• **l'annonce du plan :** le personnage mis en valeur par son milieu/le cadre du roman fondement d'un univers

---

CONSEIL BAC

Pour rendre son introduction plus vivante

• L'introduction est un moment fort de la dissertation : il faut soulever l'intérêt du lecteur dès la première phrase.

• Il est nécessaire d'animer son expression en variant la nature des phrases au moyen de l'interrogation et de l'exclamation.

• Des termes d'articulation logique séparent nettement les trois étapes qui la composent.

• On peut également impliquer le lecteur à travers l'emploi du pronom « nous » dans l'annonce du plan.

→ Une bonne introduction montre de la rigueur dans sa construction mais elle se distingue aussi par la qualité de son écriture.

EXERCICE 4 •••

Après avoir analysé le sujet ci-dessous et imaginé les deux ou trois grandes parties de la dissertation, rédigez son introduction.

Sujet : Attendez-vous de la poésie qu'elle se consacre à l'expression d'émotions personnelles ou qu'elle cherche d'autres voies dans sa quête du sens ? Vous répondrez dans un développement composé, en vous appuyant sur les textes du corpus, ceux que vous avez étudiés en classe ainsi que sur vos lectures personnelles.

RÉDIGER LE DÉVELOPPEMENT

EXERCICE 5 •

Repérez dans le paragraphe suivant : a) l'argument défendu ; b) les explications qui le valident ; c) les exemples et les citations qui l'illustrent.

La poésie est l'un des moyens des moyens privilégiés pour exprimer des sentiments intimes et personnels. De nombreux poètes traduisent ainsi leur mélancolie et leur angoisse dans leur œuvre. Le thème du temps qui passe et la nostalgie du passé traversent les siècles. C'est ainsi que dans ses Regrets, Du Bellay est hanté par le sentiment de solitude et le souvenir de son pays natal : « Quand reverrai-je, hélas ! de mon petit village / Fumer la cheminée ? » Au xixe siècle, dans Romances sans paroles, Verlaine apparaît à son tour comme un être profondément angoissé. Avec le célèbre « Il pleure dans mon cœur / Comme il pleut sur la ville », le poète emprisonné fait partager sa mélancolie au lecteur.

EXERCICE 6 •

Reconstituez ce paragraphe dans son ordre logique.

• L'Avare par exemple dénonce la cupidité et la perte des valeurs familiales.
• À travers ses grandes comédies, Molière veut corriger les mœurs de ses contemporains.
• Molière représente dans ses comédies des hommes et des femmes de son temps, avec leurs défauts et leurs qualités.
• Au-delà de ses contemporains, ce sont les défauts propres à tous les hommes que combat la comédie par le rire.
• Chaque pièce est ainsi l'occasion de critiquer un défaut majeur de la société et des hommes.
• Tartuffe de son côté met en cause l'hypocrisie des faux dévots au xviie siècle.

EXERCICE 7 •

Insérez dans le paragraphe suivant les deux citations proposées. Vous prendrez soin d'utiliser les guillemets, de les introduire par un verbe de parole et de préciser leurs références (auteur, œuvre), en variant votre présentation.

Citation 1 : Ronsard : « Vivez, si m'en croyez, n'attendez à demain », Sonnets pour Hélène.
Citation 2 : Horace (poète de l'Antiquité) : « Carpe diem » (« Profite du jour présent »), Odes.

Les poètes de la Renaissance puisent dans l'Antiquité un nouvel élan à leur quête du sens. Ils reprennent à leur compte les leçons de sagesse des auteurs grecs et romains .... C'est ainsi que les auteurs de la Pléiade célèbrent dans de nombreux poèmes la joie de vivre en invitant le lecteur à jouir de chaque moment. .... Cette exaltation de la vie traverse les siècles et se retrouve ainsi chez les romantiques.

EXERCICE 8 ••

Rédigez le paragraphe correspondant aux indications suivantes.

Argument : fonction des genres de l'argumentation : éclairer les hommes sur les problèmes de société
Explications : diversité des genres et des formes pour s'adapter au destinataire
Citation à introduire : « On ne doit parler, on ne doit écrire que pour l'instruction », La Bruyère, préface des Caractères (1694).
Exemples : la fable, le conte philosophique, l'essai, etc.

EXERCICE 9 •••

Rédigez la première partie du plan suivant sous la forme de trois paragraphes reliés par des termes d'articulation logique.

Sujet : La poésie est-elle pour le poète un refuge face au monde réel ? Vous aurez soin d'illustrer votre réponse par des références poétiques choisies dans le corpus, dans les poèmes étudiés en classe, ou dans votre culture personnelle.

I. La poésie comme refuge face au réel

1. La poésie, exercice de la confidence intime
Explications : émotions et sentiments mis sur le papier = forme de libération
→ lyrisme amoureux des poètes romantiques
Citation : « Elle a passé, la jeune fille/Vive et preste comme un oiseau » (Nerval, Odelettes, 1833)

2. La poésie, exploration des mystères et des symboles
Explications : réécriture du monde, réflexion sur le sens de la vie
→ le mouvement symboliste (Mallarmé) au xixe siècle, ou surréaliste (Breton) au xxe siècle
Citation : « Fuir ! là-bas fuir ! » (« Brise marine », Mallarmé)

3. La poésie, négation de la mort
Explications : poème = recueil du souvenir, rappel des êtres disparus, immortalité de ceux qui sont évoqués → les poètes de la Renaissance (Ronsard, Du Bellay)
Citation : « Pour obsèques reçois mes larmes et mes pleurs » (Ronsard, « Sur la mort de Marie »).

RÉDIGER LA CONCLUSION

EXERCICE 10 •

1. Repérez les deux étapes de la conclusion rédigée ci-dessous.

2. Quel est le plan qui a été suivi par le candidat ? Retrouvez-en les grandes parties en vous aidant de la conclusion.

Sujet : Les aspects comiques d'une pièce de théâtre ne servent-ils qu'à faire rire ? Vous vous appuierez pour répondre à cette question sur les textes du corpus ainsi que sur les pièces que vous avez lues ou dont vous avez vu une représentation.

Les pièces comiques au théâtre, comme nous l'avons vu, ont bien pour fonction de distraire le public, de déclencher les rires du spectateur, quelles que soient les formes que peut prendre le comique au cours de l'histoire. Cependant, derrière le rire se cache toujours la volonté de dénoncer les travers des hommes ou de faire la satire des mœurs et de la société. On pourrait ainsi être sensible à la présence d'une forme de tragique dans le portrait que Molière nous fait d'Harpagon ou dans les interventions burlesques de Sganarelle auprès de Don Juan. C'est ce qu'ont bien compris les dramaturges contemporains, pour lesquels le comique et le tragique semblent souvent se confondre.

CONSEIL BAC

Pour bien rédiger sa conclusion

• L'introduction est un moment fort de la dissertation : c'est elle qui donne une dernière impression, bonne ou mauvaise, au correcteur.

• Il s'agit à la fois de revenir sur la problématique annoncée dans l'introduction et d'affirmer un point de vue personnel qui ouvre la réflexion sur le sujet.

• Des termes d'articulation logique (« D'abord », « Ensuite ») séparent nettement les deux étapes qui la composent.

• La dernière phrase attire l'attention du lecteur sur un aspect inattendu de la problématique que le devoir a permis de révéler.

EXERCICE 11 ••

1. Cette conclusion correspond à l'introduction citée dans l'exercice 2. Repérez les deux étapes de sa construction.

2. Quelle réponse apporte-t-elle à la problématique du sujet ?

3. Quel élargissement cette conclusion suggère-t-elle ?

La poésie, quand elle n'est pas réduite à un jeu de société ou à des artifices d'écriture, révèle l'univers sensible de l'émotion et de l'imagination. Elle est dans ce sens, on l'a vu, aussi importante que l'exercice de l'esprit logique et de la réflexion scientifique. En effet, les poètes nous indiquent — et nous prouvent — qu'une autre vision du monde est possible, fondée sur l'imagination, la générosité et l'espoir. Le poète a donc sa part, au même titre que le philosophe, dans la transformation du monde au service des Lumières. Rien d'étonnant donc si les dictatures du XXᵉ siècle ont emprisonné les poètes, qu'il s'agisse de Robert Desnos, Max Jacob ou Pablo Neruda.

EXERCICE 12 •••

En vous aidant de l'encadré, rédigez la conclusion du sujet proposé dans l'exercice 1. Appuyez-vous pour cela sur l'annonce du plan faite à la fin de l'introduction.

ANALYSE ▶

1. Analysez le sujet de dissertation en fonction de l'objet d'étude concerné.
2. Reformulez la problématique proposée par le sujet.
3. Complétez le plan de la dissertation au moyen d'explications et d'exemples personnels.

RÉDACTION ▶

Rédigez entièrement la dissertation : introduction, développement et conclusion.

OBJET D'ÉTUDE
Le texte théâtral et sa représentation, du XVIIe siècle à nos jours

CORPUS
Texte A : Jean Racine (1639-1699), *Andromaque*, 1667.
Texte B : Alfred de Musset (1810-1857), « À quoi rêvent les jeunes filles »,
in *Un spectacle dans un fauteuil*, 1832.
Texte C : Samuel Beckett (1906-1989), *En attendant Godot*, 1952.

SUJET
En vous appuyant sur le corpus proposé, les œuvres que vous avez étudiées et votre expérience du théâtre, vous direz si la représentation est indispensable pour apprécier et comprendre pleinement une pièce de théâtre.

I. La lecture suffit à apprécier une pièce de théâtre

1) La beauté du texte
L'auteur est d'abord un écrivain (imagination + style)
→ Les classiques du XVIIe siècle (« Hé bien, allons, madame : /Mettons encore un coup toute la Grèce en flammes », texte A)

2) Le rôle des didascalies
Informations variées pour le lecteur

3) L'imagination du lecteur
Lecteur = metteur en scène de la pièce (cf. texte B)
→ Mais : le théâtre est d'abord représentation, destiné à être joué sur scène.

II. La représentation théâtrale comme aboutissement du texte

1) L'émotion collective de la représentation
→ le théâtre grec, le théâtre italien, spectacles vivants, etc.

2) Les acteurs comme êtres de chair
Acteur donne vie au texte / rire + larmes

3) Rôle capital du metteur en scène
Mise en scène comme renouveau de la pièce et de son sens (grands metteurs en scène comme Louis Jouvet – « Condamnés à expliquer le mystère de leur vie, les hommes ont inventé le théâtre » – ou Patrice Chéreau).

L'écriture d'invention

L'écriture d'invention invite le candidat à mettre en œuvre d'autres formes d'écriture que celle de la dissertation ou du commentaire. Il s'agit en effet d'écrire un texte, en liaison avec celui ou ceux du corpus, en obéissant à un certain nombre de consignes. Ce texte se fonde sur les contraintes et les caractéristiques des genres littéraires correspondant aux objets d'étude au programme de la classe de Première.

L'écrit d'invention n'est pas un texte de pure imagination, mais un texte qui développe le plus souvent une argumentation en s'inscrivant dans une forme précise définie par le sujet. Il peut s'agir également d'un texte narratif qui demande à transposer ou amplifier un texte du corpus.

Exemple d'écriture d'invention

SUJET DU BAC

OBJET D'ÉTUDE
Écriture poétique et quête du sens, du Moyen Âge à nos jours

TEXTES
TEXTE A : Bernard de Ventadour, « J'ai le cœur si plein de joie... », XIIe siècle.
TEXTE B : Félix Arvers, « Sonnet », *Mes Heures perdues*, 1833.
TEXTE C : Paul-Jean Toulet, « Dans Arles, où sont les Aliscans... », *Les Contre-rimes*, 1921 (posth.).

→ ÉCRITURE D'INVENTION (toutes séries)
Vous avez lu dans une revue de poésie un article polémique selon lequel le thème de l'amour n'a jamais produit de grandes œuvres. Vous écrivez au rédacteur en chef de la revue pour réfuter ce point de vue.
Rédigez cette lettre en illustrant votre argumentation à l'aide des textes du corpus et de vos connaissances personnelles.

Réponse rédigée

Paris, le 26 septembre 2011

Monsieur le rédacteur en chef,

C'est avec une immense surprise que j'ai lu dans votre revue l'article intitulé : « L'amour, la défaite de la poésie ». L'auteur de cet article considère le sentiment amoureux comme incapable d'inspirer de grandes œuvres, mettant tour à tour au rebut Louise Labé, Victor Hugo, Alphonse de Lamartine et même Paul Eluard ! Au moment où je vous écris cette lettre, combien de jeunes gens dans le monde lisent avec bonheur de la poésie, justement parce qu'elle exprime avec justesse et profondeur des sentiments amoureux ? Des milliers, sans doute. Tout comme au Moyen Âge les troubadours chantaient la beauté et la douceur de leur Dame, les grands poètes ont toujours laissé libre cours à la confidence amoureuse des hommes. Sans amour en effet, pas de poésie. Toute l'histoire de la poésie offre une profusion de textes qui témoignent à quel point l'inspiration poétique est liée aux sentiments amoureux. Car la poésie, de Villon à Jaccottet, est d'abord chant d'amour, hymne à l'être aimé.

L'introduction met en place la situation d'énonciation et la problématique du sujet.

La plus ancienne source du lyrisme continue d'être la plus neuve, et chacun s'y découvre poète : la passion amoureuse. Orphée, le prince des poètes, n'est-il pas avant tout l'amant désespéré d'Eurydice ? Qui, comme Bernard de Ventadour, ne s'est jamais senti « le cœur si plein de joie » que l'univers lui semble transformé ? Le lecteur va à la rencontre de ces grands cœurs, de ces êtres profondément sensibles et ouverts à la passion que sont Villon, Ronsard, Gérard de Nerval, Charles Baudelaire, Arthur Rimbaud, André Breton, Pierre Reverdy ou Jacques Prévert. Tous pourraient reprendre à leur compte le vers de Musset : « J'aime, et pour un baiser, je donne mon génie. » Tous pourraient inscrire sur leur table de travail les deux vers de Félix Arvers : « Mon âme a son secret, ma vie a son mystère : / Un amour éternel en un moment conçu. » Tous pourraient souscrire à l'une des exigences majeures du mouvement surréaliste : l'amour fou !

Mais tous et toutes n'ont pas seulement pour point commun d'être amoureux. Ils sont surtout poètes. Et chaque amour étant unique, leurs poèmes le sont également. Chant lointain du troubadour, sonnets de la Pléiade, plainte romantique des poètes du XIXᵉ siècle, mélancolie et cœur battant du lyrisme moderne : les voix se répondent et se font écho. La musique du vers trouve chaque fois de nouveaux et surprenants accords : « Prends garde à la douceur des choses / Lorsque tu sens battre sans cause / Ton cœur trop lourd. » Le conseil de Paul-Jean Toulet nous rappelle que l'amour est là, mais aussi que la poésie bouge, change, se renouvelle sans cesse.

Que votre journaliste, qui juge peut-être ses propres vers maladroits et ridicules, se console en relisant sans jalousie les chefs-d'œuvre du passé. Il y trouvera au moins la certitude que, depuis des siècles, l'inspiration poétique et l'amour sont intimement liés. Il y verra aussi que chanter son amour, c'est remplir l'une des missions premières de l'écriture poétique dans son éternelle quête du sens.

Soyez assuré, Monsieur le rédacteur en chef, de mon soutien pour le travail difficile et admirable que mène votre revue.

A. B.

Le développement s'appuie sur le corpus pour illustrer les arguments. Chaque argument développé correspond à un paragraphe.

La conclusion reformule la thèse défendue et conserve les caractéristiques de la lettre.

 Inventer un texte de fiction

À travers l'écriture d'invention, le sujet donne des consignes qui visent à produire un texte de fiction. Il peut s'agir d'amplifier, d'imiter ou de transposer l'un des textes du corpus. Dans tous les cas, une bonne connaissance des objets d'étude est nécessaire.

Sujet d'invention

OBJET D'ÉTUDE

Le texte théâtral et sa représentation, du XVIIe siècle à nos jours

TEXTE

Molière, *George Dandin*, 1668.

SUJET

L'épouse de George Dandin paraît seule sur la scène. Rédigez le monologue qu'elle prononce pour se présenter et expliquer son point de vue sur le mariage et sur son mari. Votre texte respectera les contraintes d'écriture du genre théâtral.

La réponse rédigée (extrait)

• Le texte du candidat respecte les règles du genre théâtral (monologue, didascalies).

• Le monologue fait écho et développe la situation mise en place par le texte de Molière.

• Le langage est en accord avec le contexte de la publication de la pièce (le XVIIe siècle).

Acte I, scène 2

ANGÉLIQUE, *seule, un éventail à la main.* – Ah ! qu'un mari paysan est une étrange affaire ! Quelle idée étrange mes parents ont eu de me faire épouser ce bonhomme mal dégrossi ! Je comprends qu'ils avaient besoin de son bel et bon argent pour éponger leurs dettes, mais c'est moi qui fais quotidiennement les frais de cet arrangement. Que le mariage, à notre époque, est bizarrement conçu ! Pourquoi les jeunes gens ne peuvent-ils épouser ceux qu'ils aiment ? *(Elle va et vient sur la scène.)* Une demoiselle de condition comme moi devrait d'ailleurs toujours se marier avec un homme du même rang. La mauvaise alliance est ainsi source de difficultés entre époux. Lorsqu'il est à table, Dandin fait plus de bruit qu'un valet ; lorsque nous recevons, il est incapable de discuter avec mes amis ; quand il dort, toute la maison l'entend ronfler ! *(Elle agite de plus en plus vite son éventail.)* Certes, je sais bien qu'il se plaint d'avoir fait une sottise en se mariant et n'est guère plus heureux que moi, mais que devrais-je dire ?... Mais, taisons-nous, j'entends quelqu'un venir…

1 Préparer la réponse

La lecture du sujet d'invention doit permettre de définir avec précision le type de travail d'écriture demandé au candidat.

1. Analyser le sujet

Le sujet contient des mots-clés qui définissent le type d'invention à effectuer.

■ **Le travail d'amplification** demande de développer un texte du corpus.

■ **Le travail d'imitation** demande d'inventer un texte personnel, souvent argumentatif, en s'inspirant de ceux du corpus.

■ **La transposition** demande de réécrire un texte, parfois dans un autre genre.

2. Identifier le genre de la réponse

Le sujet indique dans quel genre littéraire la réponse doit s'inscrire : le roman, la poésie, le théâtre ou les genres de l'argumentation. Les textes du corpus et les connaissances acquises à travers les objets d'étude au programme servent d'aide pour la rédaction de la réponse.

3. Repérer la situation à mettre en place

Le sujet définit la situation d'énonciation que la réponse met en place : Qui parle ? À qui ? De quoi ? Sur quel ton ? S'agit-il d'un discours, d'un récit ou d'un poème ?

→ À son tour, l'épouse de George Dandin paraît seule sur la scène. Rédigez le monologue qu'elle prononce pour se présenter et expliquer son point de vue sur son mariage et sur son mari.

Le sujet demande d'amplifier un texte ; il s'agit d'écrire un monologue théâtral dans lequel un personnage présente pour lui-même et pour le public sa vision du héros.

2 Rédiger la réponse

L'écriture de la réponse doit montrer que le candidat maîtrise les caractéristiques du genre littéraire dans lequel s'inscrit son texte.

1. Pour amplifier un texte

Il est nécessaire de créer une continuité entre le texte à amplifier (extrait de roman, scène de théâtre) et le texte à rédiger (suite, portrait, description, dialogue). Pour cela, il faut conserver la situation de départ et les caractéristiques du texte à amplifier : énonciation, niveau de langage, style de l'auteur

2. Pour imiter un texte

Il est nécessaire de s'appuyer sur les règles d'écriture d'un genre littéraire pour produire un texte original et personnel. Pour cela, la réponse rédigée imite à la fois la forme des textes (poème en vers ou en prose, incipit romanesque) et le style des différents auteurs du corpus, en reprenant leurs principaux procédés d'écriture

→ À la manière de l'auteur du texte C, vous décrirez un objet de la vie quotidienne en faisant ressortir ses aspects insolites.

3. Pour transposer un texte

Il est nécessaire de conserver le cadre du texte à transposer : lieu, époque, personnages, intrigue. Mais la transposition conduit à inscrire le texte dans un autre genre : par exemple, un extrait de roman en scène de théâtre ; un poème en une lettre. Pour cela, la réponse doit montrer que le candidat maîtrise les règles d'un genre non représenté dans le corpus.

Critères de réussite

Vérifier sa réponse

• **Le genre**
Votre texte présente-t-il toutes les caractéristiques du genre littéraire demandé par le sujet ?

• **La situation**
Relisez votre travail en vérifiant que la situation, les personnages, le contexte correspondent bien à ceux du texte-source

• **La rédaction**
Améliorez l'écriture de votre brouillon en n'hésitant pas à imiter les tournures de phrases, le lexique et les images utilisés dans le corpus.

ANALYSER LE SUJET

EXERCICE 1 •

Repérez dans les sujets suivants le travail d'invention à effectuer : amplification, imitation, transposition.

Sujet A : « Toute sa personne explique la pension, comme la pension implique sa personne. » Vous rédigerez une page de roman dans laquelle les lieux laissent deviner la psychologie d'un personnage.

Sujet B : Décrivez du point de vue de Marie, l'amie de Meursault, le spectacle de la plage, en vous efforçant d'en faire ressortir le charme et la poésie. Votre texte sera descriptif et mettra en valeur les sentiments du personnage de Camus.

Sujet C : En veillant à respecter l'atmosphère installée par l'extrait de *Moderato cantabile*, vous imaginerez une suite consacrée à l'arrivée d'un nouveau personnage dans la pièce. Vous vous inspirerez des procédés qui figurent dans le roman de Marguerite Duras.

EXERCICE 2 ••

1. Quel type d'écriture d'invention faut-il effectuer dans les sujets suivants ?
2. Identifiez le genre littéraire de la réponse et la situation à mettre en place.

Sujet A : Imaginez les retrouvailles entre le Père Goriot et ses deux filles à partir de l'évocation qui en est faite par la duchesse de Langeais dans le texte A. Vous aurez soin d'intégrer à la narration des parties dialoguées en respectant le contexte historique et social ainsi que le niveau de langue des trois personnages.

Sujet B : Choisissez un objet du quotidien et décrivez-le dans un poème en prose, bref mais dense, en faisant ressortir ses aspects insolites. Vous veillerez à vous détacher de la fonction utilitaire de cet objet pour observer sa forme, sa couleur... Vous ne signerez pas votre texte.

Sujet C : Vous adaptez pour le théâtre le texte de Marcel Aymé (texte C) de la ligne 1 à la ligne 27. Transposez sous la forme de texte théâtral le scénario imaginé par Léopold. Vous respecterez les caractéristiques du personnage de Léopold.

EXERCICE 3 ••

1. En quoi l'analyse du sujet suivant ne convient-elle pas ?
2. Corrigez-la afin d'analyser de manière précise le sujet proposé.

Sujet : Imaginez un monologue dans lequel, après le départ de Lisette (texte C), Dorante prépare la déclaration d'amour passionnée qu'il s'apprête à faire à Silvia. Vous n'oublierez pas de donner, au fil du texte, les indications de mise en scène que vous jugez nécessaires.

Analyse du sujet : Le sujet demande d'imiter un texte. Il s'agit d'écrire un dialogue théâtral. Dans le texte à écrire, le personnage appelé Dorante profite du départ de Lisette pour faire une déclaration d'amour à Silvia.

ÉCRIRE PAR AMPLIFICATION

EXERCICE 4 •

1. Identifiez les caractéristiques du genre théâtral dans l'extrait suivant.
2. Définissez : le lieu, l'époque, le statut des personnages, leurs relations, leurs sentiments et leurs projets.
3. Poursuivez le dialogue entre les trois personnages sur quelques lignes.

JULIE. – Mon Dieu, Éraste, gardons d'être surpris[1] ; je tremble qu'on ne nous voie ensemble ; et tout serait perdu, après la défense que l'on m'a faite.

ÉRASTE. – Je regarde de tous côtés, et je n'aperçois rien.

5 JULIE. – Aie aussi l'œil au guet[2], Nérine, et prends bien garde qu'il ne vienne personne.

NÉRINE. – Reposez-vous sur moi, et dites hardiment ce que vous avez à vous dire.

JULIE. – Avez-vous imaginé pour notre affaire quelque
10 chose de favorable ? et croyez-vous, Éraste, pouvoir venir à bout de détourner ce fâcheux mariage que mon père s'est mis en tête ?

MOLIÈRE, *Monsieur de Pourceaugnac*, Acte I, scène 1, 1670.

1. gardons d'être surpris : prenons garde à ne pas être surpris.
2. guet : police de Paris.

EXERCICE 5 •

1. Quelles relations les personnages présents ou évoqués entretiennent-ils ?
2. Relevez les caractéristiques d'écriture du roman.
3. Après le départ de Julien, Mme Derville s'approche de Mme de Rênal et la met en garde contre le jeune homme. Écrivez le dialogue qui s'engage entre les deux femmes.

Mme Derville voyait avec étonnement que son amie, toujours grondée par M. de Rênal, à cause de l'excessive simplicité de sa toilette, venait de prendre des bas à jour et de charmants petits souliers arrivés de Paris. Depuis
5 trois jours, la seule distraction de Mme de Rênal avait été de tailler et de faire faire en toute hâte par Elisa une robe d'été, d'une jolie petite étoffe fort à la mode. À peine cette robe put-elle être terminée quelques instants après l'arrivée de Julien ; Mme de Rênal la mit aussitôt.
10 Son amie n'eut plus de doutes. Elle aime, l'infortunée ! se dit Mme Derville. Elle comprit toutes les apparences singulières de sa maladie.

STENDHAL, *Le Rouge et le Noir*, 1830.

Elle décida qu'il lui fallait la mettre en garde. Elle n'eut aucun mal à trouver Madame de Rênal : celle-ci se promenait sous les grands chênes du parc, l'air mélancolique et songeur.

« Louise, attendez-moi, lui dit-elle, je vous accompagne ! Vous avez l'air bien songeuse... »

ÉCRIRE PAR IMITATION

XERCICE 6 ••

1. Relevez dans le texte suivant les caractéristiques du personnage vaniteux et fanfaron.
2. Repérez la construction du portrait : présentation générale, anecdotes particulières.
3. Observez les caractéristiques d'écriture : construction des phrases, figures de style, répétitions.
4. En imitant La Bruyère, faites le portrait d'un personnage excessivement timide.

Arrias a tout lu, a tout vu, il veut le persuader ainsi ; c'est un homme universel, et il se donne pour tel : il aime mieux mentir que de se taire ou de paraître ignorer quelque chose. On parle à la table d'un grand[1] d'une cour
5 du Nord : il prend la parole, et l'ôte à ceux qui allaient dire ce qu'ils en savent ; il s'oriente dans cette région lointaine comme s'il en était originaire ; il discourt des mœurs de cette cour, des femmes du pays, de ses lois et de ses coutumes ; il récite des historiettes qui y sont
10 arrivées ; il les trouve plaisantes, et il en rit le premier jusqu'à éclater. Quelqu'un se hasarde de le contredire, et lui prouve nettement qu'il dit des choses qui ne sont pas vraies. Arrias ne se trouble point, prend feu au contraire contre l'interrupteur. « Je n'avance, lui dit-il, je ne
15 raconte rien que je ne sache d'original : je l'ai appris de Sethon, ambassadeur de France dans cette cour, revenu à Paris depuis quelques jours, que je connais familièrement, que j'ai fort interrogé, et qui ne m'a caché aucune circonstance. » Il reprenait le fil de sa narration avec plus
20 de confiance qu'il ne l'avait commencée, lorsque l'un des conviés lui dit : « C'est Sethon à qui vous parlez, lui-même, et qui arrive de son ambassade. »

Jean de La Bruyère, *Les Caractères*, 1688.

1. un grand : un prince, un grand seigneur.

Début de la réponse

Jean-Bernard sursaute à chaque instant : lorsqu'un bruit retentit, lorsqu'un silence dure trop longtemps, lorsqu'il croise son reflet dans un miroir.

CONSEIL BAC

Pour imiter le style d'un auteur

Il est nécessaire de repérer ce qui fait l'originalité de l'écriture, afin de reproduire les procédés les plus caractéristiques de l'auteur dans le texte à inventer.
- Le lexique : réseaux lexicaux, niveau de langage, jeux sur les sonorités, usage des synonymes.
- La syntaxe : usage des pronoms, modalité, longueur et rythme des phrases.
- Les figures de style : comparaisons et métaphores, antithèses, anaphores, énumérations, etc.

EXERCICE 7 •••

1. Repérez dans l'ensemble du texte la personnification qui fait de l'arbre un être animé.
2. Quels sont les autres procédés caractéristiques de ce poème en prose ?
3. Sur le même modèle, écrivez la description d'un autre élément naturel : cascade, feu de forêt, ouragan, etc.

Le banyan tire.
Ce géant ici, comme son frère de l'Inde, ne va pas ressaisir la terre avec ses mains, mais, se dressant d'un tour d'épaule, il emporte au ciel ses racines comme des
5 paquets de chaînes. À peine le tronc s'est-il élevé de quelques pieds au-dessus du sol qu'il écarte laborieusement ses membres, comme un bras qui tire avant le faisceau de cordes qu'il a empoigné. D'un lent allongement le monstre qui hale se tend et travaille dans toutes
10 les attitudes de l'effort, si dur que la rude écorce éclate et que les muscles lui sortent de la peau. Ce sont des poussées droites, des flexions et des arcs-boutements, des torsions de reins et d'épaules, des détentes de jarret, des jeux de cric et de levier, des bras qui, en se dressant
15 et en s'abaissant, semblent enlever le corps de ses jointures élastiques. C'est un nœud de pythons, c'est une hydre qui de la terre tenace s'arrache avec acharnement. On dirait que le banyan lève un poids de la profondeur et le maintient de la machine de ses membres tendus.

Paul Claudel, *Connaissance de l'Est*,
Éd. Mercure de France, 1900.

ÉCRIRE PAR TRANSPOSITION

EXERCICE 8 •

Le texte qui suit doit être transposé sous la forme d'un extrait de roman. Complétez la transposition en vous aidant des didascalies et des paroles prononcées.

Texte à transposer

Hamm. – Regarde l'Océan !
Clov descend de l'escabeau, fait quelques pas vers la fenêtre à gauche, retourne prendre l'escabeau, l'installe sous la fenêtre à gauche, monte dessus, braque la lunette sur le
5 *dehors, regarde longuement. Il sursaute, baisse la lunette, l'examine, la braque de nouveau.*
Clov. – Jamais vu une chose comme ça !
Hamm, *inquiet*. – Quoi ? Une voile ? Une nageoire ? Une fumée ?

Samuel Beckett, *Fin de partie*, Les Éditions de Minuit, 1957.

Début de la transposition

« Regarde l'Océan ! », s'exclama Hamm tout à coup. Clov descendit alors de l'escabeau, fit quelques pas sur sa gauche, vers la fenêtre. Puis il retourna prendre l'escabeau…

EXERCICE 9 ••

1. Repérez le cadre du texte à transposer : personnages, lieu, situation.

2. Complétez puis poursuivez le début de la transposition.

Sujet : En vous aidant du paratexte, vous transposerez cette scène de roman en une scène de théâtre. Vous donnerez des indications scéniques relatives au décor, aux gestes et aux attitudes des personnages. Vous adapterez le discours rapporté sous forme de répliques et imaginerez une suite à la scène.

Texte à transposer

Abandonné par Manon Lescaut, sa maîtresse, le chevalier Des Grieux se réfugie dans un établissement religieux. Il cherche à l'oublier jusqu'au jour où elle lui rend visite au parloir.

Je demeurai interdit à sa vue, et ne pouvant conjecturer quel était le dessein[1] de cette visite, j'attendais, les yeux baissés et avec tremblement qu'elle s'expliquât. Son embarras fut, pendant quelque temps, égal au mien,
5 mais, voyant que mon silence continuait, elle mit la main devant ses yeux, pour cacher quelques larmes. Elle me dit d'un ton timide qu'elle confessait que son infidélité méritait ma haine ; mais que, s'il était vrai que j'eusse jamais eu quelque tendresse pour elle, il y avait
10 eu aussi, bien de la dureté à laisser passer deux ans sans prendre le soin de m'informer de son sort, et qu'il y en avait beaucoup encore à la voir dans l'état où elle était en ma présence, sans lui dire une parole. Le désordre de mon âme, en l'écoutant, ne saurait être exprimé.
15 Elle s'assit. Je demeurai debout, le corps à demi tourné, n'osant l'envisager directement. Je commençai plusieurs fois une réponse, que je n'eus pas la force d'achever. Enfin, je fis un effort pour m'écrier douloureusement : « Perfide ! Manon ! Ah ! perfide !
20 perfide ! » Elle me répéta, en pleurant à chaudes larmes, qu'elle ne prétendait point justifier sa perfidie. Que prétendez-vous donc ? m'écriai-je encore. Je prétends mourir, répondit-elle, si vous ne me rendez votre cœur, sans lequel il est impossible que je vive. Demande donc
25 ma vie, infidèle ! repris-je en versant moi-même des pleurs, que je m'efforçai en vain de retenir. […]
Nous nous assîmes l'un près de l'autre.

ABBÉ PRÉVOST, *Histoire du chevalier Des Grieux et de Manon Lescaut*, 1731.

1. dessein : le but.

Lorsque le rideau se lève, les deux personnages […]
        Manon, Des Grieux, seuls au parloir.
Manon, mettant la main devant ses yeux, comme si elle cachait quelques larmes, d'une voix timide. – Oh ! mon ami, je vous en conjure, pardonnez-moi ! Certes, mon infidélité mérite votre haine. Cependant, […]
Des Grieux, toujours debout, à demi tourné, n'osant la regarder. – […]

EXERCICE 10 •••

1. Repérez le cadre du texte à transposer : personnages, lieu, situation, progression de l'intrigue.

2. Quelles modifications de genre, de registre et de point de vue le sujet demande-t-il d'effectuer ?

3. Rédigez la réponse au sujet.

Sujet : Imaginez la lettre que Fabrice écrit, le soir de la bataille, à la femme qu'il aime. Il rapporte les faits à son avantage, se posant même en héros.

Texte à transposer

Fabrice était tout joyeux. Enfin, je vais me battre réellement, se disait-il, tuer un ennemi ! […] Il lui vint une idée de chasseur ; il prit une cartouche dans sa giberne[1] et en détacha la balle : si je le vois, dit-il, il ne faut
5 pas que je le manque et il fit couler cette seconde balle dans le canon de son fusil. Il entendit tirer deux coups de feu tout à côté de son arbre ; en même temps, il vit un cavalier vêtu de bleu qui passait au galop devant lui, se dirigeant de sa droite à sa gauche. Il n'est pas à
10 trois pas, se dit-il, mais à cette distance je suis sûr de mon coup, il suivit bien le cavalier du bout de son fusil et enfin pressa la détente ; le cavalier tomba avec son cheval. Notre héros se croyait à la chasse : il courut tout joyeux sur la pièce qu'il venait d'abattre. Il touchait
15 déjà l'homme qui lui semblait mourant, lorsque, avec une rapidité incroyable, deux cavaliers prussiens arrivèrent sur lui pour le sabrer. Fabrice se sauva à toutes jambes vers le bois ; pour mieux courir il jeta son fusil. Les cavaliers prussiens n'étaient plus qu'à trois pas de
20 lui lorsqu'il atteignit une nouvelle plantation de petits chênes gros comme le bras et bien droits qui bordaient le bois. Ces petits chênes arrêtèrent un instant les cavaliers mais ils passèrent et se remirent à poursuivre Fabrice dans une clairière. De nouveau ils étaient près
25 de l'atteindre, lorsqu'il se glissa entre sept à huit gros arbres.
À ce moment, il eut presque la figure brûlée par la flamme de cinq ou six coups de fusil qui partirent en avant de lui. Il baissa la tête ; comme il la relevait, il se
30 trouva vis-à-vis du caporal.

– Tu as tué le tien ? lui demanda le caporal Aubry.

– Oui, mais j'ai perdu mon fusil.

– Ce n'est pas les fusils qui nous manquent ; tu es un bon bougre ; malgré ton air cornichon, tu as bien gagné
35 ta journée, et ces soldats-ci viennent de manquer ces deux qui te poursuivaient et venaient droit à eux ; moi, je ne les voyais pas. Il s'agit maintenant de filer rondement ; le régiment doit être à un demi-quart de lieue.

STENDHAL, *La Chartreuse de Parme*, 1839.

1. giberne : petit sac porté à la ceinture dans lequel les soldats rangent les cartouches.

PRÉPARATION ▶

1. Analysez le sujet : type d'invention, genre littéraire de la réponse.
2. En vous appuyant sur l'analyse du texte, identifiez précisément la situation à mettre en place et les caractéristiques d'écriture à respecter.

RÉDACTION ▶

Peu après avoir pris la décision de rester à Paris, le narrateur vient en aide à une personne prise d'un malaise et cette rencontre va bouleverser le reste de son existence. Vous rédigerez le récit de cette rencontre en y insérant un passage dialogué.

OBJET D'ÉTUDE

Le personnage de roman du XVIIe siècle à nos jours.

Mon dessein au sortir de chez ma maîtresse fut d'abord de m'en retourner à mon village ; car je ne savais que devenir, ni où me placer.

Je n'avais pas de connaissance, point d'autre métier que celui de paysan ; je savais parfaitement semer, labourer la terre, tailler la
5 vigne, et voilà tout.

Il est vrai que mon séjour à Paris avait effacé beaucoup de l'air rustique que j'y avais apporté ; je marchais d'assez bonne grâce ; je portais bien ma tête, et je mettais mon chapeau en garçon qui n'était pas un sot. [...]
10 En attendant mon départ de Paris, dont je n'avais pas encore fixé le jour, je me mis dans une de ces petites auberges à qui le mépris de la pauvreté a fait donner le nom de gargote.

Je vécus là deux jours avec des voituriers qui me parurent très grossiers ; et c'est que je ne l'étais plus tant, moi.
15 Ils me dégoûtèrent du village. Pourquoi m'en retourner ? me disais-je quelquefois. Tout est plein ici de gens à leur aise, qui, aussi bien que moi, n'avaient pour tout bien que la Providence. Ma foi ! restons encore quelques jours ici pour voir ce qui en sera ; il y a tant d'aventure dans la vie, il peut m'en échoir quelque bonne ; ma
20 dépense n'est pas ruineuse ; je puis encore la soutenir deux ou trois semaines ; à ce qu'il m'en coûte par repas, j'irai loin [...].

Voilà donc mon parti pris de séjourner à Paris plus que je n'avais résolu d'abord.

MARIVAUX, *Le Paysan parvenu*, 1734-1735.

58 Construire une argumentation

Lorsque le sujet d'invention demande de développer une argumentation, celle-ci est liée à une situation particulière. Il faut donc mettre en place une stratégie argumentative, avant de rédiger la réponse en tenant compte de la situation d'énonciation du texte demandé.

Sujet d'invention

OBJET D'ÉTUDE
La question de l'Homme dans les genres de l'argumentation

À son arrivée à la Chambre des Pairs, Victor Hugo prend la parole à la tribune pour faire part de son indignation. Vous rédigerez ce discours.

TEXTES
TEXTE A : Jean de La Bruyère, « De l'homme », *Les Caractères*, 1688.
TEXTE B : Victor Hugo, *Choses vues*, 1846
TEXTE C : Albert Camus, *Le Mythe de Sisyphe*, 1942.

La réponse rédigée (extrait)

« Messieurs les membres de l'Assemblée,

En m'adressant à vous, je suis encore sous le coup de l'indignation et je ne peux vous cacher la profonde émotion que je ressens. Hier, alors que j'étais sur le chemin de la Chambre des Pairs, j'ai vu venir rue de Tournon un homme emmené par deux soldats. Misérable, sale, maigre, les pieds blessés, cet homme avait, dit-on, volé un pain ! Oui, messieurs les députés, on envoie au bagne, en 1846, des hommes qui n'ont commis pour tout crime que de voler un pain ! Laissez-moi vous le dire, messieurs, il y trop d'injustice sociale dans ce pays ! Laissez-moi vous l'expliquer, il faut combattre ce fléau !

• Le discours est introduit et clos par des guillemets, une adresse et un salut aux destinataire.

Tout d'abord, parce que la richesse la plus grande côtoie la misère la plus criante. C'est ainsi qu'un peu plus loin, dans la même rue, je suis passé devant des brasseries et des restaurants remplis de citoyens qui englou-tissaient en un unique repas plus qu'il n'en fallait pour nourrir pendant une semaine la famille entière de cet homme envoyé au bagne…

• La thèse est clairement annoncée à la fin du premier paragraphe.

Ensuite, parce que l'écart entre le « crime » et sa « juste » punition est, dans notre pays, totalement disproportionné. Souvenez-vous, chers confrères, qu'il y a moins d'un siècle, Voltaire combattait déjà pour un juste équilibre entre les délits et les peines. La situation a-t-elle changé […] ? »

• Les arguments qui défendent le point de vue s'enchaînent au moyen de termes d'articulation.

1 Analyser le sujet

La réponse peut prendre des formes variées, auxquelles correspondent des situations d'énonciation diverses.

■ **Identifier la forme de la réponse.** Le sujet peut demander d'inventer un article de presse, une lettre (lettre au courrier des lecteurs, lettre ouverte, lettre fictive d'un personnage du corpus, etc.), un monologue ou un dialogue, un discours devant une assemblée, un récit à visée argumentative (fable ou conte).

→ Lors d'un débat télévisé, deux metteurs en scène évoquent leur conception de la dramaturgie. Ils s'opposent sur l'interprétation et la mise en scène de la scène de Beaumarchais (texte B). Rédigez ce dialogue argumentatif.

■ **Repérer la situation d'énonciation.** Le sujet définit l'identité de l'émetteur et du destinataire, le lieu et l'époque de l'argumentation, la thèse défendue.

2 Développer une stratégie argumentative

La stratégie argumentative mise en œuvre détermine la progression du texte à écrire. Elle s'appuie sur le corpus au moyen de citations, mais aussi sur les connaissances personnelles (lectures, objets d'étude, culture générale) pour trouver des arguments et des exemples convaincants.

■ **Défendre un point de vue.** L'ensemble du texte défend une thèse. Celle-ci est exprimée clairement au début du texte de manière à montrer l'enjeu de l'argumentation. Elle est ensuite étayée au moyen d'une série d'arguments illustrés d'exemples.

→ Sous la forme d'une lettre ouverte, un poète défend l'utilité sociale de la poésie telle que la revendique Jacques Prévert dans le texte C.

■ **Réfuter un point de vue.** Le texte commence par la reformulation et la réfutation de la thèse adverse. Il propose ensuite une série de contre-arguments illustrés d'exemples qui ont pour but de valider la thèse défendue tout en combattant la thèse réfutée.

→ Le théâtre classique se refusait à représenter la mort sur scène. Imaginez la préface d'une pièce de théâtre rédigée par un auteur contemporain qui dénonce ce point de vue.

■ **Discuter un point de vue.** Le texte se présente comme un dialogue entre deux points de vue opposés. Les arguments de l'un s'opposent aux contre-arguments de l'autre. Les exemples et les contre-exemples s'enchaînent et éclairent différemment la problématique mise en place.

→ Un metteur en scène de cinéma dialogue avec le théoricien du théâtre Antonin Artaud. Chacun défend la capacité de son art à exprimer le réel. Vous présenterez ce débat sous la forme d'un dialogue entre les deux hommes.

3 Rédiger la réponse

La réponse doit à la fois tenir compte de la situation d'énonciation imposée par le sujet et de l'argumentation mise en place.

■ **Pour mettre en forme le texte inventé.** La réponse doit présenter clairement toutes les caractéristiques de la lettre, de l'article, du dialogue romanesque ou théâtral, du discours, du monologue sur scène, etc.

■ **Pour mettre en valeur la situation d'énonciation.** La réponse tient compte des contraintes d'écriture liées à l'identité de l'émetteur et du destinataire : registre ou ton, niveau de langage, figures de style, implication de l'émetteur, adresses au destinataire…

Critères de réussite

Vérifier son argumentation

• **L'introduction et la conclusion**
Le début de votre texte exprime-t-il clairement un point de vue et la problématique du sujet ? La fin de votre texte fait-elle le bilan de l'argumentation ?

• **Le brouillon**
Relisez votre brouillon avant de le mettre au propre ; n'hésitez pas à l'améliorer au moyen d'exemples supplémentaires ou de figures de style.

• **La copie**
Vérifiez que la mise en page de votre texte présente les caractéristiques attendues par le sujet.

ANALYSER LE SUJET

EXERCICE 1 •

1. Identifiez la forme de la réponse attendue dans les sujets suivants.
2. Repérez l'émetteur et le(s) destinataire(s) de l'argumentation.

Sujet A : Une revue littéraire prépare un numéro sur l'histoire du roman depuis le XVIIe siècle. Vous êtes chargé d'y écrire un article dans lequel vous défendez l'importance du personnage de roman. Vous rédigez cet article en utilisant les textes du corpus et les lectures que vous avez faites par ailleurs.

Sujet B : Un cinéaste s'adresse à l'ensemble de son équipe (acteurs, décorateur, preneur de son, costumiers, éclairagistes...) pour définir ses choix de mise en scène dans l'adaptation de *Cyrano de Bergerac*. Vous rédigez son intervention.

Sujet C : Un ami vous reproche votre goût pour les romans policiers qui, selon lui, proposent toujours les mêmes types de personnages... En vous fondant sur les extraits proposés et sur les œuvres que vous avez pu étudier ou lire, vous rédigerez un dialogue où vos arguments s'opposeront aux critiques de votre interlocuteur.

EXERCICE 2 • •

1. Identifiez la forme de la réponse attendue dans les sujets suivants.
2. Définissez avec précision la situation d'énonciation mise en place par le sujet : émetteur, destinataires(s), lieu et époque de l'énonciation, thèse à défendre ou à réfuter.

Sujet A : Imaginez la réponse de Jean Valjean au réquisitoire du policier Javert, pour poursuivre l'extrait des *Misérables*, sous la forme d'un plaidoyer en faveur de l'humanité.

Sujet B : Les poèmes de Lautréamont ont été mal accueillis à leur parution, en 1869. Dans un courrier des lecteurs, un admirateur d'une telle esthétique du laid défend l'idée qu'il n'existe pas d'objet poétique privilégié. Vous rédigerez cette lettre.

Sujet C : L'héroïne de *Rhinocéros*, Daisy, dont Bérenger est amoureux, exige qu'il change son mode de vie par amour pour elle. Écrivez le monologue délibératif de Bérenger qui le conduira à choisir entre ses sentiments et ses habitudes.

DÉVELOPPER UNE STRATÉGIE ARGUMENTATIVE

EXERCICE 3 •

Indiquez, pour chacun des sujets suivants, s'il demande de défendre, de réfuter ou de discuter un point de vue.

Sujet A : Rédigez une fable en prose qui s'intitulera « L'Enfant et le Savant » dans laquelle chacun des deux protago-

nistes défend sa conception du monde et la place qu'il faut réserver à l'imagination.

Sujet B : Poursuivez le monologue théâtral du personnage (texte B) en respectant la situation d'énonciation et en développant le point de vue paradoxal qu'il soutient.

Sujet C : Vous envoyez une lettre ouverte à un journal dans laquelle vous contesterez la position défendue par le narrateur du texte C.

Sujet D : Écrivez la suite du plaidoyer en faveur de la nature prononcé par Rousseau dans son essai. Vous respecterez la situation d'énonciation mise en place par le texte.

EXERCICE 4 • •

1. Déterminez la forme de la réponse et la situation d'énonciation mises en place par le sujet.
2. Reformulez la thèse à défendre par l'émetteur.
3. Quels sont, parmi les arguments proposés, ceux qui répondent au sujet ?

Sujet : Rédigez le réquisitoire contre l'esclavage prononcé par un orateur à la tribune de l'Assemblée pendant la Révolution française.

Arguments proposés

a. Les esclavagistes ont un comportement cruel et inhumain.

b. Au XXe siècle, l'esclavage a pris d'autres formes.

c. Tous les hommes naissent libres et égaux et droit, quelle que soit leur couleur de peau.

d. La suppression de l'esclavage ferait rayonner les valeurs de la Révolution.

e. Les esclaves sont essentiels à l'économie des plantations des colonies d'Amérique.

f. Il est inévitable que certains hommes en dominent d'autres.

EXERCICE 5 • •

1. Quelle est la forme de l'argumentation développée ? Identifiez sa situation d'énonciation.
2. Quel est le point de vue défendu par l'émetteur ?
3. Imaginez trois arguments à l'appui de la thèse.

Avignon, le 17 juillet

Monsieur le rédacteur,

J'ai lu dans le dernier numéro de votre revue Spectacles en scène l'article qui signalait à vos lecteurs la représentation des Bonnes de Jean Genet, proposée actuellement au festival d'Avignon. Admirateur passionné de ce grand dramaturge, je me suis rendu à cette représentation. Permettez-moi de vous dire que j'ai particulièrement aimé cette mise en scène originale. J'aimerais vous exposer les raisons qui m'ont fait prendre plaisir à ce spectacle car celui-ci correspond parfaitement à la conception que je me fais de l'art dramatique.

EXERCICE 6 ●●

1. Quelles sont les deux fonctions du roman selon l'auteur ? Reformulez la thèse défendue.
2. Pour chacune des fonctions du roman, illustrez votre reformulation au moyen d'un exemple développé et issu de vos lectures personnelles.

Il y a certes un roman naïf et une consommation naïve du roman, comme délassement ou divertissement, ce qui permet de passer une heure ou deux, de « tuer le temps », et toutes les grandes œuvres, les plus
5 savantes, les plus ambitieuses, les plus austères, sont nécessairement en communication avec le contenu de cette énorme rêverie, de cette mythologie diffuse, de cet innombrable commerce, mais elles jouent aussi un rôle tout autre et absolument décisif : elles transforment la
10 façon dont nous voyons et racontons le monde, et par conséquent transforment le monde.

Michel Butor, *Répertoire II*, Éd. de Minuit, 1964.

EXERCICE 7 ●●

1. Reformulez, à partir du sujet suivant, les deux thèses qui s'opposent.
2. Retrouvez, parmi les arguments proposés, ceux qui correspondent à chaque point de vue.
3. Illustrez chaque argument au moyen de l'exemple qui convient.

Sujet : Vous écrirez un dialogue entre un interlocuteur qui pense que les genres de l'argumentation sont les seuls outils efficaces pour défendre des idées et un autre pour qui toutes les formes d'art peuvent atteindre ce but.

Arguments

a. Les discours des grands orateurs sont capables de remuer leurs auditoires.
b. La fable permet, derrière des histoires amusantes, de transmettre une morale universelle.
c. La chanson engagée permet de toucher le plus grand nombre.
d. Les idées défendues sont d'autant plus efficaces qu'elles sont énoncées de manière explicite.
e. Tous les genres littéraires sont porteurs d'idées et de valeurs.
f. La peinture, la photographie, le cinéma montrent et dénoncent mieux qu'un grand discours.

Exemples

a. Les fables de La Fontaine pour la justice et l'égalité.
b. Les sermons de Bossuet contre l'oubli de la morale.
c. Les discours de Hugo contre la peine de mort.
d. Guernica, le tableau de Picasso contre la guerre.
e. La poésie d'Aragon, les romans de Malraux, le théâtre de Camus.
f. Du « Temps des cerises » au « Chant des Partisans », les paroles et la musique entraînent les foules.

EXERCICE 8 ●●

1. Quelle est la situation d'énonciation mise en place par ce texte ?
2. Reformulez le point de vue développé par le neveu de Rameau (« lui »).
3. Réfutez ce point de vue en donnant la parole à Diderot (« moi »). Vous donnerez au moyen de deux arguments une conception différente de l'usage de la richesse.

Moi. – J'ai peur que vous ne deveniez jamais riche.
Lui. – Moi, j'en ai le soupçon.
5 Moi. – Mais s'il en arrivait autrement, que feriez-vous ?
Lui. – Je ferais comme tous les gueux revêtus ; je serais le plus insolent maroufle qu'on eût encore vu. C'est alors que je me rappellerais tout ce qu'ils m'ont fait souffrir, et je leur rendrais bien les avanies qu'ils m'ont
10 faites. J'aime à commander, et je commanderai. J'aime qu'on me loue, et l'on me louera.

Denis Diderot, *Le Neveu de Rameau*, 1762.

EXERCICE 9 ●●●

1. Repérez la thèse défendue par Léon Daudet. Quelles valeurs de notre société son argumentation remet-elle en cause ?
2. Repérez ce qui, dans l'argumentation de l'auteur, relève de la caricature et de la mauvaise foi.
3. Reformulez la thèse opposée à celle de l'auteur. Trouvez trois contre-arguments et trois contre-exemples afin de réfuter celle-ci.

Je pense, à propos de l'Évolution et du Progrès, l'un portant l'autre, comme l'aveugle et le paralytique, que le XIXᵉ siècle pourrait être appelé aussi le siècle du perroquet. Jamais, au cours des temps modernes, le psitta-
5 cisme[1] ne s'est donné plus librement carrière que de la Révolution à nos jours. Chateaubriand parle quelque part des cacatoès[2] hypercentenaires de l'Amérique du Sud, qui ont encore, dans le bec, des mots de la langue perdue des Incas. Peut-être, dans l'avenir, entendra-t-on
10 ces oiseaux verts et bleus crier sur les cimes des arbres, sans y attacher d'importance, ces termes vides de sens : « ... Droits de l'homme... Drrrroidlom... E... vlution... Prrrogrès... Prrrogrrrès... » Des savants discuteront en kekesekça là-dessus, sans se douter que ces *flatus vocis*[3]
15 auront perturbé des cervelles humaines par centaines de milliers, empli des bibliothèques devenues poussière, et ajouté quelques nouveaux motifs à la rage séculaire de s'entretuer, qui tient les infortunés humains.

Léon Daudet, *Le Stupide XIXᵉ siècle*, 1922.

1. psittacisme : répétition machinale de certains mots.
2. cacatoès : perroquets.
3. *flatus vocis* : paroles vides de sens.

RÉDIGER LA RÉPONSE

EXERCICE 10 ●

Quels défauts le début de la réponse au sujet suivant comporte-t-il ? Récrivez-la en corrigeant la forme, les marques de l'énonciation et la formulation de la thèse.

Sujet : Dans la scène suivante, le héros, Pâris, se retrouve seul. Il expose sous la forme d'un monologue délibératif sa vision optimiste de l'humanité malgré les menaces de guerre qui s'accumulent. Vous rédigez son monologue.

Début de la réponse

Tous ils ne croient pas si bien dire, dit Pâris, je connais bien la guerre et les hommes. Au premier coup de canon… (Il se mit à réfléchir longuement et marcha de long en large.) ils se précipiteront pour se battre et personne n'interviendra pour ramener la paix.

Hécube, *entrant. – Cher fils, tu te trompes !*

EXERCICE 11 ●●

1. Le texte qui suit est le début de la réponse rédigée au sujet de l'exercice 4. Repérez les caractéristiques du réquisitoire : implication, exclamations, anaphore, termes évaluatifs.
2. Poursuivez l'argumentation sur le même ton en vous aidant des arguments proposés dans l'exercice 4.

Vous tous qui, présents dans cette Assemblée, êtes les représentants du Peuple, vous avez comme moi entendu les grands armateurs demander le rétablissement de l'esclavage. Ils veulent à nouveau affréter leurs navires de manière à transporter ces êtres humains, auxquels on donne le nom de « nègres », vers les lointaines colonies d'Amérique. Quelle insulte à la Révolution ! Quelle insulte au peuple français qui, hier encore, était lui-même emprisonné dans les chaînes du despotisme le plus abject ! Quelle insulte pour l'humanité et les générations futures !

EXERCICE 12 ●●

1. Retrouvez les arguments apportés par l'auteur.
2. Reformulez ces arguments de manière à les actualiser sous la forme d'un bref discours en prose.

La bibliothèque du Louvre est incendiée par les insurgés de la Commune. Dans L'Année terrible, *Victor Hugo revient sur cet événement.*

Tu viens d'incendier la Bibliothèque ?
                                        – Oui.
J'ai mis le feu là.
                    – Mais c'est un crime inouï,
Crime commis par toi contre toi-même infâme ?
Mais tu viens de tuer le rayon de ton âme ! [...]
5 As-tu oublié que ton libérateur,

C'est le livre ? Le livre est là sur la hauteur ;
Il luit ; parce qu'il brille et qu'il illumine,
Il détruit l'échafaud, la guerre, la famine ;
[...]
10 Le livre en ta pensée entre, il défait en elle
Les liens que l'erreur à la vérité mêle,
Car toute conscience est un nœud gordien[1].
Il est ton médecin, ton guide, ton gardien.
Ta haine, il la guérit ; ta démence, il te l'ôte.
15 Voilà ce que tu perds, hélas, et par ta faute !
Le livre est ta richesse à toi ! c'est le savoir,
Le droit, la vérité, la vertu, le devoir,
Le progrès, la raison dissipant tout délire.
Et tu détruis cela, toi !
                          – Je ne sais pas lire.

Victor Hugo, *L'Année terrible*, 1872.

1. nœud gordien : situation inextricable, tragique.

EXERCICE 13 ●●

1. Analysez le sujet suivant : forme de la réponse, situation d'énonciation demandée.
2. Quelle stratégie argumentative le sujet demande-t-il de mettre en place ? Recherchez et classez des arguments en faveur des deux points de vue en présence.
3. Complétez et poursuivez le début de la réponse rédigée.

Sujet : Lors d'une rencontre littéraire, deux écrivains exposent leur conception de la poésie. L'un argumente en faveur d'une poésie célébrant le passé, tandis que l'autre préfère une poésie évoquant le présent. Écrivez leur dialogue.

Réponse rédigée

La lumière des spots éclairait violemment le visage des deux invités. Bernard Picot, le célèbre animateur de l'émission littéraire « Ouvrez les guillemets » était prêt à débuter son émission. Le thème du jour portait sur la poésie : il s'agissait de débattre …. . Les deux invités étaient des …. .

« Messieurs-dames, bonsoir, nous sommes ravis d'accueillir sur notre plateau … et …. Ils viennent nous exposer …. Je laisse tout de suite la parole à mon premier invité.

PRÉPARATION ▶ **1.** Analysez le sujet d'invention proposé.

2. Définissez une stratégie argumentative pour organiser votre réponse.

RÉDACTION ▶ Un metteur en scène s'adresse à l'ensemble de son équipe (acteurs, scénographe, costumiers, éclairagistes...) pour définir ses choix de mise en scène de l'extrait du *Bourgeois gentilhomme* et donner ses consignes afin que la scène devienne vivante et comique lors de sa représentation en spectacle. Vous rédigez son intervention.

OBJET D'ÉTUDE

Le texte théâtral et sa représentation, du XVIIe siècle à nos jours.

Scène II

Monsieur Jourdain, Deux Laquais, Maître de musique, Maître à danser, Violons, Musiciens et Danseurs.

MONSIEUR JOURDAIN. – Hé bien, Messieurs ? Qu'est-ce ? me ferez–vous voir votre petite drôlerie ?

5 MAÎTRE À DANSER. – Comment ? quelle petite drôlerie ?

MONSIEUR JOURDAIN. – Eh la… comment appelez-vous cela ? Votre prologue ou dialogue de chansons et de danse.

MAÎTRE À DANSER. – Ah ! ah !

MAÎTRE DE MUSIQUE. – Vous nous y voyez préparés.

10 MONSIEUR JOURDAIN. – Je vous ai fait un peu attendre, mais c'est que je me fais habiller aujourd'hui comme les gens de qualité ; et mon tailleur m'a envoyé des bas de soie que j'ai pensé ne mettre jamais.

MAÎTRE DE MUSIQUE. – Nous ne sommes ici que pour attendre votre loisir.

MONSIEUR JOURDAIN. – Je vous prie tous deux de ne vous point en aller, qu'on ne
15 m'ait apporté mon habit, afin que vous me puissiez voir.

MAÎTRE À DANSER. – Tout ce qu'il vous plaira.

MONSIEUR JOURDAIN. – Vous me verrez équipé comme il faut, depuis les pieds jusqu'à la tête.

MAÎTRE DE MUSIQUE. – Nous n'en doutons point.

20 MONSIEUR JOURDAIN. – Je me suis fait faire cette indienne-ci[1].

MAÎTRE À DANSER. – Elle est fort belle.

MONSIEUR JOURDAIN. – Mon tailleur m'a dit que les gens de qualité étaient comme cela le matin.

MAÎTRE DE MUSIQUE. – Cela vous sied à merveille.

25 MONSIEUR JOURDAIN. – Laquais, holà, mes deux laquais.

PREMIER LAQUAIS. – Que voulez-vous, Monsieur ?

MONSIEUR JOURDAIN. – Rien. C'est pour voir si vous m'entendez bien.

MOLIÈRE, *Le Bourgeois gentilhomme*, Acte I, scène 2, 1670.

1. indienne : robe de chambre faite de toile venue d'Inde.

Les épreuves

L'épreuve orale

L'épreuve orale se décompose en deux interrogations de dix minutes chacune, précédées d'un temps de préparation d'une demi-heure. Elle s'appuie sur le descriptif d'activités, qui expose l'ensemble des travaux menés en classe de Première.

L'examen oral a pour but d'évaluer les capacités du candidat à mobiliser ses connaissances sur un texte lu ou étudié durant l'année. Il s'agit pour le candidat de manifester ses compétences de lecture, de montrer à l'examinateur ses connaissances sur les objets d'étude et sa maîtrise de l'expression orale, ainsi que son aptitude à dialoguer à partir des questions posées lors de l'entretien.

59 Préparer l'exposé

L'examinateur choisit un texte dans le descriptif des activités effectuées durant l'année et pose une question au candidat. Celui-ci dispose de trente minutes pour préparer son exposé, puis de dix minutes pour le présenter oralement

SUJET DU BAC

OBJET D'ÉTUDE

Écriture poétique et quête du sens, du Moyen Âge à nos jours

Intitulé de la séquence : Les poètes face à la guerre

Problématique : Comment l'écriture poétique peut-elle dénoncer la guerre ?

➜ Question de l'examinateur

À travers quels procédés Victor Hugo dénonce-t-il la « bêtise de la guerre » ?

Bêtise de la guerre

Ouvrière sans yeux, Pénélope imbécile,
Berceuse du chaos où le néant oscille,
Guerre, ô guerre occupée au choc des escadrons,
Toute pleine du bruit furieux des clairons,
5 Ô buveuse de sang, qui, farouche, flétrie,
Hideuse, entraîne l'homme en cette ivrognerie,
Nuée où le destin se déforme, où Dieu fuit,
Où flotte une clarté plus noire que la nuit,
Folle immense, de vent et de foudre armée,
10 À quoi sers-tu, géante, à quoi sers-tu, fumée,
Si tes écroulements reconstruisent le mal,
Si pour le bestial tu chasses l'animal,
Si tu ne sais, dans l'ombre où ton hasard se vautre,
Défaire un empereur que pour en faire un autre ?

Victor Hugo, « Bêtise de la guerre »,
L'Année terrible, 1872.

Plan de la réponse (plan thématique)

Introduction : (contextualisation + thématique de la séquence)

1. Un texte ouvertement polémique

Connotations (« bêtise » / « bestiale », animalité), jugements de valeur (« imbécile », « mal », « se vautre »), etc.

2. La personnification de la guerre

Tour à tour « Ouvrière », « Pénélope » (v. 1), « Berceuse » (v. 2), « buveuse de sang », (v. 5), « Folle » (v. 9), « géante » (v. 10) : multiplication des visages de la guerre.

3. La question rhétorique du poème

Une seule phrase interrogative (fausse question) qui interpelle la guerre.

Conclusion : *Grandeur de Victor Hugo, combattant au moyen de la poésie et des autres genres (cf. Les Misérables ou ses Discours à l'Assemblée).*

1 Analyser la question posée

Le texte à analyser a déjà été étudié en classe : extrait d'un groupement de textes, passage d'une œuvre intégrale. Mais son analyse est orientée et réduite par la question posée.

■ **Les types de questions.** La question posée peut porter sur la construction du texte, sur l'intention de l'auteur (la visée), sur les caractéristiques du genre littéraire (objet d'étude). La question peut aussi attirer l'attention sur une partie du texte (titre, expression-clé, figure de style) qui éclaire l'ensemble.

■ **L'analyse de la question posée.** Il est nécessaire de repérer les mots-clés de la question : elle indique une piste de réflexion sur le texte, qui va guider l'ensemble de l'exposé.

→ À travers quels procédés Victor Hugo dénonce-t-il la « bêtise de la guerre » ?

2 Étudier le texte en fonction de la question

Deux lectures du texte sont nécessaires pour rassembler les informations utiles à l'exposé.

■ **Les informations générales.** Une première relecture permet de noter les références du texte et ses grandes caractéristiques : auteur, mouvement, genre, construction, etc. Le paratexte et le descriptif peuvent apporter des indications précieuses.
Ces informations préparent la réflexion et seront ensuite utilisées dans l'introduction de l'exposé.

■ **Les éléments de réponse à la question.** Une seconde lecture du texte doit être consacrée à la recherche d'éléments de réponse à la question posée. Elle doit s'appuyer sur les outils d'analyse du texte littéraire : progression du passage, réseaux lexicaux, figures de style qui mettent en évidence l'originalité de l'extrait.

→ Le poème de Hugo se caractérise par le vocabulaire évaluatif et péjoratif, les images qui personnifient la guerre et sa structure syntaxique : une seule phrase constituant une question rhétorique.

3 Mettre au point le plan de l'exposé

L'exposé oral fait la synthèse des recherches menées pendant la préparation. Il n'est pas entièrement rédigé, mais se présente sous la forme de notes, consultables pendant l'épreuve.

■ **L'introduction.** Elle comporte trois phases : la première présente le texte (œuvre, auteur, date) ; la seconde explicite la question posée en s'appuyant sur l'objet d'étude et la problématique de la séquence ; la troisième annonce le plan suivi.

■ **Le développement.** Il prend appui sur le texte étudié, mais sans en faire une présentation exhaustive. La progression de l'exposé peut être thématique (deux ou trois pistes de lecture successivement explorées) ou linéaire (le texte est étudié du début à la fin de l'extrait).

■ **La conclusion.** Elle comporte deux phases. D'abord elle fait le bilan de l'exposé, en récapitulant les réponses apportées à la question. Puis elle propose une interprétation personnelle du texte ou de l'œuvre.

Critères de réussite

Vérifiez votre préparation

● **L'analyse du texte.** Tient-elle compte de l'objet d'étude et de la question posée ? Utilise-t-elle les outils de l'analyse linguistique et littéraire ?

● **La mise au point du plan.** Le plan comporte-t-il bien trois grandes parties ? Le développement est-il lui-même structuré ?

● **L'organisation des notes.** Des couleurs mettent-elles en évidence les grandes étapes de votre exposé ? Les renvois au texte sont-ils indiqués clairement ? Avez-vous rédigé les phrases d'introduction et de conclusion, les idées essentielles ?

ANALYSER LA QUESTION POSÉE

EXERCICE 1 •

1. D'après ce document officiel utilisé par les examinateurs, comment se présente la question posée au candidat ? Selon vous, pourquoi ?
2. À quoi la question est-elle liée ? Pourquoi cette précision ?
3. Quels sont les objectifs de la question, que le candidat doit atteindre pour réussir son exposé ?

Une question écrite amène le candidat à étudier, en lien avec l'objet d'étude ou les objets d'étude retenu(s), un aspect essentiel du texte. […] Elle appelle une interprétation, fondée sur l'observation précise du texte. […]
5 L'exposé est ordonné. Il prend constamment appui sur le texte proposé mais ne peut consister en un simple relevé. Il présente, de façon libre mais adaptée, les éléments d'une réponse organisée à la question posée.

Bulletin officiel du 16 janvier 2003.

EXERCICE 2 •

1. Voici une série de questions posées pour guider l'analyse du candidat. Sur quel point particulier chaque question porte-t-elle ?
2. À quel objet d'étude se rapporte chacune des questions ?

- Quelle image du poète ce sonnet de Baudelaire propose-t-il ?
- Quelle vision de la famille Maupassant propose-t-il à travers le regard des personnages de Pierre et Jean ?
- Comment Dom Juan tente-t-il de convaincre Sganarelle de la justesse de son attitude envers les femmes ?
- Cette scène d'exposition remplit-elle bien son rôle, selon vous ?
- En quoi ce texte peut-il être considéré, selon vous, comme une critique de la société ?

EXERCICE 3 ••

1. Analysez la question posée par l'examinateur (mots clés, orientations suggérées) et proposez une reformulation personnelle.
2. Quels liens peut-on établir avec l'objet d'étude concerné ?
3. Quelles autres questions l'examinateur aurait-il pu poser pour guider l'analyse ?

Objet d'étude : Écriture poétique et quête du sens, du Moyen Âge à nos jours

Question de l'examinateur : « Comment l'écriture poétique parvient-elle à magnifier l'amour du poète pour Hélène ? »

Sonnet pour Hélène

L'autre jour que j'étais sur le haut d'un degré[1],
Passant tu m'avisas, et me tournant la vue,
Tu m'éblouis les yeux, tant j'avais l'âme émue
De me voir en sursaut de tes yeux rencontré.

5 Ton regard dans le cœur, dans le sang m'est entré
Comme un éclat de foudre alors qu'il fend la nue[2] :
J'eus de froid et de chaud la fièvre continue,
D'un si poignant regard mortellement outré.

Et si ta belle main passant ne m'eût fait signe,
10 Main blanche, qui se vante être fille d'un Cygne,
Je fusse mort, Hélène, aux rayons de tes yeux ;

Mais ton signe retint l'âme presque ravie,
Ton œil se contenta d'être victorieux,
Ta main se réjouit de me donner la vie.

RONSARD, Sonnets pour Hélène, 1578.

1. un degré : un escalier.
2. la nue : le ciel.

EXERCICE 4 ••

1. Pour chacune des questions posées, quels sont les mots-clés qui doivent guider l'analyse ?
2. Quels éléments de l'objet d'étude peuvent servir pour répondre à l'ensemble de ces questions (genre, contexte historique, histoire littéraire, etc.) ?
3. Pour chaque question, proposez une piste de réflexion sur le texte.

Objet d'étude : La question de l'Homme dans les genres de l'argumentation, du XVIe siècle à nos jours

Questions de l'examinateur :

a. Comment l'argumentation développée dans ce texte parvient-elle à être efficace ?
b. Pourquoi peut-on dire que Montaigne inverse la relation entre « sauvage » et « civilisé » ?
c. Comment l'écrivain humaniste s'implique-t-il dans son argumentation ?

Texte

Or je trouve, pour revenir à mon propos, qu'il n'y a rien de barbare et de sauvage en cette nation[1], à ce qu'on m'en a rapporté, sinon que chacun appelle barbarie ce qui n'est pas de son usage ; comme de vrai, il
5 semble que nous n'avons d'autre mire[2] de la vérité et de la raison que l'exemple et idée des opinions et usances du pays où nous sommes. Là est toujours la parfaite religion, la parfaite police, parfait et accompli usage de toutes choses. Ils sont sauvages, de même que nous
10 appelons sauvages les fruits que nature, de soi et de son progrès ordinaire, a produits : là où, à la vérité, ce sont ceux que nous avons altérés par notre artifice et détournés de l'ordre commun, que nous devrions appeler plutôt sauvages. En ceux-là sont vives et vigou-
15 reuses les vraies et plus utiles et naturelles vertus et propriétés, lesquelles nous avons abâtardies en ceux-ci, et les avons seulement accommodés au plaisir de notre goût corrompu.

MONTAIGNE, Essais, Livre I, Chapitre 31, « Des cannibales », 1580.

1. cette nation : les Indiens du Nouveau Monde (l'Amérique).
2. d'autre mire : d'autre vision.

ÉTUDIER LE TEXTE EN FONCTION DE LA QUESTION

EXERCICE 5 ●●

1. Analysez la question posée.
2. Observez les éléments de réponse notés par un candidat. Lesquels ne correspondent pas à la question posée ? Justifiez votre critique.

Objet d'étude : Le texte théâtral et sa représentation, du XVIIᵉ siècle à nos jours

Question de l'examinateur : À travers quelles situations et quelles répliques Ionesco exprime-t-il l'absurdité du monde dans cette scène ?

Éléments de réponse

– La fonction du décor (noirceur, dépouillement).
– L'enfance difficile de l'auteur en Roumanie (vu en classe).
– Des répliques qu'on ne comprend pas.
– Une pièce très jouée.
– Des personnages dépourvus d'ambition et d'énergie.
– Le poids des silences (didascalies).
– Des mouvements fréquents sur scène (didascalies).

EXERCICE 6 ●●●

1. Analysez la question posée.
2. Recherchez dans le texte l'ensemble des éléments qui permettent d'y répondre.

Objet d'étude : Écriture poétique et quête du sens, du Moyen Âge à nos jours

Question de l'examinateur : Comment les répétitions soulignent-elles l'intensité des sentiments du poète ?

> Ô triste, triste était mon âme
> À cause, à cause d'une femme.
>
> Je ne me suis pas consolé
> Bien que mon cœur s'en soit allé,
>
> 5 Bien que mon cœur, bien que mon âme
> Eussent fui loin de cette femme.
>
> Je ne me suis pas consolé,
> Bien que mon cœur s'en soit allé.
>
> Et mon cœur, mon cœur trop sensible
> 10 Dit à mon âme : Est-il possible,
>
> Est-il possible, – le fût-il,
> Ce fier exil, ce triste exil ?
>
> Mon âme dit à mon cœur : Sais-je,
> Moi-même, que nous veut ce piège
>
> 15 D'être présents bien qu'exilés
> Encore que loin en allés ?

Paul Verlaine, *Romances sans paroles*, 1874.

METTRE AU POINT LE PLAN DE L'EXPOSÉ

EXERCICE 7 ●●

1. Examinez la question de l'examinateur. Quels éléments peut-on retenir parmi les notes du candidat pour répondre à la question ?
2. Relevez dans le texte les passages qui pourraient illustrer ces éléments.
3. Construisez les grandes lignes du plan à adopter.

Objet d'étude : Le texte théâtral et sa représentation du XVIIᵉ siècle à nos jours

Question de l'examinateur : Comment les didascalies soulignent-elles l'absurdité de ce dialogue théâtral ?

> *Route à la campagne, avec arbre. Soir.*
> *Estragon, assis sur une pierre, essaie d'enlever sa chaussure. Il s'y acharne des deux mains, en ahanant. Il s'arrête, à bout de forces, se repose en haletant, recommence. Même jeu. Entre Vladimir*
>
> Estragon *(renonçant à nouveau).* – Rien à faire.
> Vladimir *(s'approchant à petits pas raides, les jambes écartées).* – Je commence à le croire. *(Il s'immobilise.)* J'ai longtemps résisté à cette pensée, en me disant, Vladi-
> 5 mir, sois raisonnable. Tu n'as pas encore tout essayé. Et je reprenais le combat. *(Il se recueille, songeant au combat. À Estragon.)* – Alors, te revoilà, toi.
> Estragon. – Tu crois ?
> Vladimir. – Je suis content de te revoir. Je te croyais
> 10 parti pour toujours.
> Estragon. – Moi aussi.
> Vladimir. – Que faire pour fêter cette réunion ? *(Il réfléchit.)* Lève-toi que je t'embrasse. *(Il tend la main à Estragon.)*
> 15 Estragon *(avec irritation).* – Tout à l'heure, tout à l'heure. *Silence.*
> Vladimir *(froissé, froidement).* – Peut-on savoir où monsieur a passé la nuit ?
> Estragon. – Dans un fossé.
> 20 Vladimir *(épaté).* – Un fossé ! Où ça ?
> Estragon *(sans geste).* – Par là.
> Vladimir. – Et on ne t'a pas battu ?
> Estragon. – Si... Pas trop.
> Vladimir. – Toujours les mêmes ?
> 25 Estragon. – Les mêmes ? Je ne sais pas.

Samuel Beckett, *En attendant Godot*, Les Éditions de Minuit, 1952.

Notes du candidat

Le nombre important des didascalies.
L'incompréhension entre les personnages.
Les rapports étranges entre les personnages.
L'inutilité des gestes.
Types et formes de phrases.
Le jeu des contradictions.
La pantomime : le geste plus important que la parole.

EXERCICE 8 ● ●

1. Quel est le type de plan proposé pour l'exposé ?
2. Recherchez dans le texte des éléments qui pourraient illustrer les deux grandes parties.
3. Classez ces idées à l'intérieur de chaque grande partie.

Objet d'étude : La question de l'Homme dans les genres de l'argumentation, du XVIᵉ siècle à nos jours

Tant que les hommes se contentèrent de leurs cabanes rustiques, tant qu'ils se bornèrent à coudre leurs habits de peaux avec des épines ou des arrêtes, à se parer de plumes et de coquillages, à se peindre le
5 corps de diverses couleurs, à perfectionner ou embellir leurs arcs et leurs flèches, à tailler avec des pierres tranchantes quelques canots de pêcheurs ou quelques grossiers instruments de musique ; en un mot tant qu'ils ne s'appliquèrent qu'à des ouvrages qu'un seul pouvait
10 faire, et qu'à des arts qui n'avaient pas besoin du concours de plusieurs mains, ils vécurent libres, sains, bons, et heureux autant qu'ils pouvaient l'être par leur nature, et continuèrent à jouir entre eux des douceurs d'un commerce indépendant : mais dès l'instant qu'un
15 homme eut besoin du secours d'un autre ; dès qu'on s'aperçut qu'il était utile à un seul d'avoir des provisions pour deux, l'égalité disparut, la propriété s'introduisit, le travail devint nécessaire, et les vastes forêts se changèrent en des campagnes riantes qu'il fallut arroser de la
20 sueur des hommes, et dans lesquelles on vit bientôt l'esclavage et la misère germer et croître avec les moissons.

La métallurgie et l'agriculture furent les deux arts dont l'invention produisit cette grande révolution. Pour le poète, c'est l'or et l'argent, mais pour le philosophe,
25 ce sont le fer et le blé qui ont civilisé les hommes, et perdu le genre humain.

JEAN-JACQUES ROUSSEAU, *Discours sur l'origine et les fondements de l'inégalité parmi les hommes*, 1755.

Plan proposé
I. Un tableau utopique des premiers hommes
II. Une remise en cause de la société

EXERCICE 9 ● ● ●

1. Après avoir analysé la question posée, retrouvez dans le texte des exemples qui illustrent les notes du candidat.
2. Choisissez un plan pour l'exposé en ordonnant les notes qui vous paraissent le mieux répondre à la question.

Objet d'étude : Le personnage de roman, du XVIIᵉ siècle à nos jours
Question de l'examinateur : En quoi Frédéric Moreau, le personnage principal de ce passage, peut-il apparaître au lecteur comme un « anti-héros » ?

Il passait des heures à regarder, du haut de son balcon, la rivière qui coulait entre les quais grisâtres, noircis, de place en place, par la bavure des égouts, avec un ponton de blanchisseuses amarré contre le bord, où
5 des gamins quelquefois s'amusaient, dans la vase, à

CONSEIL BAC

Plan thématique ou plan linéaire ?

● **Le plan thématique.** Il doit être adopté lorsque la question appelle de manière évidente deux ou trois grandes pistes de réflexion. Il permet d'organiser la pensée en montrant plusieurs « visages » du texte, plusieurs niveaux de signification.

● **Le plan linéaire.** Il doit être adopté lorsque la question appelle une analyse minutieuse du texte, en général court (par exemple, un poème de quelques vers). Le danger est alors de tomber dans la paraphrase et de donner l'impression de simplement répéter le texte.

→ Quel que soit le type de plan adopté, l'analyse doit constamment s'appuyer sur le texte, au moyen de courtes citations (analyse précise d'une image, d'un trait de caractère, d'une didascalie, etc.).

faire baigner un caniche. [...]. C'était par-derrière, de ce côté-là, que devait être la maison de Mme Arnoux.

Il rentrait dans sa chambre ; puis, couché sur son divan, s'abandonnait à une méditation désordonnée :
10 plans d'ouvrages, projets de conduite, élancements vers l'avenir. Enfin, pour se débarrasser de lui-même, il sortait.

Il remontait, au hasard, le quartier latin, si tumultueux d'habitude, mais désert à cette époque, car les
15 étudiants étaient partis dans leurs familles. Les grands murs des collèges, comme allongés par le silence, avaient un aspect plus morne encore ; on entendait toutes sortes de bruits paisibles, des battements d'ailes dans des cages, le ronflement d'un tour, le marteau d'un
20 savetier, et les marchands d'habits, au milieu des rues, interrogeaient de l'œil chaque fenêtre, inutilement. Au fond des cafés solitaires, la dame du comptoir bâillait entre ses carafons remplis ; les journaux demeuraient en ordre sur la table des cabinets de lecture ; dans l'ate-
25 lier des repasseuses, des linges frissonnaient sous les bouffées du vent tiède. De temps à autre, il s'arrêtait à l'étalage d'un bouquiniste ; un omnibus, qui descendait en frôlant le trottoir, le faisait se retourner ; et, parvenu dans le Luxembourg[1], il n'allait pas plus loin.

GUSTAVE FLAUBERT, *L'Éducation sentimentale*, 1869.

1. le Luxembourg : le jardin du Luxembourg, lieu de promenade à Paris.

Notes du candidat
— Un personnage inactif.
— L'écoulement du temps.
— Le rôle des verbes de perception.
— Le rapport avec les objets, le désordre.
— La syntaxe : construction accumulative des phrases.
— Incompréhension du monde ou incompréhension de soi ?
— La dernière phrase du texte.

PRÉPARATION ▶

1. Lisez et analysez la question posée par l'examinateur. Recherchez dans le texte et le paratexte les éléments qui vont guider la construction de l'exposé.
2. Faites le plan détaillé de l'exposé, en notant les références au texte.
3. Rédigez l'introduction et la conclusion de l'exposé.

PRÉSENTATION ▶

Par groupes de deux élèves, confrontez vos plans. La question a-t-elle été bien prise en compte ? Vous pouvez ensuite présenter, chacun à votre tour en dix minutes, votre analyse. L'élève qui joue le rôle de l'examinateur note ses remarques au moyen de la grille d'évaluation.

Question de l'examinateur : Comment l'écriture poétique parvient-elle à retranscrire le moment de bonheur éprouvé par le poète ?

OBJET D'ÉTUDE

Écriture poétique et quête du sens, du Moyen Âge à nos jours.

Au Cabaret-Vert
cinq heures du soir

Depuis huit jours, j'avais déchiré mes bottines
Aux cailloux des chemins. J'entrais à Charleroi.
– Au Cabaret-Vert : je demandai des tartines
De beurre et du jambon qui fût à moitié froid.

5 Bienheureux, j'allongeai les jambes sous la table
Verte : je contemplai les sujets très naïfs
De la tapisserie. – Et ce fut adorable,
Quand la fille aux tétons énormes, aux yeux vifs,

– Celle-là, ce n'est pas un baiser qui l'épeure[1] ! –
10 Rieuse, m'apporta des tartines de beurre,
Du jambon tiède, dans un plat colorié,

Du jambon rose et blanc, parfumé d'une gousse
D'ail, – et m'emplit la chope immense, avec sa mousse
Que dorait un rayon de soleil arriéré.

ARTHUR RIMBAUD, *Poésies*, 1891.

1. l'épeure : lui fait peur.

Grille d'évaluation

Observation	Critères à respecter
Le déroulement de l'analyse	Les différentes étapes de l'analyse (introduction, développement, conclusion) sont respectées.
Le recours aux citations	Les citations sont fréquentes, courtes et judicieusement choisies.
L'utilisation des notes	Le plan annoncé est suivi, les notes sont utilisées sans donner l'impression d'être lues.
La lecture du texte	La lecture est expressive, le rythme et le ton du texte sont mis en valeur.
L'attitude générale	L'attitude est ouverte à travers la maîtrise du corps, du regard et de la voix.
La qualité de l'expression	La langue utilisée est claire, précise et dépourvue de tournures familières.

60 Réussir l'épreuve orale

L'exposé est suivi d'un entretien de dix minutes, guidé par les questions de l'examinateur. L'entretien a pour support le descriptif d'activités de la séquence du texte étudié. Les questions posées portent donc sur l'ensemble de la séquence.

Intitulé : La question de l'Homme au siècle des Lumières
Objet d'étude : La question de l'Homme dans les genres de l'argumentation, du XVIᵉ siècle à nos jours
Problématique choisie : Quelle est la conception de l'homme et de la société des écrivains philosophes au XVIIIᵉ siècle ?

LECTURES

Groupement de textes
– Diderot, *Encyclopédie*, article « Autorité politique », 1751.
– Jaucourt, « Égalité naturelle », *Encyclopédie*, 1751.
– Rousseau, *Discours sur les sciences et les arts*, 1750.
– Voltaire, *Traité sur la tolérance*, 1763.
– Voltaire, « De l'horrible danger de la lecture », *Pamphlets*, 1765.

Documents complémentaires
– Christine de Pisan, *La Cité des dames*, 1405.
– Robespierre, *Discours sur la liberté de la presse*, 1791.
– Joseph Désiré Court, *Mirabeau devant Dreux-Brézé*, 1830.

Lectures cursives
– Voltaire, *Candide*, 1751.
– Beaumarchais, *Le Mariage de Figaro*, 1784.

Autres activités
– Visite de l'exposition « Peintres de la Révolution », au Palais des Beaux-Arts de Lille.
– Analyse du film de Sofia Coppola, *Marie-Antoinette*, 2006.

Activités personnelles
Compte rendu de lecture des *Lettres persanes*, de Montesquieu (1721).

Le descriptif d'activités

TEXTE CHOISI POUR L'EXPOSÉ

Denis Diderot, article « Autorité Politique », *Encyclopédie*, 1751.

QUESTION INITIALE DE L'EXAMINATEUR

En quoi cet article de l'*Encyclopédie* peut-il apparaître comme une réflexion philosophique et politique ?

QUESTIONS POSÉES PAR L'EXAMINATEUR, LORS DE L'ENTRETIEN

1. Pourquoi parle-t-on du « siècle des Lumières » ?
2. Quelles sont les ambitions des auteurs de l'*Encyclopédie* ? À quels obstacles se sont-ils heurtés ?
3. La pièce de théâtre de Beaumarchais, qui figure sur le descriptif d'activités, participe-t-elle elle aussi à cette interrogation des Lumières ? Pourquoi ?
4. Avez-vous apprécié votre visite au musée avec la classe ? Y a-t-il un peintre qui vous ait particulièrement marqué ?
5. Qu'avez-vous pensé de la musique choisie pour le film de Sofia Coppola sur la vie de Marie-Antoinette ?
6. Quelles seront les conséquences politiques de la contestation des philosophes ? Quelles valeurs des Lumières conservons-nous encore aujourd'hui ?

1 Réussir la présentation de l'exposé

L'exposé se déroule en quatre grandes étapes qui vont de la présentation du texte à la conclusion de l'analyse.

1. La présentation et la lecture du texte

L'exposé commence par une brève présentation du texte (auteur, date, période, genre), qu'il faut également situer dans le groupement, ou dans l'œuvre intégrale concernés. Cette présentation est immédiatement suivie de la lecture du texte indiqué par l'examinateur.

→ Une lecture expressive doit mettre en valeur le sens et les qualités esthétiques du texte et sa maîtrise par le candidat.

2. L'introduction de l'exposé

Une fois la lecture achevée, il faut rappeler la question posée sur le texte et lui donner une première réponse en annonçant le plan choisi pour l'analyse.

3. L'analyse du texte

Elle s'appuie constamment à la fois sur les notes et sur le texte. Elle suit le plan élaboré lors de la préparation en effectuant un va-et-vient entre le texte et les explications à apporter. Chaque nouvelle partie est clairement annoncée, afin de faire apparaître les différents thèmes de l'analyse.

→ Chaque idée exprimée doit être appuyée sur un, ou plusieurs, éléments du texte. Les procédés ne doivent pas seulement être repérés : on montre les effets qu'ils contribuent à produire.

4. La conclusion de l'exposé

Elle formule de manière synthétique la réponse à la question posée. Elle propose ensuite une appréciation personnelle sur la singularité du texte ou l'originalité de la séquence.

2 Réussir l'entretien oral

L'entretien prend la forme d'un dialogue entre le candidat et l'examinateur. Celui-ci ne cherche pas à corriger la première partie de l'épreuve, mais à élargir la réflexion engagée, en l'ouvrant sur le programme de Première et les activités menées durant l'année.

■ **L'ouverture sur la séquence.** L'examinateur peut vous interroger sur d'autres aspects de la séquence étudiée. Si le texte est extrait d'une œuvre intégrale, il s'agit de montrer qu'elle a été lue et comprise. Si le texte est extrait d'un groupement de textes, il s'agit de mettre ceux-ci en relation, en montrant comment ils se complètent.

■ **L'ouverture sur l'objet d'étude.** L'examinateur peut interroger le candidat sur l'objet d'étude auquel le texte se rattache. Il faut alors montrer, sans réciter le cours, les connaissances acquises durant l'année : mouvement et histoire littéraire, caractéristiques du genre, œuvres ou auteurs représentatifs.

■ **L'ouverture sur les lectures et activités.** L'examinateur peut interroger sur les lectures cursives faites durant l'année. Celles-ci, qui sont obligatoires, sont inscrites sur le descriptif d'activités. L'entretien peut enfin porter sur les activités personnelles liées à la séquence, qui ont pu être effectuées, individuellement ou avec la classe.

Critères de réussite

Maîtriser les règles du dialogue

• **L'écoute des questions.** Elles constituent une aide destinée à guider le candidat. Il faut distinguer les questions qui relèvent de connaissances précises et celles qui appellent une réflexion ou un jugement personnels.

• **La formulation des réponses.** Il ne faut pas hésiter à demander que la question soit répétée si elle n'est pas comprise. Il faut prendre en compte les réactions de l'examinateur et conserver son attention en variant les tons, les débits et les intonations.

RÉUSSIR LA PRÉSENTATION DU TEXTE

EXERCICE 1 •

Laquelle de ces trois présentations du texte étudié préférez-vous ? Expliquez et classez toutes les raisons pour lesquelles vous avez éliminé les deux autres.

A. « Heu… C'est donc un texte, je veux dire un poème, de Charles Baudelaire, le grand poète du XIXᵉ siècle. Mais c'est pas un poème comme les autres, je veux dire, il est écrit en prose, c'est-à-dire pas en vers. Mais il est poétique quand même car il nous montre un beau paysage : il s'appelle « Le Port ». Alors, heu, la question posée était : « Quelle image le poème en prose donne-t-il du port ? » Ah, oui, mais j'oublie, je vais d'abord vous lire le texte. Heu… Je peux commencer ? »

B. « Eh bien, le texte que nous allons analyser est un poème en prose de Baudelaire, extrait du Spleen de Paris, un recueil de poèmes en prose connu également sous le titre de Petits Poèmes en prose. Il montre les recherches effectuées par Baudelaire pour renouveler la poésie traditionnelle. Ce poème fait d'ailleurs partie de la séquence intitulée. L'écriture poétique et la recherche sur les formes : XIXᵉ- XXᵉ siècles. Je vous le lis… »

C. « Charles Baudelaire est indiscutablement et indéniablement le plus grand poète du XIXᵉ siècle. C'est lui qui est l'auteur inoubliable du magnifique recueil intitulé Les Fleurs du mal. Mais le poème que vous m'avez donné à analyser est plus difficile : il s'appelle « Le Port » et il fait partie de la séquence n° 2. Je peux commencer la lecture ? »

EXERCICE 2 ••

Travail en binôme. Après une préparation de cinq minutes, un élève volontaire lit le texte suivant à voix haute devant la classe. Les autres élèves utilisent la grille d'évaluation pour repérer les points forts et les points faibles de la lecture.

Le port

Un port est un séjour charmant pour une âme fatiguée des luttes de la vie. L'ampleur du ciel, l'architecture mobile des nuages, les colorations changeantes de la mer, le scintillement des phares sont un prisme
5 merveilleusement propre à amuser les yeux sans jamais les lasser. Les formes élancées des navires, au gréement compliqué, auxquels la houle imprime des oscillations harmonieuses, servent à entretenir dans l'âme le goût du rythme et de la beauté. Et puis, surtout, il y a une
10 sorte de plaisir mystérieux et aristocratique pour celui qui n'a plus ni curiosité ni ambition, à contempler couché dans le belvédère ou accoudé sur le môle, tous ces mouvements de ceux qui partent et de ceux qui reviennent, de ceux qui ont encore la force de vouloir
15 le désir de voyager ou de s'enrichir.

CHARLES BAUDELAIRE, Le Spleen de Paris, 1869

Grille d'évaluation

Critères	+	−
Respect de la ponctuation (intonation)		
Respect des liaisons		
Ton adapté		
Articulation		
Hauteur de la voix		
Débit adapté		
Expression du corps et du visage		

INTRODUIRE L'EXPOSÉ

EXERCICE 3 ••

En fonction de la question posée et du plan proposé, rédigez une introduction à l'analyse du poème de Charles Baudelaire (exercice 2).

La question de l'examinateur : Quelle image le poème en prose donne-t-il du poète ?

Le plan de l'exposé du candidat

1. Un être à part
   a. un âme fatiguée sans curiosité ni ambition
   b. un observateur oisif
2. Un « guetteur mélancolique »
   a. l'amateur de beauté
   b. le plaisir de la mélancolie

EXERCICE 4 ••

Lisez l'introduction proposée ci-dessous. Quels éléments pourriez-vous supprimer pour l'améliorer ?

Question de l'examinateur : À travers quels procédés la critique de la guerre effectuée par Voltaire dans Candide est-elle rendue efficace ?

L'introduction

Dans Candide, Voltaire veut transmettre à travers une histoire fictive une vision du monde et des valeurs philosophiques comme la tolérance ou la raison. Voltaire, dans ce conte, répond à Rousseau et surtout aux philosophes optimistes comme Leibniz qui acceptent le mal comme nécessaire à l'équilibre du monde. Pour eux : « Tout est pour le mieux dans le meilleur des mondes possibles. » C'est surtout par l'ironie comme dans l'oxymore « boucherie héroïque »

que Voltaire dénonce les discours optimistes et propose à la fin du conte de « cultiver son jardin ». Après avoir voyagé dans toute l'Europe comme Candide, Voltaire s'installe à Ferney, près de la Suisse. Dans cet extrait je vais essayer de montrer pourquoi la dénonciation de la guerre, à travers l'ironie, touche particulièrement le lecteur. Je verrai ensuite que ce texte polémique garde les caractéristiques du conte et que cela accentue son efficacité.

RÉUSSIR LA PRÉSENTATION DE L'EXPOSÉ

EXERCICE 5 ●●●

1. Par groupes de trois ou quatre élèves, préparez l'analyse du texte suivant, en fonction de la question posée.
2. Préparez les étapes de votre présentation en vous aidant de la grille d'évaluation.
3. Travail en binôme. Un élève présente le travail commun au reste du groupe. Les autres élèves remplissent la grille d'évaluation après l'avoir reproduite.

Objet d'étude : Le texte théâtral et sa représentation du XVIIe siècle à nos jours
Question de l'examinateur : Comment Jean-Claude Grumberg crée-t-il une atmosphère originale dans la scène d'exposition de sa pièce (personnages, décor, dialogues, etc.) ?

Scène 1
Un matin très tôt de l'année 1945. Simone assise en bout de table, dos au public, travaille. Debout près d'une autre table, Hélène, la patronne, travaille également. De temps en temps, elle jette un œil sur Simone.

5 HÉLÈNE. – Ma sœur aussi ils l'ont prise en 43...
SIMONE. – Elle est revenue ?
HÉLÈNE. – Non... elle avait vingt-deux ans. *(Silence.)* Vous étiez à votre compte ?
SIMONE. – Oui, juste mon mari et moi, en saison on
10 prenait une ouvrière... J'ai dû vendre la machine le mois dernier, il pourra même pas se remettre à travailler... J'aurais pas dû la vendre mais...
HÉLÈNE. – Une machine ça se trouve...
SIMONE *(approuve de la tête)*. – J'aurais pas dû la vendre...
15 On m'a proposé du charbon et...
Silence.
HÉLÈNE. – Vous avez des enfants ?
SIMONE. – Oui, deux garçons...
HÉLÈNE. – Quel âge ?
20 SIMONE. – Dix et six.
HÉLÈNE. – C'est bien comme écart... Enfin, c'est ce qu'on dit... J'ai pas d'enfants...
SIMONE. – Ils se débrouillent bien, l'aîné s'occupe du petit. Ils étaient à la campagne en zone libre, quand ils
25 sont revenus le grand a dû expliquer au petit qui j'étais, le petit se cachait derrière le grand il voulait pas me voir, il m'appelait Madame...

Elle rit. Gisèle vient d'entrer. Elle s'arrête un instant près du portant qui sert à la fois au presseur pour accrocher les
30 *pièces qu'il vient de finir de repasser et de vestiaire pour les ouvrières. Elle ôte sa jaquette, l'accroche, enfile sa blouse et gagne sa place. D'un signe de tête elle salue Simone et Mme Hélène. Cette dernière fait les présentations.*
HÉLÈNE. – Madame Gisèle... Madame Simone, c'est pour
35 les finitions.

JEAN-CLAUDE GRUMBERG, *L'Atelier*, Éd. Actes Sud, 1979.

Grille d'évaluation de l'exposé

Observations	Critères à respecter
Le déroulement de l'exposé	Les différentes étapes de l'exposé (présentation, lecture, introduction, développement, conclusion) sont respectées.
La lecture du texte	La lecture est expressive, le rythme et le ton du texte sont mis en valeur.
L'utilisation des notes	Le plan annoncé est suivi, les notes sont utilisées sans donner l'impression d'être lues.
Le recours aux citations	Les citations sont fréquentes, courtes et judicieusement choisies.
L'attitude générale	L'attitude est ouverte à travers la maîtrise du corps, du regard et de la voix.
La qualité de l'expression	La langue utilisée est claire, précise et dépourvue de tournures familières.

RÉUSSIR L'ENTRETIEN ORAL

EXERCICE 6 ●

Classez les thèmes de réflexion suivants, selon leur objectif : **a.** ouvrir le dialogue sur la séquence étudiée ; **b.** ouvrir le dialogue sur l'objet d'étude concerné ; **c.** ouvrir le dialogue sur les lectures ou activités personnelles du candidat.

1. Les différentes formes de l'argumentation au XVIIe siècle
2. L'évolution du personnage de Candide dans le conte philosophique
3. La déconstruction des formes poétiques traditionnelles au XXe siècle
4. Les réactions et les sentiments éprouvés lors de la représentation de George Dandin
5. Les rapports entre le dénouement et la scène d'exposition de la pièce de Koltès
6. La confrontation de la fable de La Fontaine et de sa parodie
7. Les caractéristique de l'humanisme dans les textes de Rabelais, Montaigne et Ronsard
8. L'adaptation cinématographique de *Madame Bovary* par Claude Chabrol
9. Les enjeux de la préface de *Pierre et Jean*

EXERCICE 7 •

1. Lisez la grille d'évaluation officielle ci-dessous. Quelles sont les qualités qui sont évaluées dans les deux parties de l'épreuve ?
2. Quelle est la qualité qui est évaluée seulement au cours de l'entretien ?
3. Quelles sont les rubriques du descriptif qui orientent les questions de l'examinateur ?

	Exposé
Expression et communication	• Lecture correcte et expressive • Qualité de l'expression et de la langue orale • Qualités de communication et de conviction
Réflexion et analyse	• Compréhension littérale du texte • Prise en compte de la question • Réponse construite, argumentée et pertinente au service d'une interprétation • Références précises au texte
Connaissances	• Savoirs linguistiques et littéraires • Connaissances culturelles en lien avec le texte

	Entretien
Expression et communication	• Aptitude au dialogue • Qualité de l'expression orale • Qualités de communication et de conviction
Réflexion et analyse	• Capacité à réagir avec pertinence aux questions posées pendant l'entretien • Qualité de l'argumentation • Capacité à mettre en relation et à élargir une réflexion
Connaissances	• Savoirs littéraires sur les textes, l'œuvre, l'objet ou les objets d'étude • Connaissances sur le contexte culturel

Bulletin officiel n° 1 du 2 janvier 2003 – ministère de la Jeunesse, de l'Éducation nationale et des Sports.

EXERCICE 8 •

Travail en binôme. En vous aidant de vos connaissances sur les objets d'étude au programme, répondez oralement aux questions suivantes. Illustrez vos explications par un ou deux exemples développés.

1. Quels sont les grands genres littéraires au programme ? Duquel vous sentez-vous le plus proche ?
2. À qui les didascalies qui figurent sur le texte théâtral sont-elles destinées, selon vous ?

3. Quel est le dernier roman que vous avez lu ? Vous êtes vous déjà identifié à un personnage de roman ?
4. En quoi le texte théâtral se distingue, pour vous, de autres genres littéraires ?
5. Le poème que vous avez étudié lors de l'exposé est u poème en vers libres. Pouvez-vous me dire ce que cela sign fie exactement ?

CONSEIL BAC

Bien répondre aux questions posées

• **L'écoute des questions.** L'entretien est d'abord un dialogue. Cela suppose un échange verbal entre l'examinateur et le candidat. Celui-ci doit s'efforcer, même s'il est « stressé », de montrer qu'il est à l'écoute : regard, sourires, mimiques d'approbation ou d'interrogation, hochements de tête, etc.

• **La formulation des réponses.** L'entretien est une situation d'examen, qui proscrit l'utilisation d'une langue trop familière. Le temps de la réflexion ne doit pas être trop long et doit éviter les tics de langage (« heu... », « ben... »).

EXERCICE 9 ••

Travail en binôme. Répondez oralement aux questions suivantes afin de vérifier que vous maîtrisez le vocabulaire technique de l'analyse littéraire.

1. Quels sont les différents genres de la rime ? Quelles dispositions les rimes peuvent-elles adopter ?
2. Quelle différence faites-vous entre l'humour et l'ironie ?
3. Quelle est la définition d'un réseau lexical ?
4. Quel est le point commun entre la comparaison et la métaphore ? Quelle est leur différence ?
5. Qu'appelle-t-on une antiphrase ? Une périphrase ?
6. Quels modes de narration un romancier peut-il choisir ?
7. Qu'est-ce qu'un « anti-héros » ?

EXERCICE 10 ••

Dans les questions suivantes, quelle est la notion qui est introduite ? Quelle définition donneriez-vous de cette notion ?

1. Cette satire de Paris au XVIIIe siècle est-elle caricaturale ?
2. Pourquoi Zola a-t-il selon vous choisi la focalisation interne dans ce passage ?
3. Cette scène d'exposition remplit-elle ses fonctions ?
4. La représentation à laquelle vous avez assisté vous a-t-elle semblé fidèle au texte théâtral ?
5. Pourquoi Victor Hugo utilise-t-il le procédé de la question rhétorique selon vous ?

QUESTIONS

PRÉPARATION ▶

1. Par petits groupes de cinq élèves, recherchez l'ensemble des informations nécessaires à l'étude de ce texte : auteur et œuvre, mouvement, contexte historique, objet d'étude.

2. À l'aide de la recherche effectuée, chaque élève du groupe prépare quatre questions qui pourraient être posées lors de l'entretien.

PRÉSENTATION ORALE ▶

Tour à tour, chaque élève pose ses questions à un autre. À l'aide de la grille, le reste du groupe vérifie si les critères d'évaluation de l'entretien sont respectés.

Question de l'examinateur : Comment ce dialogue amoureux remet-il en cause la conception traditionnelle du personnage de roman ?

OBJET D'ÉTUDE

Le personnage de roman, du XVIIᵉ siècle à nos jours.

Meursault, employé de bureau, s'est engagé dans une relation amoureuse avec Marie rencontrée depuis peu au bord de la plage.

Le soir, Marie est venue me chercher et m'a demandé si je voulais me marier avec elle. J'ai dit que cela m'était égal et que nous pourrions le faire si elle le voulait. Elle a voulu savoir alors si je l'aimais. J'ai répondu comme je l'avais déjà fait une fois, que cela ne signifiait rien mais que sans doute je ne l'aimais pas.
5 « Pourquoi m'épouser alors ? » a-t-elle dit. Je lui ai expliqué que cela n'avait aucune importance et que si elle le désirait, nous pouvions nous marier. D'ailleurs, c'était elle qui le demandait et moi je me contentais de dire oui. Elle a observé alors que le mariage était une chose grave. J'ai répondu : « Non. » Elle s'est tue un moment et elle m'a regardé en silence. Puis elle a parlé. Elle voulait
10 simplement savoir si j'aurais accepté la même proposition venant d'une autre femme, à qui je serais attaché de la même façon. J'ai dit : « Naturellement. » Elle s'est demandée alors si elle m'aimait et moi, je ne pouvais rien savoir sur ce point. Après un autre moment de silence, elle a murmuré que j'étais bizarre, qu'elle m'aimait sans doute à cause de cela mais que peut-être un jour je la
15 dégoûterais pour les mêmes raisons. Comme je me taisais, n'ayant rien à ajouter, elle m'a pris le bras en souriant et elle a déclaré qu'elle voulait se marier avec moi. J'ai répondu que nous le ferions dès qu'elle le voudrait.

ALBERT CAMUS, *L'Étranger*, Éd. Gallimard, 1942.

GRILLE D'ÉVALUATION DE L'ENTRETIEN

Observations	Critères à respecter
Écoute des questions	Les questions sont comprises ; l'attention est maintenue et s'exprime à travers l'attitude générale de l'élève.
Formulation des réponses	Les réponses sont formulées dans une langue claire, dépourvue d'hésitations, de répétitions, de tournures et de termes familiers.
Contenu des réponses	Les réponses sont précises, structurées et argumentées ; l'élève manifeste des connaissances littéraires liées à l'objet d'étude.

Annexes

Annexes

L'humanisme

L'humanisme développe une nouvelle image de l'homme, libre et épanoui. Il s'élève contre les croyances du Moyen Âge, au nom d'un retour à l'Antiquité, mais aussi de l'intelligence et du savoir.

Lucas Cranach, *Le Cardinal de Brandenbourg*, 1525 (Huile sur toile).

Objectifs

• Placer l'homme au centre des préoccupations morales et philosophiques.
• Encourager les sciences et le savoir ainsi que la lecture des textes antiques.
• Explorer toutes les formes d'art.
• Dénoncer la violence sous toutes ses formes.

Formes privilégiées

Le roman, l'essai, le portrait, la littérature didactique, la poésie, l'épître.

Thèmes essentiels

• La méditation sur l'homme et sur soi.
• Le dialogue incessant du maître et de l'élève.
• L'instruction du Prince et des puissants sur leurs devoirs.

Procédés d'écriture

• L'usage des sentences et des maximes.
• La citation de la Bible et des auteurs de l'Antiquité.
• L'interpellation du lecteur à travers le questionnement.

L'île d'Utopie dans le roman de Thomas More (1516)

Écrivains et œuvres

• More, *Utopie* (1516, traduit du latin en 1550)
• Érasme, *Éloge de la folie* (1509, traduit du latin en 1520)
• Marot, *L'Adolescence clémentine* (1523-1535)
• Rabelais, *Pantagruel* (1532), *Gargantua* (1534)
• Budé, *L'Institution du Prince* (1547, en latin)
• Montaigne, *Essais* (1580-1588)

La Pléiade

Participant à l'humanisme, les écrivains de la Pléiade veulent retrouver l'inspiration qui a fait la grandeur de la culture antique. Ils rejettent les formes de la littérature médiévale et cherchent à développer et enrichir la langue française.

Objectifs

• Imiter les œuvres de l'Antiquité pour en retrouver la richesse.
• Défendre la langue française contre l'usage du latin.
• Exalter la grandeur de l'univers.
• Célébrer le poète inspiré par la « fureur divine ».

Formes privilégiées

L'ode, l'hymne repris de l'Antiquité, le sonnet emprunté à la poésie italienne.

Thèmes essentiels

• L'exaltation du sentiment amoureux.
• La fuite du temps et la mélancolie.
• La beauté féminine, reflet de la splendeur de l'univers.
• L'immortalité de la poésie.

Procédés d'écriture

• L'utilisation de l'alexandrin.
• La multiplication des métaphores et des allégories.
• La création de mots nouveaux.

Manifeste

• *Défense et Illustration de la langue française* (Du Bellay, 1549)

Pierre de Ronsard (1524-1585).

Écrivains et œuvres

• Ronsard, *Odes* (1550), *Amours de Cassandre* (1552), *Amours de Marie* (1556), *Sonnets pour Hélène* (1578)
• Jodelle, *Cléopâtre captive* (1553)
• Du Bellay, *Les Regrets* (1558), *Les Antiquités de Rome* (1558)
• Baïf, *Antigone* (1573, pièce adaptée de Sophocle).

Le baroque

Marqués par les guerres de religion, convaincus de l'incertitude du devenir de l'homme, les écrivains baroques défendent l'exubérance des formes. Ils témoignent de la fantaisie et de la virtuosité de l'artiste.

NIN, *Apollon et Daphné,*
2, (Statue en marbre).

Objectifs

- Refuser la codification des genres en mêlant le sublime et le grotesque.
- Revendiquer la liberté et l'imagination.
- Exprimer l'intensité des sensations éprouvées au contact de la nature.

Formes privilégiées

Le théâtre, le roman, la poésie, genres ouverts à tous les jeux formels.

Thèmes essentiels

- L'illusion et l'instabilité, les métamorphoses du monde et des êtres.
- Les déguisements, les masques et les miroirs, les jeux sur l'identité.
- Les incertitudes du bonheur toujours menacé.

Procédés d'écriture

- L'antithèse et les effets de contraste.
- L'hyperbole et l'amplification des sensations.
- Les images étonnantes.
- Le théâtre dans le théâtre et la complexification de l'intrigue romanesque.

Manifestes et écrits théoriques

- *Satire IX* (RÉGNIER, 1613)
- *Élégie à une Dame* (THÉOPHILE DE VIAU, 1621)

Écrivains et œuvres

- D'URFÉ, *L'Astrée* (1607-1619)
- D'AUBIGNÉ, *Les Tragiques* (1616)
- VIAU, *Œuvres poétiques* (1621)
- SAINT-AMANT, *Œuvres du sieur de Saint-Amant* (1627)
- CORNEILLE, *L'Illusion comique* (1636)
- TRISTAN L'HERMITE, *La Marianne* (1636)
- CYRANO DE BERGERAC, *Histoire comique des États et empires de la Lune* (1662, posth.)

Le classicisme

En réaction contre l'exubérance du Baroque, le classicisme cherche à créer des modèles, en fondant chaque genre littéraire sur des règles de construction claires et rigoureuses. Il revendique l'usage d'un style simple et naturel.

Objectifs

- Instruire le lecteur et le spectateur, tout en suscitant son émotion.
- Retrouver le naturel et l'universalité des caractères et des passions.
- Établir et respecter des règles strictes, pour chaque genre littéraire.

Formes privilégiées

Le théâtre, la fable et le portrait, qui favorisent l'analyse morale et psychologique.

À Versailles, Louis XIV et ses conseillers d'État, 1672 (Peinture).

Thèmes essentiels

- La peinture des caractères, des désirs et des sentiments humains.
- La confrontation de l'individu avec les contraintes sociales, politiques et morales.
- L'idéal d'équilibre et d'honnêteté.

Procédés d'écriture

- L'utilisation de maximes et de formules générales.
- L'emploi de la litote qui préserve la bienséance.
- Le respect de la vraisemblance.
- La multiplication des effets de parallélisme et de symétrie.

Manifestes et écrits théoriques

- *Commentaire sur Desportes* (MALHERBE, 1608)
- *Art poétique* (BOILEAU, 1674-1683)

Écrivains et œuvres

- CORNEILLE, *Horace* (1640)
- BOSSUET, *Oraisons funèbres* (1653-1687)
- RACINE, *Andromaque* (1667)
- MOLIÈRE, *Tartuffe* (1664)
- LA FONTAINE, *Fables* (1668-1693)
- MME DE LAFAYETTE, *La Princesse de Clèves* (1678)
- LA BRUYÈRE, *Les Caractères* (1688)

Les Lumières

Les écrivains des Lumières s'engagent afin de répandre le savoir et de favoriser l'exercice de la raison, contre les ténèbres de l'ignorance et du despotisme. Ils refusent toute vérité imposée par l'autorité religieuse et politique. Le philosophe des Lumières est un rationaliste et un militant qui veut contribuer au progrès de l'humanité. Il se fixe des objectifs précis et ambitieux.

Symbole des découvertes considérables du XVIIIᵉ siècle, l'aérostat des frères Montgolfier.

Objectifs

• Développer l'exercice de la raison critique qui remet en cause les habitudes, les traditions, les dogmes.
• Diffuser les connaissances des sciences et des techniques. Ce sont les vraies « Lumières » qui éclairent l'humanité. Le travail théorique s'appuie sur le développement de l'expérimentation.
• Combattre l'intolérance et toutes les manifestations du fanatisme religieux.
• Dénoncer les injustices et les abus de la noblesse et du clergé qui empêchent l'essor des individus les plus inventifs.
• Défendre les valeurs de liberté et d'égalité qui rapprochent tous les êtres humains.
• Apprendre à savourer le bonheur que l'existence humaine rend possible grâce au déploiement de l'intelligence et de la sensibilité.

Formes privilégiées

L'écrivain des Lumières cherche à toucher le public le plus large en privilégiant la clarté, la logique, la brièveté. Si les genres littéraires comme le théâtre, le roman, la poésie sont renouvelés, ce sont les œuvres à visée argumentative qui sont privilégiées : essai, pamphlet, dialogue, lettres philosophiques, dictionnaire, conte philosophique.

Thèmes essentiels

• L'analyse des formes du fanatisme et de la superstition remet en cause l'autorité et les traditions dans tous les domaines : religieux, politique, moral.
• Le regard critique porté sur les préjugés, les coutumes et les mœurs se fonde sur la comparaison avec d'autres sociétés : ce relativisme montre que l'amélioration des lois et des mœurs est nécessaire et possible.
• La dénonciation des privilèges de la naissance auxquels on oppose les mérites de l'individu.

Planche de l'Encyclopédie

• Le travail méprisé par la noblesse est valorisé alors que le noble, le prêtre et le soldat apparaissent comme des parasites.
• La nature et la culture : la société peut détourner l'homme de sa nature mais la culture permet le développement de l'humanité. Le philosophe cherche à fonder une société qui permettra le libre épanouissement des individus.

Procédés d'écriture

• Le recours au discours argumentatif et à la diversité des modes de raisonnement.
• L'usage de l'ironie, qui implique le lecteur et provoque le rire en ridiculisant les positions de l'adversaire.
• L'éloquence et les formes de l'adresse au destinataire.

Manifestes et écrits théoriques

• Article « Philosophe » de l'*Encyclopédie* (DUMARSAIS, 1751)
• *Traité sur la tolérance* (VOLTAIRE, 1763)

Écrivains et œuvres

• MONTESQUIEU, *Lettres persanes* (1721), *De l'esprit des lois* (1748)
• VOLTAIRE, *Lettres philosophiques* (1734), *Candide* (1759), *Dictionnaire philosophique* (1764)
• BUFFON, *Histoire Naturelle* (1749-1789)
• ROUSSEAU, *Discours sur l'origine de l'inégalité* (1755), *Du contrat social* (1762)
• DIDEROT, *Encyclopédie* (1751-1772), *Jacques le fataliste* (1765)
• BEAUMARCHAIS, *Le Mariage de Figaro* (1784)
• CONDORCET, *Esquisse d'un tableau historique des progrès de l'esprit human* (1795)

Le romantisme

Le romantisme revendique une sensibilité nouvelle reposant sur l'exaltation du sentiment, le goût pour le passé, le rêve et la nature, la défense des peuples opprimés au nom de la liberté. Il s'oppose ainsi au goût et à la tradition classique.

Caspar David Friedrich, *Le Rêveur*, 1835 (peinture).

Objectifs
• Libérer les genres littéraires des règles strictes fixées par la tradition.
• Exprimer les sentiments et les souffrances profondes des individus.
• Retrouver l'harmonie du moi avec le monde à travers la communion avec la nature.

Formes privilégiées
L'autobiographie, le drame, le roman et la nouvelle, les formes de la poésie lyrique.

Thèmes essentiels
• La solitude du moi, inquiet et révolté, mélancolique et habité par la nostalgie du passé.
• La nuit et ses mystères.
• Le pittoresque et le fantastique du Moyen Âge.
• Le dialogue avec la nature.

Procédés d'écriture
• Le mélange des registres comique et tragique.
• L'utilisation d'un langage hyperbolique.
• La multiplication des enjambements et l'usage du rythme ternaire en poésie.

Manifestes et écrits théoriques
• Racine et Shakespeare (STENDHAL, 1823)
• Préface de *Cromwell* (HUGO, 1827)

Écrivains et œuvres
• LAMARTINE, *Méditations poétiques* (1820)
• VIGNY, *Cinq-Mars* (1826), *Les Destinées* (1864.)
• HUGO, *Hernani* (1830),*Notre-Dame de Paris* (1831), *Les Rayons et les Ombres* (1840)
• MUSSET, *Lorenzaccio* (1834) ; *Les Nuits* (1835)
• CHATEAUBRIAND, *Mémoires d'outre-tombe* (1848, posth.)

Le réalisme

Les écrivains réalistes veulent peindre la réalité de leur temps et explorer la vie quotidienne sous toutes ses formes. Ils représentent l'ensemble des milieux sociaux, même les plus défavorisés.

Objectifs
• Rejeter toutes les formes d'idéalisation de la réalité.
• Démonter les mécanismes économiques et sociaux conduisant l'individu à la réussite ou à l'échec.
• Peindre d'une manière objective tous les aspects de la société contemporaine.

Formes privilégiées
Le roman et la nouvelle.

Thèmes essentiels
• L'apprentissage de la vie et l'initiation sentimentale.
• Le rayonnement de Paris, centre des affaires et des plaisirs.
• La puissance de l'argent et du pouvoir politique.

Procédés d'écriture
• La multiplication des petits détails vrais.
• L'expansion de la description.
• L'utilisation de niveaux de langage adaptés aux situations et aux personnages.

Manifestes et écrits théoriques
• Avant-propos de *La Comédie humaine* (BALZAC, 1842)
• *Le Réalisme* (CHAMPFLEURY, 1857)
• *Étude sur le roman* (MAUPASSANT, 1888)

Écrivains et œuvres
• BALZAC, *La Comédie humaine* (1842-1848)
• STENDHAL, *Le Rouge et le Noir* (1830)
• FLAUBERT, *Madame Bovary* (1857)
• MAUPASSANT, *Une vie* (1883)

Le naturalisme

Zola caricaturé par Robida, 1880.

S'appuyant sur les découvertes de la science, les écrivains naturalistes transposent dans le roman les lois de l'hérédité et du milieu sur les individus. Ils s'inscrivent dans la continuation du courant réaliste pour représenter la société de leur temps.

Objectifs

• Montrer la transmission héréditaire d'une fatalité biologique, d'une « fêlure » au sein d'une même famille.
• Mettre en évidence l'influence du contexte familial dans lequel évolue l'individu.
• Décrire les fléaux sociaux, comme l'alcoolisme ou la prostitution, qui menacent l'ensemble de la société.

Formes privilégiées

Le roman et la nouvelle, mais aussi l'adaptation au théâtre des œuvres romanesques.

Thèmes essentiels

• Les malheurs du peuple, amplifiés par l'urbanisation et le capitalisme naissant.
• Les instincts et les pulsions que l'individu ne peut contrôler.
• l'exploration de l'univers nouveau créé par la révolution industrielle

Écrivains et œuvres

• Edmond et Jules de Goncourt, *Germinie Lacerteux* (1865)
• Zola, *Les Rougon-Macquart, histoire naturelle et sociale d'une famille sous le Second Empire* (1871-1893)
• Alexis, Céard, Hennique, Huysmans, Maupassant et Zola, *Les Soirées de Médan* (1880)

Le symbolisme

L'écrivain symboliste se donne pour mission de suggérer l'existence d'un univers supérieur et invisible dont le monde réel n'est que le reflet. Il s'oppose ainsi au réalisme et à l'idéologie de la science et du progrès.

Objectifs

• Recréer les correspondances qui existent entre les signes du langage, le monde naturel et le monde de l'art.
• Exercer un pouvoir évocateur et suggestif sur l'imaginaire du lecteur.
• Reproduire dans le texte l'harmonie de la musique.

Formes privilégiées

Le poème qui, par sa puissance évocatrice, fait accéder au monde des symboles.

Thèmes essentiels

• La création d'un paysage fluide et mystérieux, qui incarne un état d'âme.
• La solitude et le silence du poète.
• La présence du blanc : de la neige, du brouillard et de la page vierge.

Procédés d'écriture

• L'harmonie suggestive qui joue sur les sonorités.
• Le vers classique, mais aussi le vers impair, le vers blanc et le vers libre.
• La multiplication des symboles, à travers les images poétiques.
• L'utilisation d'un langage énigmatique.

Gustav Klimt, *La musique*, 1895 (Peinture, détail).

Manifestes et écrits théoriques

• *Le Manifeste du symbolisme* (Moréas, 1886)
• Avant-dire au *Traité du verbe* (Mallarmé, 1886)
• *Traité du verbe* (René Ghil, 1886).

Écrivains et œuvres

• Verlaine, *Sagesse* (1880)
• Laforgue, *Les Complaintes* (1885)
• Maeterlinck, *Pelléas et Mélisande* (1892)
• Mallarmé, *Poésies* (1899 posth.)

Le surréalisme

Le surréalisme appelle à se libérer des exigences de la morale et de la raison, à s'ouvrir à l'univers de l'inconscient. Il élabore un nouveau langage poétique qui exprime la puissance du rêve et du désir. Il s'appuie sur les recherches de la psychanalyse pour revendiquer l'importance du hasard dans la création artistique.

Salvador Dali, *La Tentation de Saint Antoine*, 1946 (huile sur toile).

René Magritte,
Bouteille peinte, 1863.

Objectifs

• Explorer l'univers de la magie, du rêve et de la folie pour libérer les forces plus vives de l'esprit, méconnues par un rationalisme trop étroit.
• Combattre tous les conformismes sociaux, religieux, idéologiques qui étouffent par leurs censures ce qui pourrait donner sens à la vie humaine.
• Célébrer l'intensité de l'amour fou qui bouleverse notre façon de voir le monde, qui change notre vie.

Formes privilégiées

La poésie, le récit onirique, les collages, le jeu sur les formes brèves comme la maxime ou la définition.

Thèmes essentiels

• Le hasard qui fait naître l'illumination poétique à travers les rencontres fortuites de personnes, mais aussi les associations libres d'images et de mots qui bousculent nos habitudes.
• La puissance du rêve qui nous ouvre la voie d'un monde merveilleux, où l'être humain peut déployer toute son énergie.
• La fascination de la femme, médiatrice irremplaçable qui réalise la fusion du rêve, du réel et du désir.
• La révolution surréaliste transforme le domaine de l'art, mais doit aussi bouleverser le monde politique, changer l'ordre social et renverser la morale bourgeoise. Mais, au nom de la liberté, l'artiste surréaliste refuse de se soumettre aux ordres d'un parti ou d'un groupe.

Procédés d'écriture

• L'écriture automatique qui consiste à écrire sous la dictée de l'inconscient des phrases que la raison aurait interdites.
• L'association libre et le jeu humoristique sur les mots, leurs sens, leurs sonorités, leurs associations inattendues et originales. Se crée ainsi un langage neuf, libéré de toute contrainte.
• Le rapprochement, à travers la métaphore, de réalités éloignées. L'image poétique y prend une force nouvelle, déroutante, libératrice. Ces nouvelles voies ouvertes à l'imagination inspirent poètes, peintres et cinéastes.

Manifestes et écrits théoriques

• *Manifeste du surréalisme* (BRETON, 1924)
• *Une vague de rêves* (ARAGON, 1924)

Écrivains et œuvres

• BRETON et SOUPAULT, *Les Champs magnétiques* (1919)
• ÉLUARD, *Capitale de la douleur* (1926), *L'Amour la poésie* (1929)
• ARAGON, *Le Paysan de Paris* (1926)
• BRETON, *Nadja* (1928)
• DESNOS, *Corps et Biens* (1930)
• ARAGON, *Les yeux d'Elsa* (1942)

L'absurde

Les écrivains de l'absurde représentent une image tragique de l'homme, voué à la solitude et confronté à un univers dépourvu de sens. Ils expriment l'angoisse existentielle née de l'impossibilité de communiquer avec les autres.

ERIK BOULATOV,
Autoportrait, 1868
(huile sur toile).

Objectifs
- Combattre les illusions, littéraires et philosophiques, qui donnent une image idéalisée de l'homme.
- Mettre en évidence l'absurdité de la condition humaine.
- Montrer les limites du langage dans la communication.

Formes privilégiées
Le roman, la nouvelle, mais surtout le théâtre, qui favorise l'expression d'une crise du langage.

Thèmes essentiels
- La solitude de l'homme, qui se sent étranger dans le monde.
- L'écoulement infini du temps, dans un univers sans passé et sans avenir.
- Le vide d'un espace sans repères.
- La vanité des actions humaines.

Procédés d'écriture
- Les jeux sur le langage : jeux de mots, clichés, répétitions, humour noir, dérision.
- Le mélange des registres tragique et comique.
- Les effets de rupture dans les dialogues, à travers les phrases brèves, souvent réduites à un mot.

Manifestes et écrits théoriques
- *L'existentialisme est un humanisme* (SARTRE, 1946)
- *Précis de décomposition* (CIORAN, 1949)
- *Notes et Contre-Notes* (IONESCO, 1962)

Écrivains et œuvres
- SARTRE, *La Nausée* (1938), *Huis clos* (1944)
- CAMUS, *L'Étranger* (1942)
- IONESCO, *La Cantatrice chauve* (1950), *Rhinocéros* (1960), *Le Roi se meurt* (1962)
- BECKETT, *En attendant Godot* (1953), *Fin de partie* (1957)
- ADAMOV, *Le Ping-pong* (1955)

Le Nouveau Roman

Le Nouveau Roman refuse le développement de l'intrigue et de la psychologie du roman traditionnel. Il cherche à créer des formes narratives originales, qui restituent la réalité complexe d'un monde fragmenté.

Objectifs
- Faire du roman un laboratoire de formes d'écriture nouvelles.
- Créer une nouvelle forme de personnages, anonymes et impersonnels.
- Restituer le cheminement de la pensée à travers les voix intérieures de la conscience.

Formes privilégiées
Le roman, ouvert à toutes les recherches.

Thèmes essentiels
- La présence entêtante et obsessionnelle des objets.
- Le souvenir et les images du passé, qui traversent la conscience d'une manière discontinue.
- Le labyrinthe, qui peut prendre la forme d'une ville ou d'une errance intérieure.

Procédés d'écriture
- La minutie objective et froide de la description.
- La déconstruction de la chronologie, trouée par les jeux de la mémoire ou de la projection dans le futur.
- La répétition et la variation des mêmes scènes, mises en série.

Manifestes et écrits théoriques
- *L'Ère du soupçon* (SARRAUTE, 1956)
- *Pour un nouveau roman* (ROBBE-GRILLET, 1963)
- *Essais sur le roman* (BUTOR, 1964)

GÉRARD FROMANGER, *La vie et l[e]
du peuple*, 1975 (Peinture).

Écrivains et œuvres
- ROBBE-GRILLET, *Les Gommes* (1953)
- BUTOR, *La Modification* (1957)
- SARRAUTE, *Le Planétarium* (1959)
- DURAS, *Le Ravissement de Lol V. Stein* (1964)
- SIMON, *Histoire* (1967)

Absurde : le terme caractérise ce à quoi on ne peut pas donner de sens. Au milieu du XXe siècle, l'absurde qualifiait plusieurs courants intellectuels et artistiques. Albert Camus a défendu la philosophie de l'absurde. Le sentiment de « l'absurde naît de cette confrontation entre l'appel humain et le silence déraisonnable du monde ». Mais l'homme conquiert sa dignité quand il devient capable de le savoir et de l'assumer. Eugène Ionesco a illustré le théâtre de l'absurde ; sa pièce la plus célèbre est *La Cantatrice chauve*.

Abyme (mise en) : l'expression, qui appartient à l'étude des structures du récit, est empruntée à la science du blason : l'abyme est le nom que prend le centre du blason lorsqu'il représente lui-même un autre écu. Il y a donc mise en abyme quand des éléments représentatifs du récit sont insérés dans un deuxième récit à l'intérieur du même roman. André Gide par exemple, dans son roman *Les Faux-Monnayeurs*, campe le personnage d'Édouard, écrivain en train d'écrire *Les Faux-Monnayeurs*.

Académie : à l'origine, ce mot désignait le jardin, du grec *Akadémos*, lieu où Platon enseignait dans l'Athènes antique. Il s'est donc, par la suite, confondu avec l'école platonicienne. Par extension, il a fini par désigner toute société de gens de lettres, de savants, d'artistes. En 1635, Richelieu créa l'Académie française.

Accent, on distingue :

- l'accent de langue, appelé aussi accent d'intensité, qui allonge la voyelle accentuée et se trouve à une place fixe : sur la dernière syllabe d'une unité syntaxique (ou sur l'avant-dernière si la dernière comporte un e muet) ;

- l'accent d'insistance dont la place n'est pas fixe et dont le but est l'expressivité ;

- l'accent métrique, qui contribue à scander les vers, et qui est en général placé sur la syllabe qui précède une coupe.

Acception : sens précis que prend un mot parmi tous ceux qu'il peut avoir.

Accumulation : cette figure de style consiste à écrire, à la suite les uns des autres, une série de termes de même nature (série de noms, série de verbes...).

Actant : rôle fondamental joué par un personnage dans le récit.

Acte : la partie d'une pièce de théâtre composée d'une série de scènes ou de tableaux. Dans le théâtre classique, une pièce comportait en général cinq actes.

Action : elle désigne la suite des événements dans un récit, une pièce de théâtre, un film. L'action peut jouer un rôle secondaire, si l'auteur a préféré tenir compte de la psychologie des personnages ou de la création d'une atmosphère. Mais elle peut être essentielle comme par exemple dans le roman policier.

Adhésion : degré de confiance accordé à une thèse.

Adjuvant (ou auxiliaire) : il s'agit, dans un conte ou un récit, du personnage qui a pour fonction de venir en aide au héros.

Alexandrin : vers de douze syllabes : pour cette raison on peut aussi l'appeler dodécasyllabe (en grec, *dodéka* = douze). Le nom d'alexandrin, lui, vient d'un de premiers romans écrits en vers de douze syllabes, qui s'intitulait *Le Roman d'Alexandre*.

Allégorie : cette figure de style consiste à représenter une notion abstraite par une personne portant des vêtements ou des objets symboliques. Parfois elle agit ou parle. L'allégorie, figure constante dans la poésie du Moyen Âge, a vu son rôle se réduire progressivement avant le XVIe siècle et au moment de la Pléiade. Mais elle ne disparaîtra jamais et, au XIXe siècle, Baudelaire l'emploie beaucoup.

Allitération : répétition insistante, à une fréquence supérieure à la fréquence habituelle dans la langue, du même son de consonne.

Anachronisme : c'est une erreur qui consiste à attribuer à une époque des événements, des coutumes, des idées qui appartiennent à une autre époque. L'anachronisme peut aussi être voulu, pour provoquer le comique par exemple.

Anacoluthe : cette figure de style consiste à créer un écart, une rupture de construction par rapport à la syntaxe courante, comme une sorte d'erreur voulue.

Anagramme : on fabrique un anagramme lorsqu'on utilise toutes les lettres, ou une partie des lettres d'un mot, en les mettant dans un ordre différent, pour composer un autre mot. Rabelais avait choisi pour pseudonyme l'anagramme de son vrai nom Alcofribas Nasier.

Analogie : mise en relation de deux objets, deux phénomènes, deux situations qui appartiennent à des domaines différents mais font penser l'un à l'autre parce que leur déroulement, leur aspect présentent des similitudes. Le raisonnement par analogie est la recherche d'une conclusion à partir de cette mise en relation.

Anaphore : répétition du même mot ou de la même expression au début de plusieurs vers, phrases ou paragraphes.

Anthologie : recueil composé d'un ensemble de textes ou d'extraits choisis pour leur valeur esthétique (*anthos*, en grec, signifie « fleurs »).

Anthropomorphisme : attribution de la forme humaine à Dieu ou à des divinités.

Antihéros : dans une œuvre littéraire ou cinématographique, l'antihéros est un personnage principal qui ne possède aucune des qualités remarquables du héros traditionnel. Il est au contraire falot, sans envergure. Les personnages de Flaubert sont souvent des antihéros.

Antiphrase : figure de style consistant à dire le contraire de ce que l'on veut faire entendre, tout en ne laissant aucun doute sur ce qu'on pense.

Antiroman : roman qui refuse toutes les règles traditionnelles du genre, et qui dénonce ainsi les illusions sur lesquelles repose le roman. On a pu dire par exemple que *Jacques le Fataliste*, de Diderot, était un antiroman parce qu'il brouille sans cesse les intrigues, va même jusqu'à les modifier en cours de route pour empêcher le lecteur de céder à l'illusion du réel.

Antithèse : opposition, à l'intérieur d'une même unité du discours (membre de phrase, phrase, paragraphe, strophe), de deux idées, deux sensations ou sentiments, deux réalités.

Antonyme : terme de sens contraire par rapport à un autre terme.

Aparté : au théâtre, réplique entendue par le public mais non par l'interlocuteur pourtant en scène.

Aphorisme : réflexion formulée de façon brève.

Apologie : on prononce ou on écrit une apologie lorsqu'on défend inconditionnellement quelqu'un ou quelque chose.

Apologue : court récit allégorique, en vers ou en prose, contenant une morale.

Apostrophe : brusque interpellation d'une personne, ou d'une chose qui se trouve ainsi personnifiée.

Archaïsme : tour de la langue, qui n'est plus usité, mais qui peut être employé intentionnellement.

Argot : terme désignant tout lexique spécifique à une profession ou à un milieu social et qui, parce qu'il n'est pas connu des autres, est un signe de reconnaissance au sein du groupe.

Argument : idée qui sert à démontrer une thèse.

Argumentation : ensemble d'idées logiquement reliées afin de démontrer une thèse.

Argumentateur : personne qui cherche à convaincre son interlocuteur (l'argumenté).

Assonance : répétition insistante, à une fréquence supérieure à la fréquence habituelle dans la langue, du même son de voyelle. L'assonance a été employée par les premiers poètes français (Moyen Âge) avant la généralisation de la rime.

Lexique des notions et des procédés littéraires

Autobiographie : comme le montre l'étymologie, c'est le récit rétrospectif qu'une personne fait de sa propre existence.

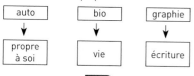

À la différence des mémoires, qui insistent avant tout sur l'époque historique à laquelle l'auteur a vécu, l'autobiographie insiste sur l'histoire individuelle (*Les Confessions* de Rousseau).

Ballade : poème composé de trois strophes et d'un envoi au dédicataire. Le nombre de vers de chaque strophe est égal au nombre de syllabes de chaque vers (trois strophes de huit octosyllabes par exemple). le dernier vers de chaque strophe constitue le refrain.

Baroque : qualificatif donné à un style qui s'éloigne des règles de la Renaissance classique et qui privilégie l'irrégulier, le mouvement et le jeu des apparences et des métamorphoses. Il a d'abord été un style architectural, sculptural et pictural, en Italie. Dans la littérature française, il est représenté par un grand nombre d'œuvres du début du XVIIᵉ siècle, et la période classique s'imposera ensuite par réaction.

Bienséance : terme de la critique classique, très usité au XVIIᵉ siècle, qui désigne la convenance, la décence, la délicatesse. La règle des bienséances dans le théâtre classique interdisait que les personnages mangent, boivent, se tuent ou meurent sur scène.

Bouffon : adjectif qui désigne ce qui fait rire par la farce, par une exagération grossière.

Bucolique : terme littéraire qui qualifie un texte évoquant la vie des bergers, mais sous une forme idéalisée.

Burlesque : adjectif qui désigne un comique outré, reposant sur l'extravagance des situations. Substantivé, il a désigné aussi un genre littéraire ou un style dont le comique naissait du contraste entre le sujet, qui se voulait noble, et le style familier et amusant dans lequel il était traité. Ce genre a été très à la mode au milieu du XVIIᵉ siècle.

Cacophonie : c'est, au contraire de l'euphonie, la rencontre de sons qui ne vont pas ensemble.

Calembour : jeu de mot jouant sur la ressemblance sonore pour employer un mot ou un groupe de mots à la place d'un autre.

Calligrammes : poème que l'auteur représente sous la forme d'un dessin. Les lignes de ce dessin sont les vers eux-mêmes.

Caractérisation d'un personnage : manière dont l'auteur construit son personnage, lui donne progressivement les caractéristiques qui l'inscriront dans la mémoire du lecteur.

Caricature : portrait qui grossit les défauts de la personne, dans le but de faire rire.

Catastrophe : dans la dramaturgie classique, c'est le dernier événement, en général funeste, qui amène le dénouement d'une tragédie.

Catharsis : mot emprunté au philosophe grec antique Aristote. Pour lui, le spectateur se libère de passions qui pourraient être dangereuses. Le sort du spectacle purifié parce qu'il a libéré ses passions sur le mode imaginaire, en s'identifiant aux personnes ou situations sur scène.

Césure : coupe principale fixe dans un vers.

Champ lexical : l'ensemble des mots qui, dans un texte, appartiennent par leur dénotation à un même domaine.

Chanson de geste : poème épique écrit en langue vulgaire (XI-XIIᵉ siècles), en alexandrins ou en décasyllabes, avec des assonances. Il comportait plusieurs milliers de vers et était récité avec un accompagnement musical. Il avait pour sujet les exploits plus ou moins merveilleux de héros réels mais souvent mythifiés. Les plus célèbres ont raconté la légende de Charlemagne.

Chiasme : figure de style consistant à faire se suivre deux membres de phrase contenant les mêmes éléments syntaxiques et lexicaux, mais dont on intervertit l'ordre dans le deuxième membre de phrase, de façon à créer un effet de miroir.

Chute : élément de surprise par lequel on termine un texte, dans la nouvelle par exemple. Dans un sonnet, c'est le dernier vers.

Citation : phrase extraite d'une œuvre connue pour illustrer une explication.

Classique : la période classique dans la littérature française se situe dans la seconde moitié du XVIIᵉ siècle. Parmi les écrivains classiques, on peut citer Boileau, La Bruyère, La Fontaine, Racine. L'écrivain classique considère qu'il existe une nature humaine universelle et, par conséquent, il veut décrire les comportements, les sentiments et les passions de l'homme de tous les temps. L'art classique se caractérise aussi par la recherche de la mesure, de l'ordre, de l'équilibre, d'une certaine retenue.

Cliché : expression ou image devenue banale pour avoir été trop souvent employée.

Comédie : genre théâtral qui vise à faire rire ou sourire le spectateur.

Commedia dell'arte : ce genre de comédie est né en Italie dans la deuxième moitié du XVIᵉ siècle. Les comédiens, qui incarnent des personnages stéréotypés, improvisent à partir d'un canevas, c'est-à-dire d'un plan qui fixe grossièrement les éléments de l'intrigue.

Comparaison : figure de style par laquelle sont rapprochées deux réalités en fonction d'un rapport de ressemblance au moyen d'un outil de comparaison.

Concession : faire une concession, c'est admettre un point de vue différent du sien. Un raisonnement par concession commence d'abord par reconnaître que la thèse adverse se justifie dans une certaine mesure. Ensuite le raisonnement s'attache à critiquer et à exposer une antithèse. Un paragraphe, mais aussi un plan de devoir, peut être organisé en raisonnement par concession.

Confident : au théâtre, il s'agit d'un personnage secondaire qui a pour fonction essentielle de recevoir les confidences du héros. C'est par exemple le cas d'Œnone dans la *Phèdre* de Racine. Le spectateur prend ainsi connaissance des sentiments éprouvés par le héros.

Connecteur : terme qui établit un lien logique entre deux énoncés.

Connotations : l'ensemble des associations d'idées et d'impressions qui peuvent s'ajouter au sens strict d'un mot, par influence du contexte, ou des références culturelles, sociales ou personnelles.

Conte : récit bref qui fait entrer le lecteur dans un monde différent du monde réel (conte merveilleux ou fantastique). Il peut inviter à la réflexion (conte philosophique).

Contrepèterie : permutation de sons, de lettres ou de syllabes, dans un ensemble de mots, pour faire surgir un autre sens générateur de comique.

Contre-rejet : fait de commencer un groupe syntaxique ou une phrase à la fin d'un vers pour le continuer au vers suivant.

Controverse : il s'agit d'un débat, d'une polémique, sur un sujet à propos duquel il y a désaccord.

Correspondance : selon cette théorie, illustrée par Baudelaire, il existerait :

– des correspondances « horizontales », ou « synesthésiques », entre les différents sens (« il est des parfums frais comme des chairs d'enfants / Doux comme les hautbois, verts comme les prairies ») ;

– des correspondances verticales, c'est-à-dire une relation entre notre monde visible et un monde invisible.

Coup de théâtre : événement imprévu qui modifie le cours de l'action.

oupes : pauses du vers, qui se situent après chaque syllabe accentuée.

éduction : cette opération logique consiste à passer d'une étape à l'étape suivante, souvent sous la forme du passage d'une cause à une conséquence. La déduction peut aussi avoir un sens plus particulier qui s'oppose alors au sens de l'induction : c'est le passage du général au particulier, alors que l'induction est le passage du particulier au général.

énotation : sens premier d'un mot, tel que le donne le dictionnaire.

énouement : moment où, à la fin d'une pièce de théâtre, se résout le conflit.

escription : texte qui cherche à fournir au lecteur une représentation précise ou évocatrice d'un objet, d'un lieu, d'un individu.

ésinence : élément grammatical, composé d'une ou plusieurs lettres, qui s'ajoute à la fin d'un mot pour signifier le genre, le nombre, le temps ou le mode en conjugaison, la fonction du mot quand une langue comporte des déclinaisons.

estinataire : en théorie de la communication, personne ou groupe auquel un message est destiné.

Deus ex machina : personnage, ou événement, qui intervient brusquement, et sans rapport avec la logique de l'action, pour permettre le dénouement d'une pièce de théâtre. Dans la tragédie classique, ce procédé était interdit, mais il était accepté dans la comédie. C'est ainsi que la reconnaissance ultime des pères et des enfants dans *L'École des femmes* de Molière peut être considérée comme un *deus ex machina* permettant à la comédie de bien se terminer. Cette expression, qui signifie « le dieu surgissant de la machine », remonte à la pratique antique qui consistait à faire descendre un dieu sur la scène par une machinerie pour dénouer l'intrigue.

Dialectique : terme qui désigne l'ensemble des moyens mis en œuvre pour convaincre ou réfuter ; il désigne aussi la stratégie de la pensée qui consiste à examiner thèse et antithèse pour les dépasser dans une synthèse.

Diatribe : texte ou discours qui attaque de façon violente une personne ou une institution.

Didactique : adjectif qui qualifie tout ce qui a pour objectif d'instruire.

Didascalies : indications de l'auteur concernant les personnages présents et leur prise de parole, les décors, les costumes, les gestes, la façon de proférer le texte.

Diérèse : prononciation en deux voyelles nettement séparées de deux sons vocaliques contigus dans un même mot (l'inverse de la synérèse).

Digression : c'est un hors-sujet, c'est-à-dire un propos étranger au sujet général d'un discours, d'un débat, d'un écrit.

Dilemme : obligation de choisir entre deux partis contradictoires, mais qui tous les deux présentent des inconvénients.

Discours rapporté : paroles d'un personnage transcrites dans un récit au style direct ou indirect, ou encore au style indirect libre.

Distique : strophe de deux vers.

Dithyrambe : poème ou discours enthousiaste et élogieux.

Dizain : strophe de dix vers.

Double énonciation : terme utilisé pour le texte théâtral, signifiant que le personnage s'adresse à deux interlocuteurs à la fois : à un autre personnage, et indirectement au public.

Dramatique : adjectif. Il ne doit pas être confondu avec « tragique ». Il désigne d'abord ce qui se rapporte à l'action (en grec, *drama* = action) : on parle dans ce sens de l'intérêt dramatique d'une scène ou d'un passage. Mais « dramatique » signifie aussi tout ce qui concerne le théâtre : l'expression « genre dramatique » désigne tous les types d'œuvres théâtrales.

Dramaturgie : on donne ce nom à l'art de la composition des pièces de théâtre. De ce fait, la personne qui écrit une pièce de théâtre s'appelle un dramaturge.

Drame : genre théâtral qui s'est défini par rapport à la tragédie et à la comédie classiques. Il a pris des formes diverses en fonction de ce à quoi il s'opposait exactement : au XVIIIe siècle, le drame bourgeois (Diderot) veut prendre ses distances vis-à-vis des situations et personnages nobles de la tragédie ; au XIXe, le drame romantique (Hugo) refuse la distinction entre tragique et comique ; le drame moderne prend des formes variées qui nient la distinction en genres prédéfinis.

Écart : dans l'étude du style, un écart est une variation originale, propre à un auteur, qui s'éloigne de l'usage habituel du langage.

École : on appelle école un groupe d'artistes qui partagent les mêmes idées sur les techniques et les buts de leur art, comme par exemple l'école romantique ou l'école naturaliste au XIXe siècle.

Éditorial : dans un journal ou dans un magazine, un éditorial est un article qui définit la ligne politique, l'orientation de l'équipe de rédaction. Celui qui l'écrit est en général le rédacteur en chef.

Effet de réel : impression de réalité perçue par le lecteur et qui est obtenue à l'aide de procédés divers, comme par exemple la description ou l'adoption du point de vue du personnage.

Élégie : poésie lyrique, souvent amoureuse, dont le ton est mélancolique et tendre.

Ellipse : omission de un ou plusieurs éléments dans une phrase ou dans un récit.

Éloge : discours qui valorise un individu, une œuvre.

Éloquence : l'art de bien parler.

Emphase : on parle d'emphase pour caractériser une expression d'une solennité excessive.

Encyclopédie : ouvrage ayant pour ambition de recenser et exposer l'état actuel de toutes les connaissances humaines. C'est au XVIIIe siècle qu'eut lieu en France la première entreprise encyclopédique. La fabrication de cette première encyclopédie dura vingt ans et ce fut Diderot qui la dirigea.

Enjambement : il y a enjambement lorsque la fin d'un vers ne coïncide pas avec la fin d'un groupe syntaxique.

Énonciation : l'acte de production de l'énoncé.

Énumération : accumulation de termes qui décrivent une situation.

Épigramme : tout petit poème qui se termine par une attaque satirique. L'une des plus connues de la littérature française est celle de Voltaire contre un adversaire des philosophes :
« L'autre jour au fond d'un vallon,
Un serpent piqua Jean Féron.
Que pensez-vous qu'il arriva ?
Ce fut le serpent qui creva. »

Épilogue : à la suite d'un récit, l'épilogue raconte rapidement ce qui s'est passé.

Épistolaire : adjectif qui désigne tout ce qui concerne les lettres. On parle par exemple de roman épistolaire, lorsque le roman est une série de lettres échangées entre des personnages. *La Nouvelle Héloïse* de Rousseau, ou *Les Liaisons dangereuses* de Choderlos de Laclos, sont des romans épistolaires du XVIIIe siècle.

Épître : lettre en vers.

Épique : ton qui donne à un événement la valeur d'un acte héroïque.

Épopée : ce long poème narratif raconte les actions héroïques d'un homme ou d'un peuple, en y mêlant une part de merveilleux.

Essai : texte argumentatif qui analyse un aspect d'un sujet.

Étymologie : ce terme a deux sens :
– science qui fait des recherches sur l'origine des mots ;
– histoire d'un mot depuis son origine.

Lexique des notions et des procédés littéraires

Euphémisme : figure de style dont le but est d'atténuer le sens d'un mot en employant à sa place un autre mot ou une autre expression.

Euphonie : on parle d'euphonie quand un ensemble de phonèmes produit un effet harmonieux.

Exergue : citation en tête d'un texte. On en trouve par exemple au début des chapitres dans certains romans.

Exorde : en rhétorique, c'est la première partie d'un discours, l'entrée en matière, qui a souvent pour but d'attirer l'attention et la bienveillance de l'auditoire.

Exposition : terme désignant, au théâtre, la ou les scènes dont la fonction principale est de fournir sur la situation et les personnages les renseignements nécessaires pour que le lecteur ou le spectateur comprennent l'action et ses enjeux.

Fable : petit récit imaginaire, en vers ou en prose, qui met en scène des animaux, ou des personnages symboliques ou allégoriques, et qui permet d'illustrer une morale.

Fabliau : forme poétique du Moyen Âge. C'est un texte narratif bref, à rimes plates, qui raconte une histoire amusante, triviale, et met en scène des personnages à l'opposé des personnages de la littérature courtoise.

Farce : petite pièce bouffonne, qui a pour but de faire rire avec un comique assez schématique.

Fiction : le terme désigne ce qui est inventé dans une œuvre littéraire.

Figure de style : procédé d'écriture qui attire l'attention du lecteur.

Focalisation (ou point de vue) : choix d'un type de narration qui consiste à faire savoir au lecteur tout ou partie de l'histoire racontée : ou il sait tout (focalisation zéro), ou il ne sait que ce qu'il verrait de l'extérieur (focalisation externe), ou il ne sait que ce que voit, pense et ressent un personnage (focalisation interne).

Francophonie : on désigne ainsi l'ensemble des personnes qui parlent le français à travers le monde. Il existe donc une littérature appelée francophone.

Genre : catégorie dans laquelle on rassemble les œuvres littéraires ayant un certain nombre de points communs. On parle de genre poétique, de genre romanesque...

Gradation : succession de termes d'intensité croissante (gradation ascendante) ou décroissante (gradation descendante).

Grotesque : adjectif qui désigne, en art, la représentation risible de ce qui est bizarre, caricatural, fantastique.

Harmonie imitative : répétition de sons par laquelle l'auteur imite le bruit de ce qui est évoqué dans le texte.

Harmonie suggestive : répétition de sons par laquelle l'auteur suggère un sentiment ou une sensation.

Hémistiche : chacune des deux moitiés de l'alexandrin ou du décasyllabe.

Hermétisme : caractéristique d'une œuvre très difficile à comprendre, secrète, et peu accessible au profane.

Héros : personnage principal d'un récit, d'une pièce de théâtre, d'un film.

Hiatus : on appelle hiatus la rencontre de la voyelle sonore qui termine un mot avec la voyelle sonore qui commence le mot suivant. La doctrine classique interdisait le hiatus en poésie, car désagréable à l'oreille.

Humanisme : c'est un mouvement de pensée de la Renaissance qui s'est caractérisé par la volonté de promouvoir l'esprit humain auquel il faisait pleine confiance. C'était aussi une volonté de renouer avec les valeurs et l'art de l'Antiquité. Les humanistes avaient une grande soif de connaissances. Par extension, ce terme désigne toute doctrine qui a pour fin l'homme et son épanouissement.

Homonyme : on appelle homonymes des mots qui ont un sens différent mais qui se prononcent de la même façon. Exemple : sot, seau, sceau, saut.

Humour : c'est une forme d'esprit qui jette un œil neuf sur les conventions en usage, pour en dénoncer les dysfonctionnements, mais sans agressivité, à la différence de l'ironie qui est beaucoup moins bienveillante. Cependant, il existe aussi l'humour noir, qui souligne, avec une certaine cruauté et une désillusion extrême, les absurdités du monde.

Hymne : poème ou chant à la gloire des héros, des dieux. Il ne correspond pas à une forme littéraire précise. Au XVIᵉ siècle, Ronsard a écrit de nombreux hymnes.

Hyperbole : figure de style consistant à employer des termes trop forts, exagérés.

Idéogramme : signe d'écriture qui représente à lui seul un objet ou une idée, et non pas seulement un son (écriture phonique), ou une syllabe (écriture syllabique). L'écriture chinoise est idéogrammatique.

Image : procédé qui a pour but de rendre une idée ou une réalité plus sensible ou

plus belle, en donnant à ce dont on parle des formes qui viennent d'autres objets. La métaphore, la comparaison, l'allégorie, par exemple, sont des images.

Imbroglio : situation très embrouillée, très complexe, dans laquelle il est difficile de se retrouver. On peut parler d'imbroglio pour l'intrigue de certaines pièces de théâtre.

Implicite : propos qui n'est pas exprimé dans un énoncé mais qui est présupposé ou sous-entendu.

Incipit : première phrase d'une œuvre, qui introduit le lecteur dans cette œuvre.

Index : liste, par ordre alphabétique, des noms propres ou des sujets dont il a été question dans un ouvrage ; il en figure un à la fin de cet ouvrage.

Indices de subjectivité : sentiment, émotion ou jugement d'un locuteur qui apparaissent dans ses paroles.

Induction : type de raisonnement qui consiste à passer du particulier au général. C'est un raisonnement fréquent dans les sciences expérimentales, quand on tire des règles générales d'une série d'observations.

Intermède : sorte de divertissement entre deux actes d'une pièce de théâtre. Molière a souvent utilisé des intermèdes dans les comédies (ex. : *Le Bourgeois gentilhomme*).

Intertextualité : dans un texte, c'est l'ensemble des allusions à d'autres textes déjà écrits, aux idées qui existent déjà, aux motifs culturels déjà développés par d'autres écrivains. Quand on explique un texte, il est important de savoir déceler ces allusions plus ou moins implicites.

Intimiste : adjectif qui qualifie une œuvre littéraire ou un film centré sur la peinture très approfondie et très nuancée de la vie psychologique.

Intonation : mouvement mélodique de la parole, caractérisé par des variations de hauteur.

Intrigue : enchaînement des événements dans un récit de fiction ou dans une pièce de théâtre. Dans un récit de fiction, on peut mettre en évidence les phases successives de l'intrigue.

Inversion : dans une phrase, construction non conforme à l'ordre habituel de succession des mots. L'inversion permet parfois de mettre en valeur un terme.

Ironie : moquerie qui consiste à faire entendre le contraire de ce qu'on dit, ou à donner aux mots un sens détourné.

Légende : ce terme a deux sens. Il désigne un récit en grande partie imaginaire, mais qui s'est développé sur un fond de réel.

Dans un tout autre domaine, il désigne le texte qui accompagne une image.

Litmotiv : thème ou formule qui revient plusieurs fois dans une œuvre.

Lexique : terme employé pour désigner l'ensemble des mots propres à un groupe ou à une personne. On peut donc avoir plusieurs types de lexique.

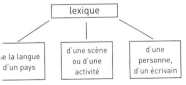

Linguistique : science fondée par Ferdinand de Saussure, qui a pour ambition l'étude des faits de langue phonétiques, syntaxiques, sémantiques ou sociaux.

Litote : figure de style consistant à dire le moins pour suggérer le plus.

Lyrisme : on qualifie ainsi l'expression de sentiments personnels intimes.

Madrigal : quelques vers destinés à faire un compliment galant.

Manifeste : texte théorique qui proclame les intentions d'un mouvement intellectuel, artistique, politique.

Marivaudage : terme qui désigne ce qui fait penser aux échanges amoureux des pièces de Marivaux : galanteries précieuses, raffinement, frivolité élégante.

Maxime : c'est une règle de conduite. Mais c'est aussi la formule concise et frappante qui énonce cette règle de conduite. Au XVII⁰ siècle, La Rochefoucauld en a écrit un recueil.

Mélodrame : drame populaire qui accentue et exagère les effets de pathétique. Beaucoup de mélodrames ont été écrits au XIXᵉ siècle.

Mémoires : récit autobiographique où l'auteur raconte sa vie et les événements historiques dont il a été acteur et témoin.

Merveilleux : à la différence du fantastique où le lecteur hésite entre une solution rationnelle et l'irruption de l'irrationnel, dans le merveilleux la présence du surnaturel est acceptée comme telle. C'est par exemple le cas dans les contes de fées.

Métalangage : ensemble des termes et des propos utilisés pour décrire une langue ; c'est la langue parlant de la langue.

Métaphore : figure de style qui consiste à utiliser, pour désigner une réalité, un terme ou des termes (métaphore filée) qui sont habituellement employés pour désigner une autre réalité qui entretient avec la première un rapport de ressemblance.

Métonymie : figure de style consistant à désigner un référent par un terme désignant habituellement un autre référent, mais qui entretient avec le premier un rapport soit de contenant à contenu (« la salle a applaudi »), soit d'instrument pour celui qui l'emploie (« c'est le premier violon »), soit de lieu pour la chose (un coulommiers).

Métrique : étude des éléments de mesure dont sont formés les vers.

Mise en scène : art de porter à la scène un texte en utilisant les ressources de l'espace scénique (déplacement des acteurs, décor, lumière).

Modalisation : tout ce qui dans l'énoncé définit l'attitude de l'émetteur par rapport à cet énoncé, en particulier son degré d'adhésion, les nuances qu'il apporte.

Monologue : au théâtre, il s'agit des propos que tient un personnage qui se trouve (ou se croit) seul.

Monologue intérieur : l'expression appartient au lexique du récit. Elle désigne l'artifice qui consiste à rapporter telle quelle la pensée du personnage, comme si nous étions à l'intérieur de sa conscience.

Moraliste : on donne ce nom à un écrivain qui dépeint les mœurs, qui réfléchit sur la nature humaine et les comportements des hommes. On peut par exemple considérer que La Bruyère, écrivain du XVIIᵉ siècle, est un moraliste.

Moralité : le terme possède en littérature un sens particulier. Il s'agit d'une sorte de pièce de théâtre brève, qui comporte souvent des allégories de notions appartenant à la morale, et qui a existé à la fin du Moyen Âge.

Mystère : dans une acception littéraire ce mot désigne une sorte de pièce de théâtre religieuse qui était courte au début mais qui est devenue de plus en plus longue : dans la première moitié du XVIᵉ siècle, elle pouvait durer jusqu'à plusieurs jours. Son sujet était toujours tiré de l'Ancien ou du Nouveau Testament.

Mythe : on peut dégager trois sens :

– le mythe est un récit fabuleux anonyme, auquel on peut trouver un sens symbolique, et qui fait partie des traditions d'une communauté humaine ;

– on appelle également mythe la représentation de faits ou de personnages de façon amplifiée et déformée parce que cela exprime les désirs de la communauté qui véhicule ce mythe ;

– dans un sens péjoratif, on traite de mythe une construction de l'esprit qui ne repose sur rien de réel.

Narrateur : celui par lequel est racontée une histoire. Le narrateur peut être l'un des personnages ; et même lorsqu'il n'est pas un personnage il est celui qui prend en charge le récit sans vraiment représenter l'auteur, sauf dans le cas de l'autobiographie.

Narratologie : ce terme désigne toutes les études qui sont faites sur l'art de mener un récit.

Naturalisme : ce mouvement littéraire de la fin du XIXᵉ siècle est né dans le prolongement du réalisme. Comme lui, il veut peindre la réalité avec exactitude, en particulier la réalité sociale. Mais il veut aussi adopter une démarche d'observation, comparable à celle des sciences de la nature, pour respecter encore mieux les données du réel. Il s'est fait reprocher une complaisance dans le sordide, mais c'était aussi par refus de laisser de côté certains aspects de la vie sociale. Émile Zola est le chef de file du Naturalisme.

Néologisme : invention d'un mot qui n'existait pas précédemment dans le lexique. Le terme de néologisme désigne aussi le mot inventé lui-même. Le fait de donner un sens nouveau à un mot déjà existant peut aussi créer un néologisme.

Nouveau Roman : ce mouvement est né vers 1950 d'une remise en question du roman traditionnel. Il veut détruire la notion de personnage et l'analyse psychologique ; il refuse de mettre en place une intrigue. Ce qui compte, c'est le travail de l'écriture. « Le roman n'est plus l'écriture d'une aventure, mais l'aventure d'une écriture », dit le théoricien Jean Ricardou.

Nouvelle : récit bref, qui se distingue du conte parce qu'il ne fait pas appel au merveilleux, et du roman par sa brièveté.

Objection : argument qui sert à réfuter une thèse.

Octosyllabe : vers de huit syllabes.

Ode : poème lyrique dans lequel le poète exprime ses sentiments. Elle est composée de plusieurs strophes, semblables par le nombre et la mesure des vers.

Omniscient : le narrateur est omniscient lorsque par convention il est censé tout connaître sur les événements et les personnages, y compris leur pensée.

Onirique : on caractérise ainsi un texte où abondent les visions de rêve ou de délire.

Onomatopée : mot qui rappelle, par ses sonorités, le bruit que fait l'objet, l'être, ou l'action qu'il désigne. Exemple : le glouglou, le coucou, le tic-tac.

Lexique des notions et des procédés littéraires

Opposition : mode de raisonnement qui confronte des idées contradictoires.

Oraison funèbre : expression qui désigne le sermon ou le discours écrit pour être prononcé au moment de la mort d'un personnage illustre. Au XVIIe siècle, Bossuet en a écrit un certain nombre, en particulier *L'Oraison funèbre d'Henriette de France*.

Oxymore (ou alliance de mots) : figure de style permettant de relier étroitement dans la même expression deux termes évoquant des réalités contradictoires.

Pamphlet : il est destiné à attaquer une personne ou une institution. Voltaire en a écrit beaucoup, souvent anonymes ou sous des pseudonymes, pour ne pas être poursuivi par la censure.

Panégyrique : discours de cérémonie, composé pour chanter la gloire d'une personne illustre.

Parabole : petit récit qui a pour but de dégager une morale, une leçon, par l'intermédiaire de son symbolisme.

Paradoxe : un paradoxe est une idée qui surprend parce qu'elle est en contradiction avec ce qui est habituellement admis.

Parallélisme : succession de deux constructions lexicalement et/ou syntaxiquement très proches pour exprimer deux idées.

Paraphrase : elle consiste à réécrire un texte avec d'autres mots mais sans rien changer au sens du texte. Faire de la paraphrase quand on commente un texte, c'est répéter le contenu du texte sans expliquer la façon dont il est écrit, sans apporter des précisions pour élucider et interpréter.

Parataxe : ce procédé consiste à juxtaposer des phrases sans exprimer le lien logique qui les unit.

Paratexte : le terme désigne l'ensemble des informations données sur un texte : introduction, notes, renseignements biographiques sur l'auteur...

Parnasse : mouvement poétique de la seconde moitié du XIXe siècle, qui réagit contre certaines tendances du romantisme, en particulier contre l'expression trop complaisante des sentiments personnels. Les parnassiens soulignent l'importance du travail et de la technique dans la composition. Ce mouvement est représenté par Leconte de Lisle, José-Maria de Heredia et Théophile Gautier.

Parodie : imitation comique, qui peut même être moqueuse.

Paronomase : figure de style qui consiste à rapprocher des mots dont les sonorités sont voisines mais les sens différents.

Paronyme : on appelle paronymes des mots de sens différents mais proches par leurs sonorités. *Exemple* : avoir-asseoir, argent-ardent... Ils peuvent être responsables de confusions qui perturbent la communication, mais ils sont aussi à l'origine de la figure de style qu'on appelle la paronomase. Le jeu sur les paronymes est aussi une source inépuisable de quiproquos comiques (ex. : la grammaire et la grand-mère dans la fameuse scène 6 de l'acte II des *Femmes savantes*).

Pastiche : écrit dans lequel l'auteur imite le style d'un autre auteur. Ce peut être dans une intention parodique, c'est aussi un moyen d'apprendre soi-même à écrire. Dans certains cas, le pastiche atteint même les dimensions d'un véritable texte littéraire : Marcel Proust a réalisé de remarquables pastiches, en particulier ceux qui sont réunis dans son recueil intitulé *Pastiches et Mélanges*.

Pastorale : dans ces textes littéraires, les personnages sont des bergers mais ne sont pas du tout décrits de façon réaliste. Ils sont maniérés, raffinés.

Pathétique : caractère d'un texte qui provoque une grande émotion, qui éveille par exemple des sentiments de pitié.

Pause : moment d'un récit où l'action cède la place à la description.

Période : phrase complexe amplement, clairement et harmonieusement développée, qui comporte une phase montante et une phase descendante.

Péripétie : dans une pièce de théâtre ou un récit, c'est un changement brusque de la situation.

Périphrase : remplacement d'un mot par une expression équivalente qui exprime une des qualités ou un des attributs de la réalité désignée.

Péroraison : en rhétorique, c'est la dernière partie d'un discours, qui fait appel à la pitié ou à la clémence.

Personnification : figure de style consistant à prêter des comportements ou des sentiments humains à un être inanimé ou à un animal.

Phonème : la plus petite unité de son de la langue. Chaque langue en comporte un certain nombre qui se lient pour former des mots.

Picaresque : le mot vient de l'espagnol « picaro », qui signifie coquin. Les romans picaresques mettent en scène les tribulations de personnages qui circulent à travers le pays et les milieux sociaux, et sont parfois sans scrupules.

Plagiat : le fait de recopier des passages appartenant à d'autres auteurs, en faisant croire qu'on les a écrits soi-même.

Plaidoyer : discours qui défend un individu ou une thèse.

Pléonasme : le fait de donner deux fois la même information dans une expression, ex. : « monter en haut ».

Poème en prose : poème qui abandonne la forme du vers et qui valorise la recherche du rythme de la phrase et des images.

Point de vue (voir focalisation).

Polémique : le terme vient du grec *polemos*, qui signifie « la guerre ».

– Adjectif = qui suppose une attitude critique.

– Nom = débat violent opposant des idées.

Polysémie : pluralité de sens d'une unité de discours (mot, expression, phrase...). Le terme ou l'expression admet plusieurs sens entre lesquels rien ne permet de choisir.

Poncif : on parle de poncif lorsqu'un thème ou une forme d'expression est d'une grande banalité.

Préface : texte qui présente une œuvre pour en défendre l'originalité.

Préfixe : élément composé d'une ou plusieurs lettres, qui se place au début du radical d'un mot pour en modifier le sens.

Préromantisme : nom donné après coup à certains écrivains du XVIIIe siècle qui annonçaient le romantisme. Ils cultivaient déjà le goût pour la nature et privilégiaient l'expression du moi. Rousseau fait partie des préromantiques.

Présent de narration : cette expression qualifie le présent utilisé pour raconter un récit passé lorsqu'on veut le rendre plus vivant.

Présupposé : idée présente dans un énoncé comme une vérité acquise.

Prétérition : figure de style qui consiste à parler de quelque chose en commençant par annoncer qu'on ne vas pas en parler : « Je ne vous dirai pas... ».

Progression du discours : mode d'enchaînement des idées et des exemples dans un texte argumentatif.

Prologue : au théâtre, il s'agit d'une déclaration qui précède la pièce elle-même. Extérieure à l'intrigue, elle peut annoncer ce que sera l'intrigue, en proposer d'emblée une interprétation, etc. L'*Antigone* de Jean Anouilh, par exemple, commence par un prologue, comme toutes les pièces antiques.

Prosodie : étude de la durée et du caractère mélodique des sons dans un poème.

osopopée : figure de style qui consiste à imaginer le discours d'une personne morte ou absente, ou même d'une chose personnifiée.

otagoniste : on désigne ainsi l'acteur qui joue le rôle principal dans une pièce de théâtre, un film ou même une situation quotidienne.

seudonyme : nom d'emprunt sous lequel un artiste, un écrivain se fait connaître.

urisme : souci extrême de la correction du langage.

uatrain : strophe de quatre vers.

uintil : strophe de cinq vers.

uiproquo : confusion qui peut porter sur un personnage, un objet ou un lieu, qui est pris pour un autre. Le quiproquo est un ressort de la comédie, il permet à l'action de rebondir. Un quiproquo célèbre du théâtre français se trouve dans *L'Avare*, lorsque Harpagon parle du vol de sa cassette pendant que le prétendant de sa fille Marianne croit qu'il s'agit de celle-ci.

abelaisien : on emploie cet adjectif pour qualifier ce qui rappelle la verve excessive, grossière mais aussi pleine de vie qui caractérise l'œuvre de Rabelais.

adical : partie centrale du mot, porteuse de sa signification essentielle, avant que s'ajoutent préfixes, suffixes, désinences.

éalisme : cet adjectif caractérise un texte ou un auteur qui peint le réel tel qu'il est, avec précision, en évitant d'orienter subjectivement le récit et en excluant tout ce qui ne pourrait pas se produire dans la réalité.

Mais ce terme correspond aussi à un courant littéraire du xixe siècle, dont le précurseur est Balzac. Flaubert et Maupassant marquent l'apogée du réalisme, que Zola infléchit en naturalisme (voir ce mot).

Récit : ce terme offre deux sens bien distincts. Il désigne d'abord un texte racontant un événement ou une série d'événements. Mais il possède aussi un sens spécifique par lequel il s'oppose à la notion de discours.

Redondance : c'est donner plusieurs fois la même information sous des formes différentes. Le pléonasme est une des manifestations de la redondance.

Réfutation : en rhétorique, il s'agit de la partie du discours où l'on démonte les arguments de la thèse adverse.

Règles : d'un point de vue littéraire, ce mot prend un sens très précis quand on fait référence à la période classique. Les

règles étaient les contraintes que les écrivains étaient tenus de respecter. C'était en particulier le cas pour le théâtre.

Rejet : terme indiquant qu'un groupe syntaxique, une phrase ou une proposition s'achève, non à la rime, mais au début du vers suivant.

Réplique : au théâtre, c'est ce qu'un acteur répond à un autre.

Réquisitoire : discours qui dresse la liste des méfaits, des crimes commis par un individu.

Réseau lexical : ensemble des mots d'un texte qui, par leur sens dénoté, mais aussi par leurs sens connotés (c'est la différence avec le champ lexical) se rattachent à un même domaine.

Rhétorique : ce mot a plusieurs sens. Il peut signifier l'art de bien parler et l'éloquence oratoire. Mais il désigne aussi l'art de présenter les idées de la façon la plus persuasive possible.

Rime : répétition du même son à la fin de deux ou plusieurs vers.

Rime intérieure : répétition de la rime finale au milieu du vers.

Roman : à l'origine, le nom de roman a été donné à la langue vulgaire issue du latin. Par extension, on a donné le nom de roman à un écrit en langue romane, qui n'était d'ailleurs pas un écrit en prose, mais une forme poétique en octosyllabes (*Le Roman de Renart*). Puis il a désigné un récit en prose d'aventures imaginaires. Actuellement, la prise en considération de sa longueur conduit à faire la distinction entre la nouvelle, récit court, et le roman, récit beaucoup plus long.

Roman d'apprentissage : roman qui raconte la formation d'un être humain parfois depuis son enfance, mais plus souvent pendant son adolescence et les premières années de sa maturité. On appelle aussi ces types de romans des romans de formation. *L'Éducation sentimentale* de Flaubert en est un.

Roman-feuilleton : roman paraissant par épisodes dans la presse. Ce genre est né au xixe siècle, et de nombreux écrivains ont alors fait connaître plusieurs de leurs romans de cette façon avant de les publier en librairie (Balzac).

Romanesque : ce terme a deux sens bien distincts. Il désigne tout ce qui se rapporte au roman. Mais il qualifie aussi tout ce qui rappelle le côté très sentimental et très aventureux des intrigues de romans faciles.

Rondeau : poème composé d'octosyllabes organisés en trois strophes de cinq, trois puis cinq vers. Les deux dernières strophes sont suivies d'un refrain.

Rythme : dans un vers, il est caractérisé par le retour, à intervalles relativement réguliers, des temps marqués ou accents rythmiques. Par exemple le rythme de l'alexandrin classique correspond à une accentuation sur la 6e et la 12e syllabe. Cette régularité est un des traits distinctifs de la poésie classique, puisqu'en prose, et dans le vers libre, la place des syllabes accentuées n'est pas prédéterminée.

Rythme du texte : rapports qui s'établissent entre le temps de la fiction et celui de la narration. Le récit s'accélère par des omissions, des ellipses, des anticipations. Il ralentit par des retours en arrière, des pauses.

Satire : dans un premier sens, le terme désigne un poème de forme libre, à rimes plates. Mais il s'applique aussi à des écrits en prose. Le but de la satire est de critiquer les mœurs ou une institution. Très souvent l'auteur y attaque les vices et les ridicules de ses contemporains.

Satirique (texte) : qui dénonce et ridiculise les défauts d'un individu ou d'une société.

Scène (récit) : épisode raconté de façon détaillée.

Scène (théâtre) : unité de découpage d'un acte qui correspond à l'arrivée ou au départ d'un personnage.

Schéma actantiel : ensemble des rôles fondamentaux remplis par les personnages d'un récit.

Schéma narratif : succession logique d'actions qui expliquent le décalage entre la situation initiale et la situation finale d'un récit.

Sémantique : cette partie de la linguistique étudie la signification des mots. L'adjectif « sémantique » signifie : « qui concerne le sens ».

Sentence : pensée exprimée de façon dogmatique et littéraire à la fois.

Situation argumentaire : contexte qui permet de définir les enjeux d'une argumentation et les positions des interlocuteurs.

Sizain : strophe de six vers.

Solécisme : faute de syntaxe.

Sommaire : épisode d'un récit raconté avec une grande brièveté.

Sonnet : poème composé de quatorze décasyllabes ou alexandrins répartis en deux quatrains et un sizain lui-même divisible en deux tercets. Les deux quatrains comportent les mêmes rimes : le dernier vers crée un effet de surprise.

Sophisme : raisonnement structuré et articulé qui, de par sa construction, donne l'impression de véracité rigoureuse alors qu'il est en réalité faux.

Lexique des notions et des procédés littéraires

Sous-entendu : propos implicite que l'on peut logiquement déduire d'un énoncé.

Stance : la stance est un groupe de vers formant un système de rimes complet. Au pluriel, les stances signifient un poème composé de ce type de strophes, et qui aborde un sujet sérieux, philosophique, religieux ou élégiaque.

Stéréotype : idée toute faite, qui se révèle à la fois banale et simpliste.

Stichomythie : ce terme appartient au lexique du théâtre. Il désigne la partie d'un dialogue dramatique où les interlocuteurs se répondent vers pour vers.

Strophe : groupe de vers organisé en un ensemble structuré qui participe à la composition d'un poème.

Suffixe : élément composé d'une ou plusieurs lettres, qui s'ajoute à la fin du radical d'un mot pour en modifier le sens.

Surréalisme : mouvement artistique et littéraire qui s'est imposé au lendemain de la Première Guerre mondiale. Il est d'abord une révolte, le désir de renverser l'art, la morale et la société. Les artistes surréalistes (Apollinaire, Breton, Soupault, Ernst, Miró, Dali) se donnent pour mission de saisir ce qui, en l'homme, échappe à la conscience, toutes les zones non rationnelles et pourtant bien réelles de l'activité de l'esprit humain. Ils accordent beaucoup d'importance aux rêves par exemple, ou à la folie.

Synecdoque : figure de style consistant à employer, pour désigner un être ou un objet, un mot désignant une partie ou la matière dont il est fait.

Suspense : dans un récit ou un film, c'est le moment de l'action qui crée chez le lecteur ou le spectateur une attente anxieuse.

Syllogisme : raisonnement qui consiste à tirer une conclusion à partir de deux propositions : les prémisses. Exemple : les hommes sont mortels (prémisse majeure). Or Socrate est un homme (prémisse mineure). Donc Socrate est mortel (conclusion). Les syllogismes, pour être justes, obéissent à des règles rigoureuses étudiées dès l'Antiquité par les philosophes (Aristote).

Symbole : métaphores, images, objets concrets qui évoquent une idée, un idéal ou un état d'âme.

Symbolisme : c'est un mouvement littéraire de la fin du XIXe siècle. Il n'a pas de doctrine précise, mais il est né dans le prolongement de l'œuvre de Baudelaire. On a coutume de considérer comme symbolistes des poètes tels que Verlaine, Rimbaud et surtout Mallarmé. Le poète symboliste cherche à exprimer le moi et le monde par un travail subtil sur la langue, et par l'intervention de symboles qui admettent plusieurs interprétations.

Synecdoque : désignation d'un être ou d'un objet au moyen d'une partie de cet être ou de cet objet (ex. : des bras s'agitaient = des individus).

Synérèse : prononciation en une seule syllabe des deux sons vocaliques contigus dans un même mot. On dira par exemple « lion » en une seule syllabe.

Synonymes : mots qui ont le même sens, ou un sens très proche.

Syntaxe : la syntaxe est la partie de la grammaire qui concerne la façon dont se combinent les divers constituants de la phrase.

Tercet : strophes de trois vers.

Terminologie : ensemble des termes propres à une science, à une technique, ou à un domaine artistique.

Thème : élément de contenu qui revient très souvent à l'intérieur d'une œuvre. Par exemple, le thème de l'eau peut être étudié chez Maupassant, ou le thème de l'automne chez Apollinaire.

Tirade : au théâtre, le terme désigne une suite de phrases ou de vers que l'auteur dit sans interruption.

Tragédie : dans sa définition classique, pièce de théâtre centrée sur une situation de crise que vivent des personnages hors du commun, et qui se termine mal.

Tragi-comédie : genre dramatique du XVIIe siècle, qui mêlait à la tragédie des éléments de comédie. Le Cid, qui se termine bien, alors qu'une tragédie doit se terminer mal, a été qualifié de tragi-comédie.

Tragique : texte qui émeut le spectateur en lui présentant des situations sans issues.

Trilogie : désigne un ensemble de trois œuvres dramatiques dont les sujets font suite les uns aux autres. Au XVIIe siècle, Beaumarchais a écrit une trilogie comprenant Le Barbier de Séville, Le Mariage de Figaro et La Mère coupable.

Trope : terme ancien de la rhétorique qui désigne toutes les figures de style dans lesquelles on emploie les mots avec un sens différent de leur sens habituel. C'est le cas de la métaphore, de la synecdoque, de la métonymie.

Truculent (style) : un style qui n'hésite pas à employer des mots crus, grossiers ou des mots violents.

Truisme : désigne de façon péjorative une banalité, une vérité tellement évidente qu'elle ne valait pas la peine d'être dite.

Type (personnage) : personnage qui incarne une qualité, un défaut, ou qui représente un groupe social, un style de vie.

Utopie : le mot signifie à l'origine le pays de nulle part (utopia : le non-lieu). C'est le titre que l'écrivain anglais Thomas More a donné à son œuvre, dans laquelle il imagine une société idéale. Ce fut le point de départ d'un genre littéraire qui consiste à imaginer une communauté parfaitement organisée. C'est ce que fait Rabelais quand il décrit l'abbaye de Thélème, ou Voltaire lorsqu'il imagine le pays d'Eldorado dans Candide.

Vaudeville : comédie fondée sur des séries de quiproquos et de hasards (genre qui triomphe après 1850 avec Eugène Labiche).

Vers : énoncé identifiable par le retour à la ligne et par le rythme.

Vers impair : vers qui comprend un nombre impair de syllabes.

Vers libres : cette expression a d'abord été employée pour désigner le mélange de divers types de vers dans un ensemble ne respectant pas les systèmes strophiques traditionnels (chez La Fontaine par exemple). Puis l'expression a évolué et peut désigner aussi des vers non rimés.

Verset : dans la Bible, phrase ou petit paragraphe, portant chacun un numéro. Le terme a été repris par Claudel et désigne un ensemble de mots prononcés d'une seule respiration et au terme desquels on va à la ligne, ce qui fait alors du verset l'unité de base de la poésie non versifiée.

Versification : contraintes qui définissent le vers du point de vue du mètre, du rythme, de la rime.

Vitesse du récit : étude comparée du temps de la fiction (durée de l'intrigue, chronologie de l'action) et du temps de la narration (importance accordée à un événement par le récit).

Vraisemblance : c'est le fait de donner l'impression que ce que l'on raconte aurait pu se passer tel quel dans la réalité. Pour certains auteurs, le vraisemblable est encore plus exigeant que le vrai, puisque « le vrai peut parfois n'être point vraisemblable ».

Vulgarisateur : un vulgarisateur a pour but de mettre à la portée du grand public les connaissances des spécialistes.

Index des notions

Index des auteurs

Crédits iconographiques

N° de projet : 10219195 - IRILYS - Dépôt légal : Août 2016
Achevé d'imprimer en Italie par Grafica Veneta - Trebaseleghe (PD)